Crète

Victoria Kyriakopoulos

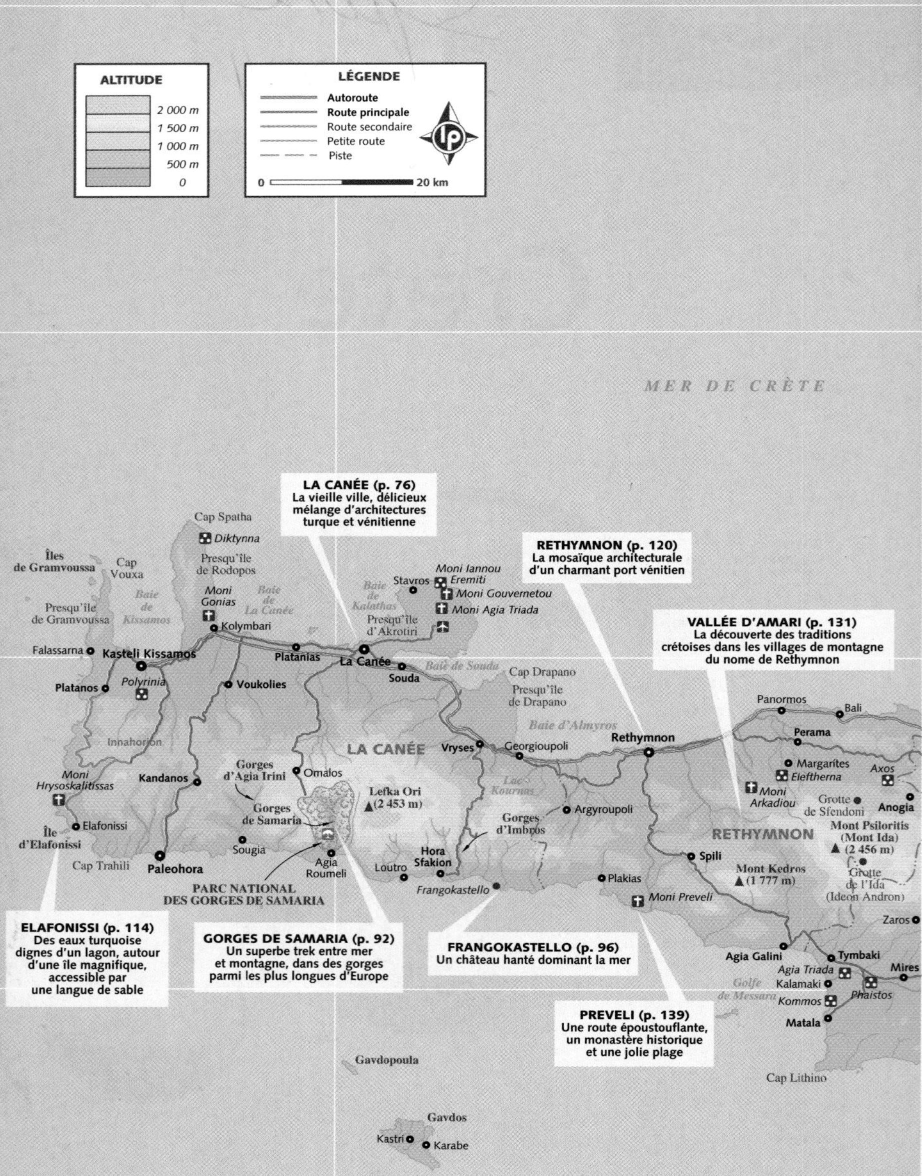

ALTITUDE
2 000 m
1 500 m
1 000 m
500 m
0
LÉGENDE
Autoroute
Route principale
Route secondaire
Petite route
Piste
0
20 km
MER DE CRÈTE
LA CANÉE (p. 76)
La vieille ville, délicieux mélange d'architectures turque et vénitienne
RETHYMNON (p. 120)
La mosaïque architecturale d'un charmant port vénitien
VALLÉE D'AMARI (p. 131)
La découverte des traditions crétoises dans les villages de montagne du nome de Rethymnon
ELAFONISSI (p. 114)
Des eaux turquoise dignes d'un lagon, autour d'une île magnifique, accessible par une langue de sable
GORGES DE SAMARIA (p. 92)
Un superbe trek entre mer et montagne, dans des gorges parmi les plus longues d'Europe
FRANGOKASTELLO (p. 96)
Un château hanté dominant la mer
PREVELI (p. 139)
Une route époustouflante, un monastère historique et une jolie plage
Cap Spatha
Diktynna
Presqu'île de Rodopos
Îles de Gramvoussa
Cap Vouxa
Presqu'île de Gramvoussa
Baie de Kissamos
Moni Gonias
Baie de La Canée
Kolymbari
Falassarna
Kasteli Kissamos
Platanos
Polyrinia
Voukolies
Platanias
La Canée
Souda
Stavros
Moni Iannou Eremiti
Moni Gouvernetou
Moni Agia Triada
Baie de Kalathas
Presqu'île d'Akrotiri
Baie de Souda
Cap Drapano
Presqu'île de Drapano
Baie d'Almyros
Innahorion
Moni Hrysoskalitissas
Kandanos
Gorges d'Agia Irini
Omalos
LA CANÉE
Lefka Ori
(2 453 m)
Gorges de Samaria
Vryses
Georgioupoli
Lac Kournas
Argyroupoli
Gorges d'Imbros
Île d'Elafonissi
Elafonissi
Cap Trahili
Paleohora
Sougia
Agia Roumeli
Loutro
Hora Sfakion
Frangokastello
PARC NATIONAL DES GORGES DE SAMARIA
Rethymnon
Panormos
Bali
Perama
Margarites
Eleftherna
Axos
Moni Arkadiou
Grotte de Sfendoni
Anogia
RETHYMNON
Mont Psiloritis (Mont Ida)
(2 456 m)
Spili
Mont Kedros
(1 777 m)
Grotte de l'Ida (Ideon Andron)
Plakias
Moni Preveli
Zaros
Agia Galini
Tymbaki
Agia Triada
Mires
Golfe de Messara
Kalamaki
Phaistos
Kommos
Matala
Cap Lithino
Gavdopoula
Gavdos
Kastri
Karabe
24° E

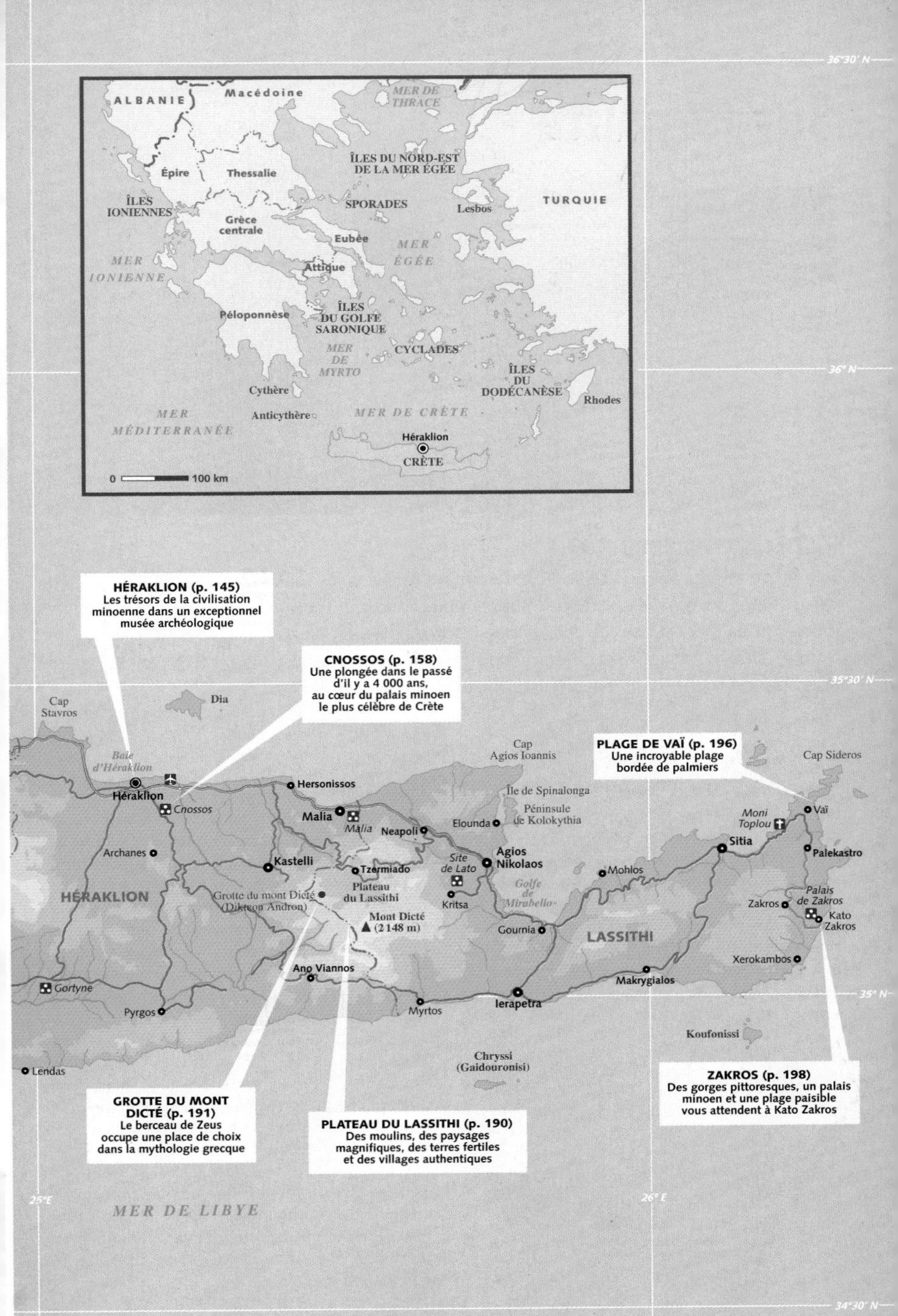

ALBANIE
Macédoine
MER DE THRACE
Épire
Thessalie
ÎLES DU NORD-EST DE LA MER ÉGÉE
ÎLES IONIENNES
SPORADES
Lesbos
TURQUIE
Grèce centrale
Eubée
MER ÉGÉE
MER IONIENNE
Attique
Péloponnèse
ÎLES DU GOLFE SARONIQUE
MER DE MYRTO
CYCLADES
ÎLES DU DODÉCANÈSE
Cythère
Rhodes
MER MÉDITERRANÉE
Anticythère
MER DE CRÈTE
Héraklion
CRÈTE
0 100 km
36°30′ N
36° N
35°30′ N
35° N
34°30′ N
25°E
26° E
HÉRAKLION (p. 145)
Les trésors de la civilisation minoenne dans un exceptionnel musée archéologique
CNOSSOS (p. 158)
Une plongée dans le passé d'il y a 4 000 ans, au cœur du palais minoen le plus célèbre de Crète
PLAGE DE VAÏ (p. 196)
Une incroyable plage bordée de palmiers
Cap Stavros
Dia
Baie d'Héraklion
Héraklion
Cnossos
Hersonissos
Cap Agios Ioannis
Île de Spinalonga
Péninsule de Kolokythia
Cap Sideros
Vaï
Moni Toplou
Malia
Neapoli
Elounda
Sitia
Palekastro
Archanes
Kastelli
Tzermiado
Site de Lato
Agios Nikolaos
Mohlos
HÉRAKLION
Grotte du mont Dicté (Dikteon Andron)
Plateau du Lassithi
Kritsa
Golfe de Mirabello
Palais de Zakros
Zakros
Kato Zakros
Mont Dicté (2 148 m)
Gournia
LASSITHI
Xerokambos
Ano Viannos
Makrygialos
Gortyne
Pyrgos
Myrtos
Ierapetra
Koufonissi
Chryssi (Gaidouronisi)
Lendas
ZAKROS (p. 198)
Des gorges pittoresques, un palais minoen et une plage paisible vous attendent à Kato Zakros
GROTTE DU MONT DICTÉ (p. 191)
Le berceau de Zeus occupe une place de choix dans la mythologie grecque
PLATEAU DU LASSITHI (p. 190)
Des moulins, des paysages magnifiques, des terres fertiles et des villages authentiques
MER DE LIBYE

Sur la route

VICTORIA KYRIAKOPOULOS

À la fin de mon voyage, j'ai pris la route du Sud à travers les montagnes, jusqu'à Sougia. Ce village détendu, épargné par le développement touristique, donne immanquablement envie de revenir. La mer est limpide et la longue plage de galets n'est pas envahie de parasols ni de transats. Une fois rassasié du spectacle du ciel étoilé, vous pouvez vous installer dans l'une des accueillantes tavernes ou danser dans une discothèque en plein air.

LES COUPS DE CŒUR DE L'AUTEUR

Les plus beaux voyages sont une succession d'expériences inoubliables. Depuis le Moni Odigitrias (monastère d'Odigitrias ; p. 175), au sud d'Héraklion, j'ai parcouru à pied les époustouflantes gorges d'Agiofarango (p. 175), paradis des grimpeurs, croisant en chemin des chèvres et des petites chapelles creusées dans la roche, pour déboucher sur une plage splendide. Au retour, je me suis arrêtée pour un repas dans un *kafeneio*, tenu par de charmants écologistes.

L'AUTEUR

Victoria Kyriakopoulos est installée à Melbourne. Auteur free-lance, elle a amplement exploré la Grèce depuis son premier séjour dans la terre natale de ses parents, en 1988. Si sa famille ne vient pas de Crète, elle considère cette île hospitalière comme une seconde patrie depuis qu'elle y a passé plusieurs mois pour les deux précédentes éditions (en anglais) du guide *Crete* de Lonely Planet. Elle est également l'auteur de *Best of Athens*, publié par Lonely Planet.

Victoria a vécu à Athènes entre 2000 et 2004 afin de couvrir les préparatifs des Jeux olympiques et d'autres évènements pour le magazine anglophone de la diaspora grecque, *Odyssey*. Elle a aussi effectué des recherches pour plusieurs émissions de télévision consacrées à la Grèce. Elle a écrit des articles pour des publications dédiées à la cuisine grecque et s'illustre comme critique gastronomique. Enfin, elle contribue régulièrement à des revues australiennes et internationales et travaille comme consultante en relations médias.

CRÈTE

À chacun ses raisons d'aimer la Crète. Cette grande île hospitalière offre une combinaison unique d'histoire et de culture, des plages superbes, des montagnes et des gorges escarpées, des villes sophistiquées et anciennes, des stations balnéaires animées et des villages bucoliques. Vous pouvez commencer la journée en explorant des sites archéologiques, puis visiter un monastère, traverser des montagnes spectaculaires, vous arrêter dans un *kafeneio* traditionnel et terminer par une baignade dans une crique paisible et un dîner de poisson au bord de la mer. Il est impossible de découvrir tous les trésors de la Crète en un seul séjour, mais l'île vous donnera immanquablement envie de revenir.

La Crète antique et minoenne

Les vestiges des palais minoens témoignent de la splendeur de la civilisation minoenne, qui s'épanouit en Crète il y a plus de 4 000 ans. Les merveilleuses collections des musées de l'île donnent un aperçu des mythes, légendes et intrigues de la Crète antique.

3

❶ Musée archéologique d'Héraklion

Les grands trésors minoens, dont les célèbres fresques de Cnossos, sont exposés au superbe Musée archéologique d'Héraklion (p. 148).

❷ Cnossos

Site le plus visité de Crète et ancienne capitale du monde minoen, le palais de Cnossos (p. 158) donne un aperçu du mode de vie de l'époque. Principal monument minoen, sa reconstruction en fait aussi le plus controversé.

❸ Phaistos

L'imposante citadelle de Phaistos (p. 168), second grand site minoen, domine la plaine de la Messara et le mont Psiloritis (mont Ida). Elle impressionne autant par ses dimensions que par son fabuleux emplacement.

❹ Zakros

Dernier palais minoen mis au jour, le palais de Zakros (p. 199), isolé et évocateur, se situe à la pointe orientale de l'île. Rejoignez le site en parcourant à pied l'impressionnante vallée des Morts, puis rafraîchissez-vous sur la jolie plage de Kato Zakros (p. 198).

❺ Malia

Le palais de Malia (p. 177) a livré de nombreux artefacts ouvragés. L'un des sites minoens les mieux conservés et les mieux présentés, il laisse facilement imaginer sa configuration et sa splendeur d'origine.

❻ Gortyne

Plus grand site archéologique de Crète, l'ancienne cité romaine de Gortyne (p. 167) fut occupée par les Doriens quand ils régnaient sur l'île. Les lois de Gortyne, gravées sur des tablettes de pierre au VIe siècle av. J.-C., furent le premier code civil du monde grec.

5

Trésors naturels

La côte crétoise offre des plages à perte de vue ; l'arrière-pays est dominé par des montagnes, des plateaux, des vallées et des gorges spectaculaires qui rejoignent une côte sud accidentée. La variété des fleurs sauvages et des habitats naturels ravit les randonneurs, les botanistes et les férus d'ornithologie. Les adeptes de sports aquatiques ou extrêmes peuvent également satisfaire leurs envies.

1 Samaria et les gorges
Parmi les plus longues d'Europe, les gorges de Samaria (p. 92) s'étirent sur 16 km et offrent l'une des plus belles randonnées de l'île. Parmi les autres gorges, moins longues mais également spectaculaires, figurent celles d'Imbros (p. 93), d'Agia Irini (p. 101) et d'Agiofarango (p. 175).

2 Plateau du Lassithi
On compte désormais plus de cyclistes que de moulins à vent sur le fertile plateau du Lassithi (p. 190), endroit idéal pour découvrir la campagne crétoise. En chemin, vous pourrez visiter la grotte du mont Dicté (Dikteon Andron ; p. 191), où Zeus aurait été dissimulé à son dévoreur de père.

3 Sports extrêmes
Les amateurs de sensations fortes pourront survoler en parapente les collines d'Avdou (p. 165), sauter à l'élastique du pont d'Aradena (p. 96), faire du canyoning dans les gorges de Ha (p. 204) et grimper la face rocheuse du mont Kofinas (p. 174).

4 Grottes
La Crète recèle quantité de grottes, de la vaste grotte de Sfendoni (p. 135) ornée de stalagmites et de stalactites, à celle de Melidoni (p. 135), sans oublier les grottes de Matala (p. 171), rendez-vous des hippies.

5 Plage et palmiers
La plage de Vaï (p. 196), en Crète orientale, est la seule plage d'Europe bordée d'une forêt de palmiers dattiers, qui s'étire jusque sur le sable.

6 Plages isolées
Semblable à un lagon, la superbe plage de sable blanc de Balos (p. 110) borde la presqu'île sauvage et isolée de Gramvoussa. Les plus belles plages du nome de Rethymnon, Agios Pavlos et Triopetra (p. 141), se situent sur la côte sud accidentée.

7 Montagnes
La belle chaîne des Lefka Ori (p. 91) reste coiffée de neige jusqu'au début de l'été. Évoqué dans de nombreuses chansons, le mont Psiloritis (mont Ida ; p. 137), point culminant de l'île, nourrit le folklore local. Tous deux sont traversés par le sentier de grande randonnée E4.

Héritage et traditions

Le passé de la Crète se reflète dans un mélange d'influences orientales et occidentales, des forteresses et ports vénitiens aux minarets ottomans, sans oublier les chapelles et monastères byzantins. Nombre de villages perpétuent l'artisanat traditionnel.

1 Forteresses vénitiennes
Des vestiges de fortifications massives parsèment la Crète. L'imposant Frangokastello (p 96) se dresse, isolé, sur la côte sud, tandis que la forteresse vénitienne de Koules (p. 152) domine le port d'Héraklion.

2 Spinalonga
Les pensionnaires de la triste colonie de lépreux de Spinalonga furent les derniers habitants de cette île féerique (p. 189), forteresse vénitienne quasi imprenable, avant qu'elle ne tombe aux mains des Turcs.

3 Monastères
Avec son histoire et son imposante façade travaillée, le Moni Arkadiou (p. 133) est devenu un symbole de la résistance crétoise. Le Moni Toplou (p. 196) produit un vin et une huile d'olive remarquables.

4 La Canée (Khaniá)
Ville séduisante, La Canée (p. 76) possède un ravissant port vénitien. Hôtels de charme, restaurants romantiques et ateliers d'artisan bordent les rues pavées de la vieille ville.

5 Art byzantin
L'église de la Panagia Kera (p. 186), près du village de Kritsa, renferme des fresques époustouflantes. Le musée d'Art religieux d'Héraklion (p. 152) contient de superbes icônes.

6 Rethymnon
Une forteresse massive garde le joli port vénitien de Rethymnon (p. 120). La vieille ville est un délicieux dédale de ruelles, parsemé d'édifices vénitiens, ottomans et byzantins.

7 Artisanat traditionnel
La céramique fait la prospérité des villages de Margarítes (p. 134) et de Thrapsano (p. 164), où vous verrez des potiers au travail et pourrez acheter leurs œuvres.

L'arrière-pays crétois

Éloignez-vous des villes et des stations balnéaires pour découvrir le cœur et l'âme de la Crète. L'arrière-pays est ponctué de villages de montagne traditionnels, où des tavernes à l'ancienne servent d'authentiques repas crétois.

❶ Villages traditionnels

À Anogia (p. 135), sans doute le village le plus emblématique de Crète, des hommes portent encore le costume traditionnel et perpétuent la tradition musicale de la région. Dans les montagnes, de nombreux villages méritent le détour, du pays d'Innahorion (p. 112) à la belle vallée d'Amari (p. 131).

❷ Argyroupoli

Les sources d'Argyroupoli (p. 130), délicieuse oasis de fraîcheur, s'agrémentent de tavernes nichées entre les cascades et d'anciens moulins alimentés par des torrents.

❸ Villages restaurés

Le hameau isolé de Milia (p. 115) est un écolodge exemplaire avec des maisons de pierre rustiques, une ferme biologique et une taverne qui sert une excellente cuisine crétoise. Vamos (p. 118) et Aspros Potamos (p. 205) comptent au nombre des autres villages traditionnels.

Sommaire

COUPS DE CŒUR
Afin de faciliter le repérage de nos meilleures adresses, nous les signalons par le picto suivant

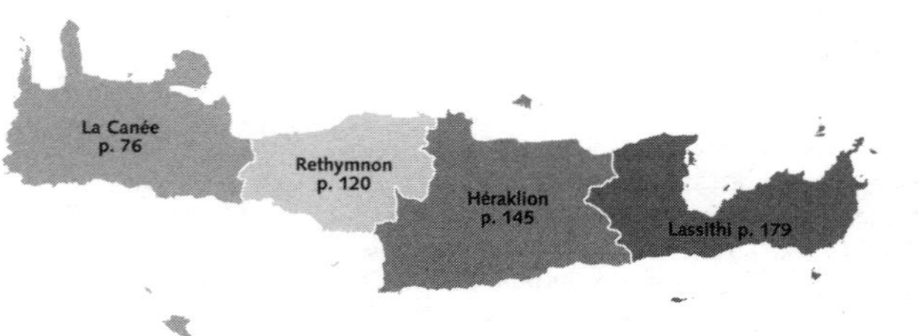
La Canée
p. 76
Rethymnon
p. 120
Héraklion
p. 145
Lassithi p. 179

Destination Crète

Grande île fascinante et berceau de Zeus, la Crète est profondément imprégnée de mythes et de légendes et jouit des paysages les plus variés de l'archipel grec. Délicieusement baignées de soleil, ses terres sont ponctuées de montagnes majestueuses et de plages sublimes. Sa population fière et chaleureuse perpétue des coutumes authentiques et, malgré le tourisme de masse, le mode de vie rural demeure solidement ancré dans l'âme insulaire.

Face à l'incroyable diversité de la Crète, le visiteur n'a que l'embarras du choix. À l'intérieur, les gorges impressionnantes alternent avec des plaines fertiles et des collines tapissées de champs d'oliviers, de vignes, de fleurs et de plantes aromatiques. À l'ouest de l'île, des milliers de randonneurs explorent les gorges de Samaria, qui comptent parmi les plus longues d'Europe, tandis qu'à l'extrémité est, on découvre une plage magnifique bordée d'une forêt de palmiers.

La beauté naturelle de la Crète n'a d'égale que la richesse de son passé, couvrant des millénaires. Le palais de Cnossos constitue le vestige le plus renommé de la prestigieuse civilisation minoenne, qui régna jadis sur la mer Égée ; des trésors et des palais minoens sont dispersés partout sur l'île. Au carrefour de trois continents, la Crète fut successivement convoitée et occupée par différents envahisseurs. Une profusion de ruines témoigne de ce parcours tumultueux : camps romains, forteresses vénitiennes, mosquées ottomanes et monastères byzantins, sans oublier les cités historiques de La Canée et de Rethymnon.

La Crète a le privilège discutable de recevoir près d'un quart des touristes visitant la Grèce. La superficie de l'île permet néanmoins aux voyageurs indépendants d'organiser leur séjour à leur guise, des complexes de luxe aux hôtels de charme, en passant par les maisons de pierre des villages de montagne. Les adeptes du naturisme rejoignent les plages isolées de la côte sud et l'île de Gavdos ; les marcheurs intrépides arpentent le sentier de grande randonnée E4 ; les cyclistes sillonnent le plateau du Lassithi, tandis que les amoureux de la nature privilégient le printemps pour profiter des fleurs sauvages. La Crète représente un cadre parfait pour pratiquer l'escalade, le canyoning et d'autres sports extrêmes.

Un véhicule est idéal pour parcourir les routes pittoresques (souvent en mauvais état) à travers des montagnes époustouflantes et accéder à des plages retirées, à des villages traditionnels ou à des fermes perdues dans la campagne.

Si la célèbre hospitalité crétoise a un peu disparu dans les villes envahies de touristes, il suffit de sortir des sentiers battus pour la retrouver. Certes, les 4x4 sont plus nombreux que les mules, mais il vous arrivera de laisser passer un troupeau de chèvres et, parfois, vous verrez des hommes en costume traditionnel attablés au *kafeneio* (café) du village.

Les Crétois protègent fièrement leur culture et sont profondément attachés aux traditions, aux musiques et aux danses qui ont forgé leur identité. Par ailleurs, la cuisine crétoise et l'abondance de produits frais vous promettent un séjour gastronomique.

Destination de choix tout au long de l'année, la plus vaste et la plus riche des îles grecques s'apparente à un petit pays, avec sa capitale cosmopolite et ses grandes villes bouillonnantes d'activité, de cafés branchés, de restaurants, d'universités et de commerces. La Crète vous attend, avec son esprit insulaire unique et sa beauté intemporelle.

QUELQUES CHIFFRES :

Population : 601 131 habitants

Superficie : 8 336 km^2

PIB : 9 milliards d'euros (5,3% du PIB de la Grèce)

Taux de chômage : 6,1%

Nombre d'oliviers : 34 millions

Pourcentage de la population travaillant dans le tourisme : 40%

Nombre de visiteurs chaque année : 2,5 millions

Nombre de visiteurs à Cnossos en 2006 : 705 305

Nombre de visiteurs dans les gorges de Samaria en 2006 : 176 747

Estimation du nombre d'armes à feu : 1 million

Mise en route

La Crète est une destination d'une grande richesse. À l'inverse des autres îles grecques, il ne s'agit pas ici de sauter du bateau et d'aviser sur place. Cette île vaste, extrêmement variée, offre une infinité d'activités et de découvertes que beaucoup ne font qu'effleurer. Avec un peu d'organisation, votre séjour sera intense, surtout si vous prenez comme base le centre de l'île.

Vous devrez certainement choisir entre l'Est et l'Ouest, et même entre le Nord et le Sud, afin d'explorer une région en profondeur – cela vous donnera une bonne raison de revenir. Mieux vaut réserver l'hébergement en saison haute. Le reste de l'année, il est facile de se loger.

Sillonner les montagnes de l'intérieur implique moult zigzags. En chemin pour la petite plage perdue de vos rêves, vous découvrirez des paysages spectaculaires et des villages traditionnels. Si les distances ne sont pas énormes, les routes sont parfois difficiles. Soyez réaliste dans votre programme.

Voiture et moto sont idéales pour explorer la Crète. Des bus desservent une bonne partie de l'île.

QUAND PARTIR

Avec des étés longs et un fort ensoleillement, on se baigne de mi-avril à novembre, surtout sur la côte sud. La meilleure période pour visiter l'île se situe entre la fin du printemps et le début de l'été, ainsi qu'en automne, quand il ne fait pas trop chaud pour pratiquer la randonnée et d'autres activités de plein air. Les conditions sont optimales entre Pâques et fin juin : les températures sont plaisantes, l'eau suffisamment chaude pour se baigner, la végétation en fleurs, les plages et sites antiques sans trop de touristes et les hébergements moins chers et plus faciles à trouver qu'en été ; les transports publics assurent alors un service presque maximal.

Pour plus de détails, voir la rubrique *Climat* (p. 210).

La saison haute s'étend de fin juin à fin août. En août, les hôtels sont souvent réservés longtemps à l'avance, ce qui entraîne une hausse des prix. Juillet et août sont les mois les plus chauds et les plus courus ; c'est une excellente période pour profiter de la plage et des nuits agréables, mais la chaleur s'avère pénible pour marcher ou crapahuter dans les sites archéologiques. En juillet-août, le *meltemi* (vent fort du nord-est) bouscule parfois les horaires des ferries et fait voler le sable à la plage. Généralement, il ne pleut pas pendant l'été. En hiver, la plupart des complexes touristiques ferment et les services sont très réduits, en particulier en dehors des grandes villes.

COÛT DE LA VIE

La Crète reste assez bon marché, même si les prix ont fortement augmenté, surtout en saison haute (juillet-août). Les budgets indiqués valent pour des personnes seules ; les couples partageant hébergement et repas dépenseront souvent moins. Ajoutez 25 à 30 € par jour pour louer une voiture.

Pour le budget quotidien, comptez 30 à 40 € au minimum, en prenant le bus, en logeant en auberge de jeunesse ou en camping et en limitant à de rares occasions les restaurants et les visites.

En été, prévoyez au moins 60 € par jour pour une chambre simple, des repas dans les tavernes, un ou deux verres en soirée et quelques visites.

Si vous aimez les hôtels plus confortables, le bon vin, les restaurants, les bars, les musées et les sites antiques, vous débourserez plus de 100 €.

Dans une taverne, un repas revient en moyenne à 10 à 15 € par personne, vin compris. Pour un restaurant plus chic, comptez le double.

QUELQUES PRIX

Café frappé 3,50 €

Salade grecque 3,50 €

Chambre double en hôtel 3 étoiles 70 €

Cocktail dans un bar 6 €

N'OUBLIEZ PAS...

- Votre carte d'identité ou votre passeport, votre permis de conduire et une assurance voyage.
- De solides chaussures de marche pour arpenter les gorges et les sites antiques.
- Des lunettes de soleil, un chapeau, de la crème solaire et un antimoustique.
- Un maillot de bain, des vêtements en coton léger et une petite veste pour les soirées et les journées à la montagne.
- Un appétit aiguisé et un estomac solide en prévision des dégustations de raki.
- De la place dans votre sac pour rapporter des produits locaux.
- Un appareil photo ; l'île est très photogénique.
- Une boussole, un sifflet et des cartes fiables pour les randonnées dans les zones reculées.
- Une lampe de poche pour les grottes et les occasionnelles coupures d'électricité.
- Des jumelles pour les séances d'ornithologie.
- Un téléphone portable.
- Un couteau suisse.

LIVRES À EMPORTER

Les livres peuvent constituer une formidable source d'inspiration pour la préparation d'un voyage.

Alexis Zorba (Pocket, 2002), grand classique de Nikos Kazantzakis, présente magnifiquement la vie quotidienne des Crétois.

Dans son *Dictionnaire amoureux de la Grèce* (Plon, 2001), Jacques Lacarrière réalise un inventaire des lieux, des objets, des idées, des images, des chants, des auteurs et des personnages réels, imaginaires ou mythiques qu'il associe à la Grèce. La Crète tient une grande place dans cet ouvrage, auquel des extraits d'auteurs helléniques donnent un caractère très littéraire.

Les Initiés (Actes Sud, 2007), de Hella S. Haasse, fait le récit de six destins qui se croisent. Autour d'eux : la Crète. Une œuvre magistrale.

L'Oiseau bleu de Cnossos (L'Harmattan, 2007), roman historique d'Honorine Ploquet, se déroule vers 1500 av. J.-C. Un jeune nauvragé arrive sur la mystérieuse île de Crète. Sa rencontre avec un artiste du palais de la somptueuse cité de Cnossos ouvre la voie à sa découverte d'une société prospère et singulière.

Le Colosse de Maroussi (LGF, 1983) est le récit par Henri Miller de son voyage épique en Grèce à la veille de la Seconde Guerre mondiale. L'auteur consacre des pages savoureuses à la Crète.

Enfin, indispensable pour mieux communiquer : le guide de conversation français/grec de Lonely Planet. Pour réserver une chambre, lire un menu ou faire connaissance, ce manuel vous permet d'acquérir rapidement quelques rudiments de grec. Il comprend également un minidictionnaire bilingue.

SITES INTERNET

Ambassade de Grèce en France (www.amb-grece.fr). Pour des renseignements d'ordre général sur le pays, la Grèce en France et des bulletins d'information. Nombreux liens vers des sites Internet.
Office national hellénique du tourisme à Paris (www.grece.infotourisme.com). Découverte de la Grèce, guide du voyageur, hébergement, activités et loisirs.
Crète-Terre de rencontre (www.chez.com/crete). Le site de cette association créée en 1998 et visant à favoriser les échanges amicaux entre la Crète et la France.

LE MEILLEUR DE LA CRÈTE

FÊTES ET FESTIVALS

Les Crétois ne manquent pas une occasion de se retrouver autour d'un bon repas avec de la musique et quelques rasades de raki. Il existe même des fêtes en l'honneur des escargots, des châtaignes ou des pommes de terre. Pour une liste complète des festivités, voir p. 211.

- Carnaval de Rethymnon (trois semaines avant le carême, janvier-février)
- Fête d'Agios Georgios (Saint-Georges), Asi Gonia (23 avril)
- Pâques, villages de montagne (mars-avril)
- Festival Renaissance, Rethymnon (juillet-septembre)
- Festival d'Héraklion (juillet-septembre)
- Festival Yakinthia, Anogia (juillet)
- Festival Sultana, Sitia (août)
- Mariage traditionnel crétois, Kritsa (août)
- Saison de distillation du raki, partout sur l'île (octobre)

PLAGES

La Crète possède des plages sublimes. Les plus belles sont souvent les plus difficiles à atteindre. Celles indiquées ci-dessous sont toutes accessibles, moyennant parfois un peu de marche. Les plages les plus fréquentées perdent un peu de leur charme, mais restent de toute beauté.

- Balos, presqu'île de Gramvoussa, La Canée (p. 110)
- Agios Pavlos et Triopetra, Rethymnon (p. 141)
- Vaï, Lassithi (p. 196)
- Elafonissi, La Canée (p. 114)
- Falassarna, La Canée (p. 111)
- Preveli, Rethymnon (p. 139)
- Agiofarango, Héraklion (p. 175)
- Kommos, Héraklion (p. 113)
- Île de Chryssi, Lassithi (p. 204)

VILLAGES CRÉTOIS

Les montagnes crétoises sont ponctuées de petits villages pittoresques, à des années-lumière des complexes côtiers. Certains sont devenus assez touristiques, mais il est encore possible d'apprécier le mode de vie rural, en particulier après le départ des derniers bus. Aventurez-vous hors des sentiers battus pour dénicher des villages isolés et authentiques. En voici quelques-uns méritant le détour.

- Argyroupoli (p. 129)
- Anogia (p. 135)
- Spili (p. 132)
- Margarítes (p. 134)
- Kritsa (p. 185)
- Askyfou (p. 93)
- Maroulas (p. 132)
- Archanes (p. 163)

Explore Crete (www.explorecrete.com). Un bon site d'informations générales, partiellement en français.
L'île de Crète (www.ile-de-crete.com). Des galeries photo, des blogs et un forum.
La francophonie en Crète (cretefrancophonie.ifrance.com). Nombreuses adresses francophones.
Lonely Planet (www.lonelyplanet.fr). Des conseils pour préparer votre départ, le forum pour poser toutes vos questions, et une newsletter pour vous tenir informé de l'actualité du voyage.
Stigmes (http://stigmes.gr). Un bon magazine dédié à la Crète, en anglais.

Itinéraires

LES GRANDS CLASSIQUES

MERVEILLES DE LA CRÈTE

Une semaine / 320 km

Commencez à **Héraklion** (p. 145) par le superbe Musée archéologique et effectuez le pèlerinage au palais de **Cnossos** (p. 158). Le deuxième jour, dirigez-vous au sud vers le site romain de **Gortyne** (p. 167) et le palais minoen de **Phaistos** (p. 168) ; découvrez l'ambiance hippie des grottes de **Matala** (p. 171) ou choisissez **Kommos** (p. 173), à côté. L'excellent musée traditionnel de **Vori** (p. 170) mérite le détour. Dormez au bord de la mer ou gagnez le village de **Zaros** (p. 166), à l'intérieur des terres. En route vers l'ouest, faites une halte à **Spili** (p. 132), avant de vous rendre au **Moni Preveli** (monastère de Preveli ; p. 139) et à la **plage de Preveli** (p. 140), puis passez la nuit à **Plakias** (p. 137). Flânez une journée dans la vieille ville de **Rethymnon** (p. 120), au nord. Allez à l'ouest, déjeunez à **Vryses** (p. 119), puis poursuivez votre route pour parvenir à **La Canée** (Khaniá ; p. 76) dans la soirée. Empruntez un bus tôt le matin pour réaliser le trek des **gorges de Samaria** (p. 92) et arriver à temps à Agia Roumeli, où vous prendrez le bateau pour **Loutro** (p. 98), à l'ouest. Le lendemain, embarquez pour **Hora Sfakion** (p. 95) et, de là, montez dans le bus pour La Canée.

En une semaine, vous découvrirez les grands sites archéologiques, quelques plages superbes, des villages de montagne, les gorges de Samaria et les plus jolies villes de l'île. Ce programme chargé couvre environ 320 km.

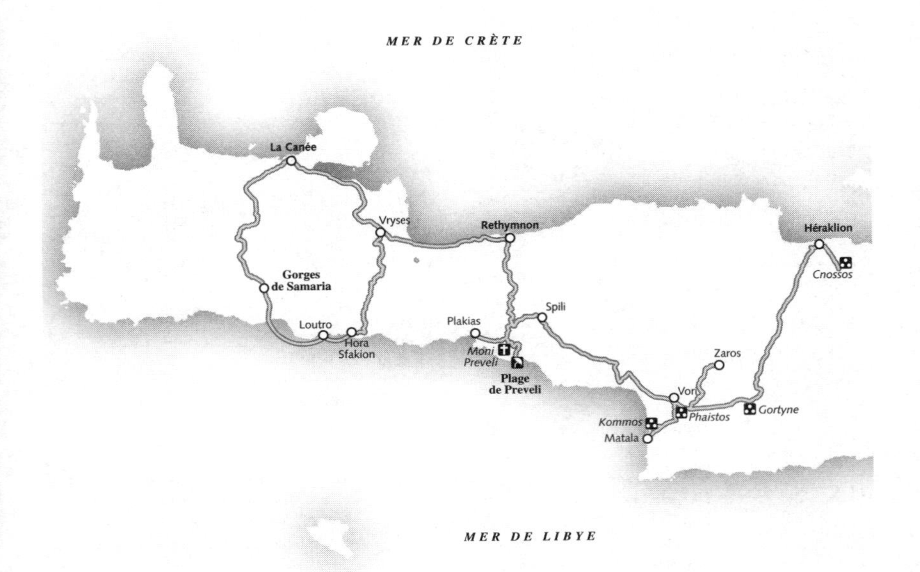

CENTRE ET OUEST DE LA CRÈTE

12 à 14 jours / 500 km

Cet itinéraire, qui réunit une bonne partie des sites incontournables de la Crète, implique de sinueux trajets en montagne. Prévoyez de nombreuses pauses et activités. Vous parcourrez au total plus de 500 km.

Cet itinéraire couvre certains des plus beaux sites naturels de la Crète, les paysages sauvages de la côte sud, des villages authentiques et deux villes attrayantes. D'**Héraklion** (p. 145), gagnez l'intérieur jusqu'à **Anogia** (p. 135) et les villages et grottes au pied du **mont Psiloritis** (p. 137). Faites halte au village de potiers de **Margarítes** (p. 134) et au **Moni Arkadiou** (monastère d'Arkadi ; p. 133), puis passez la nuit dans le port vénitien de **Rethymnon** (p. 120), doté d'une forteresse du XVIe siècle. Dirigez-vous vers le sud et arrêtez-vous à la fontaine de **Spili** (p. 132), avant de visiter le **Moni Preveli** (p. 139) et la **plage de Preveli** (p. 140). De là, continuez à l'est vers les plages d'**Agios Pávlos** et de **Triopetra** (p. 141), sur la côte sud, ou partez à l'ouest pour **Plakias** (p. 137) et la forteresse **Frangokastello** (p. 96), en bord de mer.

Toujours à l'ouest, traversez les gorges de Kourtaliotis pour arriver au port de **Hora Sfakion** (p. 95). Partez en bateau le long de la côte sud jusqu'à **Loutro** (p. 98) ou **Sougia** (p. 98), ou empruntez la route escarpée vers le nord, dans les montagnes des Lefka Ori, en longeant les **gorges d'Imbros** (p. 93) jusqu'au village d'**Askyfou** (p. 93). Consacrez au moins un jour à **La Canée** (p. 76).

Au nord, la **presqu'île d'Akrotiri** (p. 88) compte de jolis monastères et la plage de **Stavros** (p. 88), où fut tourné le film *Zorba le Grec*. Effectuez une boucle vers l'ouest via **Kolymbari** (p. 107), puis vers le sud et les villages d'**Innahorion** (p. 112), et poussez jusqu'à **Elafonissi** (p. 114), tout à l'ouest.

Regagnez La Canée par la route côtière, avec un crochet par **Falassarna** (p. 111), puis, plus au nord, par la **presqu'île de Gramvoussa** (p. 110) pour la remarquable plage de **Balos** (p. 110). De retour vers la partie orientale, arrêtez-vous aux sources d'**Argyroupoli** (p. 129), au sud-ouest de Rethymnon, et à la station balnéaire de **Panormos** (p. 143), sur la côte nord, avant Héraklion.

VOYAGES THÉMATIQUES

SUR LES PAS DES MINOENS

6 à 7 jours / 400 km

Les Minoens ont souvent construit leurs édifices dans les plus beaux endroits de l'île. Ce périple réserve donc bien des merveilles. Prévoyez au moins une demi-journée au musée d'**Héraklion** (p. 148) pour apprécier la richesse de la civilisation minoenne et les trésors découverts dans les principaux sites. Après le palais de **Cnossos** (p. 158), faites un détour au sanctuaire d'**Anemospilia** (p. 164). À **Archanes** (p. 163), visitez l'excellent musée et, non loin, la **villa Vathypetro** (p. 164), qui fut certainement la demeure d'un noble minoen. Dirigez-vous à l'est par les terres ou la côte afin d'arriver au palais de **Malia** (p. 177), puis à **Gournia** (p. 192), site majeur à environ 19 km au sud-est d'Agios Nikolaos. Plus à l'est, quittez la route principale pour rejoindre le village côtier de **Mohlos** (p. 192) ; des tombes sont creusées près des falaises et un îlot renferme les ruines de maisons minoennes. En direction de l'est, dépassez Sitia et arrêtez-vous à **Palekastro** (p. 197), où les fouilles devraient bientôt dévoiler un site important. Le palais de **Zakros** (p. 199) est idéalement situé près de la jolie plage de **Kato Zakros** (voir p. 198) et des gorges de Zakros. Le grand palais de **Phaistos** (p. 168) et la villa d'été d'**Agia Triada** (p. 171) impliquent un long trajet vers l'ouest, en coupant par l'intérieur des terres. Les sites plus modestes de **Kamilari** (p. 173) et de **Kommos** (p. 173) sont proches de plages agréables.

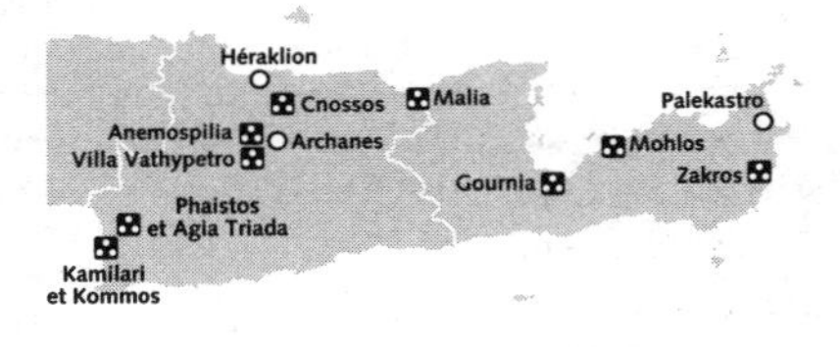

GORGES ET VILLES DE LA CÔTE SUD

3 à 5 jours / 120 km

Cet itinéraire associe une randonnée dans des gorges sublimes, notamment celles de Samaria, et une excursion en bateau vers des plages fantastiques. Mieux vaut se déplacer en bus et emporter très peu de bagages (ou s'organiser pour les faire livrer en certains points). À **La Canée** (Khaniá ; p. 76), empruntez un bus matinal pour **Omalos** (p. 91) et marchez à travers les **gorges de Samaria** (p. 92). Partez assez tôt pour profiter de la baignade à **Agia Roumeli** (p. 94) et prenez le bateau de l'après-midi pour **Sougia** (p. 98). Profitez de l'ambiance décontractée de la plage avant d'effectuer, le lendemain, une randonnée de 7 km dans les **gorges d'Agia Irini** (p. 101), moins imposantes. Depuis Sougia, un bus ou un taxi vous mènera à l'entrée des gorges ; il est tout à fait possible de revenir à pied. Le jour suivant, sautez dans le bateau pour **Paleohora** (p. 101) ou suivez le superbe **sentier côtier** (p. 101) entre Sougia et Paleohora. C'est l'un des tronçons les plus populaires du sentier de grande randonnée E4, qui passe par les ruines de **Lissos** (p. 101). Détendez-vous à Paleohora avant de reprendre le bus pour La Canée.

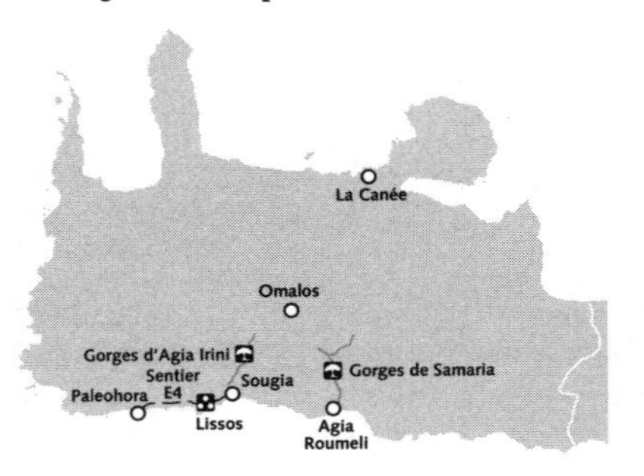

Histoire

La Crète possède une histoire mouvementée, qui remonte à plus de 5 000 ans. Son territoire tout entier en conserve des vestiges, des palais antiques et cités romaines aux spectaculaires églises byzantines, forteresses vénitiennes et édifices ottomans. L'empreinte laissée par la Crète dans l'histoire mondiale provient notamment des illustres Minoens, grands bâtisseurs de palais à une époque où les huttes primitives dominaient dans le reste de l'Europe. La Crète a empreint l'imaginaire collectif grâce à sa place prépondérante dans la mythologie grecque. C'est en territoire crétois que Rhéa donna naissance à Zeus, avant de le cacher pour le protéger de son dévoreur de père, Cronos. Minos, fils de Zeus, devint quant à lui le roi légendaire de la Crète minoenne. C'est de la Crète qu'Icare et Dédale s'élancèrent pour leur funeste vol, tandis que Thésée accomplit le voyage depuis Athènes pour aller terrasser le Minotaure dans le célèbre Labyrinthe.

Talos, mythique géant de bronze, est considéré comme le premier robot de l'histoire. Héphaïstos l'aurait offert comme serviteur au roi Minos. Il avait une veine, entre le cou et la cheville, où un clou de bronze arrêtait le sang.

À une époque plus récente, les guerres et les conflits ont marqué l'histoire de l'île, devenue stratégique pour le contrôle de la Méditerranée. Maintes fois envahie, elle fut dominée par huit puissances étrangères depuis le Minoen : les Mycéniens, les Doriens, les Romains, les Vénitiens, les Byzantins, les Arabes, les Ottomans et les Allemands. Son rattachement tardif à la Grèce, en 1913, a contribué à la persistance de son esprit d'indépendance.

LES MINOENS

Première civilisation avancée à avoir vu le jour en Europe à l'âge du bronze, la Crète minoenne a précédé la civilisation mycénienne de Grèce continentale. Elle porte l'empreinte de deux grandes civilisations du Moyen-Orient : celles de la Mésopotamie et de l'Égypte. Les immigrants qui arrivèrent d'Anatolie vers 3000 av. J.-C. introduisirent les techniques nécessaires au travail du bronze, ce qui permit à la civilisation minoenne, alors émergente, de prospérer presque en continu pendant plus de 1 500 ans.

La Crète, les Minoens et les Mycéniens ne sont pas oubliés dans *L'Atlas de la Grèce antique* (Autrement, 1999), de Robert Morkot.

Par bien des aspects, le Minoen ancien n'est pas sans rappeler le néolithique. L'amélioration des bateaux, facilitée par la maîtrise du bronze, initia néanmoins le développement des échanges ; l'île devint une puissance commerciale prospère. Quant aux poteries et ferronneries, de plus en plus élaborées, elles préfigurèrent bientôt l'excellence des arts minoens.

Les mystérieux Minoens restent sujets à controverses. Les fouilles réalisées dans les grandioses palais crétois témoignent d'une civilisation prospère, pacifique, sophistiquée et bien organisée, caractérisée par de solides relations commerciales avec l'étranger, des arts remarquables – notamment dans le domaine de l'architecture – et une égalité de statut entre les hommes et les femmes. Les Minoens pratiquaient une irrigation extensive. Leur agriculture

CHRONOLOGIE

6500 av. J.-C.

Les premiers habitants de la Crète chassent, pêchent et honorent leurs ancêtres. Les hommes du néolithique vivent dans des huttes ou dans des grottes, vénèrent la déesse de la Fertilité, cultivent la terre, élèvent du bétail et fabriquent des poteries primitives.

3000 av. J.-C.

Les immigrants venus d'Afrique du Nord et les Levantins introduisent le bronze, inaugurant l'âge du bronze en Crète. Pendant cette période prépalatiale, la société évolue – début du commerce et développement de la fabrication des poteries et des bijoux.

2000 av. J.-C.

Construction des premiers palais à Cnossos, à Phaistos, à Malia et à Zakros. Apogée de la civilisation minoenne ; amélioration des techniques de production des poteries, avancées architecturales et apparition de la première écriture crétoise.

LE ROI MINOS : HOMME OU MYTHE ?

La légende du roi Minos a nourri l'imagination de générations d'érudits, en quête d'éléments pouvant attester des évènements décrits par Homère dans *L'Odyssée*.

Le souverain légendaire de la Crète, fils de Zeus et d'Europe, monte sur le trône crétois avec l'aide de Poséidon. Ayant choisi Cnossos pour base, il prend le contrôle de tout le bassin de la mer Égée, colonise de nombreuses îles et chasse les pirates des mers. Il est l'époux de Pasiphaé, fille d'Hélios, qui lui donne plusieurs enfants, dont Ariane, avant de s'unir avec le taureau que Poséidon a fait sortir de la mer à la demande de Minos – union dont naîtra le Minotaure.

La longueur réelle du règne de Minos reste sujette à controverse. *Enneaoros*, référence homérique employée pour décrire Minos, pourrait signifier "pendant neuf ans" ou "à partir de neuf ans". Minos a-t-il pu créer un empire en neuf ans, ou fut-il un monarque au long règne, qui aurait embrassé son royal destin alors qu'il était encore enfant ? Toujours est-il qu'il meurt de bien sombre manière, ébouillanté par les filles du roi Kokalos alors qu'il prend un bain, en Sicile.

était très développée et leur système d'assainissement, perfectionné. Leur langue était peut-être une forme d'indo-iranien archaïque. Les documents qui nous sont parvenus évoquent enfin une société organisée comme une entreprise commerciale, bureaucratique et efficace.

Rares sont les éléments retrouvés allant dans le sens d'une société matriarcale. Pour autant, les femmes jouissaient d'un haut degré de liberté et d'autonomie. Des œuvres d'art les montrent participant aux jeux, à la chasse, et aux manifestations publiques et religieuses. Certaines étaient prêtresses ; d'autres étaient impliquées dans l'administration et le commerce.

Tout le monde n'adhère pas à cette vision positive de la vie au Minoen. Selon un archéologue des plus radicaux, la société minoenne, au contraire lugubre, reposait sur le culte de la mort ; les Minoens pratiquaient des orgies sacrificielles, et les fameux *pithoi* (vases) géants servaient non pas au stockage, mais d'urnes funéraires.

La chronologie même du Minoen fait encore l'objet de débats. La plupart des archéologues identifient trois périodes : la période protopalatiale (2100-1650 av. J.-C.), la période néopalatiale (1650-1450 av. J.-C.) et la période postpalatiale (1450-1110 av. J.-C.). Cette classification se substitue parfois à celle qui distinguait traditionnellement le Minoen ancien (3000-2100 av. J.-C.), le Minoen moyen (2100-1580 av. J.-C.) et le Minoen récent (1580-1100 av. J.-C.). L'une ou l'autre pourra être utilisée au fil du guide.

La civilisation minoenne atteignit son apogée au cours du Minoen moyen, également appelé période du Vieux Palais. Vers 2000 av. J.-C., la construction des vastes palais de Cnossos, de Phaistos, de Malia et de Zakros marqua une rupture brutale avec la vie des villages du néolithique.

On pense qu'à cette époque, témoin d'avancées architecturales considérables, la Crète était gouvernée par des chefs locaux. Le pouvoir et

Dans *La Crète au temps de Minos* (Hachette, 1997), Paul Faure reconstitue la vie quotidienne au temps du légendaire roi Minos, et présente la culture, la religion et les lois minoennes à la lumière des découvertes archéologiques.

1700 av. J.-C.

Destruction des palais minoens, probablement par un séisme. Les Minoens les reconstruisent en adoptant une architecture plus complexe – apparition d'étages, d'entrepôts, d'ateliers, de quartiers de vie et d'un système d'assainissement élaboré.

1450 av. J.-C.

Interruption brutale et inexpliquée de la culture minoenne. Destruction des palais (sauf celui de Cnossos), sans doute par un gros tsunami consécutif au séisme de Santorin (Thíra).

1400 av. J.-C.

Invasion de la Crète par les Mycéniens et construction de nouvelles cités comme Lappa (Argyroupoli), Kydonia (La Canée) et Polyrrinia. Épanouissement de la fabrication des armes et déclin des arts. Les dieux grecs remplacent la Grande Mère.

les richesses étaient concentrés à Cnossos. La société, au fonctionnement hiérarchisé, comptait une importante population d'esclaves.

L'Autre Minotaure (L'Harmattan, 2006), roman historique d'Annie Corsini Karagouni, offre une plongée dans le palais de Cnossos à l'époque minoenne.

C'est au Minoen moyen qu'apparut la première écriture crétoise, tout d'abord très picturale. Les représentations d'objets naturels évoluèrent ensuite vers des figures plus abstraites, évoquant les hiéroglyphes égyptiens.

En 1700 av. J.-C., les palais furent détruits brutalement, probablement par un tremblement de terre. Vint alors l'âge d'or des Minoens. Les palais de Cnossos, de Phaistos, de Malia et de Zakros furent reconstruits, en suivant une architecture plus élaborée, en avance de plusieurs siècles sur son temps. Ils furent dotés d'étages, de somptueux appartements royaux, de halls de réception grandioses, d'entrepôts, d'ateliers, de quartiers pour le personnel et d'un système d'assainissement perfectionné. Leur organisation donna naissance au mythe du labyrinthe crétois (voir l'encadré p. 159).

Pendant la période néopalatiale, sous la dynastie probable des Minos, l'État minoen devint une puissante thalassocratie, ayant pour capitale Cnossos. Favorisé par la présence des colonies minoennes en mer Égée, le commerce avec la Méditerranée orientale, l'Asie Mineure et l'Égypte continua son essor. Les poteries, textiles et produits agricoles minoens trouvèrent des débouchés en mer Égée, en Égypte, en Syrie et sans doute aussi en Sicile.

La civilisation minoenne déclina rapidement vers 1450 av. J.-C., après la destruction des palais – à l'exception de celui de Cnossos – et de nombreux petits villages. Des découvertes laissent penser qu'elle aurait été affaiblie par un gigantesque tsunami et par les retombées de cendres consécutives à une éruption volcanique survenue sur l'île voisine de Santorin (Thíra ; voir l'encadré en face). Néanmoins, le débat perdure quant au moment et à l'origine de la disparition des Minoens. D'aucuns affirment qu'elle aurait été provoquée par un second violent séisme un siècle plus tard ; d'autres invoquent l'invasion des Mycéniens. Dans tous les cas, la présence des Mycéniens coïncida avec la disparition des palais et de la civilisation minoenne.

Les Minoens savaient se distraire, avec des jeux de plateau, de la boxe, de la lutte et d'audacieuses acrobaties, comme le "saute-taureau" (taurokathapsie). La danse minoenne était célèbre dans toute la Grèce antique.

LA CRÈTE MYCÉNIENNE

La civilisation mycénienne, qui culmina entre 1500 et 1200 av. J.-C., fut la première grande civilisation de Grèce continentale. Nommée ainsi d'après l'antique cité de Mycènes (Péloponnèse), elle est aussi qualifiée d'achéenne, du nom des Indo-Européens qui s'étaient établis en Grèce continentale.

La société minoenne avait connu une paix relative, sous l'égide d'une autorité centrale, comme le laisse supposer l'absence de remparts. La civilisation mycénienne se caractérisa quant à elle par l'existence de cités-États indépendantes, dont la plus puissante était Mycènes. Ces cités étaient gouvernées par des rois dont les palais, ceints de fortifications, se dressaient sur des sommets aisément défendables.

Les Mycéniens écrivaient en linéaire B (voir l'encadré p. 26). La découverte, au palais de Cnossos, de tablettes en terre portant ce type d'écriture atteste

1100 av. J.-C.

Prise des villes mycéniennes par les Doriens, nouveaux maîtres de la Crète. Réorganisation du système politique et division de la société en plusieurs classes. Une démocratie rudimentaire succède à la monarchie.

431-386 av. J.-C.

Tandis que la Grèce plonge dans la guerre du Péloponnèse, la Crète fait face à ses propres batailles – Cnossos contre Lyttos, Phaistos contre Gortyne, Kydonia (La Canée) contre Apollonie et Itanos contre Hierapytna (Ierapetra). Violent séisme en 386 av. J.-C.

67 av. J.-C.

Conquête de la Crète par les Romains, deux ans après une première invasion de Kydonia. Gortyne devient la nouvelle capitale et la ville la plus puissante de l'île. La fin des luttes internes inaugure une nouvelle ère de paix.

l'occupation de la Crète par les Mycéniens, entre 1400 et 1100 av. J.-C. Selon toute probabilité, Cnossos conserva son statut de capitale, mais les dirigeants durent se soumettre aux Mycéniens du continent. Certains Crétois minoens quittèrent l'île, d'autres se réfugièrent dans les terres, tandis que les Mycéniens fondaient de nouvelles cités comme Lappa (Argyroupoli), Kydonia (La Canée) et Polyrrinia.

L'économie de l'île, qui connut peu de changements, resta fondée sur l'exportation de produits locaux. Les beaux-arts commencèrent à décliner, tandis que prospérait la fabrication des armes, reflet de l'esprit militariste

TSUNAMI CRÉTOIS

L'effondrement brutal des Minoens fut longtemps un grand mystère archéologique. De nouvelles découvertes scientifiques semblent désormais confirmer la théorie selon laquelle ils auraient été anéantis par un gigantesque tsunami, encore plus violent que celui qui frappa l'Asie en 2004.

En fouillant les dépôts retrouvés sur des sites majeurs, jusqu'à 7 m au-dessous du niveau de la mer, des scientifiques ont découvert des poteries, tasses et matériaux de construction minoens, mélangés à des galets, à des coquillages et à de minuscules organismes marins que, d'avis d'experts, seul un cataclysme de l'ampleur d'un tsunami pourrait avoir ramené des fonds sous-marins.

Selon l'archéologue Alexander MacGillivray, responsable des fouilles menées par l'école britannique d'archéologie à Palekastro (voir l'encadré p. 197), les sciences appliquées à l'étude des tsunamis a permis d'expliquer l'ampleur du désastre et de répondre à des questions déroutantes pour les archéologues. MacGillivray a passé plus de 25 ans en Crète à étudier les Minoens. Il décrit l'évènement en ces termes : "Lorsque la vague s'abattit sur la côte nord, elle mesurait 23 m de haut sur 15 km de long. Trois vagues atteignirent le rivage, balayant les villes minoennes de la côte."

Les datations au carbone 14 réalisées sur les dépôts mis au jour en Crète coïncident avec la gigantesque éruption volcanique survenue à 70 km au nord de Santorin (Thíra) vers 1500 av. J.-C. MacGillivray affirme que 7 cm de cendres provenant de l'île furent retrouvés à Zakros, sur la côte est. Si les vagues ne peuvent pas avoir atteint Cnossos, les dégâts causés sur les céréales, les ports et les bateaux pourraient avoir décimé la société.

Cette chronologie explique en outre la présence des Minoens en Égypte peu après 1500 av. J.-C., lorsqu'ils trouvèrent refuge auprès de la reine Hatshepsout : "Depuis un siècle, nous savons que les Minoens ne se rendirent en Égypte que pendant cette période précise. Aujourd'hui, nous pensons qu'ils se déplacèrent spécifiquement pour demander l'aide du pharaon, qui était à cette époque la personne la plus puissante de la planète."

La connaissance de l'ADN et du génome humain a aussi livré des indices quant à l'origine des Minoens. Une nouvelle théorie privilégie l'hypothèse d'une migration en provenance de Troie, dans le nord-ouest de l'Anatolie, pendant l'âge du bronze.

Le décryptage du linéaire A par le Français Hubert la Marle a dévoilé que la langue parlée par les Minoens trouvait ses origines en Perse. Selon MacGillivray, celle-ci pourrait ne pas avoir été amenée par la population dominante : "Il existe un ADN iranien en Crète, mais il ne semble pas aussi marqué que l'ADN troyen. L'étude n'en est toutefois qu'à ses balbutiements."

27 av. J.-C.

La Crète s'unit à la Libye pour former la province romaine de Cyrène.

63

Visite de saint Paul et introduction du christianisme. Titus, disciple de l'apôtre, a pour mission de convertir l'île.

250

Massacre des premiers martyrs chrétiens, les Agii Deka (Dix Saints) dans le village du même nom. Début des persécutions chrétiennes.

introduit sur l'île par les Mycéniens. Au culte de la Grande Mère, ces derniers substituèrent celui de dieux comme Zeus, Héra et Athéna.

Les dissensions internes finirent par ébranler l'influence mycénienne, pourtant très étendue. Bientôt, les Mycéniens ne furent plus de taille à faire face aux belliqueux Doriens.

Dans *Cnossos, l'archéologie d'un rêve* (Gallimard, collection Découvertes, 1993), Alexandre Farnoux revient sur la recréation de la civilisation minoenne par Arthur Evans.

LA CRÈTE DORIENNE ET LA PÉRIODE CLASSIQUE

Malgré une résistance farouche, les Doriens conquirent la Crète vers 1100 av. J.-C., provoquant la fuite de nombreux habitants en Asie Mineure. Ceux qui restèrent, connus sous le nom d'Étéocrétois, ou vrais Crétois, se replièrent dans les montagnes, préservant ainsi leur culture.

Les Doriens initièrent une rupture brutale avec le passé. Les 400 années qui suivirent leur conquête ont d'ailleurs été qualifiées de "siècles obscurs". Toutefois, il convient de leur rendre justice : ils introduisirent l'usage du fer et créèrent un nouveau style de poterie, orné de motifs géométriques singuliers. Les Doriens vénéraient des dieux masculins et non des déesses de la fertilité. Ils adoptèrent le culte des divinités mycéniennes Poséidon, Zeus et Apollon qui allaient, par la suite, figurer au panthéon grec.

Hubert La Marle a consacré deux volumes à l'écriture archaïque crétoise, intitulés *Linéaire A : la première écriture syllabique de Crète* (éd. Hubert La Marle, 1996).

Les Doriens réorganisèrent le système politique de la Crète et divisèrent la société en trois classes : les citoyens libres, propriétaires, qui jouissaient de la liberté politique (une classe qui comprenait les paysans propriétaires de leurs terres) ; les marchands et les marins ; et les esclaves. Le système monarchique fut remplacé par une démocratie archaïque, dans laquelle les décisions politiques relevaient de l'autorité de comités élus par les citoyens libres. Ces comités, guidés par un conseil d'anciens, devaient répondre devant

LES MYSTÈRES DU LINÉAIRE B

En 1952, le décryptage méthodique de l'écriture en linéaire B par Michael Ventris, architecte et linguiste britannique, donna la première preuve tangible que la langue grecque avait une histoire écrite plus longue que ce qui avait été imaginé. Cette langue est en effet une forme archaïque du grec, de 500 ans antérieure au grec ionique employé par Homère.

Le linéaire B était inscrit sur des tablettes d'argile, qui restèrent en place pendant des siècles, jusqu'à ce qu'elles soient mises au jour à Cnossos. D'autres tablettes furent découvertes par la suite à Mycènes, à Tirynthe et à Pýlos, dans le Péloponnèse, et à Thèbes, en Béotie (Grèce centrale).

Les tablettes d'argile notaient pour l'essentiel des inventaires et des archives de transactions commerciales. Réalisées entre le XIVe et le XIIIe siècle av. J.-C., elles se composent de quelque 90 signes différents. Elles dévoilent peu de choses sur la vie sociale et politique de l'époque, mais donnent un aperçu d'une structure commerciale assez complexe et bien organisée.

Cette langue est indéniablement grecque, ce qui fait du grec moderne la langue possédant la deuxième plus longue histoire écrite au monde, après le chinois.

395

Partage de l'Empire romain. La Crète, contrôlée par Byzance, devient une province autonome et Gortyne, son centre administratif et religieux. Déclin de la piraterie, épanouissement du commerce et construction de nombreuses églises.

727

La révolte gronde, à la suite de l'interdiction de l'adoration des icônes par l'empereur Léon III, dans le cadre du mouvement iconoclaste. Elle est réprimée ; les empereurs byzantins lancent de sévères représailles.

824

Conquête de la Crète par les Arabes et construction de la forteresse de Rabdh el-Khandak (Héraklion) pour protéger leurs trésors de pirates. La réputation criminelle de l'île grandit, l'économie chancelle et la vie culturelle se fane.

une assemblée de citoyens libres. En contraste avec la période minoenne, les femmes étaient cantonnées à des positions subalternes.

Vers 800 av. J.-C., la production agricole, devenue suffisante, entraîna une reprise du commerce maritime. Tandis que de nouvelles colonies grecques étaient établies dans tout le Bassin méditerranéen, la Crète devint un acteur majeur des échanges commerciaux.

Au cours de cette période, plusieurs facteurs concoururent à l'unification des cités-États : l'élaboration d'un alphabet grec, les vers d'Homère et la fondation des Jeux olympiques. Avec la construction de grands sanctuaires, notamment à Delphes, les Crétois eurent pour la première fois le sentiment d'appartenir à une identité grecque.

Rethymnon, Polyrrinia, Falassarna, Gortyne, Phaistos et Lato furent bâties sur le modèle des cités-États défensives des Doriens, organisées autour d'une acropole. L'agora (le quartier commerçant bruissant d'activité) se trouvait en dehors des murs ; les quartiers résidentiels s'étendaient au-delà.

Les *Lois de Gortyne*, rédigées au VIe siècle av. J.-C. et découvertes à la fin du XIXe siècle, dévoilent un peu de la structure sociétale de la Crète dorienne. Gravées sur douze blocs de pierre, elles traitent d'affaires civiles et criminelles, en opérant des distinctions entre les différentes classes de citoyens libres, et entre les citoyens et les esclaves. Elles sont conservées sur le site.

Le vin et les amphores de Crète : de l'époque classique à l'époque impériale (École française d'Athènes, 1996), d'Antigone Marangou-Lerat, s'intéresse à la viticulture crétoise et à la commercialisation du vin de l'île, entre le VIe siècle av. J.-C. et le IVe siècle.

Tandis que le reste de la Grèce inaugura son âge d'or entre le VIe et le IVe siècle av. J.-C., la Crète demeura à la traîne. Les conflits incessants opposant les gros centres commerciaux aux communautés traditionnelles plus modestes conduisirent à un appauvrissement croissant de l'île. La Crète ne prit part ni aux guerres médiques ni à la guerre du Péloponnèse, mais la conjoncture économique obligea de nombreux insulaires à s'engager comme mercenaires dans les armées étrangères ou à se tourner vers la piraterie.

À cette époque, la Crète, berceau de la culture grecque, attira l'attention de philosophes comme Platon et Aristote, qui consacrèrent une littérature abondante à ses institutions politiques.

La lutte pour la suprématie de Cnossos, de Gortyne, de Lyttos et de Kydonia (La Canée) était continue et source de troubles. L'Égypte, Rhodes et Sparte s'impliquèrent dans les conflits crétois et la piraterie fleurit.

LA DOMINATION ROMAINE

Pendant qu'Alexandre le Grand bâtissait son empire à l'est, les Romains étendirent leur domination sur l'ouest et s'aventurèrent en Grèce. La volonté de combattre la piraterie et de contrôler les grandes routes commerciales participa de leur intérêt pour la Crète. Leur présence sur l'île remontait au IIIe siècle av. J.-C., mais ce n'est qu'à partir de la troisième guerre mithridatique (74-63 av. J.-C.) qu'ils justifièrent leur intervention par la piraterie. Marcus Antonius Creticus, père de Marc Antoine, lança une campagne navale contre la Crète, qui se solda par un échec. Désireux de

961

Le général byzantin Nikiforos Fokas assiège Rabdh el-Khandak et reprend la Crète. Les Byzantins fortifient la côte crétoise. Chandax devient la capitale de l'île et le siège de l'archidiocèse crétois. Émergence d'une puissante classe de propriétaires terriens.

1204

Après le sac de Constantinople, Boniface de Montferrat vend la Crète à Venise, qui s'empare de son nouveau territoire et entreprend la construction de villes et de fortifications, notamment à Rethymnon, à La Canée et à Héraklion.

1363

Les Vénitiens répriment promptement la révolte des chefs féodaux (vénitiens et crétois) et leur tentative d'établissement d'un État indépendant du nom de Saint-Titus.

négocier, les Crétois envoyèrent des émissaires à Rome, qui essuyèrent une rebuffade. Se préparant à une invasion romaine, la population de l'île choisit de s'unir et une armée de 26 000 hommes fut constituée. Sous les ordres du consul Metellus, la campagne romaine commença en 69 av. J.-C., près de Kydonia, avant de s'étendre à l'ensemble de l'île. Les Romains parvinrent à soumettre l'île en deux ans, malgré la vaillance des habitants.

Le pouvoir et l'influence de la Crète déclinèrent sous les Romains, mais l'île inaugura une nouvelle ère de paix, marquée par la fin des guerres intestines. Bien qu'elle ne présentât plus de menace réelle pour le pouvoir romain, elle se trouva mêlée au conflit opposant Octave et Marc Antoine – chacun punit les villes soutenant son rival.

Au début, les Romains cédèrent des parties de la Crète à plusieurs de leurs alliés. En 27 av. J.-C., l'île fut rattachée à la Libye pour former la province romaine de Cyrène. Les Romains construisirent les premières cités nouvelles depuis le Minoen, et Gortyne devint la capitale et la ville la plus puissante de Crète. Elle fut enrichie d'un amphithéâtre, de temples et de bains publics, et connut un accroissement de sa population. Cnossos tomba en désuétude ; Kydonia, à l'ouest, se transforma en un centre important. Les villes romaines étaient reliées par un réseau de routes, de ponts et d'aqueducs, dont certains subsistent aujourd'hui. Sous les Romains, les Crétois continuèrent de vénérer Zeus, dans les grottes des monts Dicté et Psiloritis (Ida), tout en intégrant des divinités romaines et égyptiennes dans leurs rituels religieux.

Destiné aux jeunes lecteurs – à partir de 9 ans –, *Complot à Byzance* (Milan, 2003) de Tracy Barret invite, à travers une histoire vraie, à la découverte du monde byzantin à l'apogée de sa puissance.

LE CHRISTIANISME ET LA CRÈTE BYZANTINE

Le christianisme fut introduit en Crète par saint Paul en 63. L'apôtre missionnaire laissa à son disciple Titus le soin de convertir l'île, et ce dernier devint le premier évêque de Crète. On sait peu de choses sur le début du christianisme en Crète. Les persécutions contre les chrétiens commencèrent au IIIe siècle ; les premiers martyrs, appelés Agii Deka (Dix Saints), furent tués dans le village du même nom en 250.

En 330, l'empereur Constantin Ier le Grand, converti au christianisme, transféra la capitale de l'Empire romain à Byzance, qu'il rebaptisa Constantinople (actuelle Istanbul). L'empire fut scindé en deux à la fin du IVe siècle, pour former les empires d'Orient et d'Occident. La Crète, comme le reste de la Grèce, se retrouva dans la partie orientale. Tandis que Rome sombrait dans la décadence, Constantinople continua de se développer. Elle prospéra longtemps après la disparition de son alter ego. L'Empire byzantin ne s'éteignit qu'avec la prise de Constantinople par les Turcs, en 1453.

Sous l'Empire byzantin, la Crète était une province autonome, ayant Gortyne pour centre administratif et religieux. Devant le recul de la piraterie, le commerce fleurit et l'île devint suffisamment prospère pour financer la construction de nombreuses églises. En 727, le vent de la révolte souffla après

1453

Prise de Constantinople par les Turcs. Les lettrés et intellectuels byzantins s'enfuient en Crète, initiant une renaissance de l'art byzantin. Émergence de l'école crétoise de peinture d'icônes, qui intègre des éléments byzantins et vénitiens.

1645

À la suite de l'attaque d'un bateau turc par des pirates au large des côtes crétoises, un gigantesque bataillon turc débarque à La Canée. Avec la chute de Rethymnon, les Ottomans s'assurent le contrôle de la partie occidentale de l'île.

1669

Après avoir repoussé l'ennemi pendant 21 ans, Candie (Héraklion) finit par tomber. Les Ottomans contrôlent toute la Crète, sauf Spinalonga et Souda (qui capituleront en 1715). Construction des mosquées et monuments ottomans.

l'interdiction de l'adoration des icônes par l'empereur Léon III l'Isaurien. Le mouvement fut réprimé et les Byzantins lancèrent de sévères représailles.

La domination byzantine s'acheva vers 824, avec la conquête de la Crète par les Arabes. Pour protéger leurs trésors de pirates, les Arabes bâtirent une forteresse nommée Rabdh el-Khandak (actuelle Héraklion). Associée à la criminalité, l'île vit son économie chanceler et sa vie culturelle se faner.

Tout occupés qu'ils étaient à défendre des territoires plus proches, les Byzantins ne purent venir en aide à la Crète, pourtant d'une importance stratégique. Les Arabes ne capitulèrent qu'en 961, après le siège de Rabdh el-Khandak par le général byzantin Nikiforos Fokas (Nicéphore Phokas).

Les Byzantins ne perdirent pas de temps pour fortifier la côte crétoise et asseoir leur pouvoir. Rabdh el-Khandak, rebaptisée Chandax, devint la nouvelle capitale de l'île et le siège de l'archidiocèse de Crète.

L'Église orthodoxe joua un rôle crucial dans l'histoire de la Crète et dans la préservation de la culture et de la religion au cours des invasions successives. Elle fut démantelée sous les Vénitiens, puis remplacée par l'Église catholique – les Ottomans autorisèrent en revanche le retour des Crétois à la religion orthodoxe. Les tentatives visant à convertir la population locale au catholicisme ou à l'islam s'avérèrent souvent veines. Malgré les persécutions incessantes, les monastères orthodoxes restèrent des creusets de résistance et conservèrent vivant l'esprit de l'unité nationale.

LA CRÈTE VÉNITIENNE

Les Génois furent les premiers à arriver en Crète, mais les Vénitiens s'imposèrent en 1217. L'île, stratégique pour le contrôle sur la Méditerranée, demeura sous la domination de Venise jusqu'en 1669 – bien longtemps après l'intégration de la Grèce dans l'Empire ottoman. L'influence vénitienne reste perceptible sur l'île, et notamment à La Canée, à Héraklion, à Rethymnon, à Sitia et à Ierapetra, où furent érigées des demeures et de massives forteresses, pour protéger les ports en développement.

En Crète, les colons vénitiens étaient des familles de nobles et de militaires, qui s'installèrent pour beaucoup à Candie (Héraklion). Au cours du premier siècle de la domination vénitienne, 10 000 immigrants s'établirent sur l'île, attirés par la confiscation des terres les plus fertiles aux insulaires. Les anciens propriétaires crétois devinrent les serfs des nouveaux maîtres vénitiens, principaux propriétaires terriens et détenteurs du pouvoir politique.

Les paysans crétois, exploités sans vergogne, étaient soumis à de lourds impôts. Sur le plan religieux, les Vénitiens, qui voyaient dans l'Église orthodoxe le symbole de l'identité nationale, imposèrent le catholicisme.

Les Crétois menèrent des soulèvements, qui furent réprimés, mais contraignirent Venise à faire des concessions. Au XVe siècle, les communautés crétoises et vénitiennes parvinrent à un difficile compromis, qui ouvrit la voie à l'épanouissement de la vie économique et culturelle de l'île.

1770

Sous la férule du chef Daskalogiannis, 2 000 Skafiotes lancent une attaque contre les Ottomans en Crète occidentale. La rébellion est réprimée ; Daskalogiannis est écorché vif sur la place centrale d'Héraklion.

1821

Début de la guerre d'Indépendance grecque. L'insurrection gagne la Crète, mais les forces turco-égyptiennes sont en supériorité numérique. La résistance donne lieu à de terribles massacres de civils.

1828

Le chef de la résistance Michalis Dalianis et 385 rebelles mènent un dernier combat héroïque à Frangokastello, dans une bataille particulièrement sanglante ; 800 Turcs viennent grossir les rangs des victimes.

Après la prise de Constantinople par les Turcs, en 1453, la Crète devint le dernier bastion de l'hellénisme. Les lettrés et intellectuels byzantins quittèrent un empire finissant pour s'installer sur l'île, où ils établirent des écoles, des bibliothèques et des presses typographiques. La rencontre des traditions byzantines et d'une Renaissance italienne florissante initia un renouveau culturel, souvent appelé Renaissance crétoise. La poésie et le théâtre s'épanouirent et, aux XVIe et XVIIe siècles, une école crétoise de peinture d'icônes se développa à partir de la combinaison d'éléments byzantins et vénitiens. C'est au milieu de cette effervescence artistique qu'émergea le peintre Dhomínikos Theotokópoulos, qui étudia en Italie avant de s'installer en Espagne et de devenir le Greco (voir l'encadré p. 48).

LA CRÈTE OTTOMANE

Au milieu du XVIIe siècle, la Crète, par ses ressources et son emplacement stratégique, attira l'attention d'un Empire ottoman alors en pleine expansion. Face à la menace turque, Venise tarda à réorganiser ses forces.

À consulter, *Grecs et Ottomans, 1463-1923* (L'Harmattan, 2002), de Joëlle Dalègre, propose une synthèse accessible sur les rapports entre l'Empire ottoman et le monde hellénique.

Les Turcs débarquèrent à La Canée en 1645. Malgré une défense vaillante, la forteresse tomba en deux mois. Puis Rethymnon céda à son tour, et les Turcs prirent le contrôle de l'ouest de l'île. Les murailles de Candie les tinrent à distance pendant 21 ans, mais la ville tomba en 1669. Seules, Spinalonga et Souda résistèrent jusqu'en 1715.

Les Ottomans imposèrent aux insulaires des conditions de vie difficiles, tout en autorisant le rétablissement de l'Église orthodoxe – qui devait être assez bien préservée au cours des deux siècles d'occupation. Face aux considérables avantages, tant économiques que politiques, que conférait l'adhésion à l'islam, les conversions de masse devinrent communes et des villages entiers changèrent de religion.

Sur le plan financier, les Crétois ne connurent tout d'abord aucune évolution positive par rapport à l'ère vénitienne. Les Ottomans conçurent des taxes visant à dépouiller l'île de ses richesses ; l'économie sombra. Au début du XVIIIe siècle, la reprise du commerce initia une amélioration des conditions de vie. La Crète se lança dans l'exportation de céréales ; l'abondance de l'huile d'olive permit l'établissement d'une industrie du savon.

La révolte grondait pourtant. De nombreux Crétois s'enfuirent dans les montagnes, d'où ils organisèrent des attaques contre les Turcs, notamment dans la région de Sfakia. En 1770, sous les ordres de leur chef Daskalogiannis, 2 000 Sfakiotes se lancèrent à l'assaut des Turcs. Ils ne reçurent jamais l'aide russe qui leur avait été promise et la révolte fut durement réprimée. Daskalogiannis fut écorché vif sur la place centrale d'Héraklion.

Lorsque la guerre d'Indépendance gagna la Crète en 1821, Sfakia fut une fois de plus au cœur de la rébellion. Cette fois-ci, le manque d'organisation et d'incessantes luttes internes affaiblirent les révolutionnaires. Les Turcs ripostèrent par une vague de massacres visant en priorité le clergé.

1830

Les grandes puissances cèdent la Crète à l'Égypte. L'ère égyptienne apporte des progrès : traitement égalitaire des musulmans et des chrétiens, organisation d'écoles et reconstruction des équipements ; les taxes suscitent de nouvelles protestations.

1831

Ioannis Kapodistrias, premier gouverneur élu de la Grèce indépendante, est assassiné par des opposants politiques.

1832

Le traité de Londres proclame l'indépendance du royaume de Grèce ; le prince bavarois Otton Ier, alors adolescent, est désigné pour occuper le trône.

Enlisés dans des combats qui les opposaient aux rebelles du Péloponnèse et de Grèce continentale, les Turcs furent contraints de demander l'aide de l'Égypte pour faire face aux Crétois. Les insulaires, pauvres en munitions et terriblement désorganisés, se lancèrent corps et âme dans la bataille, mais furent surpassés en nombre par les forces turques et égyptiennes.

Tandis que le reste de la Grèce était dévasté par la guerre, la Crète fut laissée à elle-même. Le mouvement révolutionnaire, finissant, initia encore des combats sporadiques, qui donnèrent lieu à des massacres de civils. Quand un État grec indépendant fut fondé en 1830, la Crète revint à l'Égypte.

La domination égyptienne apporta son lot de progrès. Une amnistie incita les Crétois à déposer les armes, les musulmans et les chrétiens furent traités de manière équitable, des écoles furent mises en place et la reconstruction des infrastructures de l'île fut entreprise. Dans le même temps, le niveau d'imposition demeura élevé et de nouvelles protestations se firent entendre. Après la défaite de l'Égypte face aux Turcs en Syrie, les grandes puissances proclamèrent le retour de la Crète aux Ottomans en 1840.

Avec la restauration du pouvoir ottoman, les Crétois jouirent d'une plus grande liberté de culte et de droits civiques et de propriété. Toutefois, les violations répétées de la nouvelle législation par le sultan débouchèrent sur une nouvelle révolte et sur la demande d'une *Enôsis* (union) avec la Grèce libre. La Russie se positionna en faveur de la Crète ; la Grande-Bretagne et la France, en revanche, préférèrent le statu quo et refusèrent d'apporter leur aide. Autour du slogan "l'Union ou la mort", des combats éclatèrent dans l'ouest de l'île. Une fois de plus, les Turcs se joignirent aux forces égyptiennes et s'en prirent aux civils. En 1866, quelque 900 rebelles et leurs familles se réfugièrent au Moni Arkadiou (monastère d'Arkadi). Lorsque 2 000 soldats turcs lancèrent l'assaut contre le bâtiment, les Crétois choisirent de mettre le feu à un entrepôt de poudre plutôt que de se rendre. Dans les deux camps, presque tout le monde périt dans l'explosion.

Véritable choc, l'acte héroïque des Crétois suscita à l'étranger un intérêt pour la cause crétoise. Des manifestations furent organisées partout en Europe, mais la Grande-Bretagne et la France campèrent sur leur position pro-turque. Les grandes puissances interdirent à la Grèce d'apporter son aide aux rebelles crétois. La rébellion tourna court.

En 1877, la guerre russo-turque donna lieu à un nouveau soulèvement. Pressentant la possible défaite de la Sublime Porte, le gouvernement grec prit fait et cause pour l'île. Les rebelles s'emparèrent des principales villes de la côte nord. Pourtant, le congrès de Berlin, qui mit fin à la guerre en 1878, rejeta l'idée d'un rattachement de la Crète à la Grèce. Les Ottomans firent néanmoins des concessions : la Crète devint une province semi-autonome et le grec, sa langue officielle ; une amnistie générale fut accordée.

En 1889, des dissensions politiques au sein du Parlement crétois ouvrirent la voie à une nouvelle révolte contre l'administration ottomane ; la Porte

À trouver en bibliothèque ou chez un bouquiniste, *L'Archipel du feu* (Hatier, 1994), roman de Jules Verne d'abord publié en feuilleton dans *Le Temps*, évoque la Grèce au moment de la guerre d'Indépendance.

L'ouvrage *Crète infortunée : chronique du soulèvement crétois de 1866 à 1869* (Belles Lettres, 1976), traduit du grec par Pierre Coavoux, est malheureusement épuisé. Peut-être le trouverez-vous d'occasion.

1840

Défaite de l'Égypte face aux Turcs. Les grandes puissances rendent la Crète aux Ottomans. Les violations répétées de la nouvelle législation débouchent sur une révolte et sur la demande d'une union avec la Grèce. La Grande-Bretagne et la France refusent de s'impliquer.

1866

Quelque 2 000 soldats turcs attaquent le monastère d'Arkadi, où se sont réfugiés plus de 900 rebelles et leurs familles. Refusant de se rendre, les Crétois mettent le feu à un entrepôt de poudre. L'explosion ne laissera pratiquement aucun survivant.

1877

La guerre russo-turque donne lieu à une nouvelle révolte. La Grèce soutient la Crète et les rebelles s'emparent des villes de la côte nord. Les grandes puissances refusent l'union de la Crète avec la Grèce. L'Empire ottoman confère une semi-autonomie à la Crète.

riposta par le rétablissement d'une législation plus dure. À Sfakia, Manousos Koundouros fonda une confrérie secrète ayant pour objectif la protection de l'autonomie, voire une éventuelle unification de la Crète avec la Grèce. Le siège de la garnison turque de Vamos fut suivi de violentes représailles, qui se soldèrent par l'intervention des grandes puissances. Les Turcs durent accepter une nouvelle Constitution.

Quand une nouvelle flambée de violence éclata en 1896, le gouvernement grec envoya un petit détachement dans l'île et proclama le rattachement de la Crète à la Grèce. Les grandes puissances en rejetèrent l'idée et instaurèrent un blocus de la côte, refusant aux Grecs comme aux Turcs le droit de renforcer leur position. La Grèce, entraînée dans une guerre avec l'Empire ottoman, rappela ses hommes. Les grandes puissances désignèrent le prince Georges, fils de Georges Ier, roi de Grèce, comme haut-commissaire de la Crète.

En 1898, des soldats britanniques mettaient en place le transfert du pouvoir à Héraklion lorsque des Turcs entrèrent dans la ville et massacrèrent des centaines de civils chrétiens, ainsi que 17 soldats et le consul britanniques. Les Britanniques réunirent 17 fauteurs de trouble, qu'ils firent pendre, et postèrent des bateaux dans le port d'Héraklion. Les Turcs furent sommés de quitter les lieux. Ainsi s'acheva la domination ottomane de la Crète.

Dans *Venezilos : la naissance de la Grèce moderne* (Sodis, 2008), Charles Personnaz dresse le portrait de cette grande figure politique du début du XXe siècle.

Après la désastreuse invasion grecque de Smyrne (actuelle Izmir), le traité de Lausanne prévit, en 1923, un échange de population entre la Grèce et la Turquie, pour prévenir d'éventuels conflits. Les derniers musulmans de Crète, au nombre de 30 000 environ, furent priés de quitter l'île et durent abandonner leurs maisons aux réfugiés grecs. Beaucoup étaient des chrétiens d'origine qui s'étaient convertis à l'islam.

En Crète, peu de choses subsistent de la période ottomane. Les édifices les plus remarquables sont la vieille mosquée de La Canée, les minarets et mosquées de Rethymnon, ainsi que les vestiges de l'architecture ottomane des vieux quartiers turcs des villes.

L'UNION AVEC LA GRÈCE

Après le départ des Ottomans, la Crète fut placée sous administration internationale. Quant au vieux désir d'une union avec la Grèce, elle allait devoir attendre plusieurs années avant de le combler. Un nouveau mouvement prit forme autour du charismatique Elefthérios Venizélos, originaire de La Canée, qui s'imposa comme une figure politique majeure, en Grèce comme en Crète. Ministre de la Justice du prince Georges, Venizélos était aussi membre de l'Assemblée crétoise. En 1905, face au refus catégorique du prince Georges d'envisager l'unification, Venizélos convoqua une assemblée révolutionnaire à Therisso, près de La Canée, hissa le drapeau grec et proclama l'union avec la Grèce.

Venizélos établit un gouvernement rival en vue d'administrer l'île. Le mouvement gagna du terrain, et les grandes puissances durent bien

1889

De profondes dissensions au sein du Parlement crétois provoquent une nouvelle rébellion. Les grandes puissances contraignent les Turcs à approuver la nouvelle Constitution.

1896

Nouvelle flambée de violence. La Grèce envoie des troupes et proclame le rattachement de la Crète au continent. Refus des grandes puissances, qui nomment le prince Georges haut-commissaire de Crète ; la Grèce rappelle ses troupes.

1898

Les Turcs assaillent Héraklion, massacrant des centaines de civils chrétiens ainsi que 17 soldats et le consul britanniques. Les Britanniques ordonnent aux Turcs de quitter l'île, qui est placée sous administration internationale. La Canée devient la capitale.

reconnaître que le prince Georges avait perdu tout soutien. Malgré la nomination d'un nouveau gouverneur par le roi Georges Ier, le peuple continua à s'élever en faveur de l'unification.

En 1908, l'Assemblée crétoise proclama à son tour l'union avec la Grèce, mais le gouvernement grec refusa aux députés crétois le droit de siéger au Parlement continental. Malgré la nomination de Venizélos au poste de Premier ministre, la Grèce redoutait la réaction des Turcs et des grandes puissances européennes, résolument opposées au projet. Ce n'est que lorsque la Grèce, la Serbie et la Bulgarie déclarèrent la guerre à l'Empire ottoman au sujet de la Macédoine au cours de la première guerre des Balkans (1912) que les Crétois furent admis au Parlement grec. À la fin de la guerre, en 1913, le traité de Bucarest reconnut la Crète comme une partie de l'État grec.

LA SECONDE GUERRE MONDIALE ET LA BATAILLE DE CRÈTE

Le 6 avril 1941, l'armée allemande envahit la Grèce après avoir traversé la Yougoslavie. Le pays fut rapidement occupé. Le Premier ministre, Emmanouil Tsouderos, se réfugia dans sa Crète natale avec le gouvernement.

L'armée grecque étant tout entière mobilisée pour combattre les Italiens en Albanie, la Grèce demanda l'aide de la Grande-Bretagne pour défendre la Crète. Churchill accepta, déterminé à stopper l'avancée de l'Allemagne en Europe du Sud-Est. Plus de 30 000 hommes, britanniques, australiens et néo-zélandais, débarquèrent dans la dernière parcelle de Grèce libre, pour les deux tiers en provenance de Grèce continentale.

John Pendlebury, grand archéologue britannique, prit la suite d'Arthur Evans à Cnossos. Engagé dans la résistance crétoise, il fut exécuté par les Allemands en 1941. Il est inhumé au cimetière des Alliés de Souda.

En raison des moyens militaires déjà déployés au Moyen-Orient, les Alliés n'étaient pas dans une position privilégiée pour protéger l'île, dont la défense avait été sérieusement négligée. À la rareté des avions de combat disponibles vinrent s'ajouter six changements de commandement au cours de l'année 1941, qui perturbèrent la préparation militaire. Dans un terrain crétois accidenté, les seuls ports fiables se trouvaient sur la côte nord, très exposée. Or, le réseau routier ne permettait pas l'envoi de renforts depuis les ports du Sud, plus protégés.

Hitler était déterminé à s'emparer de la Crète, qu'il souhaitait prendre comme base pour attaquer les Britanniques en Méditerranée orientale. Le 20 mai, après une semaine de bombardements aériens, il lança la première invasion aéroportée de l'histoire. Ainsi débuta la bataille de Crète, qui devait s'avérer décisive. Des milliers de parachutistes descendirent sur La Canée, pour prendre l'aéroport de Maleme, à 17 km à l'ouest de la ville, ainsi que sur Rethymnon et Héraklion.

Objectif Crète (Grancher, 1997), de Jean Mabire, revient sur l'invasion allemande de la Crète, le 20 mai 1941.

Vieillards, femmes et enfants s'emparèrent d'armes de fortune, fusils de chasse, faucilles ou autres, pour défendre leur terre. Le nombre de blessés allemands fut considérable, mais les forces d'Hitler parvinrent à s'emparer de l'aéroport de Maleme dès le premier jour. Malgré une défense vigoureuse, les Alliés perdirent la bataille en dix jours.

1900

Sir Arthur Evans commence les fouilles à Cnossos. Le palais est mis au jour. La découverte de la civilisation minoenne stupéfie le monde de l'archéologie.

1905

Une assemblée révolutionnaire proclame l'union avec la Grèce à Therisso. Venizélos instaure un gouvernement rival sur l'île. Les grandes puissances reconnaissent la marginalisation du prince Georges et nomment un nouveau gouverneur.

1908

Proclamation de l'union avec la Grèce à l'Assemblée crétoise. Les députés crétois devront attendre 1912 pour siéger au Parlement grec.

LA CRÈTE D'APRÈS-GUERRE

Après la guerre et l'occupation étrangère, la Grèce et les Alliés durent encore gérer les tensions de la situation politique intérieure. Winston Churchill, qui souhaitait le retour du roi, craignait une prise de pouvoir par les communistes, qui avaient dominé la résistance sur le continent. En 1946, les monarchistes, soutenus par les Britanniques, remportèrent les élections, boycottées par les communistes. Une guerre civile éclata après le retour sur le trône du roi Georges II, à la suite d'un plébiscite truqué. Elle devait durer jusqu'en 1949.

Bien après le terrible tsunami qui anéantit les Minoens, la Crète fut frappée par un autre tsunami de moindre envergure à Palekastro, en 1956. Les habitants se souviennent de la grande vague qui vint s'abattre et déversa des tonnes de poisson dans les vignobles.

Au cours des années 1950, la Crète fut largement épargnée par les effusions de sang et la violence qui plongèrent la Grèce dans un chaos tant économique que politique. La coopération étroite entre les Crétois et les soldats britanniques fit naître chez les insulaires un sentiment pro-britannique, laissant peu de place à une infiltration de l'extrême gauche.

En 1967, la Grèce fut une nouvelle fois plongée dans le tumulte, quand un groupe de colonels organisa un coup d'État, établit une junte militaire et imposa la loi martiale et la censure. Les partis politiques et les syndicats furent interdits ; des milliers d'opposants furent emprisonnés, torturés ou exilés. Le ressentiment crétois à l'égard des colonels s'intensifia lorsque ces derniers imposèrent de grands projets de développement touristique sur l'île, faisant la part belle au copinage.

LE GOÛT DE LA LUTTE

La Crète possède une longue histoire de résistance à l'occupation étrangère, marquée par l'esprit rebelle des Crétois, qui s'illustra notamment de manière héroïque contre les Turcs et les Vénitiens. Dans son roman *La Liberté ou la mort*, Nikos Kazantzakis dresse un portrait vivant de la combativité des Crétois, à travers l'histoire d'un résistant du XIXe siècle, au temps de l'occupation ottomane.

Plus récemment, la vaillance des insulaires leur valut l'admiration des soldats alliés, qui combattirent en Crète pendant la Seconde Guerre mondiale. Après la bataille de Crète, les Crétois s'exposèrent aux représailles des Allemands en cachant des milliers de soldats et en les aidant à rejoindre le Sud pour s'échapper en traversant la mer de Libye. Des agents alliés envoyés d'Afrique du Nord coordonnèrent la guérilla des combattants crétois, connus sous le nom d'*andartes*. Soldats et Crétois étaient sous la menace constante des nazis, tandis qu'ils vivaient dans des grottes, s'abritaient dans des monastères comme celui de Preveli, franchissaient les pics à pied ou déchargeaient des cargaisons sur la côte sud. L'écrivain voyageur Patrick Leigh Fermor se trouvait parmi eux. Il vécut deux ans dans les montagnes aux côtés des résistants et fut impliqué dans l'enlèvement du général allemand Kreipe, commandant militaire de l'île, en 1944.

Les représailles allemandes contre les civils furent terribles. Des villes furent bombardées et des villages, brûlés ; des hommes, des femmes et des enfants furent abattus en rang. Quand les Allemands finirent par capituler en 1945, ils insistèrent pour se rendre aux Britanniques, de peur que les Crétois ne se vengent de ce qu'ils avaient subi.

1913

Unification officielle de la Grèce et de la Crète par le traité de Bucarest.

1921

Échec des troupes grecques qui attaquent les Turcs à Smyrne ; de nombreux civils grecs sont massacrés. Un échange de population s'ensuit en 1923 : 30 000 Turcs doivent quitter l'île, où s'installent les Grecs de Smyrne.

1941

L'Allemagne envahit la Grèce ; les troupes alliées volent à la rescousse de la Crète. L'Allemagne lance une attaque aéroportée pour prendre l'aéroport de Maleme, à l'ouest de La Canée, dans la fameuse bataille de Crète. Les Alliés évacuent Hora Sfakion.

Les soupçons portant sur une éventuelle implication de la CIA dans le coup d'État ne furent jamais avérés. Pour autant, le mutisme des États-Unis, tant au sujet de cet évènement que du régime qui s'ensuivit, laissa planer le doute et favorisa la persistance d'un certain antiaméricanisme.

En 1974, à la suite du renversement manqué, soutenu par la junte, de l'archevêque Makários III, président chypriote, la Turquie envahit Chypre. Discréditée par cette invasion, la junte précipita sa propre chute.

L'interdiction des partis communistes fut levée et la Nouvelle Démocratie (ND), parti de droite de Kostás Karamanlís, remporta les élections en 1974. À l'occasion d'un référendum national, les Grecs se prononcèrent à 69% contre le rétablissement de la monarchie. La Grèce devint une république démocratique pluraliste et entra dans une ère de stabilité, de paix et de croissance sans précédent. La même année, l'ancien souverain grec et la famille royale s'enfuirent à Londres.

La bataille de Crète fut décisive pour l'issue de la Seconde Guerre mondiale. Chaque mois de mai, d'anciens combattants venus de Grande-Bretagne, d'Australie, de Nouvelle-Zélande et de Grèce assistent aux commémorations organisées en Crète.

LA DÉMOCRATIE

Plus calme que par le passé, la politique de la Grèce contemporaine demeure pour le moins haute en couleur, tout émaillée qu'elle est de scandales privés ou financiers, de corruption ou de népotisme.

Depuis le milieu des années 1970, le destin de la Crète est devenu indissociable de l'évolution politique, économique et sociale de la Grèce continentale, dont elle embrasse les booms et les revers économiques.

Le parti d'Andréas Papandréou, le Mouvement panhellénique socialiste (PASOK) – qui forma le premier gouvernement socialiste de Grèce –, domina la politique grecque pendant les deux décennies qui suivirent son élection en 1981. La promesse de Papandréou d'évacuer les bases militaires américaines et de se retirer de l'Otan se révéla particulièrement populaire en Crète, en raison de l'hostilité des insulaires vis-à-vis de la présence des forces étrangères. L'effectif américain sur l'île fut réduit, mais des bases des États-Unis et de l'Otan subsistent néanmoins. La base navale américaine de la baie de Souda est d'ailleurs régulièrement la cible des manifestants.

Après l'entrée de la Grèce dans l'Union européenne (alors CEE) en 1981, les paysans crétois bénéficièrent des subventions européennes. L'île reçut également des aides pour le développement de ses infrastructures touristiques et culturelles. L'introduction de charters directs à destination de la Crète se traduisit par une forte croissance du tourisme ; le nombre de visiteurs fut pratiquement multiplié par trois entre 1981 et 1991.

Les réformes de Papandréou furent entachées par de nombreux scandales, dont celui de la liaison du leader avec une jeune hôtesse de l'air – qu'il épousa par la suite – et un scandale financier qui impliqua la banque de Crète à la fin des années 1980. Dans ce dernier, Papandréou et quatre ministres furent accusés de détournement de fonds, avant d'être acquittés.

1944

Les résistants crétois kidnappent le général allemand Kreipe, qu'ils envoient en Égypte avec l'aide des Alliés ; les représailles allemandes sont terribles. Des villes sont bombardées et des villages, anéantis. Des civils sont abattus ; les enfants ne sont pas épargnés.

1946-1949

Début de la guerre civile entre communistes et royalistes. Les communistes ne parviennent pas à infiltrer la Crète, largement épargnée par les effusions de sang et la violence dans laquelle sombre la Grèce.

1951

Entrée de la Grèce dans l'Otan. Des bases militaires sont établies en Crète.

La Nouvelle Démocratie revint brièvement au pouvoir au début des années 1990, lorsque le Crétois Konstandínos Mitsotákis fut élu Premier ministre. Trois ans plus tard, les affaires de corruption et les divisions internes facilitèrent le retour au pouvoir du PASOK.

La Crète a donné à la Grèce deux Premiers ministres : Elefthérios Venizélos (plusieurs fois en poste entre 1910 et 1933) et Konstandínos Mitsotákis (1990-1993).

En 1996, des problèmes de santé contraignirent Papandréou à quitter la direction du PASOK. Avec son départ, c'est une page de l'histoire de la politique grecque qui se tourna. Son successeur, Kóstas Simítis, un technocrate sévère partisan de la réforme économique, conduisit le PASOK à un changement de direction radical, par la voie de la privatisation et de la réforme du secteur public. La sélection de la candidature grecque pour l'organisation des Jeux olympiques de 2004 garantit un afflux financier destiné à l'amélioration des infrastructures. Parallèlement, les mesures d'austérité de Simítis en vue de l'admission de la Grèce au club euro et de l'adoption de la monnaie unique en 2002 engendrèrent un fort mécontentement, encore renforcé par les augmentations de prix consécutives à l'introduction de l'euro. En janvier 2004, Simítis confia les rênes du pouvoir à Georges Papandréou, ministre des Affaires étrangères et fils d'Andréas. Malgré son expérience politique et sa popularité, notamment en Crète, Papandréou ne put épargner au PASOK une cuisante défaite deux mois plus tard.

C'est donc à la Nouvelle Démocratie de Kostás Karamanlís que revint l'honneur de présider les Jeux olympiques d'Athènes, qui furent un succès. Il fut alors moins question de sport que de montrer au monde une Grèce moderne et développée. Après les JO, la Nouvelle Démocratie ne fit guère d'efforts pour consolider l'économie, éprouvée par les dépenses considérables engendrées par l'évènement, l'entrée de la Grèce dans la zone euro, un chômage et une inflation galopants, les privatisations et les tentatives de réforme de la législation du travail, de la sécurité sociale et de l'éducation.

Au cours de l'été 2007, de gigantesques feux de forêt, qui firent 65 victimes et détruisirent de vastes parcelles, précipitèrent la Grèce dans une crise tant environnementale que politique. Le gouvernement de la Nouvelle Démocratie fut reconduit de justesse aux élections nationales de septembre, qui traduisirent un recul des principaux partis. Le parti communiste (KKE) connut une nette progression et le parti nationaliste LAOS gagna 10 sièges, devenant ainsi le premier parti d'extrême droite à entrer au Parlement grec depuis la fin de la dictature militaire, il y a plus de 30 ans. Le leader du PASOK, Georges Papandréou, dut quant à lui se battre pour conserver sa place, disputée par Evangelos Venizelos, un vétéran du parti.

AUJOURD'HUI

Dans un contexte de paix et de stabilité sans précédent, la Crète s'est imposée comme l'une des îles les plus dynamiques et les plus prospères de Grèce et comme un pôle économique majeur. Avec plus de deux millions de visiteurs par an, surtout en provenance d'Allemagne et de Grande-Bretagne, le tourisme a supplanté l'agriculture comme industrie dominante.

1967

Coup d'État des colonels, qui instaurent la loi martiale. L'animosité crétoise à l'égard de la junte s'intensifie quand les colonels imposent de gros projets touristiques sur l'île, favorisant le népotisme.

1971

Héraklion redevient la capitale de l'île.

1974

La Turquie envahit Chypre, après le renversement manqué de l'archevêque Makários III, président de Chypre. Chute de la junte et rétablissement de la démocratie en Crète. Abolissement de la monarchie et exil de la famille royale.

La Crète a été l'un des grands bénéficiaires des subventions européennes dans les domaines de l'équipement et de l'agriculture. Plus récemment, des aides lui ont été accordées pour la promotion du tourisme vert et pour la restauration d'édifices historiques et de villages traditionnels, dans le cadre de la préservation du patrimoine culturel. Une urbanisation croissante a conduit les villes sur le chemin de la prospérité et l'île est devenue un haut lieu de la recherche, comptant plusieurs campus universitaires et instituts de recherche et une importante population estudiantine.

Le développement de la Crète n'en a pas moins été chaotique, notamment parce qu'elle ne possède pas de gouvernement central et parce que ses quatre préfectures (ou nomes) sont pratiquement indépendantes – voire en concurrence. La Crète demeure hostile au contrôle exercé par Athènes, tandis que dans la politique régionale, des plus complexes, la famille, les relations et les intérêts locaux comptent autant que l'appartenance à un parti. La Crète reste l'un des bastions du PASOK, qui s'impose largement devant la Nouvelle Démocratie aux élections nationales.

Les divisions et les conflits d'intérêt, nombreux, s'opèrent entre la région touristique de la côte nord et le Sud, moins développé ; entre les terres agricoles fertiles et prospères, comme autour d'Héraklion, et la région du Lassithi où sont privilégiées les cultures sous serre ; et entre les communautés rurales pauvres et les villes, de plus en plus développées.

L'activité touristique en Crète a une nouvelle fois doublé entre 1990 et 2000, notamment grâce au boom des voyages à bas prix. Cet essor est source de mécontentement dans les autres secteurs, qui en tirent peu de bénéfices, mais constatent l'impact sur l'environnement et les ressources. La nécessité de développer un tourisme durable semble plus que jamais impérieuse.

Le défaut de planification et de régulation est particulièrement flagrant dans les zones touristiques surdéveloppées de la côte nord, où le seuil d'engorgement a désormais été atteint, tandis que, sur la côte sud, des hôtels côtoient au bord de l'eau des serres pour le moins inesthétiques – la Crète concentre 50% des serres grecques ; si celles-ci ont amené la prospérité, on évoque une recrudescence des problèmes de santé et des taux de cancers dans la région du Lassithi, dus à l'emploi des pesticides.

Le prolongement de la route nationale menant à Sitia est considéré comme primordial pour le développement régional de l'est de l'île. En revanche, des projets touristiques controversés divisent la population dans la région de Vaï, tandis que l'apparition de vastes complexes balnéaires autour de Platanias, près de La Canée, laissent craindre le pire pour l'avenir.

Les efforts déployés pour développer un tourisme vert plus durable, l'agrotourisme et des vacances plus haut de gamme ont permis la progression d'activités spécifiques – sports extrêmes, spas, golf, circuits culturels, culinaires ou œnologiques, etc. Globalement, on a assisté à une amélioration des prestations, proposées avec plus de professionnalisme que par le passé.

1981

La Grèce devient le 10e membre de la CEE. Élection du premier gouvernement socialiste du PASOK, dirigé par Andréas Papandréou.

1990

Élection du Crétois Konstandínos Mitsotákis au poste de Premier ministre après une étroite victoire de la ND. Impopularité des réformes économiques en Crète. Formation d'un parti dissident, à la suite d'accusations de corruption, qui décrédibilisent la ND.

1993

Retour au pouvoir du PASOK. En 1996, la démission d'Andréas Papandréou, en raison de problèmes de santé, marque la fin d'une ère. Kóstas Simítis succède à Papandréou ; ses réformes et ses mesures d'austérité poursuivent le long règne du PASOK.

AFFAIRES DE FAMILLE

Le paysage politique grec a été qualifié de démocratie héréditaire, de par la prédominance de deux familles à la tête de l'État depuis les années 1940.

Kostás Karamanlís, Premier ministre et leader actuel du parti de la Nouvelle Démocratie (ND), est le neveu d'un ancien président et Premier ministre, dont il porte le nom et qui domina la politique grecque dans les années 1990.

Andréas Papandréou, le fondateur du PASOK, resta près de 12 ans Premier ministre, de 1981 à 1989 et de 1993 à 1996. Il est le fils de Georges, Premier ministre en 1944 et en 1963-1965. Le fils d'Andréas, Georges, ancien ministre des Affaires étrangères, est aujourd'hui à la tête du PASOK.

Kyriakos Mitsotákis, fils du Premier ministre Konstandínos Mitsotákis, nouveau démocrate et crétois, est lui-même député pour la Nouvelle Démocratie. Sa fille, la charismatique Dora, ministre des Affaires étrangères (et ancien maire d'Athènes), est largement pressentie pour prendre la tête du parti dans le futur. Elle est entrée en politique après l'assassinat de son mari, le député nouveau démocrate Pavlos Bakoyannis, par l'organisation terroriste du 17-Novembre (N17).

Ces dernières années, dans le contexte de la mondialisation, la préservation de l'identité culturelle et des traditions de la Crète a fait l'objet d'un regain d'intérêt. Les questions environnementales sont davantage considérées, mais la conscience écologique reste faible.

L'agriculture demeure non seulement un atout, mais aussi un mode de vie. Si le poids de l'agriculture biologique sur l'île est élevé pour la Grèce, il n'en demeure pas moins faible.

Un accès facilité au continent, l'amélioration des conditions de vie et des opportunités accrues dans les secteurs du travail et de l'éducation ont fait de la Crète un lieu de vie plus attrayant. L'exil des jeunes insulaires commence à se tarir ; le flux des Athéniens qui s'installent en Crète, plus modeste, n'en est pas moins régulier. Le boom de l'immobilier dans le secteur des résidences pour Européens a provoqué un véritable envol des prix.

Le plus grand flux de population est toutefois celui des migrants économiques, qui représentent désormais une grande partie de la main-d'œuvre dans l'agriculture et le bâtiment. Le tourisme emploie de nombreux saisonniers, originaires aussi bien de Grèce que de l'étranger.

Sur fond de rapides changements économiques et sociaux, la préservation de la singularité et de l'environnement de l'île sera sans doute le plus grand défi que la Crète devra relever pour la prochaine phase de son histoire.

2002

Intégration de la Grèce dans la zone euro. L'euro remplace la drachme.

2004

La Nouvelle Démocratie, guidée par Kostás Karamanlís, prend le pouvoir. Victoire de la Grèce à l'Euro 2004. Athènes organise avec succès les Jeux olympiques.

2007

Réélection de la Nouvelle Démocratie, le parti de Kostás Karamanlís, plusieurs semaines après des incendies dévastateurs. Déroute du PASOK ; progression des petites formations, comme le parti communiste (KKE) et le parti nationaliste LAOS.

Culture et société

LA SOCIÉTÉ CRÉTOISE

Les Crétois occupent une place bien particulière dans la société grecque. Ils conservent des traditions, des musiques, des danses et une gastronomie qui leur sont propres. Aussi patriotiques qu'accueillants, ils restent très attachés à leur culture. Beaucoup affirment toujours être crétois avant d'être grecs. Même au sein de l'île, les habitants cultivent différentes identités régionales. Cet aspect est frappant dès lors que l'on s'éloigne des principaux centres touristiques. En zone rurale, beaucoup de Crétois parlent encore un dialecte ou ont un accent distinct.

Découvrez la démographie de la Grèce sur le site www.statistics.gr

Conséquence de siècles de lutte contre l'occupant étranger, la Crète a acquis un esprit très indépendant qui conduit parfois à des désaccords avec Athènes. Beaucoup de lois incompatibles avec les coutumes locales ne sont pas respectées. Ainsi, les armes sont très réglementées en Grèce, mais cela n'empêche pas beaucoup de Crétois de posséder un véritable arsenal (voir l'encadré p. 42).

Le peuple crétois, réputé pour son hospitalité, traite les étrangers comme des invités d'honneur. Bien sûr, les habitants n'offrent plus gratuitement le gîte et le couvert aux millions de touristes qui viennent chaque année, mais, si vous vous baladez dans les petits villages de montagne isolés, on vous invitera peut-être dans une maison pour partager un café, voire un repas. Dans les tavernes, il est assez courant de payer une tournée à un groupe d'amis ou même d'étrangers. L'usage veut que l'on ne rende pas la pareille immédiatement après – en théorie, il faut attendre la prochaine occasion.

La société crétoise est profondément influencée par l'Église grecque orthodoxe, par ses rituels et ses festivités (pour la liste des fêtes et festivals, reportez-vous p. 211). Les liens familiaux et le sens de l'honneur sont très forts. Les terribles vendettas crétoises sont certes devenues rares, mais elles n'ont pas complètement disparu (voir l'encadré p. 97).

Les mariages et les baptêmes sont encore de grands évènements. La tradition des coups de feu en l'air, pourtant politiquement incorrecte – et dangereuse, puisque des accidents mortels sont survenus –, reste pratiquée dans certaines zones. En témoignent les panneaux de signalisation criblés d'impacts de balles…

La Crète : un peuple résistant, un univers mythique (Autrement, 1993), sous la direction de Christian Cogné et Ismini Vlavianou, est un bel ouvrage consacré à l'île et à son peuple.

Il existe de grandes rivalités entre nomes (ou préfectures). Capitale de l'île jusqu'en 1971, La Canée (Khaniá) se considère comme son cœur historique, tandis que Rethymnon se proclame centre culturel.

Le courant politique dominant est le centre gauche. En Crète, le parti socialiste PASOK l'emporte régulièrement sur le parti conservateur Nouvelle Démocratie (ND), aux élections locales, aussi bien que nationales.

Les Crétois demeurent très ethnocentriques et l'île n'est pas exempte d'un certain antiaméricanisme. Cette tendance ne s'explique pas seulement par la résistance générale à l'hégémonie américaine, mais aussi par différents épisodes : immixtion non justifiée des États-Unis pendant la guerre civile grecque, implication soupçonnée de la CIA dans le coup d'État des colonels en 1967, indifférence des États-Unis face à la question chypriote et intervention américaine au Moyen-Orient et dans les Balkans. Cette hostilité se traduit par des manifestations devant la base militaire américaine de Souda ou par des actions plus subtiles, telles que le refus de servir des sodas américains dans certains endroits. Si l'animosité envers la politique étrangère américaine est bien réelle, elle demeure idéologique et ne se reflète pas dans l'attitude adoptée vis-à-vis des touristes.

IOÀNNA KARYSTIÀNI OU LES LIENS CULTURELS

Née à La Canée (Khaniá), l'écrivain Ioànna Karystiàni vit à Athènes depuis l'âge de 18 ans, mais son cœur n'a jamais quitté la Crète. Elle retourne régulièrement à La Canée pour rendre visite à sa famille, arrivée de Turquie dans les années 1920 lors de l'échange de population. "Je m'assois à côté de mes parents, qui ont dans les 90 ans, je les tiens par le bras, ma mère à droite et mon père à gauche, nous discutons et nous récitons des *mantinades* (couplets de rimes traditionnels)", raconte-t-elle.

Ioànna fait partie de la génération de l'École polytechnique, qui se révolta contre les colonels en 1973. Après avoir été dessinatrice politique, elle se tourne assez tard vers l'écriture. En 2004, elle écrit le scénario du film *Les Mariées*. Son roman *Un Costume dans la terre* (Seuil, 2004) est inspiré d'une vendetta se déroulant à Sfakia, région montagneuse jadis fief de la résistance crétoise.

Désormais âgée de 55 ans, Ioànna Karystiàni affirme qu'une terre, son histoire et sa langue nourrissent et façonnent les générations à venir.

"Les Crétois sont orgueilleux. La diversité et l'austérité de la terre ainsi que l'histoire émaillée de révolutions et de guerres y sont pour quelque chose. La civilisation minoenne était pacifiste. Plus tard, la dureté de la vie et les invasions successives ont rendu les Crétois durs et authentiques. Ils sont très fiers de leur terre et l'expriment souvent de façon positive ; parfois, cela se manifeste par un comportement obtus, patriarcal et condescendant, mais la plupart des gens ne sont pas comme cela."

Ioànna Karystiàni souligne que, dans beaucoup de régions grecques, la musique traditionnelle a été abandonnée pour s'intégrer au courant européen contemporain et ne pas paraître rétrograde. À l'inverse, les Crétois perpétuent leurs traditions.

"En Crète, des milliers d'enfants apprennent sans problème à danser les pas traditionnels et à jouer de la lyre. Ils aiment le rock, mais ça ne les empêche pas d'inventer des *mantinades* ou de chanter et de danser comme dans l'ancien temps. Ils ont intégré ce morceau du passé à leur vie présente, car cela leur parle et leur réchauffe le cœur."

Les Crétois émigrés à Athènes ou à l'étranger – bien moins nombreux que les habitants des autres régions grecques – gardent des liens étroits avec leur famille et leur culture ; toutes les occasions sont bonnes pour revenir au pays. Pendant les vacances ou les élections, même les villages les plus retirés résonnent des retrouvailles familiales.

MODE DE VIE

Les trente dernières années ont vu énormément de changements et une nette amélioration des conditions de vie. La société crétoise est de plus en plus urbanisée, le niveau de vie a augmenté et les villes regorgent désormais de bars, restaurants et discothèques branchés.

Les Crétois revendiquent leur propension à profiter de la vie. Ils s'habillent avec soin, sortent en masse pour la balade du soir (*volta*) et fréquentent assidûment cafés et restaurants.

La Grèce détient le plus grand pourcentage de fumeurs de l'Union européenne. Ici, on fume partout et tout le temps. Si l'interdiction de fumer est assez bien respectée dans les lieux publics, il est encore très rare de trouver des espaces non-fumeurs dans les restaurants.

En Crète comme partout dans le pays, la plupart des ménages ont perçu une augmentation du coût de la vie depuis l'introduction de l'euro. Manger au restaurant revient désormais beaucoup plus cher, même s'il reste des tavernes assez économiques, en particulier dans les villages.

Les Crétois gèrent l'invasion saisonnière des touristes en préférant des horaires et des lieux sensiblement différents de ceux de leurs hôtes. On vous parlera bien sûr d'endroits où ne vont "que les touristes" – comme partout ailleurs, mieux vaut les éviter !

D'avril à octobre, de nombreux insulaires vivent dans les complexes côtiers en effervescence ; ils tiennent des boutiques, des pensions ou des tavernes. En automne, quand arrive la saison des olives et des vendanges, ils retrouvent leurs collines et un mode de vie plus traditionnel.

Alors qu'un touriste classique dîne assez tôt dans un restaurant du port ou de la plage, les Crétois préfèrent les tavernes de village et s'attablent autour de 23h. Beaucoup de tavernes produisent leur viande et leurs légumes, ce qui limite les coûts et garantit une nourriture de qualité.

La Crète moderne se caractérise par deux types de fossés : entre générations d'une part, et entre ville et campagne d'autre part. En zone rurale, vous verrez des bergers avec leurs troupeaux et des hommes se réunissant au *kafeneio* (café) après la sieste. Les villages de montagne sont les dépositaires des coutumes traditionnelles et beaucoup de personnes âgées portent encore le noir en signe de deuil.

Cependant, la vie change aussi dans les campagnes. Certes, la population vit toujours de la terre – et approvisionne les proches installés en ville –, mais la culture de subsistance cède peu à peu le pas devant les productions commerciales. De même, vous rencontrerez encore des ânes, mais ils sont bien souvent remplacés par d'énormes 4x4.

La jeune génération possède un bon niveau d'instruction. La plupart des jeunes parlent anglais, voire allemand.

Le passage d'un mode de vie pauvre et rural à une existence de plus en plus citadine conduit à une évolution délicate des mœurs, tant culturelles que religieuses. La société crétoise demeure assez conservatrice et il n'est pas courant de quitter le domicile familial avant de se marier, sauf pour étudier ou travailler. Les causes sont d'ordre tant culturel que pratique ; la majorité des couples prennent une maison au moment du mariage.

ÉCONOMIE

Au cours des cinq dernières années, la Crète a profité de la croissance économique de la Grèce et la généralisation du crédit s'est traduite par un boom de la consommation. D'un autre côté, la plupart des ménages subissent la hausse du coût de la vie, consécutive à l'entrée de la Grèce dans la zone euro le 1er janvier 2001.

En Crète, le PIB par habitant et les taux d'investissement sont plus hauts que dans le reste du pays. L'île détient également le taux de personnes auto-employées le plus fort de Grèce – et l'un des plus élevés de l'Union européenne. Les agriculteurs crétois ont largement bénéficié des aides européennes, mais le tourisme se positionne désormais comme la principale

PAS D'IMPAIRS !

La Crète est une destination plutôt décontractée, mais il faut respecter certaines sensibilités culturelles, surtout en dehors des grands complexes touristiques.

Lorsque vous visitez une église ou un monastère, portez des vêtements appropriés. Pour les femmes, les jupes doivent descendre sous le genou ; les hommes doivent avoir les jambes, les bras et les épaules couverts (un sarong est souvent utile).

Les seins nus sont autorisés sur presque toutes les plages et le nudisme est toléré dans des sites isolés, mais il est toujours préférable de se renseigner et de respecter l'environnement qui vous entoure (p. 103), en particulier s'il y a une église ou un monastère dans les environs ou si vous vous trouvez sur une plage familiale. Même si les températures sont caniculaires, les hommes doivent garder leur T-shirt dans les villes et les villages.

Vous vous demandez peut-être pourquoi certains villages sont complètement déserts en milieu de journée. En fait, tout est fermé après le déjeuner, durant le *mesimeri* (la sieste, 15h-17h). Pendant cette tranche horaire, essayez d'être discret et n'appelez jamais chez quelqu'un.

En public, les signes d'ébriété ne sont guère appréciés. Les Crétois sont très attachés à l'hospitalité et il serait malvenu de refuser un verre ou un repas.

Essayez d'apprendre quelques mots de grec, les habitants apprécieront.

LA FOLIE DES ARMES

En plein après-midi, à une terrasse d'Askyfou, un homme sort un pistolet semi-automatique et tire en l'air, juste pour s'amuser. Du côté de Lissos, après un festival, des Crétois éméchés finissent la soirée à la plage et lâchent des coups de feu à la fin de chaque chanson. Lors des fêtes et des mariages, les rafales de balles – et les accidents – sont devenus si habituels que certains musiciens refusent de jouer tant qu'ils n'ont pas l'assurance que les armes seront interdites sur le lieu des festivités.

En 2004, le célèbre compositeur Mikis Theodorakis a mené une campagne pour tenter de changer la mentalité insulaire vis-à-vis des armes, mais les Crétois ne se sont pas laissé convaincre. Certaines statistiques estiment qu'un Crétois sur deux possède un pistolet ; d'autres chiffres avancent que plus d'un million d'armes circulent sur l'île, soit plus que la population totale.

Les panneaux de signalisation criblés d'impacts sont la preuve que l'on pénètre dans un pays montagneux doté de ses propres lois, qui fut longtemps le fief de la résistance crétoise. Cela est particulièrement vrai autour de Sfakia et de Mylopotamos, dans le nome de Rethymnon. Avec une histoire marquée par les conflits et les invasions, les Crétois sont bien décidés à ne pas abandonner les armes, même si théoriquement les restrictions en vigueur dans le reste de la Grèce s'appliquent également sur l'île.

Typiquement machistes, la possession d'armes et le fait de tirer quelques balles sont considérés comme des marques d'indépendance et de fierté – désormais, on y voit également un manque de tempérance et une habitude onéreuse.

Cependant, la folie des armes n'a pas seulement des origines culturelles et historiques. Les règlements de compte et les cambriolages sont monnaie courante dans le "triangle infernal" formé par Anogia, Zoniana et Livadia, région bien connue pour ses trafics d'armes et de drogue – les profonds ravins servent à camoufler les récoltes de cannabis.

activité économique, devant l'agriculture. Il a en effet plus que doublé depuis 1990 et totalise aujourd'hui 40% des emplois de l'île. La Crète demeure néanmoins l'un des plus gros fournisseurs grecs d'olives, d'huile d'olive, de légumes (pommes de terre et tomates), d'oranges et de vin, produits en majorité dans les régions fertiles, comme la plaine de la Messara, autour d'Héraklion. Le recours massif aux serres dans le sud du Lassithi a contribué à la prospérité de la région. L'élevage de chèvres et de moutons constitue un autre secteur de poids.

On dénombre 34 millions d'oliviers en Crète, soit environ 62 par personne.

POPULATION

Avec plus de 600 000 habitants, la Crète est la plus peuplée des îles grecques. Environ 42% des résidents vivent dans les grandes villes et à peu près 45%, en zone rurale. Près de 49% de la population habitent le nome d'Héraklion ; la capitale est deux fois plus grande que La Canée (Khaniá), deuxième ville crétoise.

IMMIGRATION

Après l'exode de la communauté turque, lors de l'échange de population de 1923, la Crète s'est fortement homogénéisée, les habitants grecs orthodoxes représentant une écrasante majorité. Plus récemment, l'île a accueilli un grand nombre de migrants en provenance des Balkans et d'Europe de l'Est, en particulier d'Albanie. La main-d'œuvre immigrée est d'ailleurs devenue indispensable dans l'agriculture, la construction et le tourisme.

Le phénomène de migration économique est assez nouveau en Crète ; comme le reste de la Grèce, l'île doit maintenant faire face à la réalité et aux enjeux du multiculturalisme. Bien sûr, les tensions ne sont pas inexistantes, mais les immigrés semblent s'intégrer beaucoup plus facilement en Crète que dans d'autres régions du pays.

Un petit nombre d'Européens, dont des Anglais et des Allemands, ont acheté des propriétés en Crète, souvent dans les régions les plus riches. Dans les années 1980, de nombreuses étrangères ont épousé des Crétois et ces couples constituent une autre minorité significative de la société crétoise.

SPORT

Le football est le sport le plus populaire en Crète ; il est suivi du basket. La gent masculine est férue de sport et deux équipes de l'île disputent le championnat national grec. Si vous mangez dans une taverne un soir où un match important est diffusé à la télévision, le service risque de s'en ressentir ! Lors des Jeux olympiques de 2004, les éliminatoires des épreuves de football ont été jouées dans l'immense stade Pankritio d'Héraklion.

RELIGION

Le culte orthodoxe, la religion officielle, prédomine en Crète. Il constitue d'ailleurs un élément clé de la culture et de l'identité grecques. Les plus jeunes ne sont pas toujours pratiquants et ne fréquentent pas forcément les églises, mais la plupart observent les rites et considèrent la foi comme un élément à part entière de leur vie. Entre 94 et 97% de la population grecque relèvent de l'Église grecque orthodoxe ; l'Église orthodoxe de Crète est indépendante de cette dernière et répond directement à l'autorité du patriarche de Constantinople.

Constantin Ier le Grand reconnut officiellement le christianisme en 313 – il se convertit à la suite d'une vision de la Croix – et transféra la capitale de l'Empire romain à Byzance (actuelle Istanbul), qu'il rebaptisa Constantinople, en 330. Au VIIIe siècle, les rivalités et les divergences d'opinions, auparavant résolues par la conciliation, se firent plus aiguës entre le pape de Rome et le patriarche de Constantinople, dont dépendaient les Églises orientales. L'un des différends concernait la formulation selon laquelle le Saint-Esprit procède "du Père", tandis que Rome ajoutait "et du Fils". Il existait d'autres motifs de discorde : le célibat du clergé imposé par Rome, tandis que le patriarche acceptait l'ordination à la prêtrise d'hommes mariés, et la pratique du jeûne pendant le carême, le patriarche proscrivant non seulement la viande, mais aussi le vin et l'huile.

Ces désaccords conduisirent à un schisme définitif en 1054, lorsque le pape et le patriarche s'excommunièrent l'un l'autre. Le premier prit la tête de l'Église catholique romaine, l'autre celle de l'Église orthodoxe (littéralement "croyance exacte"). Sous la domination ottomane, l'appartenance à l'Église orthodoxe s'imposa comme un critère primordial d'appartenance à l'identité grecque. Les Crétois n'abandonnèrent jamais cette religion, même au cours des siècles de répression durant lesquels les Vénitiens puis les Turcs tentèrent, à de nombreuses reprises, de les convertir au catholicisme ou à l'islam.

En Crète comme dans le reste du pays, les fêtes religieuses rythment le calendrier. Les fêtes sont davantage célébrées que les anniversaires, et les baptêmes sont des cérémonies significatives.

Des centaines de chapelles sont disséminées dans les campagnes. Beaucoup sont érigées par des familles en l'honneur de leur saint favori. Les minuscules iconostases et autels omniprésents au bord des routes sont dédiés à des victimes d'accidents de la circulation ou à des saints.

Beaucoup d'églises et de chapelles sont désormais fermées, mais le gardien vous ouvrira souvent les lieux avec plaisir.

Marie-Thérèse Adam initie les enfants (à partir de 9 ans) à l'univers des dieux grecs dans son ouvrage *Dieux de la mythologie grecque* (Gallimard Jeunesse, 2007).

ÊTRE UNE FEMME EN CRÈTE

Le rôle des femmes dans la société grecque, complexe, révèle des paradoxes intéressants. Si les rapports traditionnels homme/femme prévalent encore dans les zones rurales et chez les plus âgés, les choses se sont fortement

PÂQUES EN CRÈTE

Essayez de vous rendre en Crète pour Pâques, la fête religieuse la plus importante de l'île. Beaucoup de rituels ancestraux sont pratiqués durant la Semaine sainte ; le point culminant se produit la veille du dimanche de Pâques, pour la Résurrection du Christ.

Il s'agit d'une semaine de jeûne strict, et beaucoup de tavernes ne servent que des repas de carême, en particulier lors du Vendredi saint – même si la tradition crétoise prévoit un souper de fruits de mer après la messe du vendredi. Les œufs sont peints en rouge (pour symboliser le sang du Christ) en prévision des célébrations qui suivent la Résurrection.

Le jour du Vendredi saint, un *epitafio* (cercueil) représentant le corps du Christ est décoré de fleurs, puis transporté à travers les rues au cours d'une procession éclairée à la bougie. Dans les grandes villes comme Héraklion, plusieurs églises font coïncider leur procession afin que les cercueils se réunissent en un point donné.

L'apogée de la semaine est atteint le samedi soir avec la messe de la Résurrection : à la sortie de l'église, la foule se répand dans les rues et sur les places. Juste avant minuit, les lumières s'éteignent jusqu'à ce que le prêtre arrive avec la flamme sacrée, qui permet d'allumer tous les cierges de la congrégation. À minuit, le prêtre annonce *Hristos Anesti* ("le Christ est ressuscité"). Des feux d'artifice et des coups de pistolets marquent le début des festins du dimanche de Pâques. Cette cérémonie constitue le moment le plus important du calendrier orthodoxe. Les fidèles rentrent chez eux en essayant de conserver leur cierge allumé pour bénir leur maison avec la flamme sacrée.

Le jeûne est coupé immédiatement après l'église, avec la traditionnelle *mayiritsa* (soupe de tripes) servie dans les tavernes et les maisons. Le dimanche de Pâques, on fait cuire des agneaux à la broche un peu partout, y compris dans les rues des villages. C'est un autre aspect primordial des festivités.

libéralisées pour les jeunes citadines. Les considérations ancestrales sur la place de la femme changent rapidement, tandis que la gent féminine est de plus en plus instruite et impliquée dans le monde du travail.

En dépit du machisme, la société crétoise est profondément matriarcale. Les hommes aiment donner l'impression qu'ils dirigent et se mettent fréquemment en avant en société, mais ce sont bien souvent les femmes qui prennent les choses en main au sein de la famille.

Honorine Ploquet situe l'action de son roman *L'Oiseau bleu de Cnossos* (L'Harmattan, 2007) dans la cité de Cnossos, vers 1500 av. J.-C.

Dans les villages, hommes et femmes continuent d'évoluer dans des sphères différentes. Lorsqu'ils ne s'occupent pas du bétail ou des oliviers, les Crétois se rendent volontiers au *kafeneio* pour jouer aux cartes et boire un café ou un raki. À l'exception des étrangères, les femmes ne fréquentent pas les *kafeneia*. Les Crétoises les plus âgées sont fières de s'occuper de leur foyer et consacrent la plupart de leur temps à la cuisine. Les hommes participent rarement aux tâches domestiques (ou ne l'avouent jamais). Dans le passé, les femmes avaient l'habitude de se réunir pendant leur temps libre pour coudre, broder ou faire du crochet. Désormais, les jeunes Crétoises sont davantage au bar que derrière une machine à coudre.

Les zones rurales demeurent assez conservatrices et les jeunes filles qui ne suivent pas d'études tendent à se marier jeunes.

ARTS

Art et culture minoens

Le riche héritage de la civilisation minoenne, mis au jour en Crète dans les palais, les habitations et les tombes, reflète la grandeur d'une époque qui compta parmi les plus pacifiques et les plus prospères de l'histoire de l'île. Les Minoens, qui vivaient entourés d'art, décoraient richement leurs palais. Les peintures, petites sculptures, mosaïques, sceaux sculptés, poteries et bijoux exposés dans les musées et les sites archéologiques permettent de se plonger dans leur univers et de découvrir une maîtrise des arts remarquable. La peinture minoenne est pratiquement la seule forme de peinture grecque à avoir traversé le temps. En revanche, les grandes sculptures n'ont pas résisté aux désastres – naturels ou non – qui ont frappé l'île. L'art minoen inspira les envahisseurs mycéniens. Son influence s'étendit jusqu'à Santorin (Thíra), et au-delà.

POTERIE

Les techniques de poterie progressèrent au début du Minoen, où plusieurs styles firent leur apparition. Des spirales et des motifs curvilignes blancs étaient peints sur des vases sombres ; la céramique de Pyrgos se caractérisait par des teintes noires, grises et marron ; celle de Vassiliki (réalisée à côté de Ierapetra), postérieure, était polychrome. Au cours du Minoen moyen et récent, la technique évolua vers des motifs sombres sur fond clair.

L'artisanat atteignit un niveau très élevé dans les ateliers des premiers palais de Cnossos et de Phaistos. La poterie de Kamares, qui doit son nom à la grotte où furent découverts les premiers artefacts du genre, était colorée, raffinée et joliment décorée de motifs géométriques ou de dessins de fleurs, de plantes et d'animaux. Les représentations humaines étaient très rares. Pendant tout le Minoen moyen, les vases du style de Kamares, utilisés pour faire du troc, étaient expédiés à Chypre, en Égypte et dans le Levant.

L'invention du tour à poterie permit la production rapide de tasses, de cruches et de *pithoi* (jarres de stockage minoennes). De nouvelles formes furent créées, notamment les vases dits "en coquille d'œuf", avec des parois très fines.

La fin de l'époque néopalatiale se distingua par des motifs marins et floraux esquissés sur des couleurs sombres. Après 1500 av. J.-C., les vases, dotés de trois anses, furent souvent façonnés en forme de tête d'animal. C'est le cas d'un rhyton en pierre (vase à libation) en forme de tête de taureau, exposé au Musée archéologique d'Héraklion. Avec le déclin de la culture minoenne, la poterie redevint beaucoup plus terne et austère.

L'Art de la Crète et de Mycènes (Thames & Hudson, 1995), de Reynold Alleyne Higgings, ancien conservateur du British Museum, constitue une bonne introduction à l'architecture de la Crète ancienne.

BIJOUX ET SCULPTURE

Les bijoux et la sculpture sous différentes formes parvinrent à une qualité exceptionnelle pendant la période protopalatiale. Le célèbre pendentif aux abeilles découvert à Malia est un superbe exemple de finesse et d'imagination. Un autre chef-d'œuvre minoen datant du XVe siècle av. J.-C. fut mis au jour dans une tombe d'Isopata, à côté de Cnossos. Il s'agit d'une bague-sceau en or sur laquelle des femmes sont représentées dans une danse rituelle, entourées de lys, alors qu'une déesse descend du ciel.

Les sculpteurs minoens imaginaient de jolies miniatures, notamment des idoles en faïence, or, ivoire, bronze ou pierre. L'un des plus beaux spécimens est la déesse aux serpents et aux seins nus, portant une jupe délicatement sculptée et tenant des serpents dans ses mains levées au ciel. Un autre trésor est le petit rhyton en quartz provenant du palais de Zakros. Ces pièces sont exposées au Musée archéologique d'Héraklion.

L'art des sceaux en pierre se développa également dans les ateliers des palais. Les artisans utilisaient de l'argile et des pierres semi-précieuses pour élaborer d'incroyables miniatures contenant parfois des lettres hiéroglyphiques. Les chèvres, lions, griffons et scènes de danse étaient représentés avec la plus grande précision. Lors de son premier séjour en Crète, Arthur John Evans consacra beaucoup de temps à la collecte et à l'étude de ces sceaux.

Pendant la période postpalatiale, la fabrication de bijoux et de sceaux fut abandonnée pour produire des armes, ce qui témoigne de l'esprit belliqueux des Mycéniens.

FRESQUES

Les fresques minoennes sont réputées pour leurs couleurs éclatantes et leur réalisme saisissant : paysages truffés d'animaux et d'oiseaux, scènes marines agrémentées de poissons et de pieuvres, banquets, jeux et rituels en tout genre. Les peintures murales existaient certainement avant 1700 av. J.-C., mais toutes furent détruites lors du cataclysme qui anéantit les palais minoens à cette période. Cnossos renfermait les plus belles fresques de la période néopalatiale, dont la plupart sont exposées au Musée archéologique d'Héraklion.

Seuls subsistèrent des fragments de ces fresques, qui furent soigneusement restaurés (non sans controverse). Les techniques de teinture à base de plantes et de minéraux permirent une assez bonne conservation des couleurs. Les peintres minoens s'inspiraient largement des modèles égyptiens, avec cependant des personnages beaucoup moins rigides.

Les Lois de Platon prennent pour cadre la Crète. Elles ont été publiées en 2 volumes chez Flammarion, dans une traduction de Luc Brisson et Jean-François Pradeau (2006).

Les fresques de Cnossos suggèrent que les Minoennes avaient la peau blanche et des cheveux noirs et brillants arrangés en coiffures sophistiquées. Fières et gracieuses, les femmes représentées étaient sveltes et portaient des robes élégantes qui dévoilaient des seins aux formes parfaites. Les hommes étaient grands, avec la peau mate, la taille fine, les hanches étroites, les épaules larges et les cuisses et les biceps musclés. Les enfants étaient minces et agiles.

La plupart des fresques dépeignent des scènes de vie : boxe, lutte, processions solennelles, récolte du safran ou saute-taureau (taurokathapsie ; voir l'encadré page suivante).

SYMBOLES RELIGIEUX

Les Minoens n'élevaient pas de temples colossaux et ne pratiquaient pas la statuaire religieuse. Les grottes et les sanctuaires de sommet étaient des lieux consacrés aux activités religieuses. La vie spirituelle minoenne était régie par le culte d'une Déesse Mère, souvent représentée avec des serpents ou des lions, qui était la divinité la plus importante. Les dieux masculins n'étaient que ses subalternes.

La double hache qui apparaît sur les fresques et les murs du palais de Cnossos était sacrée aux yeux des Minoens. D'autres symboles religieux sont souvent présents dans leur art, par exemple le griffon ou des personnages dotés d'un corps humain et d'une tête d'animal. Les Minoens vouaient un culte aux morts et croyaient à une forme de vie après la mort. Des éléments découverts à Anemospilia évoquent la pratique de sacrifices humains (voir p. 164).

Ne manquez pas *L'Univers, les dieux, les hommes* (Seuil, 1999), de Jean-Pierre Vernant. L'auteur, spécialiste de la mythologie grecque, se fait conteur.

ÉCRITURE MINOENNE

Le hiéroglyphique crétois, forme d'écriture utilisée pendant la période protopalatiale, évolua vers le linéaire A et le linéaire B. L'exemple le plus frappant de cette écriture se trouve sur le disque de Phaistos, une tablette en terre cuite vieille de 3 600 ans. Découvert à Phaistos en 1908, ce disque a fait l'objet de nombreuses hypothèses. Mesurant 16 cm de diamètre, il est gravé de 242 "mots" ou pictogrammes minoens organisés en spirale. La répétition de certaines séquences laisse penser qu'il pourrait s'agir d'une prière, mais il n'a jamais été déchiffré.

Beaux-arts

Le talent des Minoens n'a pas été surpassé à ce jour. Au cours des VIIIe et VIIe siècles av. J.-C., un bref renouveau artistique vit apparaître sur l'île un groupe de sculpteurs appelés Dédalides. Ils mirent au point une technique consistant à marteler le bronze et obtinrent un style mêlant des éléments grecs et orientaux. Leur influence s'étendit jusqu'à la Grèce continentale. La culture crétoise commença à péricliter à la fin du VIIe siècle av. J.-C.,

LES TAUREAUX MINOENS

À l'époque minoenne, le taureau était un symbole important, très présent dans la production artistique. La coutume du "saute-taureau" (taurokathapsie), dans laquelle des acrobates sautaient par-dessus le dos de l'animal en évitant ses cornes, est représentée dans de nombreuses fresques, poteries et sculptures. On remarque que les hommes et les femmes pratiquant ces prouesses étaient très légèrement vêtus ; peut-être faut-il y voir un message religieux. Découverte dans le palais de Cnossos, une superbe fresque datant du Minoen moyen met en scène un saut de taureau réalisé par un homme entouré de deux personnages féminins. Un autre trésor met cet animal à l'honneur : un rhyton (vase de libation) en pierre sculpté en forme de tête de taureau, avec des yeux en quartz et des cornes en bois dorées.

avec néanmoins une réviviscence pendant la période romaine, caractérisée par de superbes mosaïques aux sols et des sculptures de marbre.

ART BYZANTIN

Des fresques et des icônes byzantines furent créées au cours des premières années de la domination byzantine, mais la plupart furent détruites lors des révoltes populaires des XIIIe et XIVe siècles. Au XIe siècle, des immigrés arrivèrent de Constantinople avec des icônes portables ; le seul exemple de ce type d'objet est l'icône de la Madonna Mesopantitissa, désormais conservée à Venise. Du XIIIe siècle jusqu'au début du XVIe siècle, les églises crétoises furent décorées de fresques – la plupart sont encore visibles aujourd'hui. L'art byzantin prospéra et se développa en Crète sous les empereurs Paléologue qui gouvernèrent entre 1258 et 1453. Le principal peintre d'icônes du XIVe siècle fut Ioannis Pagomenos, qui travaillait dans la partie ouest de la Crète.

Pour les petits, *La princesse Alexandra* (L'Harmattan, 2001), un conte traditionnel crétois, a été adapté et traduit en français par Claire Monférier.

L'ÉCOLE CRÉTOISE

À la chute de Constantinople, en 1453, beaucoup d'artistes byzantins se réfugièrent en Crète. Dans le même temps, la Renaissance italienne était à son comble et de nombreux artistes crétois partirent étudier en Italie. La peinture d'icônes de l'école crétoise combina ainsi une excellente technique et une impressionnante variété. Entre le milieu du XVIe siècle et le milieu du XVIIe siècle, on dénombra plus de 200 peintres dans la seule ville d'Héraklion, tous aussi à l'aise avec le style vénitien qu'avec le style byzantin. Le Crétois Theophanes Sterlitzas réalisa des peintures dans des monastères partout en Grèce, diffusant les techniques de l'école crétoise.

Trop peu d'exemples de l'école crétoise sont exposés en Crète. À Héraklion, on peut en voir quelques-uns au musée d'Art religieux (p. 152) – le chef-d'œuvre du musée est une collection de six icônes portables réalisées par Mihail Damaskinos, le fer de lance de l'école crétoise. Lors d'un long séjour à Venise, Damaskinos se familiarisa avec de nouvelles techniques de perspective qu'il intégra à la peinture des icônes byzantines.

ARTS CONTEMPORAINS

Aujourd'hui, les beaux-arts jouent un rôle assez restreint en Crète, même si beaucoup d'artistes et d'artisans travaillent et exposent sur l'île. De nombreux artistes nés en Crète se sont installés à Athènes ou à l'étranger. Le Centre d'art contemporain de Rethymnon (p. 123) est l'une des plus importantes galeries de l'île, accueillant des artistes locaux et internationaux ; la collection permanente présente le travail du peintre crétois Lefteris Kanakakis. Le Centre d'art byzantin de Rethymnon (p. 123) perpétue la tradition des peintures d'icônes de l'école crétoise, avec notamment les œuvres de Manolis Koudourakis. Outre les expositions d'artistes locaux organisées par les municipalités partout sur l'île, on commence à voir apparaître des galeries privées à La Canée (Khaniá) et à Héraklion. Par ailleurs, La Canée reçoit chaque année le Festival international d'art – pour plus d'informations, consultez le lien du festival sur le site Omma Centre of Contemporary Art, www.omma.us.

Danse

Les scènes de danse sur les fresques minoennes sont la preuve que cette discipline fut pratiquée en Crète dès l'époque des anciens temples grecs. Des danseurs sont représentés sur des vases anciens, et il existe des références à la danse dans les écrits d'Homère, qui soulignait à ce propos le talent des Crétois.

Les danses crétoises, dynamiques et rapides, ont un caractère guerrier et sont souvent menées par des groupes d'hommes. Les danses des femmes, plus délicates et gracieuses, sont traditionnellement liées au mariage ou à la séduction. Comme la plupart des danses grecques, elles sont généralement effectuées en cercle – dans le passé, les danseurs formaient un cercle pour s'unir contre les esprits du mal. Pendant les périodes d'occupation, la danse permettait aux hommes d'entretenir leur forme physique sans éveiller les soupçons de l'ennemi.

Lors du tournage de *Zorba le Grec*, Anthony Quinn se blessa au pied. Il transforma donc des mouvements censés être énergiques en quelques pas traînants qu'il présenta à tort comme une danse traditionnelle.

Le *syrto* et le *pendozali* sont des danses lentes et subtiles, sans doute les plus populaires de l'île. À l'origine, le *pendozali* était effectué par les guerriers ; il existe une version lente et une version rapide, voire frénétique, durant laquelle le chef de file lance des coups de pied et fait des mouvements énergiques, tandis que les autres danseurs se contentent de pas plus modérés. La *sousta* est une danse amoureuse comportant de petits pas sautillants à réaliser en couple. Le rapide *maleviziotiko* (également appelé *kastrino* ou *pidikto*) est une danse de victoire.

Le talent des danseurs est une source de grande fierté et chacun s'évertue à effectuer des prouesses. Sachez qu'il est très incorrect de couper quelqu'un

GRECO LE CRÉTOIS

Génie de la Renaissance, le Greco était un Crétois nommé Dhomínikos Theotokópoulos. Il naquit dans la capitale crétoise de Candie (actuelle Héraklion) en 1541, à une époque de grande créativité artistique, due à l'arrivée de peintres fuyant l'occupation ottomane de Constantinople. Ces peintres influencèrent le jeune Greco en lui transmettant les traditions des fresques byzantines. Cette puissante spiritualité allait être très présente dans ses futures peintures.

Âgé d'une vingtaine d'années, le Greco se rendit à Venise et intégra l'atelier de Titien. Il ne devint un peintre reconnu qu'après s'être installé en Espagne en 1577 ; la forte charge symbolique de son travail trouva en effet un écho favorable auprès du public espagnol. Il vécut à Tolède jusqu'à sa mort, en 1614. Certains de ses tableaux les plus célèbres, comme le chef-d'œuvre *L'Enterrement du comte d'Orgaz* (1586), se trouvent à Tolède ; de nombreuses toiles sont exposées dans les musées du monde entier. *La Vue sur le mont Sinaï et le monastère de Sainte-Catherine* (1570), réalisé pendant son séjour à Venise, est accroché au mur du musée d'Histoire de la Crète à Héraklion (p. 148), à côté du minuscule *Baptême du Christ*, acheté par la ville d'Héraklion en 2004. Vous pourrez admirer *Le Concert des anges* (1608) à la Pinacothèque nationale d'Athènes.

Un buste du Greco en marbre blanc s'élève dans le parc El Greco d'Héraklion, et des rues, tavernes et hôtels portent son nom un peu partout sur l'île. Un petit musée lui est consacré dans le village de Fodele, dans la maison où il aurait passé une partie de son enfance (voir p. 161).

Désormais, il y a même un film : *El Greco* (2007), superproduction au budget de 7 millions d'euros, a été tourné entre Héraklion, Venise, Athènes et l'Espagne. Dans ce long-métrage réalisé par Yannis Smaragdis, le Greco est joué par un Britannique peu connu, Nick Ashdon.

dans une danse, d'autant que, généralement, les danseurs sont payés – c'est ainsi que beaucoup de musiciens crétois gagnent leur vie.

Les festivals, les mariages et les baptêmes sont les meilleures occasions d'assister à des danses crétoises. Dans beaucoup de lieux, des spectacles folkloriques sont organisés à l'intention des touristes. Ils sont certes moins spontanés, mais souvent de qualité.

Outre les spectacles typiquement crétois, vous assisterez à des performances de musique ou de danse de Grèce continentale.

Gail Host, dans son ouvrage *Aux sources du rébétiko* (Les Nuits rouges, 2001), livre un récit passionné de l'évolution de cette forme musicale.

Musique

Aujourd'hui, la musique crétoise est la forme la plus dynamique et la plus jouée des musiques traditionnelles grecques. Loin devant la musique du continent ou de la pop occidentale, elle demeure la musique la plus populaire de l'île et accompagne mariages, naissances, vacances, moissons et festivités en tout genre.

Extrêmement vivante, la scène crétoise produit constamment de nouveaux musiciens folkloriques. Ils donnent de nombreux concerts, enregistrent leurs interprétations de chants traditionnels et mêlent des rythmes contemporains à d'anciens morceaux. La musique crétoise occupe une place tout à fait méritée au sein des musiques du monde.

Actuellement, le musicien crétois le plus célèbre est Psarantonis, réputé pour son style unique et pour sa barbe et ses cheveux broussailleux. Psarantonis est régulièrement sur scène, des petits villages crétois aux clubs d'Athènes en passant par les festivals internationaux.

Cependant, la véritable star de la musique crétoise est Nikos Xylouris, mort brutalement en 1980, à l'âge de 43 ans. Avec sa voix magnifique et sa parfaite maîtrise de la lyre, il demeure le musicien crétois le plus respecté – et celui qui vend le plus de disques.

Les plus anciens chants traditionnels grecs, datant du XVIIe siècle, ont été découverts autour du mont Athos. Il s'agissait de *rizitika* (chansons patriotiques) originaires de Crète occidentale.

Influencée par divers styles traditionnels au fil des siècles, la musique crétoise s'apparente à la musique modale de l'Est. Les principaux instruments sont la lyre, instrument à trois cordes qui ressemble à un violon et se joue en appui sur les genoux, le *laouto* (luth) à huit cordes et le *mandolino* (mandoline). Parmi les autres instruments traditionnels, citons l'*askomandoura* (cornemuse), l'*habioli* (sifflet) et le *daoulaki* (tambour). Le bouzouki, caractéristique de la musique grecque, n'est pas utilisé dans le folklore crétois – mais on écoute souvent de la musique traditionnelle grecque en Crète.

Forme musicale très appréciée en Crète, les *mantinades* sont des couplets composés de rimes de 15 syllabes, traitant de sujets intemporels comme l'amour, la mort ou les caprices du destin. Probablement inspirées des chansons d'amour vénitiennes du XVe siècle, des milliers de *mantinades* ont contribué à forger l'identité nationale au cours des longs siècles d'occupation. Pendant les festivals, les meilleurs artistes adaptent leurs chansons à leur public et rivalisent de talent et d'originalité. De nos jours, les jeunes Crétois entretiennent la tradition et les *mantinades* font toujours partie des jeux de séduction, même si elles prennent parfois la forme de messages envoyés par téléphone portable.

Autre style de musique populaire, le *rizitika* se compose de chansons ancestrales, nées dans les montagnes des Lefka Ori. Elles viendraient des chants fredonnés par les gardes-frontières de l'Empire byzantin, mais certains affirment qu'elles sont encore plus anciennes. Beaucoup abordent des thèmes historiques et mettent en scène des héros. L'une des plus connues est la chanson de Daskalogiannis, héros sfakiote ayant organisé la révolte contre les Turcs en 1770 – elle comporte 1 034 vers.

Les 10 000 vers d'*Érotokritos*, chanson de geste écrite au XVIIe siècle par Vitsentzos Cornaros, constituent une importante source d'inspiration dans laquelle continuent de puiser les artistes crétois. Elle a été mise en musique

FAMILLES DE MUSICIENS

Au pied du mont Psiloritis (mont Ida), dans le nome de Rethymnon, le village d'Anogia (p. 135) a vu naître un nombre impressionnant de virtuoses. Adoré et aujourd'hui regretté, le chanteur et joueur de lyre Nikos Xylouris était originaire d'Anogia, et sa maison familiale demeure une sorte de sanctuaire musical dans la partie basse du village. Son frère de cœur Psarantonis a pris le relais puisqu'il est désormais reconnu dans tout le pays. Son frère de sang Giannis Xylouris (Psaroyiannis) est le plus grand joueur de lyre de Grèce. Son héritier le plus probable est le fils de Psarantonis, le charismatique Giorgos Xylouris (Psarayiorgis), qui connaît une carrière fulgurante depuis son retour en Crète après un séjour en Australie. Niki, la sœur de Giorgos, est l'une des rares chanteuses crétoises et sans doute la meilleure. Enfin, leur frère Lambis évolue également dans le monde de la musique.

D'autres musiciens notoires sont originaires d'Anogia, tels le joueur de lyre Manolis Manouras, Nikiforos Aerakis, Vasilis Skoulas ou Giorgos Kalomiris.

Le talentueux Georgos Tramoundanis, alias Loudovikos ton Anogion (Ludwig d'Anogia), au caractère bien trempé, joue ses ballades traditionnelles crétoises un peu partout en Grèce.

à maintes reprises, chacun cherchant à donner sa propre interprétation de ce chef-d'œuvre.

Après l'Indépendance, la bourgeoisie grecque eut tendance à bouder la musique traditionnelle. Néanmoins, une nouvelle vague de musique *entehno* (artistique) émergea à Athènes dans les années 1960, apportant des instruments folkloriques urbains tels que le bouzouki et adaptant des poèmes grecs pour en faire des succès populaires.

À trouver en bibliothèque ou chez un bouquiniste, *La Crète* (Omnibus, 1995), un recueil de 5 romans consacrés à l'histoire de l'île – de Thomas Burnett Swann, Nikos Kazantzakis, Mary Renault, Daniel Kircher et Poul Anderson.

Le talentueux compositeur Yannis Markopoulos (originaire de Ierapetra) se distingua en portant le folklore rural sur le devant de la scène ; on lui doit également la percée de Nikos Xylouris. Durant les années de la junte militaire, la musique de Xylouris devint un symbole de la résistance. Markopoulos lui-même est surtout connu à l'étranger pour son morceau *Who Pays the Ferryman*.

Membre d'une extraordinaire famille de musiciens (voir l'encadré p. 50), Xylouris fait partie d'un grand nombre d'artistes originaires du village d'Anogia.

Xylouris, Thanasis Skordalos et Kostas Mountakis sont considérés comme les maîtres de la musique crétoise, et la plupart des musiciens actuels s'inspirent de leurs styles.

L'une des figures les plus originales et les plus respectées de la scène crétoise est Ross Daly (d'origine irlandaise), un génie de la lyre qui a fondé un atelier musical à Houdetsi (voir p. 164).

L'excellent sextuor Haïnides est l'un des meilleurs groupes apparus en Crète ces dernières années ; dans un style bien à lui, il donne des concerts de grande qualité un peu partout en Grèce. Parmi les autres figures majeures, citons Mitsos et Vasilis Stavrakakis, ainsi que des musiciens contemporains comme le groupe Palaïna, Stelios Petrakis (originaire de Sitia), Papa Stefanis Nikas et Yiannis Haroulis. Né en Australie, Sifis Tsourdalakis est un autre jeune musicien prometteur.

Érotokritos, poème crétois de 10 000 vers, a été publié en 2007 chez José Corti, dans une traduction de Robert Davreu.

Enfin, Manos Pirovolakis est un artiste d'origine crétoise qui joue de la musique grecque en mêlant le rock à la lyre.

Littérature

La Crète est marquée par une riche tradition littéraire tirant son origine des chansons d'amour crétoises, des poèmes et des jeux de mots. À la fin du XVIe et au début du XVIIe siècle, sous la domination vénitienne, la Crète connut une incroyable production littéraire.

Le chef-d'œuvre de cette époque est incontestablement l'*Érotokritos* (José Corti, 2007) de Vitsentzos Cornaros, originaire de Sitia. Comportant plus de 10 000 vers, ce poème d'amour courtois est empreint de nostalgie pour le régime vénitien menacé par l'avènement du pouvoir turc. Pendant des siècles, il fut récité par des paysans illettrés autant que par des chanteurs professionnels et symbolisa les rêves de liberté permettant aux Crétois de supporter les privations. De nombreux vers furent intégrés aux *mantinades*. On le considère toujours comme l'œuvre majeure des débuts de la littérature grecque moderne.

Vassilis Alexakis, écrivain et dessinateur grec, partage sa vie entre Paris et la Grèce. Il a été couronné par l'Académie française en 2007 pour son roman *Ap. J.-C.* (Stock, 2007).

L'auteur crétois moderne le plus connu est Nikos Kazantzakis (1883-1957), né à Héraklion, en pleine lutte contre le pouvoir turc. Ses romans dramatiques sont peuplés de personnages hauts en couleur. Plusieurs prennent la Crète pour décor. Les œuvres les plus célèbres de Kazantzakis, publiées après la Seconde Guerre mondiale, sont *Alexis Zorba* (Pocket, 2002), *La Dernière Tentation du Christ* (Pocket, 1995), *Le Christ recrucifié* (Pocket, 1990), *La Liberté ou la mort* (Pocket, 1987) et *Lettre au Greco* (Pocket, 2000) – plusieurs sont actuellement épuisées, mais peuvent encore se trouver d'occasion, ou en bibliothèque. Les trois premières ont été portées à l'écran – *Le Christ recrucifié* sous le titre de *Celui qui doit mourir*. *Alexis Zorba* se déroule en Crète et dévoile habilement certains aspects très rudes de la culture crétoise.

La carrière de Kazantzakis fut marquée par des hauts et des bas. L'auteur entra souvent en conflit avec l'Église orthodoxe, en raison de son athéisme avoué (voir l'encadré p. 52).

Autre écrivain majeur, Pandelis Prevelakis (1909-1986) était originaire de Rethymnon. Il étudia à Athènes, puis à la Sorbonne. De son œuvre, on

TOP 10 DE LA MUSIQUE CRÉTOISE

La sélection suivante se veut une introduction à la musique crétoise d'hier et d'aujourd'hui.

- *Tis Kritis Ta Politima* – cette double compilation de 2006 permet une bonne approche de la musique crétoise, avec une large sélection de chansons traditionnelles interprétées par des grands noms de la musique grecque et crétoise.
- *Ta antipolemika* – un album paru en 2007, pour découvrir Nikos Xylouris, grande star de la musique crétoise disparue en 1980 ; en 1976, *Dimotiki Anthologia* a élevé le chanteur au rang de star.
- *Ta Oraiotera Tragoudia Tou* – une belle anthologie rendant hommage au maître de la musique crétoise d'après-guerre, Kostas Mountakis, surnommé "le professeur".
- *Musique populaire de Crète* – une compilation sortie en 1998.
- *Son of Psiloritis* – un album de 1994 de Psarantonis, grand joueur de lyre, qui compte au nombre des musiciens crétois les plus originaux.
- *Naghma-Voyage en Orient* – un album de Ross Daly, Nayan Ghosh, Paul Grant et Bijan Chemirani enregistré à Paris en 2004, où se mêlent notamment les musiques crétoise, indienne et iranienne.
- *Who pays the ferryman* – une compilation de Yannis Markopoulos sortie en 1990. Pour réécouter le titre qui l'a rendu célèbre sur la scène internationale.
- *Akri tou dounia* – pour découvrir Stelios Petrakis, l'un des acteurs de la scène musicale crétoise contemporaine ; paru en 2003.
- *Brazilero* – une excellente bande originale de film avec une musique grecque contemporaine où se mêlent Orient et Occident ; sortie en 2003.
- *Ta dokaria sto grasidi perimeno* – du rock grec d'aujourd'hui, interprété par le groupe Pix Lax ; paru en 2001.

NIKOS KAZANTZAKIS – L'ENFANT PRODIGE DE LA CRÈTE

L'écrivain contemporain crétois le plus célèbre est Nikos Kazantzakis. Né en 1883 à Héraklion, alors sous domination turque, Kazantzakis passa son enfance dans une ambiance où couvaient la révolution et le changement. En 1897, la révolte contre la domination turque finit par éclater, et il se vit contraint de quitter la Crète pour étudier à Naxos, à Athènes puis à Paris. Ce n'est qu'à l'âge de 31 ans qu'il se tourna vers l'écriture, en commençant par traduire en grec des textes philosophiques. Pendant quelques années, il voyagea en Europe – Suisse, Allemagne, Autriche, Russie et Grande-Bretagne –, préparant sa future carrière littéraire par une série de journaux de voyage.

Nikos Kazantzakis était un écrivain complexe, dont les premiers travaux furent fortement influencés par les courants philosophiques de l'époque, notamment par le nihilisme de Nietzsche. Les écrits de Kazantzakis sont tourmentés par des angoisses métaphysiques et existentialistes tangibles. Ses rapports avec la religion furent toujours ambigus : sa position officielle était l'athéisme, mais il semblait jouer constamment avec l'idée que Dieu existe. Selon ses propres dires, son chef-d'œuvre est l'*Odyssée*, une épopée moderne inspirée des voyages et des tribulations du héros de l'Antiquité, Ulysse. Opus érudit de 33 333 vers iambiques, l'*Odyssée* n'a jamais permis à Kazantzakis d'atteindre la renommée d'un Homère pour les Grecs de l'Antiquité, d'un Virgile pour les Romains ou d'un Tasse pour les Italiens de la Renaissance.

Paradoxalement, ce n'est que beaucoup plus tard, lorsqu'il se mit à écrire des romans, que Kazantzakis connut enfin le succès. Avec des œuvres comme *Alexis Zorba* (1946), *Le Christ recrucifié* (1948) et *La Liberté ou la mort* (1950), il fut reconnu à l'échelle internationale. *Alexis Zorba* donna naissance au personnage de Zorba le Grec, un homme fort et indépendant, immortalisé à l'écran par Anthony Quinn dans le film du même nom.

Kazantzakis mourut le 26 octobre 1957, alors qu'il effectuait un voyage à Fribourg-en-Brisgau, en Allemagne. Malgré les protestations de l'Église orthodoxe, on lui organisa des funérailles religieuses et il fut enterré au bastion de Martinengo, au pied des anciens remparts les plus méridionaux d'Héraklion.

retiendra notamment *Le Soleil de la mort* (Autrement, 1997) traduit en français par Jacques Lacarrière, *Le Crétois* (Gallimard, 1962), *Chronique d'une cité* (Gallimard, 1960), qui a pour sujet sa ville natale au début du XXe siècle, et *Crète infortunée : chronique du soulèvement crétois de 1866 à 1869* (Les Belles Lettres, 1976) – plusieurs de ces titres sont épuisés.

Parmi les écrivains crétois contemporains, citons Réa Galanaki, pour son livre *La Vie d'Ismaïl Férik pacha* (Actes Sud, 1991), traduit en six langues et lauréat de plusieurs prix. Ce roman traite de la fracture entre le christianisme et l'islam ottoman en Crète ; il a été inclus dans la Collection d'œuvres représentatives publiée par l'Unesco. Le poète Odysseus Elytis (1911-1996), prix Nobel de littérature en 1979, a signé plusieurs recueils, dont *Axion Esti* et *L'Arbre lucide* (Gallimard, 1996).

Ioànna Karystiàni (voir l'encadré p. 40), scénariste du film *Les Mariées* (Nyfes/Brides), a été publiée en plusieurs langues, notamment en français pour ses romans *La Petite Angleterre* (Seuil, 2002) et *Un costume dans la terre* (Seuil, 2004).

Cinéma

Il n'existe pas d'industrie cinématographique locale. Toutefois, la Crète a servi de cadre à de multiples films, notamment au célèbre *Zorba le Grec* (1964), de Michel Cacoyannis, tourné à Stavros, dans la presqu'île d'Akrotiri, et en d'autres points de l'île. En 1956, le réalisateur américain Jules Dassin (*Jamais le dimanche*, 1960) choisit le village de Kritsa comme toile de fond de *Celui qui doit mourir*, adaptation cinématographique du roman de Kazantzakis, *Le Christ recrucifié*, avec Melina Mercouri (future épouse de Dassin).

Plus récemment, en 2007, *El Greco,* film relatant la vie du célèbre peintre crétois (voir l'encadré p. 48), a été réalisé sur l'île par Yannis Smaragdis.

Le chef de file du cinéma grec est Théo Angelopoulos, qui a remporté en 1998 la Palme d'or du Festival de Cannes pour *L'Éternité et un jour*. Parmi ses autres films, citons *Le Voyage des comédiens* (1975), *Alexandre le Grand* (1980), *L'Apiculteur* (1986), *Paysage dans le brouillard* (1988), *Le Pas suspendu de la cigogne* (1991), avec Jeanne Moreau et Marcello Mastroianni, *Le Regard d'Ulysse* (1995), avec Harvey Keitel et *Éléni : La Terre qui pleure* (2004).

Costa-Gavras, installé à Paris, se fit un nom sur la scène internationale avec *Z*, un film politique traitant de l'assassinat du député communiste Grigoris Lambrakis en 1967 à Thessalonique par des activistes de droite. Il remporta l'oscar du meilleur film étranger en 1969. Son dernier film, *Le Couperet*, est sorti en 2005.

Melina Mercouri aimait la France qui le lui rendait bien. Elle enregistra plusieurs disques en français, dont l'album *Je suis grecque* (Polygram).

D'une façon générale, l'industrie cinématographique grecque est en pleine évolution. Pendant de longues années, elle est restée à la traîne, faute de subventions nationales et victime de sa tendance à produire des films ésotériques, de qualité certes, mais très lents et lourdement symboliques ou trop avant-gardistes pour toucher un large public.

À partir des années 1990, une nouvelle génération de réalisateurs remporta un certain succès commercial avec des satires sociales, des thèmes plus légers et un style plus contemporain. S'illustrèrent notamment Sotiris Goritsas avec *Balkanizater* (1998) et *Brazilero* (2001), Olga Malea pour l'*Orgasme de la vache* (1996) et *Le Charme discret des hommes* (1999), Nikos Perakis avec *Female Company* (1999) et *Les Sirènes de l'Égée* (2005) et Thanasis Papathanasiou et Michalis Reppas pour *Safe Sex* (1999), une comédie légère traitant de la sexualité, qui battit des records au box-office.

Un ciel épicé (2003) de Tassos Boulmetis avec Georges Corraface, et *Les Mariées* (Nyfes/Brides ; 2004) de Pantelis Voulgaris furent les premiers films à avoir su toucher un large public étranger depuis longtemps. Le second fut réalisé grâce à un budget record pour le cinéma grec et le soutien de Martin Scorsese, producteur exécutif du projet.

La nouvelle vague de réalisateurs attire l'attention internationale grâce à des films offrant un regard plus réaliste et plus frais sur la société grecque contemporaine, se démarquant des visions idéalisées et romancées du passé. Dans le futur, il faudra compter avec Constantinos Giannaris, dont les films de style documentaire comme *Du bout de la ville* (1998) ou le plus récent *Omiros* (2005) semblent partager aussi bien le public que la critique. Quant à Yannis Economidis, son deuxième (et éprouvant) film *L'Âme accablée* (*Soul Kicking*, 2006) a été présenté lors de la Semaine de la critique à Cannes ; certains parlent de lui comme du nouveau Mike Leigh.

L'île ne possède pas de chaîne de télévision locale, mais l'un des plus grands succès du petit écran est la récente série *Tis Agapis Mahairia* (Les poignards de l'amour), un drame inspiré d'une vendetta crétoise.

La cuisine crétoise

La cuisine crétoise possède une place bien distincte au sein de la cuisine grecque. Elle se distingue par des spécialités régionales et divers ingrédients de qualité, produits localement à petite échelle. L'un des plaisirs d'un séjour en Crète est la découverte d'une petite taverne familiale qui sert des plats authentiques, préparés avec des herbes cueillies dans la montagne, de l'huile et du fromage faits maison, un agneau élevé par un berger du coin ou un poisson pêché par le patron.

Depuis l'avènement du tourisme de masse, la nourriture insipide proposée par beaucoup de tavernes ne rend guère justice à la gastronomie crétoise. Cependant, la situation change à mesure qu'augmente la fierté de promouvoir la cuisine locale, et des plats familiaux traditionnels apparaissent sur les cartes des restaurants. Même dans les secteurs touristiques, de nombreuses tavernes ont abandonné l'escalope viennoise au profit du *stifado* (viande braisée aux oignons), tandis qu'une jeune génération de chefs réinvente les plats classiques et expérimente des saveurs pour créer une "nouvelle cuisine" crétoise.

La cuisine crétoise : le soleil dans l'assiette (SAEP, 2005), d'Élodie Bonnet, propose 140 recettes et une présentation du régime crétois.

La Crète deviendra peut-être une destination gastronomique. Toutefois, l'essence de sa cuisine rustique reste sa simplicité et l'utilisation de produits de saison. Elle reflète l'abondance d'une terre fertile et ensoleillée et l'obligation de recourir à une agriculture de subsistance durant les périodes difficiles.

La cuisine crétoise est devenue célèbre après que des études scientifiques du régime méditerranéen, menées dans les années 1960, eurent démontré le faible taux de troubles cardiaques et d'autres maladies chroniques chez les Crétois (voir l'encadré p. 56). Cet avantage fut attribué en grande partie à la consommation de légumineuses, de légumes et de fruits frais au détriment de la viande et d'aliments transformés, et à l'utilisation d'huile d'olive vierge.

La nourriture et la convivialité jouent un rôle essentiel dans la vie crétoise, que l'on mange chez soi ou au-dehors, en famille ou entre amis. Les Crétois n'hésitent pas à faire de longs trajets pour trouver un bon restaurant ou déguster un plat spécifique, allant dans les montagnes pour la viande et sur la côte pour un poisson frais. Certaines des meilleures tavernes se cachent dans des endroits inattendus.

SPÉCIALITÉS LOCALES

Les plats grecs et crétois sont souvent très proches, mais l'île se distingue par des spécialités et des variations régionales. Née dans l'Antiquité et influencée au fil des siècles par diverses cultures, la cuisine crétoise utilise essentiellement des produits de saison frais et naturels, des herbes aromatiques et des ingrédients pleins de saveur. Élément essentiel du repas, l'huile d'olive, produite en abondance, est l'une des meilleures au monde. Outre ses bienfaits pour la santé, elle donne aux légumes et aux salades un goût inimitable.

Le régime crétois tire son origine d'une agriculture de subsistance et de produits que l'on pouvait cultiver ou fabriquer localement. Depuis des siècles, les Crétois cueillent des *horta* (légumes sauvages) dans les collines et les font bouillir pour les manger chauds en salade ou les incorporer dans des tourtes ou des ragoûts. Les *hohlii* (escargots) sont ramassés après la pluie et préparés de multiples façons : essayez les *hohlii boubouristi*, mijotés dans du vinaigre et du romarin, ou les escargots cuits avec du *hondros* (blé concassé). Les *paximadia* (biscottes), souvenir des périodes de famine,

LA BONNE HUILE

Les Minoens ont été parmi les premiers à s'enrichir grâce aux olives, et la Crète reste la principale région productrice d'huile d'olive vierge de Grèce. L'huile biologique acquiert une importance croissante ; au moins neuf régions ont obtenu de l'UE une appellation d'origine protégée.

La meilleure huile d'olive crétoise vient de Kolymbari, à l'ouest de La Canée, et de Sitia, à l'est. Biolea, près de La Canée, fabrique une excellente huile d'olive bio, de même que les monastères – on trouve des huiles primées au Moni Agia Triada (monastère Agia Triada), près de La Canée, et au Moni Toplou (monastère Toplou), dans l'est de l'île.

L'huile la plus prisée est l'*agoureleo* (qui signifie pas mûr), une épaisse huile verte pressée à partir d'olives vertes.

Les Grecs sont les plus gros consommateurs d'huile d'olive au monde ; en Crète, la moyenne de la consommation annuelle s'élève à 31 litres par personne.

sont faites avec de la farine d'orge ou de blé complet et cuites deux fois pour donner un pain dur qui se conserve des années. Arrosées d'eau et nappées de tomates, d'huile d'olive, et de feta ou de *myzithra* (fromage de brebis), elles rentrent dans la composition d'un plat apprécié, le *dakos* (ou *koukouvagia*).

La viande apparaît plus souvent sur les tables qu'autrefois, avec une prédilection pour l'agneau et la chèvre, ainsi que le lapin, cuit en ragoût avec du romarin et du *rizmarato* (vinaigre). Si les grillades prédominent sur les cartes des tavernes, les Crétois ont une manière particulière de préparer un barbecue, appelé *ofto* : ils font griller de gros morceaux de viande en les disposant autour de charbons brûlants. Dans certaines parties de l'île, la viande est cuite *tsigariasto* (sautée), tandis que les tavernes traditionnelles des villages de montagne proposent du mouton ou de la chèvre bouillis, étonnamment savoureux. On peut aussi cuire la viande avec des légumes, comme l'agneau aux artichauts ou aux *stamnagathi* (légumes sauvages), ou le poulet aux gombos.

L'huile d'olive (Le Chêne, 2008), d'Anne Vantal, permet de découvrir la diversité des huiles d'olive, leurs saveurs, leurs histoires et les bienfaits de cet aliment sur la santé.

Les Crétois utilisent presque toutes les parties de l'animal, y compris les *ameletita* ("innommables" ; testicules de mouton frits) et les *gardhoumia* (estomac et abats enveloppés dans les intestins).

Le *psari* (poisson) est depuis longtemps un aliment de base (sauf dans les montagnes), préparé simplement, habituellement grillé et arrosé de *ladholemono* (sauce au citron et à l'huile). Les petits poissons, comme le rouget et le fretin, sont légèrement frits.

Les *kalitsounia* sont des chaussons frits et fourrés de *myzithra* (fromage) ou de *horta*. Ceux au fromage sont parfois servis avec du miel.

La cuisine crétoise excelle dans les plats de légumes, tels que les artichauts et les fèves, ou encore les fleurs de courgettes (*anthoi*) farcies de riz et d'herbes.

L'île produit de délicieux fromages de chèvre et de brebis, ou combinant les deux laits. Le *graviera*, un fromage de brebis au goût de noix rappelant le gruyère, est souvent vieilli dans des grottes de montagne ou des huttes en pierre appelées *mitata*. Il est excellent avec du miel de thym. Parmi les autres fromages, citons le *myzithra* (un fromage doux ressemblant à la ricotta, qu'on peut manger frais ou faire durcir pour le râper), le *xynomyzithra* (ferme et salé), l'*anthotyro* (un fromage doux au petit lait) et le *galomyzithra* (une spécialité crémeuse de La Canée). Le *staka* est un riche fromage crémeux que l'on ajoute souvent au riz *pilafi* (pilaf).

Le régime crétois, mythe ou réalité ? (éd. François-Xavier de Guibert, 2003), de l'universitaire Agnès Sansonetti, démontre les qualités du régime crétois.

Le yaourt de brebis, épais et fort, est succulent avec du miel, des noix ou des fruits, surtout dans des endroits comme Vryses (voir p. 119).

BOISSONS

Cafés et infusions

Legs de l'époque ottomane, le café grec est traditionnellement infusé sur du sable chaud dans un *briki* (pot) en cuivre, servi dans une petite tasse et bu une fois le marc tombé au fond ; on le commande *glyko* (sucré), *metrio* (moyennement sucré) ou *sketo* (sans sucre). Très apprécié, le café frappé, un mélange glacé à base de café instantané, se trouve partout. On peut aussi choisir un expresso ou un cappuccino glacé (*freddo*). Parmi les infusions, les préférées sont la camomille et le *tsai tou vounou* (thé de montagne), nourrissant et délicieux. Le *diktamo* (infusion de dictame) est réputé pour ses vertus médicinales. On prête également au *rakomelo* (grog au raki, miel et clous de girofle) des propriétés thérapeutiques.

Bières et alcools

Les bières grecques commencent à se faire une place sur un marché dominé par les grandes brasseries comme Amstel et Heineken. Si Mythos et Alfa sont les principales marques nationales, on trouve également les blondes légères Vergina et Hillas, provenant du nord de la Grèce, la Piraiki, une bière bio du Pirée, et la Craft, disponible à la pression. Il existe aussi une bière crétoise, produite par la brasserie Rethymniaki (p. 131). Les Grecs boivent moitié moins de bière que la moyenne européenne par habitant.

Les supermarchés sont les endroits les moins chers pour acheter des bières, également en vente dans les kiosques.

L'ouzo, l'alcool national, jouit d'une popularité moindre en Crète. Essentiellement consommé par les Grecs du continent et par les étrangers, il est servi pur, avec de la glace et un verre d'eau pour le diluer (il devient alors blanc laiteux).

LE RÉGIME CRÉTOIS

Les bienfaits du régime crétois ont commencé à se faire connaître après qu'une étude internationale, lancée dans les années 1960, eut dévoilé un taux particulièrement bas de problèmes cardiaques et de cancers chez les hommes de l'île. Trente ans plus tard, la moitié des participants crétois était toujours en vie, alors qu'il n'y avait aucun survivant en Finlande. On attribue ce mystère à un régime équilibré, riche en fruits, en légumes, en féculents, en céréales complètes, en huile d'olive et en vin. Un autre facteur important pourrait être la consommation de *horta* (légumes sauvages), que les Crétois cueillaient dans les collines et mangeaient pendant la guerre ; ils pourraient avoir des vertus protectrices encore méconnues. La pratique régulière du jeûne pourrait également jouer un rôle, de même que la consommation de lait de brebis et de chèvre au lieu du lait de vache. Beaucoup soulignent aussi les propriétés thérapeutiques du raki et du vin et leur rôle dans le maintien de la longévité. Malheureusement, le régime et le style de vie des Crétois changent depuis que l'île s'est enrichie et urbanisée. La viande et le fromage prennent une place plus importante dans l'alimentation, peu de Crétois continuent de travailler dans les champs, et les taux d'obésité, de maladies cardiovasculaires et de cancers augmentent.

Outre ses avantages pour la santé, la cuisine crétoise est enfin reconnue comme un élément clé du patrimoine culturel. Un renouveau de fierté et d'intérêt pour les traditions culinaires commence à changer la carte gastronomique de l'île. Depuis quelques années, des efforts sont faits pour promouvoir la cuisine locale grâce à des initiatives comme **Concred** (www.concred.gr), un programme lancé en 2004 afin de décerner un label de qualité dans la restauration. Il compte actuellement une trentaine d'établissements. Beaucoup se situent dans des grands hôtels, qui ne servaient auparavant que de la cuisine internationale, mais la liste comprend également des restaurants haut de gamme et des tavernes modestes qui mitonnent des spécialités crétoises dans les villes, les villages de montagne et en bord de mer. Vous découvrirez de nombreux restaurants authentiques au fil de votre voyage.

L'EAU DE FEU CRÉTOISE

Le raki – *tsikoudia* – fait partie intégrante de la culture crétoise. On vous en offrira un verre en signe de bienvenue, à la fin d'un repas ou pour toute autre occasion. Distillé à partir des grains de raisin non utilisés pour la fabrication du vin, cet alcool ressemble à l'*arak* du Moyen-Orient, à la *grappa* italienne, au *poteen* irlandais et au raki turc. Chaque année en octobre, les distilleries de l'île (y compris les nombreux alambics privés) commencent à produire d'énormes quantités de raki. La saison s'accompagne habituellement de dégustations et de festins. Si vous passez dans un village à ce moment-là, vous serez peut-être invité. Le bon raki a un goût moelleux et velouté et ne brûle pas la gorge. À condition de manger et d'en boire en quantité raisonnable, vous pourrez en savourer sans risquer des lendemains douloureux.

Vin

La Crète produit du vin depuis l'époque minoenne. Depuis longtemps, les fermiers cultivent des petits vignobles et font du vin pour leur propre consommation. Ce n'est qu'avec l'industrialisation, et la croissance urbaine et touristique qui en a résulté, que le vin en bouteille a été produit à grande échelle – et que le monde a découvert le retsina !

Ces vingt dernières années, une nouvelle génération de viticulteurs, formée à l'étranger, a relancé l'industrie grecque du vin en utilisant des cépages locaux et internationaux. La Crète fournit environ 20% du vin grec et si, dans l'ensemble, le vin crétois n'émeut pas les connaisseurs, l'île produit nombre de crus très honnêtes. Le tourisme viticole prend lentement de l'ampleur et les domaines acceptent plus facilement les visiteurs (voir p. 165).

Environ 70% du vin crétois vient des environs de Peza, principale région bénéficiant d'une appellation d'origine. Mélangé et produit en gros par des coopératives, ce vin est de qualité inégale. Les autres grandes régions viticoles sont celles de Dafnes, Archanes et Sitia ; cette dernière se caractérise par une importante production de blancs secs (p. 193). La Canée compte aussi de bonnes caves (voir p. 94). Les cépages blancs les plus appréciés sont le *vilana* et le *thrapsathiri*. Le variété la plus ancienne, le *liatiko*, est utilisée pour faire du vin rouge depuis 4 000 ans ; parmi les rouges figurent le *kotsifali* et le *mandilari*.

Pour des informations détaillées sur les régions viticoles et les producteurs, ceux qui lisent l'anglais consulteront les sites www.greekwine.gr et www.greekwinemakers.com.

Les vins maison servis dans les restaurants sont généralement très corrects et bien moins chers que les vins en bouteille. Certains rouges crétois ont un léger goût de porto. Commmandez le vin (*krasi*) *kokkino* (rouge), *roze* (rosé) ou *lefko* (blanc).

Le retsina, un vin blanc parfumé à la résine de pin, a aujourd'hui une signification quasi folklorique pour les étrangers et certains le confondent avec le vin en tonneau (sans résine). Il accompagne bien les plats relevés et les poissons, à condition d'aimer ce goût particulier. Le retsina crétois produit à La Canée ou à Héraklion est souvent moins âpre que celui du continent.

PLATS DE FÊTE

La nourriture joue un rôle important dans les fêtes religieuses et culturelles, qui s'accompagnent toujours d'un festin. À cette occasion, on fait rôtir à la broche (et/ou bouillir) un agneau ou un chevreau, qu'on déguste avec un délicieux riz *pilafi* cuit dans le bouillon.

Durant le carême (40 jours avant Pâques), on prépare des plats particuliers, sans viande ni produits laitiers, voire sans huile pour les plus fervents. Les festivités de Pâques commencent par un bol de *mayiritsa* (soupe d'abats), suivi d'un déjeuner dominical composé d'agneau et de *kreatotourta* (tourtes à la viande).

Les œufs durs teints en rouge font partie des traditions pascales et décorent le *tsoureki*, un pain brioché parfumé au *mahlepi* (amande du fruit du *Prunus mahaleb*).

Au dessert, on se régale de *koulourakia* (biscuits), de *melomakarona* (biscuits au miel) et de *kourambiedhes* (biscuits aux amandes).

Le *kouloura*, une miche de pain décorée dont la confection demande des heures, est un cadeau de mariage traditionnel. Le jeune couple reçoit également du miel et des noix, supposés aphrodisiaques et stimulant pour la fertilité.

Le *vasilopita*, gâteau du Nouvel An, recèle une pièce de monnaie, qui porterait chance toute l'année à celui qui la trouve.

Au fil des saisons, les diverses récoltes, des noisettes aux raisins de Smyrne, s'accompagnent d'autant de fêtes (voir la liste p. 211).

ÉTABLISSEMENTS

Dictionnaire du menu pour le touriste : Grèce, pour comprendre et se faire comprendre au restaurant (Gremese, 2004), de Despoina Afthonidou, est un ouvrage utile qui contient un dictionnaire des termes gastronomiques, des phrases d'usage et un panorama de la cuisine grecque.

Dans la plupart des localités, les tavernes pour touristes diffèrent des établissements fréquentés par les habitants, le tout étant de savoir les distinguer. Les rabatteurs amicaux, les enseignes au néon en anglais et les photos de plats quelconques signalent, à de rares exceptions, les endroits à fuir. Les Grecs dînent tard. Vous constaterez sans doute qu'un restaurant vide à 19h commence à se remplir quand vous sortez de table. Essayez de vous adapter aux horaires locaux (voir *À table*, p. 62).

Selon la loi, tous les restaurants doivent afficher une carte avec les prix. Le pain, systématiquement apporté sur la table, est facturé à un prix symbolique. Le pourboire est facultatif ; on arrondit habituellement l'addition ou on ajoute 10% pour un bon service.

En règle générale, plus on s'éloigne des stations touristiques de la côte nord, plus la nourriture s'améliore ; les restaurants des villages utilisent souvent des produits frais locaux. Méfiez-vous des petites tavernes aux cartes très fournies, car les plats risquent fort de manquer de fraîcheur.

Où se restaurer et prendre un verre

Parmi les différents types d'établissements, en voici quelques-uns :

Estiatorion. Autrefois, un restaurant qui offrait sensiblement les mêmes plats que les tavernes, le décor plus soigné et le service attentif justifiant des prix supérieurs. Aujourd'hui, un *estiatorion* est souvent un restaurant haut de gamme, servant une cuisine plus internationale.

Kafeneion. Vieille institution grecque, le *kafeneio*, majoritairement fréquenté par des hommes, se contente habituellement d'offrir du café et des alcools. Ceux des villages crétois proposent fréquemment des repas.

Mayireion. Restaurant spécialisé dans les plats du jour présentés sur de grands plateaux – plats au four traditionnels et ragoûts.

Mezedopoleion. Un restaurant de mezze, où l'on partage de multiples petites assiettes.

Psarotaverna. Taverne spécialisée dans les poissons et les fruits de mer.

DÉLICES POUR GOURMETS

Profitez de votre séjour en Crète pour rapporter de délicieux souvenirs, comme du miel, des herbes aromatiques et du thé, des conserves de fruits au sirop, du raki et bien sûr de l'huile d'olive. Les coopératives de femmes comptent parmi les meilleurs endroits où acheter des produits locaux. Ainsi, **Krousonas** (p. 162) propose la visite des ateliers et vend d'excellents produits traditionnels, tels que des biscottes, des fruits au sirop, des pâtisseries, des biscuits et des pâtes. **Miden Agan** (p. 87), à La Canée, et **Avli** (p. 127), à Rethymnon, offrent une gamme alléchante de produits raffinés et d'huiles d'olive, et un grand choix de vins.

QUELQUES CONSEILS

- Demandez à voir ce qui mijote en cuisine ou choisissez vous-même votre poisson.
- Commandez des spécialités locales dans chaque région.
- N'insistez pas pour payer si l'on vous invite au restaurant – ce serait insulter votre hôte.
- Ne refusez pas un café ou un verre de raki – il est offert en signe d'hospitalité et de bienvenue.

Psistaria. Taverne spécialisée dans la viande grillée ou rôtie à la broche.
Rakadiko. Équivalent crétois de l'ouzéri, qui sert des mezze de plus en plus délicats à chaque tournée de raki. Très populaire à Sitia, Ierapetra et Rethymnon.
Taverna. Le restaurant grec classique, détendu, tenu par une famille, accueillant volontiers les enfants, où le serveur arrive avec le pain et les couverts dans un panier et une carafe d'eau. On y trouve du vin en tonneau, des nappes en papier et une carte plutôt standard. Les tavernes branchées proposent des versions créatives des grands classiques de la cuisine grecque dans un cadre plus raffiné, avec des prix plus élevés et une bonne carte des vins ; la nourriture n'est pas forcément meilleure.
Zaharoplasteion. À la fois pâtisserie et café – il n'est pas toujours possible de manger sur place.

Mezze et hors-d'œuvre

Les mezze (hors-d'œuvre), normalement partagés avant le repas, peuvent aussi le remplacer. Commandez alors un *pikilia* (assortiment de mezze).

Parmi les mezze les plus courants figurent le *taramosalata* (tarama ; œufs de poisson), le *tzatziki* (yaourt, concombre et ail), la *melidzanosalata* (purée d'aubergines) et la *fava* (purée de pois cassés). Les *keftedes* (boulettes de viande), les *loukanika* (saucisses campagnardes), les *bourekaki* (petites tourtes à la viande), le *saganaki* (fromage frit) et l'*apaki* (porc au vinaigre) font partie des mezze chauds. Les végétariens commanderont des *dolmades* (feuilles de vigne farçies au riz), des tranches de courgettes ou d'aubergines frites, des *gigantes* (haricots secs en sauce tomate aux herbes) et des beignets de légumes, comme les *kolokythokeftedes* (courgettes) et les *domatokeftedhes* (tomates).

Meze de la cuisine grecque (Köneman, 2001), de Sarah Maxwell, est un bel ouvrage illustré de scènes de la vie quotidienne sur les îles de la mer Égée, dans lequel sont expliquées plus de 100 recettes authentiques de délicieux mezze.

Les mezze de poisson et de fruits de mer sont souvent composés d'*ohtapodi* (poulpe) mariné ou grillé, de *lakerda* (poisson) fumé, de moules ou de crevettes *saganaki* (cuites avec de la sauce tomate et du fromage), de calamars frits, de *maridha* (petite friture) ou de *gavros* (anchois doux) marinés ou grillés.

La soupe constitue habituellement un repas copieux et économique, avec pain et salade, plutôt qu'une entrée. La *psarosoupa* est une soupe de poisson aux légumes. La *kakavia* (bouillabaisse grecque), préparée sur commande, comprend poissons et fruits de mer. Si vous aimez les abats, goûtez la *mayiritsa*, la soupe de tripes traditionnelle de Pâques.

Accompagnant la plupart des repas, la *horiatiki salata* (salade campagnarde) comprend tomates, concombre, oignons, olives et feta, le tout parsemé d'origan et assaisonné d'huile d'olive, avec parfois des *glistrida* (câpres) fraîches. Les tranches de pommes de terre frites dans l'huile d'olive sont également très appréciées.

Plats

Les tavernes proposent habituellement des ragoûts, des plats au four (*mayirefta*) et d'autres préparés à la commande *(tis oras)*, comme les grillades. Les restaurants élégants de style international offrent des cartes plus classiques. Les *mayirefta* les plus courants sont le *boureki* (gratin de courgettes et de pommes de terre au fromage), la moussaka (couches d'aubergine, de viande hachée et de pommes de terre nappées d'une béchamel au fromage), le *pastitsio* (gratin de pâtes et de viande hachée au fromage), les *yemista* (légumes farcis), le *yuvetsi* (ragoût d'agneau ou de veau avec des pâtes), le *stifado* (viande braisée aux oignons), les *soutzoukakia* (boulettes de viande épicées en sauce tomate) et les *hohlii* (escargots). Les *ladhera* sont essentiellement des plats de légumes, cuits à l'étouffé ou au four avec une généreuse rasade d'huile d'olive.

Les *mayirefta* sont habituellement préparés tôt le matin afin d'acquérir plus de goût en refroidissant (il sont meilleurs tièdes que réchauffés au micro-ondes).

La viande est souvent cuite avec des pommes de terre, du citron et de l'origan, ou en ragoût avec des tomates (*kokkinisto*).

La plupart des établissements servent des viandes grillées, comme les *brizoles* (côtes de porc) ou les *païdakia* (côtelettes d'agneau).

Le poulpe aux macaronis et le calamar farci de fromage et d'herbes ou de riz peuvent également figurer au menu. Les seiches (*soupies*) sont excellentes grillées ou en ragoût avec du fenouil sauvage. Goûtez aussi la morue salée frite, servie avec du *skordalia* (purée de pommes de terre à l'ail).

Les Crétois mangent probablement plus d'escargots que les Français. Ils en exportent même en France !

Les restaurants vendent habituellement le poisson au poids et vous le choisirez sur le comptoir ou en cuisine. Faites-le peser avant la cuisson pour éviter les mauvaises surprises au moment de l'addition.

Si la pêche locale fournit beaucoup de poissons frais, elle ne suffit pas pour les millions de touristes qui déferlent chaque été. La plupart des restaurants indiquent si les poissons et les fruits de mer sont congelés, mais parfois seulement sur le menu en grec (repérez l'abréviation *kat* ou un astérisque). Les petits poissons proviennent plus souvent des alentours de l'île.

Pour les grillades, préférez la *tsipoura* (daurade royale), le *lavraki* (loup de mer) et le *fangri* (brème). Les poissons plus petits, comme le *barbunya* (rouget), sont délicieux frits. Consultez le *Glossaire culinaire* (p. 63) pour d'autres noms de poissons courants.

Douceurs

Si l'on sert plutôt des fruits que des gâteaux en fin de repas, l'île offre de délicieuses pâtisseries locales.

Outre les douceurs grecques classiques comme le baklava, *les loukoumades* (beignets au miel ou au sirop), le *kataïfi* (sorte de cheveux d'ange aux noix et au miel), le *rizogalo* (gâteau de riz) et le *galaktoboureko* (pâte fourrée de crème et nappée de sirop), les Crétois ont leurs propres spécialités.

Les *sfakianes pite,* typiques de Sfakia (La Canée), sont de fines crêpes farcies de *myzithra* et nappées de miel. Les *xerotigana* sont des beignets torsadés au miel et aux noix.

Les fruits au sirop peuvent être servis sur de petites assiettes, ou accompagner un yaourt ou une glace. Certaines tavernes offrent du halva (à base de semoule) après le repas.

Plus de 100 *horta* (légumes sauvages) comestibles poussent en Crète. Cependant, les connaisseurs eux-mêmes n'en identifient pas plus d'une douzaine.

En-cas

Le *souvlaki* est l'en-cas le plus apprécié. Les *gyros* sont des brochettes enveloppées d'une pita, avec tomates, oignons et *tzatziki*. Quantités de *fastfoudadika*, ou fast-foods à l'occidentale, sont installés dans les villes. Les boulangeries vendent diverses *pittes*, comme la *kalitsounia*, la *tyropita* (chausson au fromage) et la *spanakopita* (chausson aux épinards). Pour un repas rapide et complet, choisissez une taverne qui sert des *mayirefta*.

VÉGÉTARIENS

Si l'île compte très peu de restaurants purement végétariens, les époques de pénurie et l'observance des jeûnes religieux ont fait des Crétois des végétariens occasionnels et les plats de légumes ne manquent pas. Les *ladhera* sont la base de l'alimentation en période de jeûne. Les féculents constituaient autrefois l'essentiel des repas d'hiver, et on en fait des plats délicieux comme les *gigantes* (haricots secs en sauce tomate et aux herbes).

Vous pourrez aussi vous régaler de *fasolakia yiahni* (ragoût de haricots verts), de *yemista* (légumes farcis) et de *bamies* (gombos). Les aubergines sont aussi largement utilisées, notamment dans les *briam* (assortiments de légumes).

Parmi les *horta* (légumes sauvages), très nourrissants, les *vlita* sont les plus sucrés. Les *stamnagathi*, considérés comme un mets raffiné, sont servis bouillis en salade ou cuits en ragoût avec de la viande. Le radis sauvage, le pissenlit, l'ortie et l'oseille font également partie des *horta* courants.

Fruits

La Crète produit toutes sortes de fruits, généralement succulents. Les *frangosyko* (figues de Barbarie) poussent à l'état sauvage ; ne les cueillez pas à mains nues et manipulez-les avec précaution car elles sont couvertes de milliers de minuscules épines invisibles. Pour les peler, coupez les extrémités avec un couteau et fendez la peau d'un bout à l'autre.

Vous verrez peut-être aussi des *mousmoula* (nèfles), des petits fruits orange à la chair juteuse et agréablement acide.

AVEC DES ENFANTS

Les Crétois aiment beaucoup les enfants. Les familles sont bien reçues dans les tavernes informelles et les *psistarias*, où les bambins peuvent s'amuser entre les tables sans provoquer de froncements de sourcils. On voit souvent des enfants jouer tard le soir devant les tavernes pendant que les parents s'accordent un long dîner. Les menus pour enfants sont rares, mais la plupart des restaurants prépareront des assiettes spéciales ou s'efforceront de répondre à vos demandes.

PRÉSERVER LA TRADITION

Depuis que la Crète est devenue sa seconde patrie, la chef gréco-américaine Nikki Rose œuvre discrètement, par le biais de son programme Crete's Culinary Sanctuaries, pour la préservation de la culture crétoise grâce à l'agrotourisme durable.

Outre les démonstrations de cuisine chez l'habitant, Nikki Rose emmène des petits groupes visiter les paysans qui prennent encore le temps de fabriquer du fromage, de récolter du miel ou de faire cuire le pain dans des fours à bois traditionnels. "C'est un mode de vie qui disparaît rapidement", explique-t-elle.

En établissant lentement un réseau informel de fermes biologiques et de petits producteurs privilégiant les méthodes ancestrales, elle espère aider à préserver le patrimoine culinaire de l'île.

"Ensemble, le tourisme et l'agriculture durables contribuent à créer un tourisme de meilleure qualité et à protéger l'environnement et les communautés locales."

Nikki Rose s'inquiète du nombre croissant de projets "agrofolkloriques", dont elle craint qu'ils ne précipitent la disparition du mode de vie crétois.

"C'est très dangereux pour la préservation du patrimoine culturel. Au lieu d'aller dans des villages authentiques, les touristes visitent ces reconstitutions de la vie crétoise traditionnelle. Puisqu'il existe encore des villages traditionnels, c'est là que les touristes devraient dépenser leurs devises."

À TABLE

L'hospitalité fait partie intégrante de la culture crétoise, du verre d'eau qui accueille le client jusqu'au fruit et au raki offerts à la fin du repas. D'ordinaire, les convives commandent plusieurs plats et les partagent, ce qui permet de goûter à tout. Les Crétois mangent rarement seuls.

Le petit déjeuner est léger. Les hôtels bon marché proposent souvent des petits déjeuners de style continental (viennoiseries ou pain et confiture, thé ou café), tandis que les établissements plus haut de gamme offrent des buffets et ajoutent des pâtisseries crétoises.

Si la modification des horaires de travail affecte le déroulement traditionnel des repas, le déjeuner tend à rester le principal repas de la journée et ne commence qu'après 14h. Habituellement, les Grecs ne dînent pas avant la nuit tombée, après la fermeture des magasins, et les restaurants ne se remplissent qu'après 22h. Entre-temps, les cafés prennent le relais, surtout après la sieste du milieu d'après-midi (quand nombre de localités se transforment en villes fantômes).

La Cuisine crétoise, de Maria et Nikos Psilakis (Karmanor, 2000), contient 265 recettes alléchantes, des anecdotes passionnantes sur l'histoire des plats et des informations sur les bienfaits du régime crétois.

Le dîner s'étire en longueur : si vous mangez avec des Crétois, adaptez-vous à leur rythme et ne vous jetez pas sur les mezze, car plusieurs plats vont suivre. Si le service peut être lent, personne ne vous presse à libérer la table et on ne la débarrasse qu'une fois l'addition demandée. Il n'est pas d'usage d'emporter les restes et, quand les Crétois le font, c'est réellement pour leur chien.

Ne commander qu'une salade grecque ou un *tzatziki* – une pratique courante chez les touristes jeunes et impécunieux – vous vaudra le mépris silencieux des serveurs.

Les Grecs boivent rarement un café après le repas et de nombreuses tavernes n'en servent pas.

COURS DE CUISINE

Les circuits gastronomiques et les cours de cuisine connaissent un succès grandissant. Comptez au moins 50 € pour un cours.

Rodialos (☎ 28340 51310 ; www.rodialos.gr) organise régulièrement des stages de cuisine de 1 à 7 jours dans une charmante villa à Panormos, près de Rethymnon. Mary Frangaki enseigne les principes de la cuisine crétoise et confectionne plusieurs plats. Rodialos propose aussi des programmes holistiques comprenant yoga et tai-chi. Les stages coûtent 50 €/jour et les participants mangent ce qu'ils ont préparé. Il est possible de séjourner à la villa. Pour plus de détails, consultez le site Internet.

Enagron (☎ 28340 61611 ; www.enagron.gr), près du village d'Axos, offre des stages de cuisine et organise des manifestations saisonnières sur la production du fromage, du vin et du raki. Le cadre champêtre est ravissant et on peut loger sur place (voir p. 134).

Crete's Culinary Sanctuaries (www.cookingincrete.com) se concentre sur l'agriculture biologique et la cuisine crétoise traditionnelle, avec des cours pratiques, des démonstrations chez l'habitant et des visites aux fermiers et producteurs locaux. Dirigés par Nikki Rose, chef et auteur gréco-américaine, les cours sur mesure ont lieu dans toute l'île (voir l'encadré p. 61).

Tastes of Crete (☎ 28210 41458 ; www.diktynna-travel.gr) propose un stage de cuisine d'une journée dans une grande ferme du XVIIIe siècle, à 10 min de La Canée. Limité à 8 participants, il a lieu deux fois par semaine de mai à octobre. Le prix (95 €) inclut les transferts, la visite des marchés, les cours et le déjeuner.

Logari (☎ 2810 752 808 ; www.logari.gr) a été fondé par Katerina Hamilaki, qui organise régulièrement des stages de cuisine et des séjours gastronomiques dans sa ferme-taverne de Katalagari, près d'Héraklion. Elle possède également un alambic à raki.

LES MOTS À LA BOUCHE

Pour pénétrer l'univers de la cuisine crétoise, initiez-vous à la langue ; vous trouverez des conseils sur la prononciation p. 232 .

Phrases utiles

Je voudrais réserver une table pour ce soir. — Θέλω να κλείσω ένα τραπέζι για απόψε.
the·lo na *kli*·so e·na tra·pe·zi ya a·po·pse

Une table pour…, s'il vous plaît. — Ένα τραπέζι για … παρακαλώ.
e·na tra·*pe*·zi ya …, pa·ra·ka·*lo*

La carte, s'il vous plaît. — Το μενού, παρακαλώ
to me·*nu*, pa·ra·ka·*lo*

J'aimerais… — Θα ήθελα …
tha *i*·the·la …

L'addition, s'il vous plaît. — Το λογαριασμό, παρακαλώ.
to lo·ghar·ya·*zmo*, pa·ra·ka·*lo*

Je suis végétarien. — Είμαι χορτοφάγος.
i·me hor·to·*fa*·ghos

Je ne mange pas de viande ni de produits laitiers. — Δεν τρώω κρέας ή γαλακτοκομικά προϊόντα.
dhen *tro*·o *kre*·as i gha·la·kto·ko·mi·*ka* pro·i·*on*·da

Glossaire culinaire

ALIMENTS DE BASE

pso·*mi*	ψωμί	pain
vou·ti·ro	βούτυρο	beurre
ti·*ri*	τυρί	fromage
a·*vgha*	αυγά	œufs
me·li	μέλι	miel
gha·la	γάλα	lait
e·le·*o*·la·dho	ελαιόλαδο	huile d'olive
e·*lyes*	ελιές	olives
pi·*pe*·ri	πιπέρι	poivre
a·*la*·ti	αλάτι	sel
za·ha·ri	ζάχαρη	sucre
ksi·dhi	ξύδι	vinaigre

VIANDES, POISSONS ET FRUITS DE MER

vo dhi *no*	βοδινό	bœuf
ro·*fos*	ροφός	bar noir
ko·*to*·pou·lo	κοτόπουλο	poulet
sou·pi*a*	σουπιά	seiche
ke·fa·los	κέφαλος	mulet
sfi·ri·da	σφυρίδα	mérou blanc
zam·*bon*	ζαμπόν	jambon
la·*ghos*	λαγός	lièvre
ka·tsi·*ka*·ki	κατσικάκι	chevreau
ar·*ni*	αρνί	agneau
a·sta·*kos*	αστακός	homard
ko·li·*os*	κολιός	maquereau
mi·di·a	μύδια	moules
ohta·*po*·dhi	χταπόδι	poulpe
hyi·ri·*no*	χοιρινό	porc
gha·*ri*·dhes	γαρίδες	crevettes
kou·*ne*·li	κουνέλι	lapin

bar·*bou*·nia	μπαρμπούνια	rouget
sar·*dhe*·les	σαρδέλες	sardines
la·*vra*·ki	λαβράκι	bar
fa·*ghri*/li·*thri*·ni/me·la·*nou*·ri	φαγρί/λιθρίνι/μελανούρι	brème
ka·la·*ma*·ri	καλαμάρι	calamar
ksi·*fi*·as	ξιφίας	espadon
ma·*ri*·dha	μαρίδα	petite friture
mos-ha-ri ga-lak-tos	μοσχάρι γαλάκτος	veau

FRUITS ET LÉGUMES

mi·lo	μήλο	pomme
ang·gi·na·ra	αγγινάρα	artichaut
spa·*rang*·gi	σπαράγγι	asperges
me·li·*dza*·na	μελιτζάνα	aubergine
la·ha·no	λάχανο	chou
ka·*ro*·to	καρότο	carotte
ke·*ra*·si	κεράσι	cerise
sy-*ka*	σύκα	figues
skor·dho	σκόρδο	ail
sta·*fi*·li·a	σταφύλια	raisin
(a·ghri·a) *hor*·ta	(άγρια) χόρτα	légumes sauvages
le·*mo*·ni	λεμόνι	citron
kre·*mi*·dhi·a	κρεμμύδια	oignons
por·to·*ka*·li	πορτοκάλι	orange
ro·*dha*·ki·no	ροδάκινο	pêche
a·ra·*kas*	αρακάς	pois
pi·per·*yes*	πιπεριές	poivrons
pa·*ta*·tes	πατάτες	pommes de terre
spa·*na*·ki	σπανάκι	épinard
fra·u·la	φράουλα	fraise
do·*ma*·ta	ντομάτα	tomate
kar-*pou*-zi	καρπούζι	pastèque
gli-*stri*-da	γλυστριδα	câpres

BOISSONS

bi·ra	μπύρα	bière
ka·*fes*	καφές	café
καφές	ρακί	raki
tsa·i	τσάι	thé
ne·ro	νερό	eau
kra·*si* (*ko*·ki·no/*a*·spro)	κρασί (κόκκινο/άσπρο)	vin (rouge/blanc)

Environnement

GÉOLOGIE

Avec une superficie de 8 335 km^2, la Crète est la plus grande île de l'archipel grec. Longue de 250 km, elle mesure environ 60 km à son point le plus large et 12 km à son point le plus étroit. Sa remarquable diversité géographique et écologique – chaînes de montagnes, gorges spectaculaires, vaste littoral, innombrables grottes – lui permet de regrouper une grande variété d'habitats naturels, notamment des marécages, sur une superficie relativement petite. Réputée pour sa flore, l'île se couvre au printemps de fleurs sauvages, parmi lesquelles beaucoup d'espèces endémiques et rares.

Trois massifs montagneux – les Lefka Ori (Montagnes blanches) à l'ouest, le mont Psiloritis (ou Ida) au centre et les monts Lassithi à l'est – dominent l'intérieur accidenté. Les Lefka Ori sont célèbres pour leurs gorges, comme celles de Samaria, et pour leurs neiges présentes jusqu'au printemps. Elles renferment le plateau d'Omalos, à 1 000 m. Le point culminant de l'île est le mont Psiloritis (mont Ida ; p. 137), haut de 2 456 m, qui recèle des centaines de grottes, notamment la grotte de l'Ida (Ideon Andron), où Zeus serait né ; sur ses pentes sud s'étend la forêt de Rouvas.

Les monts Lassithi englobent le fameux plateau du Lassithi (p. 190) et le mont Dicté (Dikti ; 2 148 m), dont les pentes méridionales offrent un exemple des splendides forêts qui couvraient l'île autrefois. L'extrême est de la Crète, la partie la plus sèche, culmine au sauvage mont Thripti (1 476 m).

L'Ouest est la région la plus montagneuse et la plus verte, l'Est étant plutôt aride et rocheux. Dans l'intérieur, en grande partie montagneux, poussent des oliviers, des broussailles et des herbes sauvages. Les hauts plateaux sont cultivés ou servent de pâturages aux chèvres, comme le plateau d'Omalos. Au sud, la plaine fertile de la Messara constitue la plus grande zone cultivable. Le lac Kournas (p. 116) est le seul lac naturel d'eau douce. L'île de Gavdos (p. 105) est le point le plus austral d'Europe, à 300 km de l'Afrique.

FAUNE ET FLORE

Animaux

La Crète est connue pour sa population de moutons et de chèvres, mais elle abrite aussi une faune endémique, notamment le rat épineux de Crète, ainsi que quantité de chauves-souris, d'insectes, d'escargots et d'invertébrés.

L'un des animaux rares les plus curieux est le *fourokattos* (chat sauvage), dont les bergers parlent depuis des siècles. On supposait que c'était une légende, jusqu'à ce qu'un scientifique britannique en trouve deux peaux sur un marché de La Canée en 1905. La seule autre preuve de son existence date de 1996, lorsque des chercheurs italiens étudiant la faune crétoise découvrirent un chat de 5,5 kg pris dans un piège. Toutefois, on ignore s'il s'agissait d'un chat sauvage ou d'un animal domestique retourné à l'état sauvage.

Des fossiles découverts dans une grotte sous-marine à La Canée en 2000 se sont avérés appartenir à une espèce inconnue d'éléphants nains qui ne vivaient qu'en Crète, il y a 50 000 à 60 000 ans – cette créature a été baptisée éléphant crétois (*Elephas chaniensis*).

Les autres espèces locales comprennent la minuscule grenouille arboricole crétoise et la grenouille des marais. La côte sud et ses falaises sous-marines abruptes accueillent la plus grosse population de cachalots de la Méditerranée, qui viennent toute l'année se nourrir, mettre bas, voire se reproduire. De nombreux dauphins rayés, dauphins de Risso et baleines à bec de Cuvier peuplent aussi la côte sud. On voit souvent des grands dauphins dans les eaux peu profondes entre Gavdos et Gavdopoula, et au large de la côte sud.

Le projet Cachalot de l'Institut Pelagos de recherches sur les cétacés surveille la population de cachalots et comprend un programme d'écovolontariat. Des sorties en mer pour observer les dauphins partent de Paleohora (p. 101).

OISEAUX

La Crète est une destination idéale pour les amateurs d'oiseaux, car elle se situe sur les principales voies migratoires en provenance de l'Afrique de l'Est. Son avifaune variée englobe de nombreuses espèces endémiques et migratoires, ainsi que quelques rares prédateurs. Sur la côte, on peut observer des aigrettes et des hérons lors des migrations de printemps et d'automne. Diverses espèces de mouettes nichent sur les falaises côtières et les îlots situés au large, ceux-ci accueillant également, en été, des faucons rares venus d'Afrique. Les pigeons ramiers ont été chassés presque jusqu'à l'extinction, mais on en trouve encore sur les falaises qui bordent le littoral.

Les passionnés d'ornithologie qui lisent l'anglais emporteront le *Birdwatching Guide to Crete*, de Stephanie Coghlan.

Toutes sortes d'oiseaux peuplent les montagnes : monticoles bleus, buses, immenses vautours fauves, martinets à ventre blanc, tariers pâtres, merles noirs et fauvettes mélanocéphales. Les champs autour de Malia sont le domaine des pipits rousselines et à gorge rousse, des œdicmènes criards, des parulines des rochers et des alouettes calandrelles. Sur les pentes en contrebas du monastère de Preveli (p. 139), des fauvettes de Rüppell et des fauvettes passerinettes s'ébattent parfois. Dans la presqu'île d'Akrotiri (p. 88), aux alentours des monastères d'Agias Triadas et de Gouvernetou, vous verrez des gobe-mouches noirs et à collier, des torcols fourmiliers, des pipits rousselines, des traquets oreillards et motteux, des monticoles bleus, des tariers pâtres et des perdrix choukars. La baie de Souda accueille des espèces migratoires comme les échassiers, les aigrettes et les mouettes.

La Crète recèle des petits marécages naturels, tandis que plusieurs barrages et des réservoirs créés au cours des dix dernières années sont aujourd'hui très prisés des oiseaux migrateurs. Des affûts et des plates-formes d'observation ont été construits dans les principales zones ornithologiques.

ESPÈCES EN DANGER

La Crète est l'une des principales escales sur les voies migratoires des oiseaux entre l'Afrique et l'Europe au printemps et en automne, et beaucoup d'oiseaux migrateurs passent l'hiver dans l'île.

L'animal le plus célèbre de Crète est l'*agrimi* ou *kri-kri*, une chèvre sauvage aux larges cornes représentée dans l'art minoen. Seuls quelques spécimens survivent aujourd'hui dans les gorges de Samaria (p. 92), sur l'île d'Agioi Theodori, au large de La Canée, et celle de Dia, au large d'Héraklion. Vous verrez peut-être un gypaète barbu – l'un des rapaces les plus rares d'Europe, d'une envergure de près de trois mètres – dans les gorges de Samaria ou sur le plateau du Lassithi. Cette espèce est menacée d'extinction, la Crète abritant les quatre seuls individus recensés en Grèce. L'île s'efforce de protéger sa population de tortues caouannes, présente depuis le temps des dinosaures (voir l'encadré p. 68). Elle abrite une petite communauté de phoques moines, une espèce menacée, qui se reproduisent dans les grottes de la côte sud.

Plantes

Avec son extraordinaire variété de plantes et de fleurs sauvages, la Crète est le paradis des amateurs de botanique. On compte 2 000 espèces de plantes, dont 160 sont spécifiques à l'île. Les gorges constituent des minijardins dont l'isolement contribue à préserver de nombreuses espèces endémiques.

Pour profiter au mieux de cette richesse, venez en mars-avril. Toutefois, les plantes et les fleurs de montagne éclosent souvent plus tard dans l'année, et des précipitations tardives prolongent parfois la floraison.

Pour tout savoir sur les espèces d'oiseaux visibles en Crète, consultez le site Internet : www.oiseaux.net

Sur la côte, les lis de mer fleurissent en août-septembre. En avril-mai, les centaurées s'épanouissent sur la côte ouest, tandis que les giroflées pourpres et violettes apportent une note de couleur sur les plages. À la même époque, dans l'est, en particulier autour de Sitia, les plages sont bordées de coquelicots. Le long des plages épargnées par les hôtels, on admire en mai-juin des liserons roses et des jujubiers, qui produisent des fruits en septembre-octobre, ainsi que des tamaris, en fleur au printemps.

Dans les plaines, on trouve des genévriers et des chênes verts, ainsi que des coquelicots et des lupins pourpres qui s'ouvrent au printemps. Les fleurs des lauriers-roses embellissent le paysage de juin à août.

Dans les collines, admirez les cistes et les genêts en début d'été, et les chrysanthèmes jaunes dans les champs, de mars à mai. Les *blavees*, des fleurs bleues endémiques rares, ne croissent que dans les Lefka Ori.

De nombreuses variétés d'orchidées (dont 14 espèces endémiques) et d'ophrys tapissent au printemps les pentes inférieures des montagnes, transformant collines et prairies en un tapis rose, pourpre et violet. Les environs du village de Spili sont réputés pour leurs innombrables orchidées et tulipes sauvages. Des orchidées à floraison dense, des orchis papillons à fleurs roses et des cyclamens poussent sur le plateau du Lassithi, qui voit également s'épanouir des anémones rouges et violettes au début du printemps, auxquelles succèdent des boutons-d'or et des renoncules jaunes.

On compte plus de 200 espèces d'orchidées sauvages en Crète, parmi lesquelles 14 variétés endémiques et la célèbre *Ophrys cretica*, dont la forme particulière attire les insectes mâles.

La Crète possède l'une des plus grandes variétés d'herbes médicinales et culinaires au monde. Le *diktamo* est une tisane connue pour ses propriétés thérapeutiques, et l'origan crétois est l'un des meilleurs de Grèce. De la sauge, du romarin, du thym et de l'origan sauvages poussent dans les montagnes et les campagnes. Le Marianna's Workshop, à Maroulas (p. 132), vend quantité de remèdes à base de plantes crétoises.

PARCS NATIONAUX

Le seul parc national de Crète est celui des gorges de Samaria (p. 92), longues de 16 km, qui comptent parmi les plus grandes et les plus impressionnantes d'Europe (elles ont été soumises à la liste indicative du patrimoine mondial de l'Unesco). Personne n'y vit, mais elles abritent de nombreuses espèces d'oiseaux et d'animaux, notamment des *kri-kri*, et on y trouve un centre des visiteurs. De grandes parties de l'île appartiennent au réseau des zones de protection spéciale du programme européen Natura 2000.

ÉCOLOGIE

La conscience écologique des Crétois progresse lentement, mais l'île ne possède toujours pas de législation environnementale. Malgré les déclarations officielles en faveur de l'écotourisme, rares sont les complexes réellement écologiques, et des projets de développement ont récemment soulevé de fortes protestations. Le plus controversé, proposé par un consortium britannique, prévoit de bâtir un complexe touristique "écologique" de 1,6 milliard d'euros le long d'un littoral encore intact, dans l'extrême est de l'île, sur des terres du monastère de Toplou. Ce projet, qui comprend trois terrains de golf, des hôtels et six villages de vacances dans une zone sans eau ni infrastructures – ce qui nécessiterait la construction d'usines de dessalement et de retraitement des eaux –, fait l'objet d'une action en justice devant la cour suprême grecque. Les écologistes se mobilisent également contre un grand projet de port commercial de transport de conteneurs à Tymbaki, qui abîmerait une bonne partie de la côte sud.

Pour vous informer sur les problèmes liés à l'environnnement en Crète et sur les activités des organisations écologiques, connectez-vous sur www.ecocrete.gr (en grec et en anglais).

La Crète ne possède pas de programme de recyclage, malgré les tonnes de détritus produits par l'afflux de visiteurs. La plupart des zones touristiques sont assez propres, mais dans l'intérieur de l'île, on est souvent confronté aux décharges illégales. Des mesures ont été prises pour pousser le pays à y remédier. L'UE a ainsi infligé à la Grèce une amende de plus de 5 millions d'euros pour ne pas avoir nettoyé sa décharge de déchets toxiques de Kouroupitos, mais le problème n'est toujours pas réglé.

En dehors des grandes villes, l'air et l'eau sont propres, mais la déforestation menace la flore et la faune. Des siècles de culture des oliviers, de ramassage de bois à brûler, de construction navale, d'élevage, de surpâturage et

LES TORTUES CAOUANNES

Depuis 1990, **Archelon** (Société de protection des tortues marines de Grèce ; www.archelon.gr) œuvre avec les organismes publics, les chaînes hôtelières, les tour-opérateurs, les pêcheurs et les habitants contre la disparition progressive de la population crétoise de tortues caouannes (*Caretta caretta*).

Les plages de la côte nord, autour de Rethymnon et de La Canée, mais aussi de la côte sud, le long du golfe de Messara, abritent chaque été plus de 550 nids – les tortues pondent leurs œufs au milieu des plages de sable. Hélas, les hôtels et les tavernes qui bordent le littoral nord perturbent gravement la nidification. Très vulnérables sur la terre ferme, les femelles sont effrayées par les objets laissés sur les plages la nuit et peuvent s'abstenir de pondre, tandis que les bébés qui sortent de leur coquille sont désorientés par les lumières.

Archelon surveille 33 km de plage durant la saison de la ponte et de l'éclosion, surtout autour de Rethymnon, de Matala et de La Canée. Des grilles sont placées autour des nids pour les protéger et les œufs prêts à éclore sont entourés de barrières. Les hôtels commencent à régler le problème des lumières ; le groupe Grecotel est soucieux de suivre les directives d'Archelon en la matière.

Les bénévoles sont les bienvenus pour participer aux activités de surveillance et travailler dans les guichets d'information, avec un séjour minimal d'un mois (contactez le bureau principal d'Archelon à Athènes par l'intermédiaire de son site Internet).

L'organisation donne aux visiteurs les conseils suivants :

- Ne restez pas sur les plages le soir durant la saison de nidification, entre mai et octobre.
- Enlevez les parasols et les chaises longues le soir.
- Ne touchez pas les bébés tortues qui se dirigent vers la mer ; ils doivent s'orienter, et la marche leur donne des forces.
- Demandez aux hôtels et aux tavernes de coopérer avec l'organisation et d'éteindre leurs lumières quand c'est nécessaire.
- Jetez vos ordures à la poubelle ; les sacs en plastique sont mortels pour les tortues, qui les prennent pour des méduses.

d'incendies ont dévasté les forêts qui couvraient autrefois l'île. Il n'existe aucun programme de reforestation, sans doute parce que les 90 000 chèvres de l'île mangeraient les jeunes arbres. L'utilisation des pesticides et des herbicides dans l'agriculture a fait disparaître de nombreuses espèces d'oiseaux et de plantes, et la chasse a décimé la population animale.

C'est le long du littoral que les dégâts sont les plus importants. La faune marine a souffert de la pêche excessive, tandis que la pratique de la pêche à la dynamite et le surdéveloppement de la côte nord font fuir les oiseaux migrateurs. Le sort des tortues caouannes a provoqué l'inquiétude de la communauté internationale (voir ci-dessus).

La Crète regroupe près d'un quart des plages les plus propres de Grèce. En 2007, 96 plages crétoises ont reçu le drapeau bleu. Parmi elles, 39 se situaient dans le nome de Lassithi (pour la liste complète, voir www.blueflag.org).

Avec l'augmentation massive du tourisme au cours des vingt dernières années, l'île doit répondre à une demande croissante d'électricité et de sources d'énergie renouvelable. L'énergie solaire est utilisée, notamment par les hôtels, et on prévoit de construire une grande centrale solaire. Plus d'une douzaine de centrales éoliennes apportent une contribution bienvenue à la production d'électricité dans l'île.

L'agriculture biologique et les initiatives en faveur du tourisme durable commencent à prendre de l'essor. De grandes chaînes hôtelières ont ainsi mis en place des pratiques écologiques. Depuis une dizaine d'années, des organisations telles que le WWF Grèce et Greenpeace deviennent de plus en plus actives en Grèce, et des groupes écologiques ont été formés en Crète : la plupart font partie du réseau Ecocrete, qui couvre toute l'île.

Activités de plein air

Un relief accidenté, de hautes montagnes, des gorges spectaculaires et une mer bleu cobalt font de la Crète le paradis des amoureux de la nature. Si la chaleur estivale incite à paresser sur la plage, l'île offre toute l'année des loisirs plus sportifs. Vous pouvez grimper ses pics élancés au printemps ou parcourir à vélo le plateau du Lassithi en été. Le printemps et l'automne sont les meilleures périodes pour des randonnées à travers des gorges splendides ou sur de pittoresques sentiers côtiers et montagnards.

Ces dernières années ont vu se développer les possibilités de vacances actives, avec l'installation de plusieurs tour-opérateurs spécialisés. On peut ainsi pratiquer l'équitation sur d'excellentes pistes cavalières et des sports plus extrêmes comme le parapente, le saut à l'élastique, la spéléologie, le canyoning ou encore le kayak de mer sur la côte sud. Les eaux chaudes et limpides invitent à la plongée et au snorkeling. Les véliplanchistes apprécient Kouremenos, sur la côte est, et toutes les stations balnéaires proposent un éventail complet de sports nautiques.

Anavasi (☎ 210 321 8104 ; www.anavasi.gr) publie 3 cartes touristiques au 1/100 000, compatibles avec un GPS, sur lesquelles figure le sentier de grande randonnée E4. Ses cartes de randonnée, plus détaillées (au 1/25 000), couvrent les Lefka Ori (Sfakia et Pachnes), Samaria/Sougia, le mont Psiloritis et Zakros-Vaï.

RANDONNÉE ET TREKKING

La Crète offre de multiples possibilités de treks, au fil des villages isolés, des plaines et des gorges. Malheureusement, peu de guides détaillés décrivent les itinéraires, et les chemins sont généralement mal indiqués.

Seul fait exception le sentier E4, qui traverse l'île dans toute sa longueur (voir l'encadré p. 70) ; toutefois, certains tronçons sont difficiles à repérer. Le terrain, souvent accidenté et aride, rend la randonnée à la fois plus gratifiante et plus ardue et la faible fréquentation de l'arrière-pays renforce son attrait. Si la plupart des visiteurs optent pour une randonnée guidée, les marcheurs expérimentés prendront plaisir à relever le défi.

Certains des itinéraires les plus prisés, dont celui des gorges de Samaria (p. 92), sont décrits dans ce guide. De nouveaux sentiers ont été balisés à Zakros (p. 199).

Le site www.crete.tournet.gr réunit des cartes, des photos, des informations détaillées et des conseils pour certains tronçons du sentier E4 (en anglais).

Évitez la randonnée en juillet et août, quand les températures avoisinent les 40°C. Les marcheurs arrivent en nombre au printemps.

Des amateurs du monde entier viennent arpenter les nombreuses gorges de l'île. L'expérience peut être fabuleuse – et ardue. En chemin, vous pourrez respirer le parfum des herbes et des fleurs sauvages, vous arrêter dans une aire de pique-nique ombragée et barboter dans des cours d'eau (au printemps et en automne).

Une randonnée dans les gorges nécessite un peu d'organisation. Si vous possédez un véhicule, vous devrez revenir sur vos pas pour le récupérer, ou trouver quelqu'un qui vienne vous chercher à l'autre extrémité. Habituellement, les bus vous déposeront à distance raisonnable de l'entrée des gorges. La plupart des sentiers sont praticables par des personnes en bonne forme physique. Voici quelques-unes des gorges les plus accessibles :

Gorges d'Agia Irini (p. 101). Circuit d'une journée au départ d'Agia Irini, au nord de Sougia. Cet itinéraire sportif, qui traverse de superbes paysages, des montagnes à la côte, s'achève à Sougia.

Agiofarango (p. 175). Dans le centre sud de l'île, cette excursion prisée part du Moni Odigitrias, à 24 km au sud-ouest de Mires, et aboutit à une plage charmante.

Gorges de Hohlakies. Moins connue que celle de Zakros, voisine, cette courte marche de 3 km conduit de Hohlakies à la côte. On peut ensuite continuer vers le nord jusqu'à Palekastro, à 7 km.

Gorges d'Imbros (p. 93). Sans doute la randonnée la plus appréciée après celle des gorges de Samaria, elle vous fait parcourir 8 km entre Imbros et Komitades, près de Hora Sfakion.

Les gorges de Samaria attirent plus de 160 000 randonneurs chaque année, ce qui en fait l'attraction touristique la plus populaire de Crète après Cnossos.

Gorges de Rouvas (p. 166). Cette courte piste part de Zaros, sur le versant sud du Psiloritis (mont Ida), et coupe le sentier E4. Pratique pour rejoindre ou quitter l'itinéraire qui traverse l'île.
Vallée des Morts (p. 198). Une marche de 2 heures dans la pointe est de l'île. Cette vallée constitue le dernier tronçon du sentier E4, entre Zakros et le palais de Kato Zakros.
Samaria (p. 92). La randonnée la plus longue et la plus connue de l'île.
Gorges de Sirikari (p. 110). L'une des randonnées les plus belles et les plus appréciées de l'ouest de la Crète. Comptez 2 heures pour atteindre le site de Polyrrinia, et autant pour rejoindre Kissamos.

LE SENTIER E4

Le sentier transeuropéen de grande randonnée E4 commence au Portugal et se termine en Crète. Dans l'île, il part du port de Kasteli Kissamos, à l'ouest, et s'achève – après 320 km – sur la plage de galets de Kato Zakros, à l'est. Si vous souhaitez traverser la Crète à pied, comptez au moins 3 semaines, soit 15 km par jour, ou prévoyez 4 semaines en vous accordant quelques haltes ou des journées de marche moins longues. Vous pouvez aussi n'emprunter que certains tronçons si vous avez peu de temps ou si vous vous limitez aux endroits les plus intéressants. Dans l'ouest de l'île, le sentier bifurque et vous devrez choisir entre l'itinéraire côtier et la traversée des montagnes.

Le GR E4 est balisé tout du long par des panneaux et des signes noir et jaune, mais il n'est pas toujours bien entretenu : il est parfois couvert de végétation et les panneaux sont souvent difficiles à repérer. De plus, le chemin est isolé et la plupart du temps on ne trouve pas de nourriture – et peu d'eau. Mieux vaut prendre conseil localement avant de partir.

De Kasteli Kissamos, le chemin part au sud en longeant la côte jusqu'à Elafonissi et Paleohora. De Paleohora, une marche plaisante mène à Sougia (voir l'encadré p. 105), où vous devrez prendre la première grande décision. Un peu à l'est de Sougia, la voie montagneuse monte vers le nord pour traverser les hauteurs arides des Lefka Ori, tandis que la voie côtière suit la côte accidentée jusqu'à Kato Rodakino, entre Frangokastello et Plakias. L'itinéraire montagneux, réservé aux randonneurs chevronnés, implique de passer la nuit dans l'un des 3 refuges qui le ponctuent (reportez-vous p. 73 pour des informations sur les refuges). Plus facile, l'itinéraire côtier reste assez ardu par endroits ; la section entre Sougia et Agia Roumeli, assez difficile à trouver, est potentiellement dangereuse.

Aucun de ces deux itinéraires ne passe par les gorges de Samaria, mais vous pouvez facilement les inclure dans votre périple. À Sougia, prenez la première section de la voie montagneuse vers Omalos, puis descendez les gorges de Samaria en direction du sud jusqu'à Agia Roumeli, sur la côte – où vous rejoindrez l'itinéraire côtier. Inversement, si vous avez emprunté l'itinéraire côtier, vous pourrez remonter au nord à partir d'Agia Roumeli pour reprendre la voie montagneuse près d'Omalos. Ce tronçon à partir d'Omalos est sans doute le plus dur de toute la randonnée : abstenez-vous de le tenter dans la chaleur et l'aridité de l'été, car il est en altitude, sans ombre ni eau, sauf un éventuel reliquat de neige datant de l'hiver.

D'Argyroupoli, près du croisement des deux itinéraires, la voie montagneuse continue au sud de la voie côtière, celle-ci faisant une boucle au nord le long du massif du Psiloritis. L'itinéraire montagneux traverse une partie de la vallée d'Amari, via Spili et Fourfouras, avant de virer vers l'ouest pour monter jusqu'au sommet du Psiloritis (2 456 m). Les deux voies se rejoignent de nouveau sur le plateau de Nida, à l'est de la plus haute montagne crétoise (l'encadré p. 138 décrit des randonnées dans cette région).

Le chemin réunifié serpente vers l'est à travers le nome plus peuplé d'Héraklion, en passant par les villages de Profitis Ilias, Archanes et Kastelli, avant de remonter sur le plateau du Lassithi.

Du Lassithi, l'itinéraire redevient montagneux et traverse la chaîne du mont Dicté (2 148 m) au sud, avant de tourner à l'est pour emprunter le lointain passage qui descend dans le "cou" de la Crète, entre Ierapetra et le golfe de Mirabello. Les montagnes dominent le paysage alors que le chemin passe entre le mont Thripti (1 476 m), au sud et le mont Orno (1 238 m), au nord. Les villages sont plus rares à cette extrémité de l'île et il convient de bien organiser chaque jour de marche.

Le dernier tronçon, qui part de Papagiannades et traverse les villages de Handras et de Ziros, est moins ardu. Le dernier village, Zakros, marque l'entrée dans la "vallée des Morts", qui mène à la mer et à Kato Zakros (voir l'encadré p. 199). C'est ici que le voyage s'achève !

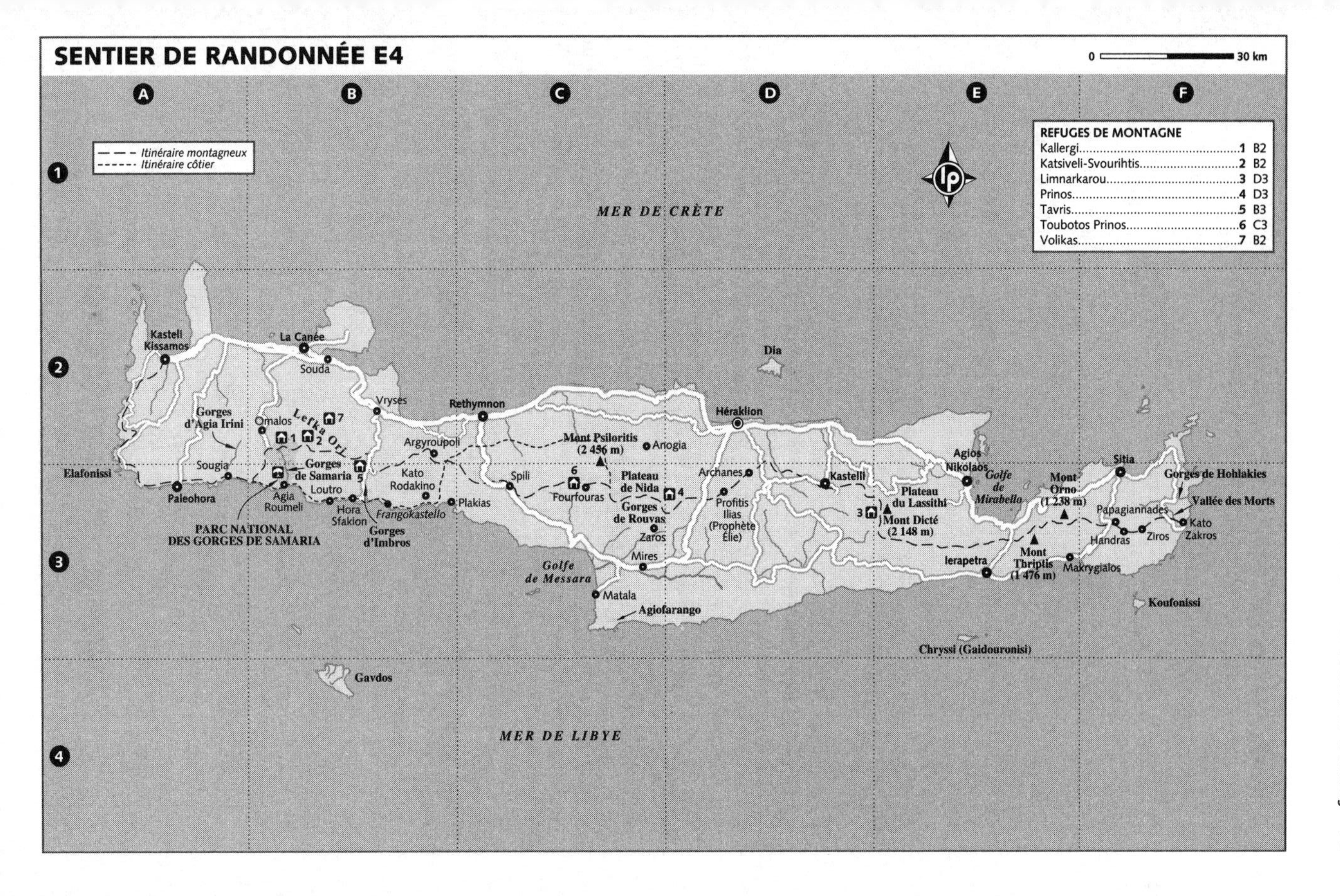
SENTIER DE RANDONNÉE E4
0 30 km
A
B
C
D
E
F
1
2
3
4
Itinéraire montagneux
Itinéraire côtier
REFUGES DE MONTAGNE
Kallergi..........1 B2
Katsiveli-Svourihtis..........2 B2
Limnarkarou..........3 D3
Prinos..........4 D3
Tavris..........5 B3
Toubotos Prinos..........6 C3
Volikas..........7 B2
MER DE CRÈTE
MER DE LIBYE
Kasteli Kissamos
La Canée
Souda
Vryses
Rethymnon
Héraklion
Dia
Gorges d'Agia Irini
Omalos
Lefka Ori
Elafonissi
Sougia
Paleohora
Gorges de Samaria
Agia Roumeli
Loutro
Hora Sfakion
PARC NATIONAL DES GORGES DE SAMARIA
Gorges d'Imbros
Frangokastello
Argyroupoli
Kato Rodakino
Plakias
Spili
Fourfouras
Mont Psiloritis (2 456 m)
Anogia
Plateau de Nida
Gorges de Rouvas
Zaros
Mires
Golfe de Messara
Matala
Agiofarango
Archanes
Profitis Ilias (Prophète Élie)
Kastelli
Plateau du Lassithi
Mont Dicté (2 148 m)
Agios Nikolaos
Golfe de Mirabello
Ierapetra
Mont Orno (1 238 m)
Mont Thriptis (1 476 m)
Makrygialos
Sitia
Papagiannades
Handras
Ziros
Kato Zakros
Gorges de Hohlakies
Vallée des Morts
Koufonissi
Chryssi (Gaidouronisi)
Gavdos

ACTIVITÉS DE PLEIN AIR

Les agences suivantes proposent un éventail de randonnées à pied ou à vélo et d'autres activités sur l'île. Pour les marches guidées, comptez à partir de 44 € par jour et 500 € par semaine, hébergement, transferts et repas compris.

Axas Outdoor Activities (☎ 2810 871 239 ; axas@yahoo.gr). Gérée par Dimitris Kornaros, un passionné de la marche et de la nature, cette agence basée à Profitis Ilias, près d'Héraklion, est spécialisée dans les circuits sur mesure hors des sentiers battus.

Cretan Adventures (☎ 2810 332 772 ; www.cretanadventures.gr ; Evans 10, Héraklion). Organise des randonnées et des treks, des circuits à VTT et d'autres activités spécialisées ou extrêmes.

Happy Walker (☎ /fax 28310 52920 ; www.happywalker.com ; Tobazi 56, Rethymnon). Offre diverses marches de mars à novembre, dont des excursions en été sur le plateau d'Omalos et dans les Lefka Ori.

International Centre of Natural Activities (☎ 6977 466900 ; www.icna.gr). Parapente, spéléologie, circuits à VTT, randonnée et escalade dans toute l'île. Le centre est installé à Avdou.

Korifi Tours (☎ 28930 41440 ; www.korifi.de). Randonnée et escalade aux alentours de Kapetaniana, au sud d'Héraklion. Cette agence est basée à Kapetaniana.

Strata Walking Tours (☎ 28220 24336 ; www.stratatours.com). À Kasteli Kissamos, offre aussi bien des excursions faciles d'une journée que des marches de 7 à 15 jours jusqu'à la côte sud.

Trekking Hellas (☎ 28210 58952 ; www.greeceoutdoors.com ; crete@trekkinhg.gr). L'un des plus grands tour-opérateurs de Grèce, basé à Athènes, il propose une gamme complète d'activités en Crète.

Trekking Plan (☎ /fax 28210 60861 ; www.cycling.gr). Cette agence d'Agia Marina, à 10 km à l'ouest de La Canée, organise des randonnées à pied et à vélo, de la varappe, des escalades et des descentes en rappel dans l'ouest de l'île.

Plusieurs tour-opérateurs, dont Happy Walker et Strata Walking Tours, proposent des promenades et des randonnées dans toute la Crète (voir l'encadré ci-dessus).

CYCLOTOURISME ET VTT

Malgré le terrain montagneux, le cyclotourisme jouit d'une forte popularité en Crète. S'il est possible de traverser l'île d'un bout à l'autre sans trop d'efforts, les itinéraires nord-sud et la côte sud mettront votre endurance à rude épreuve. En revanche, les villages et vallées de la côte nord et la plaine de la Messara, au sud, offrent des pistes relativement plates. La Crète est un paradis pour les vététistes.

Pierre Vernay a signé *Cinquante randonnées en Crète* (Astrolabe, 1986).

Beaucoup choisissent la facilité en faisant appel aux tour-opérateurs qui les transportent, avec leurs vélos, en haut des montagnes, d'où ils n'ont plus qu'à redescendre. Les circuits sur les plateaux – notamment celui du Lassithi – sont très prisés. Vous pouvez aussi choisir des options plus sportives, comme les circuits de 8 jours couvrant plus de 650 km (voir ci-dessus).

Les cyclistes indépendants venant avec leur propre engin doivent prévoir un robuste vélo à multiples vitesses. Sur l'île, diverses enseignes louent des VTT pour 8-20 €/jour. Pour une excursion, comptez au moins 50 €/jour.

Il n'existe aucun guide décrivant les circuits à vélo en Crète, aussi vaut-il mieux s'adresser à un tour-opérateur.

Des organismes offrent des circuits (voir ci-dessus) pour cyclistes de tous niveaux. Petite agence spécialisée à Rethymnon, **Odysseas the Cyclist** (☎ 28310 58178 ; odysseasthecyclist@hotmail.com) offre des circuits organisés et sur mesure.

CANYONING, ESCALADE ET SAUT À L'ÉLASTIQUE

Sans offrir un relief aussi spectaculaire que les Alpes, la Crète compte de nombreuses montagnes et des clubs d'alpinisme bien établis. Dans chaque nome (ou préfecture), un club entretient le sentier E4 et les refuges. Tous ces clubs sont membres de l'Association des clubs d'alpinisme grecs (EOS), organisent des escalades, des randonnées, des excursions de spéléologie et de ski dans toute l'île, et accueillent volontiers les touristes.

Club d'alpinisme de La Canée (EOS ; ☎ 28210 74560 ; www.interkriti.org/orivatikos/hania1.htm ; Tzanakaki 90, La Canée)

Club d'alpinisme d'Héraklion (EOS ; ☎ 2810 227 609 ; www.interkriti.org/orivatikos/orivat.html ; Dikeosynis 53, Héraklion ; ☎ 8h30-22h30)

Club d'alpinisme du Lassithi (EOS ; ☎ 28970 23230)

Club d'alpinisme de Rethymnon (EOS ; ☎ 28310 57766 ; www.eos.rethymnon.com ; Dimokratias 12, Rethymnon). Liste d'excursions sur son site Internet.

Voici la liste des refuges gérés par les clubs :

REFUGES DE MONTAGNE

Nom	Emplacement	Altitude (m)	Capacité (lits)	EOS
Kallergi	Près des gorges de Samaria	1 680	50	La Canée
Katsiveli-Svourihtis	Contreforts du Svourihtis	1 970	25	La Canée
Limnarkarou	Plateau du Lassithi	1 350	15	Lassithi
Prinos	Asites, Psiloritis oriental	1 100	45	Héraklion
Tavris	Plateau d'Askyfou	1 200	42	La Canée
Toubotos Prinos	Mont Psiloritis (mont Ida)	1 500	28	Rethymnon
Volikas	Volikas Keramion	1 400	40	La Canée

Des 3 000 grottes répertoriées de l'île, seules 850 ont été explorées. Descendant à 1 208 m sous terre, la grotte de Gourgouthakas, dans les Lefka Ori, est l'une des 30 grottes les plus profondes au monde – et la plus profonde de Grèce.

Les randonneurs désirant parcourir le sentier E4 doivent s'organiser avant le départ. Si l'on trouve presque toujours un hébergement au bout de 6-7 heures de marche, il faut parfois réserver, notamment pour les refuges de montagne dont vous devrez peut-être aller chercher les clés.

Canyoning

Le canyoning bénéficie d'un engouement croissant et la Crète ne manque pas de canyons spectaculaires. Récemment créée, l'**Association crétoise de canyoning** (☎ 6997 090307 ; www.canyon.gr) a sécurisé plus de 50 gorges dans le sud de l'île depuis 2005. Parmi elles figurent les gorges de Ha (p. 204), près du mont Thripti, dans l'est, qui ont été franchies par moins de 100 personnes à ce jour. Le site de l'association propose des informations pratiques et un guide des canyons de l'île. L'association organise des sorties et offre des cours pour débutants. Un stage de 4 jours dans quatre canyons revient à 155 €, matériel compris. Les circuits guidés coûtent 45-70 €, selon l'endroit.

Escalade

La varappe sur les falaises et dans les gorges, qui s'ajoute à l'ascension des nombreux sommets de l'île, est un sport de plus en plus apprécié. Le sud d'Héraklion est l'une des régions les plus fréquentées pour cette activité, notamment les splendides falaises aux alentours de Kapetaniana et le mont Kofinas, sur le flanc sud de la chaîne des Asteroussia (p. 174). Les gorges d'Agiofarango (p. 175) attirent également de nombreux grimpeurs, et de nouveaux sites s'ouvrent un peu partout dans l'île, comme à Matala et à Therisso, près de La Canée.

www.climbincrete.com est un guide complet et détaillé sur l'escalade et la randonnée en Crète (en anglais).

À moins d'être expérimenté, mieux vaut contacter les organisations locales avant de tenter une escalade. Le grimpeur Philippe Bugada a publié un topo-guide consacré à la Crète, intitulé *Crète, Kapetanianá-Kófinas* (18 €), qui décrit environ 150 escalades aux environs de Kapetaniana et d'Agiofarango. Il est disponible sur le site www.lacorditelle.com.

Saut à l'élastique

Au-dessus des gorges d'Aradhena, sur la côte sud, se trouve le pont de saut à l'élastique le plus haut de Grèce et le second d'Europe. Si vous cherchez le grand frisson, vous pourrez plonger de 138 m de haut dans l'étroit canyon qu'enjambe le pont. **Liquid Bungy** (☎ 6937 615191 ; www.bungy.gr ; 100 €/saut) organise des sauts tous les week-ends, de juin à septembre.

SPORTS NAUTIQUES

La Crète est un paradis pour les amateurs de sports nautiques. Sur les grandes plages, on peut s'adonner aux joies du parachute ascensionnel, du ski nautique, du jet-ski, du pédalo et du canoë. Sur la côte nord, les hôtels de luxe possèdent un centre de sports nautiques, souvent ouvert aux non-résidents. Ailleurs, des agences spécialisées proposent snorkeling, plongée, planche à voile et kayak de mer. La Crète n'est pas propice au surf.

Kayak de mer

Le kayak de mer connaît un succès croissant sur la côte sud. Les falaises vertigineuses et les plages isolées en font une expérience inoubliable. Des agences organisent des sorties d'une journée (à partir de 60 €) ou des circuits d'une semaine, comprenant l'hébergement et les transferts. Certains peuvent se combiner avec une randonnée.

Alpine Travel (☎ 28210 50939 ; 6932 252 890 ; www.alpine.gr ; Boniali 11-19). Agence basée à La Canée.

Nature Maniacs (☎ 28250 91017 ; www.naturemaniacs.com). Installée à Loutro, elle propose du kayak de mer le long de la côte sud.

Plongée et snorkeling

Connectez-vous sur le site de l'Association professionnelle des moniteurs de plongée (PADI ; www.padi.com) pour connaître la liste des centres de plongée agréés en Crète.

Les eaux chaudes et limpides des côtes crétoises sont idéales pour la plongée et le snorkeling. Avec la libéralisation de la législation concernant la plongée, seules restent interdites les zones classées sites archéologiques. Comme dans la majeure partie de la Méditerranée, les espèces marines, en particulier les gros poissons, ont souffert de la surpêche. L'île possède des grottes splendides, des falaises impressionnantes et de beaux sites. La ville engloutie d'Olous, près d'Elounda (p. 187), est particulièrement intéressante pour le snorkeling. Bali (p. 143), Plakias (p. 137) et Paleohora (p. 101) comptent parmi les sites de plongée les plus fréquentés.

Plusieurs centres de plongée proposent des cours de tous niveaux (débutants, stages PADI, plongeurs confirmés). La législation grecque impose de plonger avec une agence agréée et il est interdit de toucher aux antiquités. Mieux vaut téléphoner au moins la veille pour réserver. De nombreuses agences organisent des sorties de snorkeling.

Dans les villes suivantes, vous pourrez contacter les agences citées :

Agios Nikolaos Cretas Happy Divers (☎ 28410 82546 ; www.happydivers.gr). Sur la plage du Coral Hotel, ainsi qu'à Plaka et Elounda.

Bali Hippocampos (☎ 28340 94193 ; www.hippocampos.com). Près du port.

Héraklion Diver's Club (☎ 2810 811 755 ; www.diversclub-crete.gr ; Agia Pelagia) ; Stay Wet (☎ 28970 42683 ; www.staywet.gr ; Mononaftis)

La Canée Blue Adventures Diving (☎ 28210 40608 ; www.blueadventuresdiving.gr ; Arholeon 11)

Plakias Centre de plongée Kalypso Rock's Palace (☎ 28310 20990 ; www.kalypsodivingcenter.com ; Eleftheriou Venizelou 42) ; Phoenix Diving Club (☎ 28320 31206 ; www.scubacrete.com)

Rethymnon Paradise Dive Centre (☎ 28310 26317 ; Eleftheriou Venizelou 57)

Paléohora Aqua Creta Diving & Adventures (☎ 28230 41393 ; www.aquacreta.gr)

Planche à voile

Le meilleur endroit pour la planche à voile est la plage de Kouremenos (p. 198), au nord de Palekastro, près de Sitia. On peut aussi choisir Almyrida (p. 117), près de La Canée. L'**Association hellénique de planche à voile** (☎ 210 323 0330), à Athènes, vous fournira des informations générales.

Voici quelques adresses :

Driros Beach (☎ 6944 932 760 ; www.spinalonga-windsurf.com). À Plaka, près d'Elounda.
Freak Windsurf (☎ 28430 61116, 6979 254967 ; www.freak-surf.com). À Kouremenos.
UCPA (☎ 28250 31443 ; www.ucpa.com ; location de planche 8 €/h). À Almyrida.

Voile

La voile est un excellent moyen de découvrir la Crète, malgré des vents irréguliers. Des agences offrent des sorties d'une journée. Naviguer le long de la côte sud permet de découvrir de belles plages isolées.

Nautilos Yacht Rentals (☎ 28420 89986 ; www.ierapetra.net/nautilos), à Ierapetra, organise des circuits en yacht privé aux îles de Chryssi et Koufonissi, au sud de la Crète, et le long de la côte jusqu'à Sitia.

Pour plus de détails sur la navigation de plaisance en Crète et en Grèce, consultez les sites www.sailing.gr et www.yachting.gr.

AUTRES ACTIVITÉS

Golf

La Crète compte quelques golfs de 9 trous ; le seul terrain professionnel est le **Crete Golf Club** (☎ 28920 26000 ; www.crete-golf.com), à Hersonissos. Ce parcours de 18 trous (par 72), évoquant le désert, a été conçu pour se fondre dans son environnement. Déconseillé aux amateurs, il est assez difficile. Il comporte un practice, une école de golf et un club-house. En été, un parcours de 18 trous revient à 67 € (sans les clubs ni les buggies).

Équitation

Plusieurs centres proposent des cours et des promenades guidées.

Odysseia Stables (☎ 28970 51080 ; www.horseriding.gr), au-dessus d'Avdou, au pied du mont Dicté (p. 165), est le centre le plus performant. Récemment ouvert, il possède d'excellentes infrastructures (dont des hébergements) et offre toutes sortes de prestations, des cours de 2 heures pour débutants aux circuits de 3 jours sur le plateau du Lassithi, ou d'une semaine à travers la chaîne du Dicté et jusqu'à la côte sud. Comptez 18 € pour 1 heure sur la plage, 35 € pour 2 heures et 55 € pour une excursion d'une journée. Pour un stage de 8 jours, prévoyez au moins 474 €, hébergement et repas compris.

Zoraida's Horseriding (☎ 28250 61745 ; www.zoraidas-horseriding.com), à Georgoupoli, offre des sorties sur la plage et dans la campagne, des excursions d'une journée et un stage de 6 jours pour les cavaliers expérimentés.

Melanouri Horse Farm (☎ 28920 45040 ; www.melanouri.com), à Pitsidia près de Matala, propose des balades dans les environs.

Parapente

Le climat et la géographie de la Crète en font un endroit idéal pour le parapente. On compte environ 45 beaux sites de décollage, notamment autour des trois plus hautes montagnes de l'île, ainsi que des sites côtiers, comme à Falassarna et à Paleohora.

Grigoris Thomakakis, passionné de parapente et instructeur agréé, organise avec son équipe de l'**International Centre of Natural Activities** (☎ 6977 466900 ; www.icna.gr) des vols dans toute l'île et près de sa base d'Avdou, au sud de Malia. Un vol d'une journée pour un pilote expérimenté accompagné d'un instructeur coûte 30 €. Comptez 70 € pour un vol en tandem.

La Canée (Khaniá)
Χανια

Le nome de La Canée offre de multiples activités et expériences : escalade, randonnées dans les gorges, plongée sous-marine ou farniente sur la plage avant de savourer un poisson dans un petit village de pêcheurs. Bien qu'elle possède l'un des sites les plus touristiques de l'île, les gorges de Samaria, cette région conserve en grande partie son authenticité. Elle est réputée pour sa beauté naturelle, ses gorges splendides et ses montagnes spectaculaires, comme les Lefka Ori (Montagnes blanches) et le mont Gingilos, dans l'arrière-pays accidenté. Dotée d'un riche patrimoine d'architectures vénitienne et ottomane, sa capitale, la ville portuaire de La Canée (Khaniá), est la localité la plus romantique et la plus séduisante de l'île.

La côte nord connaît un fort développement, en particulier le long de la baie de La Canée, où se succèdent les stations balnéaires. On trouve des endroits plus isolés sur la presqu'île d'Akrotiri, qui abrite deux beaux monastères, et, plus à l'ouest, vers Kissamos et les presqu'îles peu peuplées de Rodopos et Gramvoussa. La côte rocheuse du sud de La Canée est ponctuée de villes côtières paisibles, comme Paleohora et Sougia. La côte ouest, quasi déserte, recèle les deux plus belles plages de Crète, Falassarna, au nord et Elafonissi, à l'extrême sud.

Dans l'arrière-pays, on découvre des villages de montagne traditionnels. Là, des bergers veillent toujours sur leurs troupeaux tandis que des tavernes familiales mitonnent des repas à base de produits locaux. Dans la province de Sfakia, les panneaux routiers criblés d'impacts de balles rappellent aux visiteurs qu'ils se trouvent dans le grand Ouest de la Crète. Dans l'est de La Canée se situent le seul lac naturel de l'île, le lac Kournas, et les impressionnantes gorges d'Imbros, rivales méconnues de celles de Samaria. L'île de Gavdos, au large de la côte sud, dans la mer de Libye, est l'île la plus méridionale de la Grèce – une escapade loin de tout.

À NE PAS MANQUER

- Une randonnée dans les spectaculaires **gorges de Samaria** (p. 92) et **d'Imbros** (p. 93)
- Une promenade dans les ruelles des quartiers vénitien et turc de **La Canée** (p. 79)
- Le farniente sur les **plages isolées de la côte sud** (p. 94)
- Une escale dans l'île de **Gavdos** (p. 105), loin du monde
- Les villages de montagne, comme **Therisso** (p. 92), et la gastronomie régionale

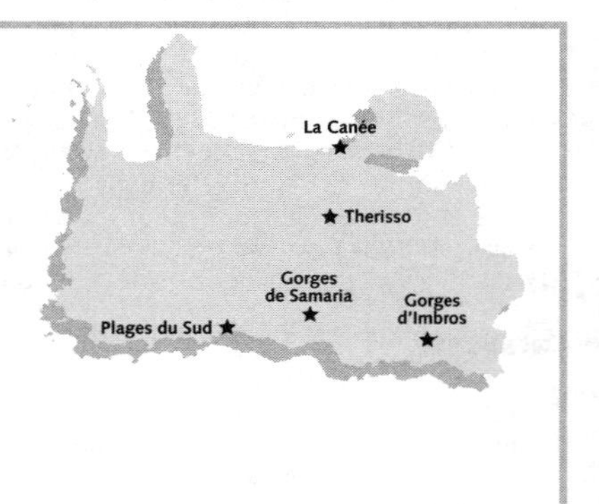

LA CANÉE (KHANIÁ)
XANIA

55 838 habitants

La Canée est sans conteste la cité la plus évocatrice de Crète. Des vestiges de murs vénitiens enserrent toujours le dédale des jolies rues de la vieille ville qui mènent au port pittoresque. Les demeures vénitiennes restaurées ont été transformées en restaurants, cafés, hôtels de charme et pensions attrayantes. L'ancienne mosquée, sur le port, et les bâtiments en bois de style ottoman qui parsèment la vieille ville rappellent l'occupation turque.

Déchirée par la guerre, La Canée possède peu de monuments imposants, mais arbore ses cicatrices avec fierté. Dans la vieille ville, les rues Zambeliou, Theotokopoulou et Angelou sont bordées d'édifices vénitiens sans toit, convertis en séduisants restaurants en plein air. Même au plus fort de la saison touristique, quand la majorité des boutiques exposent des articles pour les visiteurs, La Canée conserve l'exotisme des villes partagées entre l'Orient et l'Occident.

La Canée compte certains des meilleurs restaurants de l'île et les cafés du port invitent à la détente. Une forte tradition artisanale fait de la cité un endroit idéal pour les achats.

HISTOIRE

La Canée est bâtie sur le site minoen de Kydonia, qui se dressait sur la colline à l'est du port, entre Akti Tombazi et Karaoli Dimitriou. Les ruines se trouvant sous la ville moderne, les fouilles ont été limitées. Cependant, la découverte de tablettes d'argile portant des écrits en linéaire B (voir l'encadré, p. 26) conduit les archéologues à penser que Kydonia était à la fois un palais et une cité importante. En 2004, on a découvert 50 tombes du Minoen tardif dans le cimetière de l'antique Kydonia, aux alentours d'Agios Ioannis. Les fouilles se poursuivent.

Ravagée comme la plupart des colonies minoennes en 1450 av. J.-C., Kydonia retrouva bientôt sa puissance. Florissante cité-État à l'époque hellénistique, elle continua de prospérer sous les Romains et les Byzantins.

Les Vénitiens la conquirent vers le début du XIIIe siècle et la baptisèrent La Canea. Ils en perdirent le contrôle au profit des Génois en 1266 avant de la récupérer en 1290. Malgré la construction de fortifications massives pour se protéger des pirates et des envahisseurs turcs, les Vénitiens durent abandonner la cité à ces derniers en 1645, après deux mois de siège.

Les Turcs firent de La Canée le lieu de résidence du pacha jusqu'à la fin de leur domination, en 1898. Durant cette période, les églises furent converties en mosquées et le style architectural de la ville évolua pour devenir plus oriental, avec murs en bois et fenêtres treillissées.

En 1898, les grandes puissances européennes désignèrent La Canée comme capitale de l'île. Elle le resta jusqu'en 1971, quand l'administration fut transférée à Héraklion.

Durant la Seconde Guerre mondiale, la bataille de Crète se déroula essentiellement sur la côte, à l'ouest de La Canée. Bien que fortement bombardée, notamment autour du site de Kydonia, La Canée a conservé une grande partie de sa vieille ville. Elle est considérée comme la plus belle ville de Crète.

ORIENTATION

La gare routière se situe dans Kydonias, à deux rues au sud-ouest de la Plateia 1866. De cette place, une courte marche vers le nord le long de Halidon mène au port vénitien. Zambeliou, autrefois l'artère principale de La Canée, est bordée de boutiques d'artisanat, de petits hôtels et de tavernes. Le cap proche du phare sépare le port vénitien de la station balnéaire bondée, dans le quartier moderne de Nea Hora. De l'autre côté, Koum Kapi, un quartier en bord de mer rénové, est le rendez-vous de la jeunesse locale. Les bateaux à destination de La Canée accostent à Souda, à 7 km au sud-est de la ville.

RENSEIGNEMENTS

Accès Internet

Triple W (☎ 28210 93478 ; Valadinon et Halidon ; 2 €/h ; 🕑 24h/24). Nombreux équipements et connexion ADSL.

Vranas Internet (☎ 28210 58618 ; Agion Deka 10 ; 2 €/h ; 🕑 9h30-13h). Équipement complet et climatisation.

Agences de voyages

Diktynna Travel (☎ 28210 41458 ; www.diktynna-travel.gr ; Arhontaki 6). Organise diverses activités culturelles et d'écotourisme, dont des cours de cuisine.

Tellus Travel (☎ 28210 91500 ; www.tellustravel.gr ; Halidon 108 ; 🕑 8h-23h). Loue des voitures, change des espèces, vend des billets d'avion et de bateau, réserve des hébergements et organise des excursions.

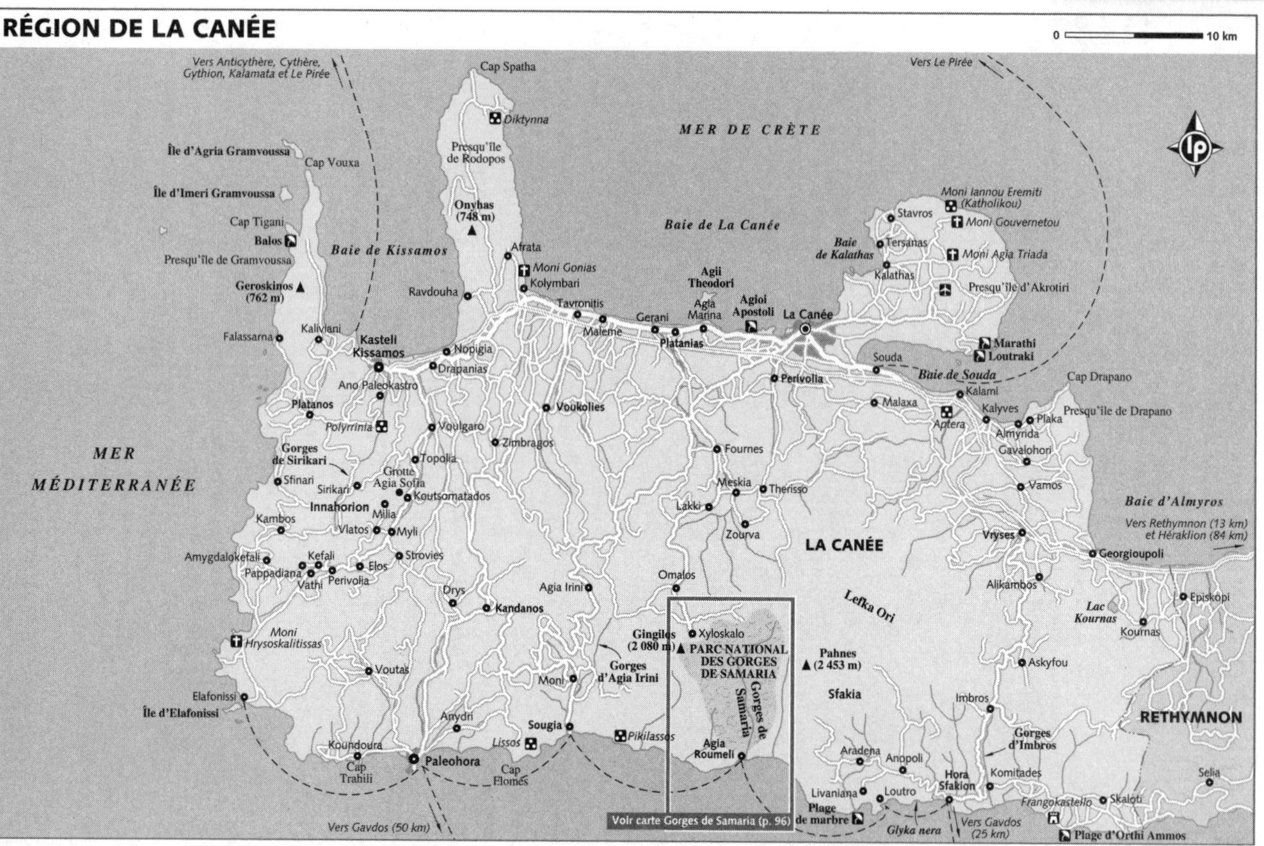

RÉGION DE LA CANÉE
0
10 km
Vers Anticythère, Cythère, Gythion, Kalamata et Le Pirée
Vers Le Pirée
Cap Spatha
Diktynna
MER DE CRÈTE
Île d'Agria Gramvoussa
Cap Vouxa
Presqu'île de Rodopos
Île d'Imeri Gramvoussa
Onyhas (748 m)
Cap Tigani
Balos
Presqu'île de Gramvoussa
Baie de Kissamos
Baie de La Canée
Geroskinos (762 m)
Afrata
Moni Gonias
Kolymbari
Ravdouha
Tavronitis
Maleme
Gerani
Platanias
Agia Marina
Agii Theodori
Agioi Apostoli
La Canée
Moni Iannou Eremiti (Katholikou)
Stavros
Moni Gouvernetou
Baie de Kalathas
Tersanas
Moni Agia Triada
Kalathas
Presqu'île d'Akrotiri
Marathi
Loutraki
Souda
Baie de Souda
Cap Drapano
Kalami
Presqu'île de Drapano
Falassarna
Kaliviani
Kasteli Kissamos
Nopigia
Drapanias
Ano Paleokastro
Perivolia
Malaxa
Aptera
Kalyves
Plaka
Almyrida
Gavalohori
Vamos
Platanos
Polyrrinia
Voukolies
Voulgaro
Zimbragos
Fournes
MER
MÉDITERRANÉE
Gorges de Sirikari
Topolia
Grotte Agia Sofia
Sfinari
Sirikari
Koutsomatados
Meskia
Therisso
Innahorion
Milia
Lakki
Kambos
Vlatos
Myli
Zourva
LA CANÉE
Baie d'Almyros
Vers Rethymnon (13 km) et Héraklion (84 km)
Vryses
Georgioupoli
Amygdalokefali
Kefali
Strovles
Pappadiana
Elos
Vathi
Perivolia
Omalos
Alikambos
Episkopi
Drys
Agia Irini
Kandanos
Lefka Ori
Lac Kournas
Kournas
Moni Hrysoskalitissas
Gingilos (2 080 m)
Xyloskalo
PARC NATIONAL DES GORGES DE SAMARIA
Pahnes (2 453 m)
Gorges de Samaria
Askyfou
Gorges d'Agia Irini
Voutas
Moni
Sfakia
Elafonissi
Île d'Elafonissi
Imbros
RETHYMNON
Anydri
Sougia
Pikilassos
Gorges d'Imbros
Koundoura
Lissos
Agia Roumeli
Aradena
Anopoli
Cap Trahili
Paleohora
Cap Elomes
Hora Sfakion
Komitades
Selia
Livaniana
Loutro
Frangokastello
Skaloti
Plage de marbre
Voir carte Gorges de Samaria (p. 96)
Vers Gavdos (50 km)
Glyka nera
Vers Gavdos (25 km)
Plage d'Orthi Ammos

Argent

La plupart des banques sont installées dans la ville moderne, mais on trouve quelques DAB dans la vieille ville, dans Halidon, notamment **Alpha Bank** (angle Halidon et Skalidi) et Citibank. De nombreux établissements changent les espèces en dehors des horaires des banques. La **Banque nationale de Grèce** (angle Tzanakaki et Giannari) possède un changeur automatique disponible 24h/24.

Consigne

KTEL (☎ 28210 93052 ; Kydonias 73-77 ; 1,50 €/jour). À la gare routière.

Laveries

Laverie (☎ 28210 57602 ; Agion Deka 18 ; lavage et séchage 6 €). Self-service ou dépôt du linge.

Old Town Laundromat (laverie de la Vieille Ville ; ☎ 28210 59414 ; Karaoli et Dimitriou 38 ; lavage et séchage 7 € ; 9h-14h et 18h-21h tlj sauf dim). Effectue également le nettoyage à sec.

Librairies

Kiosque à journaux (☎ 28210 95888 ; Skalidi 8). Vaste sélection de journaux et magazines internationaux, livres, guides et cartes de la Crète.

Librairie Mediterraneo (☎ 28210 86904 ; Akti Koundourioti 57). Grand choix de livres sur la Crète et de romans. Presse internationale.

Pelekanakis (☎ 28210 92512 ; Halidon 98). Cartes, guides et livres en 11 langues.

Office du tourisme

Office du tourisme municipal (☎ 28210 36155 ; tourism@chania.gr ; Kydonias 29 ; 8h-14h30). Dans l'hôtel de ville, il fournit des renseignements pratiques et des cartes. Le kiosque d'information, derrière la mosquée du vieux port, reste souvent ouvert entre 12h et 14h.

Poste

Poste (☎ 28210 28445 ; Peridou 10 ; 7h30-20h lun-ven, 7h30-14h sam)

Services médicaux

Hôpital de La Canée (☎ 28210 22000 ; Mournies). Au sud de la ville.

Sites Internet

www.chania.gr Le site de la municipalité mérite le coup d'œil pour des informations sur la ville et les manifestations culturelles.

www.chania-guide.gr Des informations sur la ville et le nome de La Canée.

Urgences

Police touristique (☎ 28210 73333 ; Kydonias 29 ; 8h-14h30). À l'hôtel de ville.

À VOIR

Les fortifications massives bâties par les Vénitiens restent impressionnantes. La partie la mieux préservée est le mur ouest, entre le **fort Firkas** et le **bastion Schiavo**. Il faisait partie d'un système défensif commencé en 1538 par l'ingénieur Michele Sanmichele, qui dessina également les remparts d'Héraklion. On entre dans le fort par les portes proches du Musée naval. Du haut du bastion, on découvre une belle vue sur la vieille ville.

Le **phare** vénitien, à l'entrée du port, a été restauré. La promenade de 1,5 km sur la digue pour rejoindre le phare est particulièrement plaisante en début de soirée ; vous pourrez aussi prendre une barge devant le café Fortezza.

L'imposante **mosquée de Kioutsouk Hasan** (ou mosquée des Janissaires) domine le côté est du port intérieur. Elle accueille des expositions.

Le **Musée archéologique** (☎ 28210 90334 ; Halidon 30 ; 2 € ; avec la collection byzantine 3 € ; 8h30-15h tlj sauf lun ; 8h30-19h30 en été, à vérifier) occupe la superbe église San Francisco. Cette église vénitienne du XVIe siècle fut transformée en mosquée sous l'occupation turque, en cinéma en 1913, puis en arsenal par les Allemands pendant la Seconde Guerre mondiale. Le musée présente une collection bien agencée d'objets allant du néolithique à l'époque romaine, trouvés dans l'ouest de l'île. Parmi des artefacts de 3400 à 1200 av. J.-C., à gauche en entrant, des tablettes portent des inscriptions en linéaire A (voir p. 46). De superbes poteries remontent à l'époque géométrique (1200-800 av. J.-C.) et une vitrine contient des statuettes de taureaux. Une statue de Diane attire particulièrement le regard dans la salle dédiée aux époques hellénistique et romaine. Une fontaine en marbre agrémente la jolie cour, décorée de têtes de lions de la période vénitienne. La fontaine turque rappelle son ancienne fonction de mosquée.

Le **musée de la Marine** (☎ 28210 91875 ; Akti Koundourioti ; 3 € ; 9h-16h mai-sept) possède une intéressante collection de maquettes de navires datant de l'âge du bronze, des instruments de navigation, des peintures, des photos et des souvenirs de la bataille de Crète. Il est installé dans le fort Firkas, transformé en prison par les Turcs. Une réplique authentique

LA CANÉE

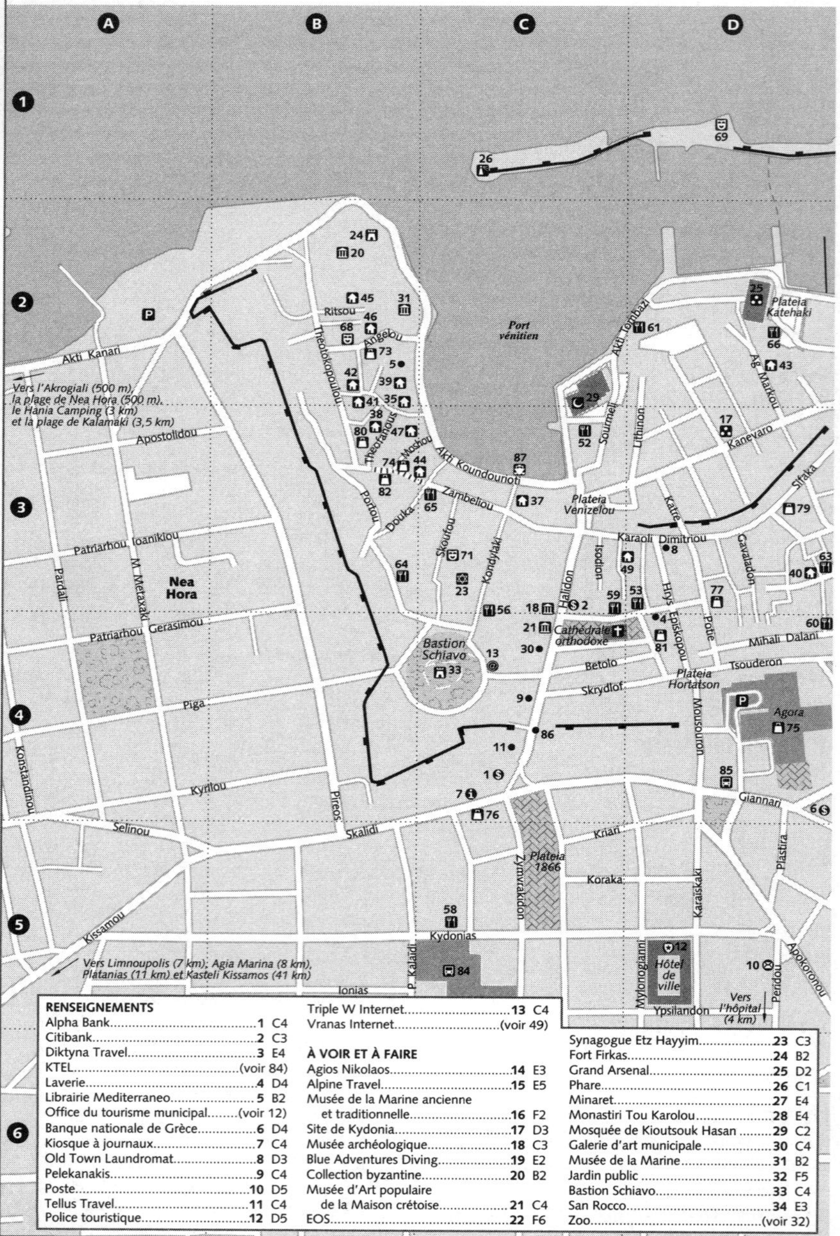

RENSEIGNEMENTS

Alpha Bank..1 C4
Citibank...2 C3
Diktyna Travel...................................3 E4
KTEL..(voir 84)
Laverie...4 D4
Librairie Mediterraneo.......................5 B2
Office du tourisme municipal........(voir 12)
Banque nationale de Grèce................6 D4
Kiosque à journaux............................7 C4
Old Town Laundromat........................8 D3
Pelekanakis.......................................9 C4
Poste...10 D5
Tellus Travel....................................11 C4
Police touristique.............................12 D5
Triple W Internet..............................13 C4
Vranas Internet...........................(voir 49)

À VOIR ET À FAIRE

Agios Nikolaos.................................14 E3
Alpine Travel....................................15 E5
Musée de la Marine ancienne et traditionnelle.....16 F2
Site de Kydonia................................17 D3
Musée archéologique.......................18 C3
Blue Adventures Diving....................19 E2
Collection byzantine.........................20 B2
Musée d'Art populaire de la Maison crétoise.....21 C4
EOS..22 F6
Synagogue Etz Hayyim.....................23 C3
Fort Firkas.......................................24 B2
Grand Arsenal..................................25 D2
Phare...26 C1
Minaret..27 E4
Monastiri Tou Karolou......................28 E4
Mosquée de Kioutsouk Hasan...........29 C2
Galerie d'art municipale....................30 C4
Musée de la Marine..........................31 B2
Jardin public.....................................32 F5
Bastion Schiavo................................33 C4
San Rocco..34 E3
Zoo...(voir 32)

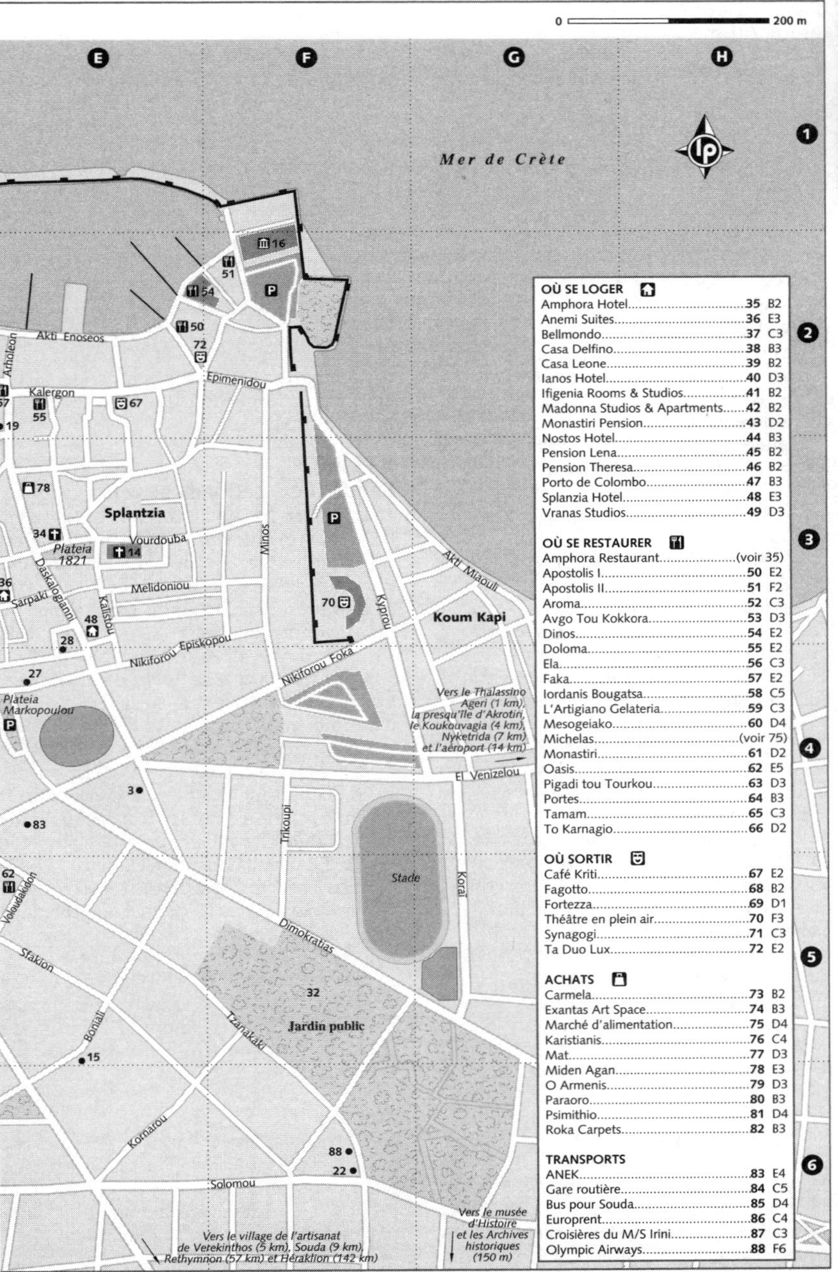
0
200 m
E
F
G
H
1
2
3
4
5
6
Mer de Crète
Akti Enoseos
Arholeon
Kalergon
Epimenidou
Splantzia
Vourdouba
Plateia 1821
Daskalogianni
Melidoniou
Sarpaki
Kallistou
Nikiforou Episkopou
Minos
Kyprou
Akti Miaouli
Koum Kapi
Nikiforou Foka
Plateia Markopoulou
Vers le Thalassino Ageri (1 km), la presqu'île d'Akrotiri, le Koukouvagia (4 km), Nyketrida (7 km) et l'aéroport (14 km)
El Venizelou
Trikoupi
Stade
Koraï
Voloudakidon
Dimokratias
Sfakion
Tzanakaki
Jardin public
Boniali
Komarou
Solomou
Vers le village de l'artisanat de Verekinthos (5 km), Souda (9 km), Rethymnon (57 km) et Héraklion (142 km)
Vers le musée d'Histoire et les Archives historiques (150 m)
OÙ SE LOGER
Amphora Hotel....35 B2
Anemi Suites....36 E3
Bellmondo....37 C3
Casa Delfino....38 B3
Casa Leone....39 B2
Ianos Hotel....40 D3
Ifigenia Rooms & Studios....41 B2
Madonna Studios & Apartments....42 B2
Monastiri Pension....43 D2
Nostos Hotel....44 B3
Pension Lena....45 B2
Pension Theresa....46 B2
Porto de Colombo....47 B3
Splanzia Hotel....48 E3
Vranas Studios....49 D3
OÙ SE RESTAURER
Amphora Restaurant....(voir 35)
Apostolis I....50 E2
Apostolis II....51 F2
Aroma....52 C3
Avgo Tou Kokkora....53 D3
Dinos....54 E2
Doloma....55 E2
Ela....56 C3
Faka....57 E2
Iordanis Bougatsa....58 C5
L'Artigiano Gelateria....59 C3
Mesogeiako....60 D4
Michelas....(voir 75)
Monastiri....61 D2
Oasis....62 E5
Pigadi tou Tourkou....63 D3
Portes....64 B3
Tamam....65 C3
To Karnagio....66 D2
OÙ SORTIR
Café Kriti....67 E2
Fagotto....68 B2
Fortezza....69 D1
Théâtre en plein air....70 F3
Synagogi....71 C3
Ta Duo Lux....72 E2
ACHATS
Carmela....73 B2
Exantas Art Space....74 B3
Marché d'alimentation....75 D4
Karistianis....76 C4
Mat....77 D3
Miden Agan....78 E3
O Armenis....79 D3
Paraoro....80 B3
Psimithio....81 D4
Roka Carpets....82 B3
TRANSPORTS
ANEK....83 E4
Gare routière....84 C5
Bus pour Souda....85 D4
Europrent....86 C4
Croisières du M/S Irini....87 C3
Olympic Airways....88 F6

d'une embarcation minoenne, qui a navigué jusqu'à Athènes lors des cérémonies des Jeux olympiques de 2004, sera la pièce maîtresse du **musée de la Marine ancienne et traditionnelle**, nouvelle annexe du musée de la Marine en cours d'aménagement dans les hangars à bateaux vénitiens, au bout du port.

La **collection d'Art byzantin et postbyzantin de La Canée** (☎ 28210 96046 ; Theotokopoulou ; 2 €, avec le Musée archéologique 3 € ; 🕑 8h30-15h mar-dim) est installée dans l'église San Salvatore, superbement restaurée. Petite et fascinante, elle comprend des artefacts, des icônes (dont l'une représente saint Georges terrassant le dragon), des bijoux et des pièces de monnaie, ainsi qu'un beau fragment d'une mosaïque recouvrant le sol d'une ancienne basilique. Les éléments architecturaux de l'église témoignent des différents occupants.

L'intéressant **musée d'Art populaire de la Maison crétoise** (☎ 28210 90816 ; Halidon 46 ; 2 € ; 🕑 9h30-15h et 18h-21h) contient des objets et des outils artisanaux, dont des tissages aux motifs traditionnels.

Le **musée d'Histoire et les Archives historiques** (☎ 28210 52606 ; Sfakianaki 20 ; entrée libre ; 🕑 9h-13h lun-ven), au sud-est de la vieille ville, retracent l'histoire mouvementée de la Crète à travers des expositions consacrées à la lutte contre les Turcs et à l'occupation allemande. Le musée contient une collection d'objets artisanaux.

Rénové avec soin, le **Grand Arsenal** (☎ 28210 40101 ; www.kam-arsenali.gr ; Plateia Katehaki) abrite désormais le centre d'Architecture méditerranéenne, qui accueille des manifestations et des expositions.

La **synagogue Etz Hayyim** (Parodos Kondylaki ; ☎ 28210 86286 ; www.etz-hayyim-hania.org ; 🕑 10h-20h mar-ven, 17h-20h dim, 10h-15h et 17h-20h lun) possède un émouvant mémorial dédié aux juifs de La Canée tués par les nazis.

La **Galerie d'art municipale** (☎ 28210 92294 ; www.pinakothiki-chania.gr ; Halidon 98 ; 2 €, gratuit mer ; 🕑 10h-14h et 19h-22h lun-ven, 10h-14h sam) présente sur 3 étages des œuvres d'art moderne.

Pour fuir la foule du quartier vénitien, flânez dans le **quartier turc de Splantzia**, charmant dédale de ruelles piétonnières et de places en cours de réfection. Hôtels de charme, galeries et boutiques artistiques ou alternatives s'y multiplient. Le long de Daliani, vous découvrirez l'un des deux derniers **minarets** de la ville, ainsi que le **Monastiri Tou Karolou** (☎ 28210 50172 ; Daliani 22 ; 🕑 11h-tard, tlj sauf dim), un monastère du XVIe siècle. Un agréable café dans la cour accueille à l'occasion des concerts et des manifestations culturelles ; le monastère est aujourd'hui la demeure, l'atelier et le salon de coiffure de Karolos Kambelopoulos, célèbre coiffeur-sculpteur jadis installé à Paris.

Le second minaret jouxte **Agios Nikolaos**, une église flanquée d'un clocher, qui faisait autrefois partie d'un prieuré dominicain. Non loin se dresse l'église vénitienne **San Rocco**.

On peut visiter le chantier de fouilles du site de l'**antique Kydonia**, à l'est du vieux port, à l'intersection de Kanevaro et de Kandaloneou.

Le splendide **marché couvert** (Agora ; voir p. 85) compte quelques excellents restaurants et mérite la visite, même si l'on ne fait pas d'achats. Malheureusement, le bastion central des remparts a été démoli pour ériger ce bel édifice cruciforme de 1911, conçu d'après le marché de Marseille.

À FAIRE

Randonnée, escalade et vélo

Trekking Plan (☎ 28210 60861 ; www.cycling.gr ; Agia Marina). À Agia Marina, à 8 km au sud-ouest de la vieille ville, ce tour-opérateur propose des randonnées dans les gorges d'Agia Irini et d'Imbros, l'ascension du mont Gingilos, du canyoning, des descentes en rappel, de la varappe, du kayak et des circuits à VTT.

Alpine Travel (☎ 28210 50939, 6932 252 890 ; www.alpine.gr ; Boniali 11-19). Organise diverses sorties d'écotourisme, d'escalade et de randonnée.

EOS (☎ 28210 44647 ; www.eoshanion.gr ; Tzanakaki 90 ; 🕑 8h30-22h). L'antenne de l'Association des clubs d'alpinisme grecs de La Canée fournit des informations sur les ascensions dans les Lefka Ori, les refuges de montagne et le sentier E4. Excursions le week-end.

Hellas Bike Tours (☎ 28210 60858 ; www.hellasbike.net ; Agia Marina). À Agia Marina, cette agence loue des vélos et propose des circuits dans la région d'une demi-journée ou d'une journée.

Nature Maniacs (☎ 28250 91017 ; www.naturemaniacs.com ; Platanias). Spécialisé dans les circuits de découverte de la nature, d'aventure ou culturels, ainsi que dans le kayak de mer sur la côte sud, près de Loutro.

Plongée

Blue Adventures Diving (☎ 28210 40608 ; www.blueadventuresdiving.gr ; Arholeon 11). Ce centre de plongée propose des cours de certification PADI (370 €) et des sorties autour de La Canée (2 plongées 75 €), pour débutants ou plongeurs confirmés ; snorkeling et croisières.

Baignade

Bondée mais généralement propre, la plage de la ville, à **Nea Hora**, permet de se rafraîchir et de profiter du soleil. Pour une baignade plus plaisante, continuez vers l'ouest jusqu'aux plages (dans l'ordre) d'**Agioi Apostoli**, de **Hrysi Akti** et de **Kalamaki** (à 3,5 km). Des bus locaux les desservent et poursuivent jusqu'à Platanias et au-delà.

AVEC DES ENFANTS

Si vos enfants s'ennuient devant l'architecture vénitienne, rendez-vous au **jardin public**, entre Tzanakaki et Dimokratias, qui comprend une aire de jeu, un petit **zoo** avec deux *kri-kri* (chèvres crétoises) et un café ombragé. À 8 km au sud de la ville, le gigantesque parc aquatique **Limnoupolis** (☎ 28210 33246 ; Varypetro ; forfait journée adulte/enfant 6-12 ans 17/12 €, après-midi 12/9 € ; 🕑 10h-19h) compte suffisamment de toboggans et de manèges pour divertir les petits, tandis que les parents se détendent dans les cafés et les bars de piscine. Des bus circulent depuis la gare KTEL (1,60 €).

CIRCUITS ORGANISÉS

Des bateaux d'excursion partent du port pour les îles voisines d'Agii Theodoroi et de Lazaretto et pour la baie de La Canée. Le **M/S Irini** (☎ 28210 52001 ; croisières 15 € ; croisières crépuscule 8 €, moins de 7 ans gratuit) propose tous les jours des croisières sur un ravissant yacht des années 1930, avec équipement de snorkeling gratuit, et des croisières au crépuscule, avec fruit et raki offerts.

Le **F/B Alexandros** (☎ 28210 71514) offre des croisières quotidiennes dans la baie de Souda, avec escales dans les grottes et aux plages.

Plusieurs tour-opérateurs organisent des promenades d'une demi-heure ou d'une heure ou des circuits dans des bateaux à fond de verre boueux ; aucun ne semble intéressant.

Deux fois par an, **Steve Outram** (☎ 28210 32201 ; www.steveoutram.com), un photographe né à Sheffield, emmène des photographes amateurs ou expérimentés pour un circuit-photo.

FÊTES ET FESTIVALS

En été, la municipalité organise des manifestations culturelles dans toute la ville, notamment dans les jardins publics. Le **théâtre en plein air** (www.chania.gr), en dehors des remparts, dans Kyprou, programme des concerts et des pièces de théâtre.

La dernière semaine de mai, La Canée commémore l'**anniversaire de la bataille de Crète** avec des compétitions sportives, des danses traditionnelles et des cérémonies.

OÙ SE LOGER

Le quartier vénitien regorge d'hôtels de charme et de ravissantes pensions, aménagés dans des maisons vénitiennes restaurées. La plupart des hôtels ouvrent toute l'année. Les établissements anciens ou installés dans de vieilles demeures ne possèdent pas d'ascenseur. L'extrémité ouest du port et Zambeliou comptent de nombreux hébergements mais peuvent être bruyants la nuit, notamment près du port – c'est le prix à payer pour la vue. Vous trouverez des chambres moins chères dans le quartier de Splantzia, où quelques hôtels de charme à prix raisonnables ont récemment ouvert. Des complexes hôteliers avec piscine sont installés à Nea Hora et le long de la plage qui s'étire vers l'ouest en direction de Platanias.

Petits budgets

Hania Camping (☎ 28210 31138 ; www.camping-chania.gr ; Agii Apostoli ; caravane/tente 7/4 € ; 🏊). Le camping le plus proche de la ville, à 3 km à l'ouest, au bord de la plage. Le terrain ombragé comprend un restaurant, un bar, une supérette et une piscine. La location d'une tente revient à 10 €. Les bus qui partent vers l'ouest (toutes les 15 min) de l'angle sud-est de la Plateia 1866 vous déposeront.

Pension Lena (☎ 28210 86860 ; lenachania@hotmail.com ; Ritsou 5 ; s/d 35/55 € ; ❄). Dans cette pension sympathique et confortable, vous pourrez vous installer dans une chambre, même si la propriétaire est absente. Aménagé dans une vieille maison turque, l'établissement conserve une ambiance désuète, soulignée par les antiquités. Les chambres en façade sont les plus attrayantes.

Ifigenia Rooms & Studios (☎ 28210 94357 ; www.ifigeniastudios.gr ; Gamba 23 et Parodos Agelou ; studio 35-140 € ; ❄). Cet ensemble de maisons rénovées autour du port vénitien offre toutes sortes d'hébergements, des chambres sans prétention aux suites recherchées, avec kitchenette, Jacuzzi et vue. Certaines sdb sont très rudimentaires, le faux décor ancien ne trompe personne et les rénovations ne sont pas toujours réussies.

Pension Theresa (☎ /fax 28210 92798 ; Angelou 2 ; ch 40-50 € ; ❄). Cette vieille maison grinçante, avec escalier en colimaçon et mobilier ancien, est la pension la plus pittoresque de La Canée. Fréquentée par de nombreux artistes et écrivains, elle affiche souvent complet. Certaines chambres jouissent d'une vue, mais on peut toujours admirer le panorama exceptionnel depuis le toit-terrasse, où une cuisine commune est à disposition. Les chambres sont impeccables, toutes avec TV, clim et mezzanine pour un lit supplémentaire. Parfois un peu exiguës, elles sont néanmoins idéales pour les familles. Ambiance fantastique.

Monastiri Pension (☎/fax 28210 41032 ; Agiou Markou 18 et Kanevarou ; d et tr 40-55 € ; ⊠). L'entrée voûtée en pierre et l'ancien mobilier familial du salon donnent un charme certain à cette adresse vieillotte. Si les sdb sont sommaires, les chambres s'agrémentent d'un réfrigérateur – certaines d'une TV. Celles en façade, avec balcon, profitent d'une jolie vue.

Catégorie moyenne

Vranas Studios (☎ 28210 58618 ; www.vranas.gr ; Agion Deka 10 ; studio 40-70 € ; ⊠). Dans une rue piétonne animée, cet établissement propose des studios spacieux et impeccables, avec kitchenette, parquet ciré, balcon, TV et téléphone. Un cybercafé le jouxte.

Madonna Studios & Apartments (☎ 28210 94747 ; madonnastudios@yahoo.co.uk ; Gamba 33 ; studio 70-110 € ; ⊠). Ce petit hôtel loue 5 jolis studios bien équipés, aménagés autour d'une cour fleurie et meublés dans le style traditionnel. Le plus séduisant, en façade, possède un superbe balcon ; celui donnant sur la cour comprend un lavoir en pierre d'origine.

Nostos Hotel (☎ 28210 94743 ; www.nostos-hotel.com ; Zambeliou 42-46 ; s/d/tr avec petit déj 60/80/120 € ; ⊠). Associant style vénitien et équipements modernes, cette demeure vieille de 600 ans a été réaménagée pour accueillir des studios élégants en duplex, avec cuisine, réfrigérateur, téléphone et TV. Préférez les chambres avec balcon et vue sur le port. Jardin sur le toit.

Porto de Colombo (☎ 28210 70945 ; colompo@otenet.gr ; Theofanous et Moshon ; d/ste avec petit déj 84/103 € ; ⊠). Jadis ambassade de France et bureau d'Elefthérios Venizélos, cette maison vénitienne est aujourd'hui un hôtel de charme de 10 jolies chambres bien équipées. Les meilleures suites dévoilent une belle vue sur le port.

Bellmondo (☎ 28210 36216 ; www.belmondohotel.com ; Zambeliou 10 ; d/ste avec petit déj 90/110 € ; ⊠). Cet hôtel élégant, avec vue sur le port et atmosphère un peu guindée, offre des chambres avec lits en fer forgé et meubles traditionnels. Les plus plaisantes disposent d'un balcon (99 €). Quelques éléments turcs et vénitiens ont été conservés, comme une partie d'un ancien hammam. Les moins de 12 ans séjournent gratuitement.

Anemi Suites (☎ 28210 53001 ; www.anemisuites.gr ; Sarpaki 41 ; s/d/tr 70/82/105 € ; ⊠). Cette maison turco-vénitienne du paisible quartier de Splantzia compte 4 suites confortables.

Ionas Hotel (☎ 28210 55090 ; www.ionashotel.com ; Sarpaki et Sorvolou ; d 50-80 €, ste 120 € ; ⊠). L'un des nouveaux hôtels de charme de Splantzia, cet édifice ancien arbore un design et des équipements contemporains. Il dispose de 9 chambres avec tout le confort moderne et un petit toit-terrasse. Buffet petit déj compris.

Splanzia Hotel (☎ 28210 45313 ; http://splanzia.com ; Daskalogianni 20 ; d avec petit déj 100 € ; ⊠). Élégant nouvel hôtel de designer dans un bâtiment ottoman, il possède 8 chambres raffinées, dont certaines avec lit à baldaquin et tentures. Celles à l'arrière donnent sur une cour charmante.

Catégorie supérieure

Amphora Hotel (☎ 28210 93224 ; www.amphora.gr ; Parodos Theotokopoulou 20 ; d avec vue 120 €, ste 145 € ; ⊠). Chargé d'histoire, cet hôtel occupe une demeure vénitienne superbement restaurée. Les chambres, joliment décorées, sont installées autour d'une cour et dans une aile adjacente. Les plus chères disposent de la clim et donnent sur le port. Celles en façade peuvent être bruyantes en été et les moins chères n'ont pas de vue. Petit déj à 10 €.

Casa Leone (☎ 28210 76762 ; www.casa-leone.com ; Parodos Theotokopoulou 18 ; s et d avec petit déj 120-150 € ; ⊠). Cette résidence vénitienne transformée en un bel hôtel de charme romantique offre des chambres spacieuses et bien équipées (dont des suites "lune de miel"), avec balcon surplombant le port ; confort moderne habituel et quelques extras (sèche-cheveux, etc.).

Casa Delfino (☎ 28210 93098 ; www.casadelfino.com ; Theofanous 7 ; ste et app avec buffet petit déj 186-316 € ; ⊠). Cette élégante demeure du XVIIe siècle est l'établissement le plus luxueux de la vieille ville. Elle compte 22 suites différemment décorées et bien équipées. Un somptueux appartement en duplex, avec Jacuzzi, peut accueillir 4 personnes. Le petit déj est servi dans la cour splendide, pavée de mosaïques.

OÙ SE RESTAURER

La Canée possède d'excellents restaurants, dont certains installés dans des ruines vénitiennes à ciel ouvert. Malheureusement, les tavernes en front de mer sont généralement médiocres et trop chères – sans parler des rabatteurs insistants. Mieux vaut s'aventurer dans les petites rues.

Petits budgets

L'**agora** (marché couvert ; ⌚ 8h30-14h lun, mer et sam, 8h30-13h30 et 18h-21h mar, jeu et ven) est l'endroit idéal pour faire ses courses ou pour déjeuner.

Michelas (☎ 28210 90026 ; plats 5-7 € ; ⌚ 10h-16h tlj sauf dim). Près de de la section boucherie du marché alimentaire, une excellente cuisine traditionnelle bon marché depuis 75 ans.

Iordanis Bougatsa (☎ 28210 90026 ; Kydonias 96 ; bougatsa 2,50 €). Iordanis a repris la pâtisserie ouverte par son arrière-grand-père en 1924 et prépare tout au long de la journée des plateaux entiers de délicieuses *bougatsa* (chausson fourré de fromage *myzithra* et saupoudré de sucre glace). En face de la gare routière.

Doloma (☎ 28210 51196 ; Kalergon 8 ; mayirefta 4,50-6 € ; ⌚ tlj sauf dim). Derrière le port, caché par la vigne et la verdure qui entoure la terrasse, ce restaurant sans prétention mitonne une cuisine traditionnelle irréprochable. Faites votre choix parmi les divers plateaux de *mayirefta* (plats au four ou mijotés).

L'Artigiano Gelateria (☎ 28210 53612 ; Athinagora Plateia). Une file quasi constante de clients s'étire devant ce délicieux glacier italien.

De nombreuses gargotes de souvlakis et d'en-cas bordent Halidon. Les habitants préfèrent les savoureux souvlakis de l'**Oasis** (Vouloudakidon 2 ; souvlaki 2 € ; ⌚ tlj sauf dim, heures d'ouverture des magasins), un petit établissement à l'ancienne.

Pour un petit déjeuner, un sandwich ou un repas léger, essayez l'**Aroma** (☎ 28210 41812 ; Akti Tombazi 4), près de la mosquée, ou l'**Avgo Tou Kokkora** (☎ 28210 55776 ; Ag 10 et Sarpaki), derrière la cathédrale.

Catégorie moyenne

Portes (☎ 28210 76261 ; Portou 48 ; plats 6-8,50 €). L'aimable Susanna, originaire de Limerick, cuisine à sa façon des plats crétois dans ce superbe restaurant de la vieille ville, niché dans une rue paisible. Goûtez le divin *gavros* (petit poisson) mariné, le poisson farci en papillote, les savoureuses boulettes de viande avec poireaux et tomates, ou l'un des plats du jour affichés sur le tableau.

To Karnagio (☎ 28210 53366 ; Plateia Katehaki 8 ; plats crétois 5-10,50 €). Près du grand arsenal, cette adresse appréciée s'agrémente d'une terrasse. Outre un bon choix de poissons (essayez la seiche grillée) et de plats crétois classiques, elle offre une belle carte de vins.

Tamam (☎ 28210 96080 ; Zambeliou 49 ; plats 5,50-8,50 €). Installé dans un ancien hammam, le Tamam affiche une superbe sélection de spécialités végétariennes, dont de succulentes pommes de terre à la purée d'avocat épicée (6 €), et des plats inspirés, tels le *tas kebab* de veau aux épices et yaourt ou le poulet *beyendi* à la purée d'aubergines.

Thalassino Ageri (☎ 28210 51136 ; Vivilaki 35 ; meilleur poisson 55 €/kg ; ⌚ dîner). Un peu difficile à trouver, cette taverne de poisson, esseulée dans un petit port parmi les anciennes tanneries en ruine, est l'une des meilleures tables de Crète. Dans un cadre splendide, elle propose du poisson frais et d'excellents mezze, comme le poulpe tendre au vinaigre de vin, les calamars fondants et la succulente salade du pêcheur. Prenez un taxi ou suivez Venizelou en longeant la côte et tournez à gauche à hauteur de la rue Noel dès que vous vous éloignez du littoral.

Mesogeiako (☎ 28210 59772 ; Daliani 36 ; mezze 3,20-5,60 €). Ce nouveau venu prometteur, proche du minaret de Spantzia, est un *mezedopoleio* branché qui sert un assortiment de plats classiques ou innovants. Accompagnez les boulettes de porc d'un excellent raki.

Monastiri (☎ 28210 55527 ; Akti Tombazi ; plats 7,20-13,90 €). Voici l'un des rares restaurants du front de mer appréciés des habitants, comme des étrangers. Cuisine crétoise bien préparée. À l'est du port.

Faka (☎ 28210 42341 ; Plateia Katehaki ; plats 6,20-12,90 €). Autre adresse paisible et sans prétention, le Faka mitonne d'authentiques et copieuses spécialités locales, dont des artichauts et des fèves. Menu enfants et petite aire de jeu.

Pigadi tou Tourkou (☎ 28210 54547 ; Sarpaki 1-3 ; plats 10-14,50 € ; ⌚ dîner, fermé lun-mar). Des éléments de l'ancien hammam, dont un puits (son nom signifie "Puits du Turc"), complètent le décor douillet de ce restaurant prisé où Crète, Maroc et Moyen-Orient se mêlent sur la carte. Le service indifférent et l'envolée des prix jouent toutefois en sa défaveur.

Ela (☎ 28210 74128 ; Kondylaki 47 ; plats 6,50-18 € ; ⌚ 12h-1h). Ce bâtiment du XIVe siècle fut successivement une fabrique de savon, une école, une distillerie et une fromagerie.

Aujourd'hui, Ela sert une bonne sélection de plats crétois, comme la chèvre aux artichauts, tandis que des musiciens égaient l'ambiance. À l'extérieur, la carte accrocheuse vous informe que le restaurant est cité dans tous les guides ; une distinction méritée.

Nous vous recommandons également l'excellent Amphora Restaurant, sur le port en dessous de l'hôtel, et le **Dinos** (☎ 28210 41865 ; Akti Enosis 3), l'une des nombreuses tavernes de poisson au bout du port.

Catégorie supérieure

Akrogiali (☎ 28210 71110 ; Akti Papanikoli 20, Nea Hora ; 🕑 dîner). L'un des meilleurs restaurants de poisson de La Canée, du côté plage de la nouvelle ville. Le poisson est frais et les accompagnements, succulents. La vaste salle ouvre sur le front de mer et offre une vue splendide au coucher du soleil.

Apostolis I & II (☎ 28210 43470 ; Akti Enoseo ; poisson jusqu'à 55 €/kg). Dans le port est, plus tranquille, cet établissement est renommé pour ses poissons frais et ses plats crétois, servis dans deux bâtiments distincts. L'Apostolis II est plus prisé, car dirigé par le propriétaire, mais l'autre propose la même carte à des prix légèrement moins élevés. Un plateau de fruits de mer pour deux, avec salade, revient à 30 €. Le service est sympathique et efficace, la carte des vins alléchante et la vue sur le port, plaisante.

Nykterida (☎ 28210 64215 ; Korakies, route de l'aéroport). Ouvert depuis 1933 et converti en club allemand durant la Seconde Guerre mondiale, cet établissement très coté se trouve à la sortie de la ville. Au fil des ans, il a reçu la visite de célébrités comme Winston Churchill, Melina Mercouri, Andréas Papandréou et Anthony Quinn (à qui le père du propriétaire a appris à danser pour son rôle dans *Zorba le Grec*).

OÙ SORTIR

Les bars et les clubs animés du port, autour de la mosquée, sont principalement fréquentés par les touristes, tandis que les soldats américains des bases voisines investissent ceux de Sourmeli. Quelques bars chaleureux se cachent dans les rues de la vieille ville.

Synagogi (☎ 28210 96797 ; Skoufou 15). Dans un bâtiment vénitien sans toit, jadis synagogue, ce bar-salon est l'adresse favorite de la jeunesse locale.

Fagotto (☎ 28210 71877 ; Angelou 16 ; 🕑 19h-2h juil-mai). Cette institution de La Canée occupe une maison vénitienne restaurée et berce ses clients de jazz, de rock et de blues. Des objets, dont une pompe à bière en forme de saxophone, illustrent le thème du jazz.

Café Kriti (☎ 28210 58661 ; Kalergon 22 ; 🕑 20h-tard). Également appelé Lyrakia, ce café rustique est orné de scies, de pots, d'anciennes machines à coudre et de trophées de chasse. L'endroit idéal pour écouter de la musique crétoise live.

Fortezza (☎ 28210 46546). Dans les remparts vénitiens, de l'autre côté du port, ce café-bar-restaurant est parfait pour un verre au coucher du soleil. Une barge gratuite fait la traversée entre Sarpidona et la digue.

Plus loin le long du port, le café-bar bohème **Ta Duo Lux** (☎ 28210 52519 ; Sarpidona 8 ; 🕑 10h-tard) fait le plein jour et nuit et reste le rendez-vous favori des jeunes alternatifs. Le Bolero et l'Hippopotamos sont dans la même rue.

Les fêtards préfèreront les clubs clinquants de Platanias et d'Agia Marina, à 11 km à l'ouest de La Canée.

Koukouvagia (☎ 28210 27449 ; tombe de Venizélos). Si vous êtes motorisé, grimpez la colline pendant 10 min jusqu'à la tombe d'Elefthérios Venizélos. Le café-bar, décoré sur le thème des hiboux (il en possède une extraordinaire collection), jouit d'une vue panoramique sur La Canée et se révèle très agréable durant les nuits d'été. Les créations à base de pita sont excellentes, de même que les nombreux gâteaux et desserts.

ACHATS

La Canée offre le meilleur choix de souvenirs et d'artisanat de l'île. Les boutiques les plus intéressantes sont disséminées dans les rues de la vieille ville et aux alentours de Theotokopoulou. Skrydlof, la "rue du cuir", est surnommée "Stivaniadika" parce que c'était là que l'on achetait des bottes crétoises. On en trouve toujours, mais la plupart des articles sont des sandales, des ceintures et des sacs faits main. Dans Sifaka, vous verrez des "Machairadika", des magasins de couteaux crétois traditionnels.

Un *laïki* (marché de rue) se tient le samedi de 7h à 14h dans Minoos ; un autre marché a lieu le jeudi sur le front de mer, à l'ouest du fort Firkas.

La plupart des boutiques de la vieille ville restent ouvertes jusqu'à 23h ou plus, tandis que le quartier commerçant de la nouvelle ville observe des horaires standards (voir p. 216).

Exantas Art Space (☎ 28210 95920 ; Zambeliou et Moschon ; 🕑 10h-14h et 18h-23h). Cette boutique chic vend de belles cartes postales avec des vieilles photos, des lithographies, des gravures, des cadeaux faits main, de la musique crétoise, ainsi que des beaux livres de voyage et d'art.

O Armenis (☎ 28210 54434 ; Sifaka 29). Apostolos Pahtikos, qui fabrique des couteaux crétois depuis l'âge de 13 ans, a transmis son savoir-faire à son fils. Admirez-les à l'œuvre dans leur atelier (Sifaka 14), ajustant une lame à un manche finement sculpté. Un couteau de cuisine coûte 15 €.

Carmela (☎ 28210 90487 ; Angelou 7). Cette ravissante boutique offre un beau choix de bijoux originaux, confectionnés avec des pierres collectées au cours de voyages, et des céramiques fabriquées selon des techniques anciennes par Carmela. Elle présente aussi des bijoux et des céramiques d'autres grands artistes grecs.

Mat (☎ 28210 42217 ; Potie 51). Hobby devenu obsession, les échecs ont poussé le champion national Athanasios Diamantopoulos à ouvrir cette boutique. Depuis sa mort, son épouse continue à vendre les diverses séries de ses pièces originales (de 60 à 1 000 €), dont les populaires "Athéniens".

Miden Agan (☎ 28210 27068 ; www.midenaganshop.gr ; Daskalogianni 70 ; 🕓 10h-15h30 lun et mer, 10h-14h15 et 18h15-22h mar et jeu-sam). Les gastronomes seront enchantés par le choix proposé dans cet excellent magasin qui vend plus de 800 vins grecs, ainsi que son propre vin et ses liqueurs. Parmi les produits fins régionaux superbement présentés figurent l'huile d'olive, le miel et les conserves de fruits maison – ne manquez pas la citrouille blanche.

Paraoro (☎ 28210 88990 ; Theotokopoulou 16). Stamatis Fasoularis réalise des bateaux en métal décoratifs et utiles, comme le beau paquebot-brûleur d'huile. L'atelier propose aussi des céramiques uniques de l'artiste Iorgos Vavatsis et ses fameux verres déformés. Les objets les plus gros sont exposés à l'étage.

Roka Carpets (☎ 28210 74736 ; Zambeliou 61). Voici l'une des rares boutiques de Crète qui vend d'authentiques articles tissés main. Vous pourrez voir le charmant Mihalis Manousakis et sa femme manier leur métier vieux de 400 ans et utiliser des techniques presque inchangées depuis le Minoen.

Psimithio (☎ 28210 54606 ; Theotokopoulou 50). Cette petite bijouterie artisanale, derrière la cathédrale, fabrique des bijoux en argent originaux.

Karistianis (☎ 28210 93573 ; Skalidi 9-11). Rendez-vous dans cette boutique pour acheter des vêtements et des chaussures de randonnée, ou fouinez dans son surplus militaire, en face, pour du matériel de camping et d'escalade.

DEPUIS/VERS LA CANÉE (KHANIÁ)

Avion

L'aéroport de La Canée (CHQ ; ☎ 28210 83800) se situe à 14 km à l'est de la ville, sur la presqu'île d'Akrotiri.

Aegean Airlines (☎ 28210 63366 ; www.aegeanair.com). 4 vols/jours pour Athènes (76-123 €) et un pour Thessalonique (125-135 €).

Olympic Airlines (☎ 28210 58005 ; www.olympicairlines.com ; Tzanakaki 88). 5 vols/jour depuis/vers Athènes (76-106 €) et 4/semaine depuis/vers Thessalonique (126-136 €).

Sky Express (☎ 2810 223 500 ; www.skyexpress.gr). Des vols quotidien entre La Canée et Rhodes sur des avions de 18 places (à partir de 104 €, 1 heure).

Bateau

Le port principal est à Souda, à 7 km au sud-est de la ville. Des bus fréquents (1,15 €) et des taxis (7 €) desservent La Canée. La **police portuaire** (☎ 28210 89240) peut vous renseigner sur les ferries.

ANEK (☎ 28210 27500 ; www.anek.gr ; Plateia Sofokli Venizelou). Propose tous les jours un bateau à 21h du Pirée à La Canée (30 €, 9 heures) et à 20h en sens inverse. En juillet-août, un ferry part le matin du Pirée (30 €).

Hellenic Seaways (☎ 28210 75444 ; www.hellenicseaways.gr ; Plateia 1866 14). Offre une liaison rapide en catamaran à partir du Pirée (53 €, 4 heures 30), avec une arrivée à La Canée à 20h30. Moins pratique en sens inverse – rejoint Le Pirée à 2h.

Bus

En été, les bus partent de la **gare routière** (☎ 28210 93052) en semaine pour les destinations suivantes :

Destination	Durée	Prix (€)	Fréquence
Elafonissi	2 heures 30	9,60	1/jour
Falassarna	1 heure 30	6,50	3/jour
Hora Sfakion	1 heure 40	6,50	3/jour
Héraklion	2 heures 45	10,70	ttes les 30 min
Kasteli Kissamos	1 heure	4	[illegible]
Kolymbari	45 min	2,80	[illegible]
Lakki	1 heure 45	2,60	[illegible]
Moni Agia Triada	30 min	2	[illegible]
Omalos (pour les gorges de Samaria)	1 heure	5,[illegible]	[illegible]

Destination	Durée	Prix (€)	Fréquence
Paleohora	1 heure 50	6,50	4/jour
Rethymnon	1 heure	6	ttes les 30 min
Sougia	1 heure 50	6,10	2/jour
Stavros	30 min	1,80	3/jour

Renseignez-vous à la gare routière pour les services hors saison.

COMMENT CIRCULER

Depuis/vers l'aéroport

De la gare routière, 3 bus desservent chaque jour l'aéroport (2 €, 20 min). En taxi, comptez environ 18 €.

Bus

Les **bus locaux bleus** (☎ 28210 27044) attendent l'arrivée des ferries au port de Souda, à côté du débarcadère. À La Canée, les bus pour Souda (1,15 €) partent devant le marché alimentaire. Les bus à destination des plages de l'ouest partent de la principale gare routière, sur Plateia 1866, et vont jusqu'à Panormos (2 €).

Voiture, moto et vélo

La plupart des agences de location sont installées dans Halidon. Celles d'Agia Marina sont compétitives et peuvent amener les voitures à La Canée. La vieille ville est majoritairement piétonne. Le meilleur endroit pour se garer est le parking gratuit près du fort Firkas (à la sortie de Skalidi, tournez à droite dans Pireos au panneau indiquant le parking du grand supermarché, et suivez la route jusqu'au front de mer). Le stationnement est payant dans certaines rues de la nouvelle ville ; repérez les panneaux.

Europrent (☎ 28210 27810 ; Halidon 87)

Tellus Travel (☎ 28210 91500 ; www.tellustravel.gr ; Halidon 108)

PRESQU'ÎLE D'AKROTIRI ET BAIE DE SOUDA

PRESQU'ÎLE D'AKROTIRI (HERSONISSOS AKROTIRI)

ΧΕΡΣΟΝΗΣΟΣ ΑΚΡΩΤΗΡΙ

La presqu'île d'Akrotiri, au nord-est de La Canée, est une étendue rocheuse, vallonnée et aride, couverte de broussailles. Elle abrite [illegible]elques stations balnéaires, l'aéroport [illegible] Canée, une énorme base navale de [illegible]ans la baie de Souda et deux beaux monastères. Peu de bus la desservent et les routes mal signalisées ne facilitent pas l'exploration. Cependant, si vous êtes motorisé, vous pouvez faire une agréable excursion d'une journée en combinant la baignade, un déjeuner et la visite des monastères. Si vous souhaitez loger près de la plage plutôt qu'à La Canée, Kalathas et Stavros sont plus paisibles que les stations balnéaires à l'ouest de la ville. **Kalathas**, à 10 km au nord de La Canée, s'agrémente de deux plages de sable bordées de pins. Destination préférée des citadins le week-end, beaucoup y possèdent une résidence secondaire.

À 3 km au nord de Kalathas, la petite station balnéaire de **Tersanas** est indiquée sur la grand-route Kalathas-Stavros.

Le village de **Stavros**, à 6 km au nord de Kalathas, se résume à quelques maisons et à une poignée d'hôtels et de restaurants. La crique principale est une étroite bande de sable dominée par une énorme saillie rocheuse – le cadre de la danse finale dans *Zorba le Grec*. La plage peut être bondée, mais l'anse abritée constitue le meilleur choix les jours venteux. Les nouvelles villas se multiplient autour de Stavros, qui abrite l'élégant **Perle Resort & Health Spa** (☎ 28210 39400 ; www.perlespa.com).

L'imposant **Moni Agia Triada** (☎ 28210 63310 ; 2 € ; 8h-19h), du XVIIe siècle, accueille les visiteurs. Le monastère fut fondé par Jeremiah et Laurentio Giancarolo, deux moines vénitiens convertis à la foi orthodoxe. Toujours en activité et doté d'une excellente bibliothèque, il comprenait une école religieuse au XIXe siècle. L'église mérite la visite pour son rétable et sa façade d'influence vénitienne, surmontée d'un dôme. Un petit musée est installé sur place et une boutique vend le vin, l'huile et le raki produits par le monastère.

Datant du XVIe siècle, le **Moni Gouvernetou** (Notre-Dame-des-Anges ; ☎ 28210 63319 ; 9h-12h et 17h-19h lun, mar et jeu, 5h-11h et 17h-20h sam-dim), à 4 km au nord du Moni Agia Triada, pourrait remonter au XIe siècle, lorsqu'un sanctuaire à l'intérieur des terres représentait un refuge sûr contre les pirates de la côte. Si le bâtiment lui-même est d'une simplicité décevante, l'église à l'intérieur possède une façade vénitienne richement travaillée. Le monastère fut attaqué et incendié pendant la guerre d'Indépendance, mais les moines prévenus réussirent à sauver le trésor (à défaut de leurs vies) en l'envoyant au mont Athos. Le monastère est dirigé par quatre moines du mont sacré qui observent un régime strict et refusent les bus des circuits organisés. Les visiteurs doivent se garer sur le parking, avant le monastère, et avoir une tenue correcte (ni shorts ni bras nus) sous peine de devoir quitter les lieux. Il est interdit de se baigner dans la crique en contrebas.

Du Moni Gouvernetou, une marche de 20 min (30 min pour la grimpée) mène au sentier qui descend vers la côte et les ruines du **Moni Ioannou Erimiti** (ou Moni Katholikou). Laissé à l'abandon depuis plusieurs siècles, le monastère est dédié à saint Jean l'Ermite qui vécut dans la grotte derrière les ruines, au pied d'un escalier de pierre. Près de l'entrée de la grotte, un petit étang est réputé sacré. Selon la légende, lorsque saint Jean mourut dans la grotte, ses 98 disciples succombèrent en même temps. Son crâne, conservé dans le monastère, est montré le premier dimanche du mois à l'occasion d'un office particulier.

Du côté est de la presqu'île, la plage de **Marathi** est un endroit charmant après la base militaire, avec ses deux criques sablonneuses aux eaux turquoise de part et d'autre d'une petite jetée. Les ruines de l'**ancienne Minoa** jouxtent le parking. Marathi, très fréquentée le week-end par les familles, possède deux tavernes. Plus au sud, **Loutraki** est un endroit plaisant pour la baignade et le snorkeling.

Où se loger et se restaurer

Esplanade Apartments (Kalathas ; ☎ 28210 69810 ; www.esplanade-hotel.gr ; studio et app 40-85 € ;). Cet hôtel de 2 étages loue des studios spacieux, lumineux et aérés, avec téléphone, TV et kitchenette bien équipée.

Georgi's Blue Apartments (Kalathas ; ☎ 28210 64080 ; www.blueapts.gr ; studio et app 85-130 € ;). Un beau complexe plutôt haut de gamme de studios et d'appartements bien meublés, avec téléphone, TV sat, réfrigérateur et kitchenette. Agréable salon près de la piscine et une petite crique privée.

Paradisio Apartments (Stavros ; ☎ 28210 39737 ; www.paradisiohotel.com ; app 85 € ;). Des appartements de 5 pers, une piscine et une pataugeoire pour les enfants. Les propriétaires, sympathiques, vendent leurs produits bio : fruits, huile d'olive et miel.

Blue Beach (☎ 28210 39404 ; www.bluebeach-villas.com ; d 50 € ;). Sur un joli site au bord de la plage, ce complexe hôtelier sans prétention accueille volontiers les voyageurs indépendants. Les chambres confortables sont équipées d'un réfrigérateur, d'une kitchenette et d'une TV. Une piscine est à disposition. Supplément de 7 € pour la clim.

Sun Set Beach Bar (☎ 28210 39780). Sur la plage ouest de Stavros, ce bar attrayant, niché sous un arbre immense, évoque un paradis tropical avec sa terrasse en bois et ses parasols en chaume. On peut se contenter d'un verre ou se laisser tenter par les en-cas régionaux et internationaux.

Patrelantonis (☎ 28210 63337 ; Marathi ; poisson 34-50 €/kg). Près de la plage, à l'ombre des tamaris, cette taverne de poisson prisée sert de bons poissons et fruits de mer, avec *horta* (légumes sauvages) et pommes de terre.

Depuis/vers la presqu'île d'Akrotiri

Chaque jour, 6 bus desservent la plage de Stavros (1,80 €) et font halte à Kalathas.

Du lundi au vendredi, 2 bus partent à 6h30 et 14h15 pour le Moni Agia Triada (2 €, 40 min).

Si vous venez en voiture de La Canée, suivez les panneaux jusqu'à l'aéroport, puis tournez aux embranchements signalés.

SOUDA (SOUDHA) ΣΟΥΔΑ

5 330 habitants

Le port de Souda, l'un des plus grands de l'île, est celui où vous arriverez si vous prenez un ferry pour La Canée. Les Vénitiens bâtirent un château à l'entrée de la baie de Souda, qu'ils conservèrent jusqu'en 1715, alors que les Turcs occupaient le reste de l'île. Souda est aujourd'hui le site du principal chantier de réfection des navires de la Marine grecque, ce qui explique la forte présence militaire.

La ville de Souda, à 2 km du port, surgit il y a 130 ans durant la domination turque. Il reste peu de traces de cette époque. Aujourd'hui, la plupart des activités et des services, notamment les agences de voyages, les banques et les boutiques, se regroupent dans le port, près de la place principale et de l'embarcadère. Les hôtels et les restaurants sont peu nombreux ; mieux vaut se rendre à La Canée.

Gelasakis Travel (☎ 28210 89065 ; 8h-22h30), sur la grand-place, change les espèces, vend des billets d'avion et de bateau et loue des voitures.

Où se loger et se restaurer

Hotel Parthenon (☎ 28210 89245 ; El Venizelou 29 ; d 35 € ;). De l'autre côté de la place principale, au-dessus d'une taverne, ce petit hôtel proche du port loue des chambres avec réfrigérateur et TV.

Vlachakis Brothers (☎ 28210 89219 ; 16 Ellis St). En ville, cette modeste taverne est réputée pour ses excellents poissons et fruits de mer. Sa spécialité, l'omelette aux crevettes, se marie parfaitement avec le vin en tonneau.

Paloma (☎ 28210 89081 ; plats de poisson 6-10 €). Plus loin sur la route côtière menant à l'aéroport, cette taverne de poisson aux classiques chaises bleues et nappes à carreaux borde la mer et domine le port. L'agréable promenade passe devant le cimetière.

Depuis/vers Souda

Souda se situe à 9 km à l'est de La Canée. À l'arrivée des ferries, des bus desservent fréquemment La Canée (1,15 €) ; en taxi, comptez environ 7 €.

BAIE DE LA CANÉE

Le littoral qui s'étend à l'ouest de La Canée, entre les presqu'îles d'Akrotiri et de Rodopos, forme la baie de La Canée. Hôtels, *domatia* (chambres chez l'habitant), boutiques de souvenirs, agences de voyages, supérettes et restaurants se succèdent quasiment sans interruption le long de cette bande de 13 km. Les anciens villages côtiers sont devenus des lieux de divertissement et ceux qui recherchent le calme et le repos fuiront cet endroit. Par contre, la baie offre une vie nocturne animée et tous les services souhaités.

La première ville touristique est **Agia Marina**, à 9 km de La Canée. Si la clientèle se compose surtout de voyageurs au forfait, quelques *domatia* ordinaires bordent l'artère principale. Des rangées de transats et de parasols identiques sont alignées sur la plage et l'eau n'est guère limpide. Agia Marina est le premier rendez-vous des fêtards de La Canée.

Vient ensuite **Platanias**, à 12 km de La Canée, quasiment identique à Agia Marina. Cet ensemble d'hébergements de catégorie moyenne, de rôtisseries, de bars, de clubs et de boutiques le long de la grand-rue animée séduit particulièrement les Scandinaves. Du côté sud de la route, les rues de la vieille ville, pittoresque et touristique, grimpent à flanc de colline. Au sommet, on découvre une vue superbe. La plage, comme celle d'Agia Marina, est bondée et médiocre.

Gerani, à l'autre bout de la baie, est un peu plus plaisante et souvent bien moins fréquentée. Plus loin, **Maleme** est une station balnéaire paisible et relativement peu construite. Quelques hôtels et immeubles se dressent près de la jolie plage de galets. En haut de la colline, un **cimetière militaire allemand** domine l'aérodrome. Plus de 3 000 parachutistes tués durant la bataille de Crète y sont inhumés.

OÙ SE LOGER

De nombreux hôtels le long de la route côtière sont exploités par des tour-opérateurs ou fonctionnent comme des clubs privés.

Tassos Cottages (☎ 28210 61352 ; tassosgerani@hotmail.com ; Gerani ; app 40-50 €). À mi-chemin entre la plage et l'artère principale, ces appartements bien équipés, avec TV et ventilateur, comprennent une ou deux chambres et se situent dans un agréable jardin. Réservez à la taverne de Tassos, dans la grand-rue.

Ilianthos Village Apartments (☎ 28210 60667 ; Agia Marina ; d avec petit déj à partir de 172 € ; ❄ ♿). Ce complexe hôtelier, l'un des plus haut de gamme d'Agia Marina, occupe une large bande de plage. Accessible aux fauteuils roulants, il offre tout le confort moderne et des équipements pour les enfants.

Indigo Mare (☎ 28210 68156 ; www.indigomare.gr ; Platanias ; studio/app avec petit déj à partir de 90/104 € ; ❄ ♿). Ce luxueux ensemble possède des studios et des appartements bien aménagés, pouvant accueillir jusqu'à 4 personnes. Une jolie piscine domine la plage.

OÙ SE RESTAURER

Maria's (☎ 28210 68888 ; Kato Stalos ; plats 5-9 €). À la lisière est d'Agia Marina, cette table prisée sert une cuisine crétoise et méditerranéenne sur une terrasse verdoyante. La tourte à la viande est un délice.

Drakiana (☎ 28210 61677 ; plats 6-13 €). Une charmante promenade de 3 km parmi les oliveraies et les orangeraies mène à cette jolie taverne, au bord de la rivière et ombragée de sycomores. Repérez l'embranchement signalé en venant de Platanias, à l'angle de Mylos tou Kerata (voir en face). Manolis Mavromatis prépare une excellente cuisine crétoise, dont des pitas au fenouil, des boulettes de viande en sauce tomate et des spécialités, comme le cochon de lait à la broche. Une aire de pique-nique, avec barbecues et terrain de jeu pour les enfants, se situe à proximité.

Aidonisos (☎ 28210 83560 ; Gerani ; plats 10,50-13,70 € ; 🕑 dîner). Ce nouvel établissement apprécié propose une cuisine grecque contemporaine et d'excellents desserts.

Mylos tou Kerata (☎ 28210 68578 ; Platanias ; grillades 8-15 € ; dîner à partir de 18h). L'un des meilleurs restaurants de la région, dans un ancien moulin à eau. L'ambiance est plaisante et la carte des plats et des vins, fournie. Beau choix de grillades de poulet, d'agneau et de bœuf.

OÙ SORTIR

À Platanias et à Agia Marina, les nombreux clubs d'été changent de nom et de décor d'une année sur l'autre. Lors de notre passage, **Destil**, **Utopia** et **Milos** étaient les plus en vogue à Platanias, tandis que des DJs renommés animaient les soirées de l'**Oceanos**, à Agia Marina.

DEPUIS/VERS LA BAIE DE LA CANÉE

Les bus circulant entre La Canée et Kasteli Kissamos font halte à Platanias, Gerani et Agia Marina.

SFAKIA ET LEFKA ORI

Cette région possède certains des paysages les plus spectaculaires de l'île, dont les gorges de Samaria, la chaîne des Lefka Ori et le mont Gingilos, dans l'arrière-pays accidenté. La province de Sfakia, qui s'étend du plateau d'Omalos jusqu'à la côte sud, est la plus montagneuse de Crète.

Sfakia fut le centre de la résistance pendant les longs siècles d'occupation étrangère, ses gorges et ses montagnes escarpées constituant des refuges sûrs pour les rebelles. Les habitants de Sfakia étaient réputés pour leur fierté combative et, jusque dans un passé récent, des vendettas meurtrières ont décimé nombre des villages de la région (voir l'encadré, p. 97).

Consultez le site Internet www.sfakia-crete.com pour plus d'informations sur la province.

DE LA CANÉE À OMALOS

La route entre La Canée et les gorges de Samaria est l'une des plus belles de l'île. Après avoir traversé des orangeraies pour rejoindre le village de **Fournes**, un embranchement sur la gauche mène à **Meskla** et serpente le long des gorges en offrant des vues somptueuses. Si la partie basse de la ville n'a rien de séduisant avec ses bâtiments condamnés, la route devient plus belle en grimpant vers l'**église de la Panagia**, moderne et multicolore. À côté, une chapelle du XIVe siècle a été édifiée sur les fondations d'une basilique du VIe siècle, elle-même peut-être construite sur un temple d'Aphrodite plus ancien. À l'entrée de la ville, un panneau indique la **chapelle Metamorfosis Sotiros** (Transfiguration-du-Sauveur), qui contient des fresques du XIVe siècle. Celle de la Transfiguration, sur le mur sud, est particulièrement remarquable.

La route continue jusqu'au village préservé de **Lakki**, à 24 km de La Canée, au cœur d'un panorama splendide. Le village fut un centre de résistance durant le soulèvement contre les Turcs et pendant la Seconde Guerre mondiale.

Rooms for Rent Nikolas (☎ 28210 67232 ; Lakki ; d 35 €). Les chambres simples et confortables, au-dessus d'une taverne, jouissent d'une vue magnifique sur la vallée.

OMALOS ΟΜΑΛΌΣ

30 habitants

La plupart des touristes se contentent de traverser Omalos, à 36 km au sud de La Canée, pour rejoindre les gorges de Samaria. Ce hameau sur le plateau mérite pourtant une halte. En été, l'air vivifiant et frais change agréablement de la touffeur de la côte et de superbes marches permettent de découvrir les montagnes alentour. Après la ruée du matin vers Samaria, seuls des bergers arpentent le plateau avec leurs chèvres.

Omalos, à 4 km de l'entrée des gorges de Samaria, se résume à quelques hôtels installés de part et d'autre de la route. Le village est pratiquement désert en hiver.

Où se loger et se restaurer

En général, les hôtels d'Omalos ouvrent quand les gorges de Samaria sont accessibles. Toutefois, le tourisme d'hiver commence à se développer. Les différentes enseignes possèdent presque toutes des restaurants, qui font le plein au petit déjeuner avec les randonneurs, et servent également les autres repas. La plupart des hôtels emmènent leurs clients à l'entrée des gorges.

Hotel Neos Omalos (☎ 28210 67269 ; www.neos-omalos.gr ; s/d 20/30 €). Des chambres confortables, modernes et joliment décorées, avec baignoire et douche, téléphone et TV sat. Un agréable salon est installé près de la réception.

Elliniko (☎ 28210 67169 ; s/d/tr 20/25/35 €). L'hôtel le plus proche des gorges dispose de doubles sans prétention, un peu exiguës, avec TV. Des groupes investissent souvent le restaurant adjacent à l'heure du déjeuner.

EXCURSION : THERISSO

Pour une excursion d'une journée ou un itinéraire différent vers Omalos, empruntez la route pittoresque qui mène à Therisso, à 14 km de La Canée, via le village de Perivolia. Elle suit un cours d'eau qui traverse une oasis de verdure et les gorges de Therisso, longues de 6 km. Au pied des Lefka Ori, à 500 m d'altitude, le village fut le théâtre de combats historiques contre les Turcs. Il est aujourd'hui réputé pour ses excellentes tavernes qui servent de longs déjeuners dominicaux.

Deux tavernes se distinguent particulièrement. **O Leventis** (☎ 28210 77102) possède une cour charmante, ombragée de platanes, et prépare une délicieuse *kreatotourta* (tourte à la viande). **O Antartis** (☎ 28210 78943) sert d'excellents mezze et spécialités crétoises.

Juste après le village, sur la droite, se dresse un petit **musée de la Résistance nationale**, flanqué d'un monument en l'honneur d'une résistante – en 1821, des soldats turcs utilisèrent l'ancienne meule pour broyer à mort Chrysi Tripiti dans le pressoir à olives.

Une route escarpée serpente à travers un paysage montagneux accidenté, émaillé tour à tour de platanes, d'oliviers, d'orangers, d'eucalyptus et de pins, et traverse les villages de **Zourva**, **Meskla** et **Lakki,** où vous pourrez continuer vers Omalos ou revenir vers La Canée.

Hotel Exari (☎ 28210 67180 ; www.exari.gr ; s/d 20/30 €). Ce grand hôtel en pierre propose des chambres plaisantes et bien meublées avec baignoire, TV et balcon. Iorgos, le propriétaire, peut transporter les bagages des groupes à Sougia. Une taverne jouxte l'hôtel.

Vous pourrez aussi essayer l'accueillant **Hotel Gingilos** (☎ 28210 67181 ; s/d/tr 20/25/35 €).

Dans les montagnes entre Omalos et les gorges de Samaria, le **refuge de Kallergi** (☎ 28210 33199 ; dort sans sdb membre/non membre 10/13 €) est géré par l'EOS de La Canée et constitue une bonne base pour escalader le mont Gingilos et les sommets environnants. Le rejoindre exige une longue marche.

Depuis/vers Omalos

Chaque jour, 3 bus relient La Canée et Omalos (5,90 €, 1 heure). Si vous souhaitez faire la randonnée dans les gorges et retourner à votre chambre (et à vos bagages) à Omalos, vous pourrez prendre le bateau de l'après-midi entre Agia Roumeli et Sougia, puis un taxi jusqu'à Omalos (environ 35 €).

GORGES DE SAMARIA (FARAGUI TIS SAMARIAS) ΦΑΡΑΓΓΙ ΤΗΣ ΣΑΜΑΡΙΑΣ

La randonnée des **gorges de Samaria** (☎ 28210 67179 ; 5 € ; 🕑 6h-15h 1er mai à mi-oct) est incontournable en Crète. Elle attire tout autant les marcheurs expérimentés que les novices. Malgré la foule – plus de 170 000 personnes explorent les gorges chaque année –, l'expérience reste inoubliable.

Longues de 16 km, ces gorges splendides comptent parmi les plus longues d'Europe. Creusées par le torrent qui coule entre les monts Avlimaniko (1 858 m) et Volakias (2 115 m), elles débutent juste au-dessous du plateau d'Omalos. Leur largeur varie de 150 m à 3 m ; leurs parois verticales culminent à 500 m. Elles sont tapissées d'une profusion de fleurs sauvages, particulièrement éclatantes en avril-mai.

De nombreuses espèces menacées y vivent, dont la *kri-kri*, la chèvre sauvage crétoise – c'est pour la sauver de l'extinction que les gorges ont été classées parc national en 1962. Vous avez peu de chances de rencontrer cet animal farouche, qui fuit les randonneurs.

Un départ matinal (avant 8h) permet d'éviter la trop grande affluence. Toutefois, en juillet-août, même le premier bus venant de La Canée peut être bondé. Il est interdit de passer la nuit dans les grottes et vous devez terminer la randonnée dans le temps imparti. Si vous n'êtes pas sûr d'y parvenir, choisissez l'exploration des gorges d'Imbros (p. 93), environ moitié moins longues et tout aussi pittoresques.

La marche de Xyloskalo (sentier en pierre escarpé équipé de rampes en bois qui mène aux gorges) à Agia Roumeli (p. 94), sur la côte, demande 4 heures aux plus rapides – 6 heures en prenant son temps. En début de saison, il faut parfois patauger dans le torrent. Plus tard, le niveau baisse et on peut le traverser sans se mouiller, de pierre en pierre.

Durant les six premiers kilomètres, les gorges sont larges et ouvertes jusqu'au village abandonné de **Samaria** – les habitants ont été déplacés lors de la création du parc national. Au sud du village, une petite église est dédiée à **sainte Marie d'Égypte**, qui a donné son nom aux gorges.

Puis les gorges se rétrécissent et deviennent plus abruptes. Au Km 11, quand les parois ne sont plus distantes que de 3,50 m, on arrive aux **Portes de Fer** (Sideroportes). Là, une passerelle en bois branlante permet de traverser à quelque 20 m au-dessus de l'eau.

Les gorges se terminent au Km 12,5, au nord du vieux Agia Roumeli, un village presque abandonné. Une marche de 2 km sans grand intérêt conduit alors à l'accueillante station balnéaire d'Agia Roumeli, où les randonneurs peuvent se rafraîchir et profiter de la jolie plage de galets. Sachez qu'il arrive que des rochers se détachent des parois des grottes : des randonneurs ont été blessés et deux ont péri en 2006. Les jours de forte chaleur, les gorges sont fermées pour des raisons de sécurité.

Dans tous les complexes hôteliers et localités de Crète, des excursions sont organisées aux gorges de Samaria. Il est toutefois aisé de rejoindre ce site naturel en bus depuis La Canée (voir *Omalos*), puis de prendre un ferry à Agia Roumeli (voir p. 94) pour retourner à Hora Sfakion ou à une autre ville de la côte sud. La plupart des agences de voyages proposent deux excursions : l'une longue, l'autre facile. La première suit l'itinéraire classique à partir d'Omalos ; la seconde commence à Agia Roumeli et va jusqu'aux Portes de Fer.

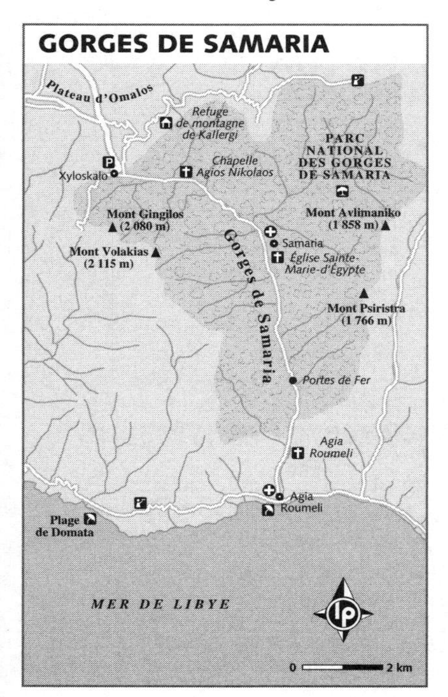

ASKYFOU (ASKIFOU) ΑΣΚΎΦΟΥ

444 habitants

La route menant à Hora Sfakion traverse la plaine d'Askyfou, qui fut dévastée par les combats et le théâtre de l'une des batailles les plus sanglantes de la guerre d'Indépendance de 1821. Des chansons locales continuent de narrer la victoire des Sfakiotes contre les Turcs. Vers le milieu du siècle suivant, un autre combat se déroula dans la plaine, alors que les troupes alliées battaient en retraite vers leur lieu d'évacuation, à Hora Sfakion. La ville centrale de la région, Askyfou, s'étire sur les deux flancs d'une colline. La poste, une supérette et plusieurs tavernes qui louent des chambres bon marché sont installées au sommet de la colline.

À l'entrée d'Askyfou en venant de La Canée, des panneaux indiquent le **Musée militaire** (☎ 28250 95289 ; entrée libre ; ☎ 8h-19h tlj sauf dim), qui présente la collection de fusils et de souvenirs militaires de Iorgos Hatzidakis. Celui-ci se fera un plaisir de commenter la visite.

Pour découvrir l'ambiance traditionnelle d'un village sfakiote, tournez à droite dans la rue principale pour rejoindre une petite place entourée de quatre *kafeneia* et de statues de héros locaux de la résistance. À côté de la place, vous verrez sans doute des hommes vêtus de noir sous le mûrier du vieux **kafeneio** (☎ 28250 95228). Outre le raki et la *myzithropita* (tourte au fromage) nappée de miel, l'enseigne sert des repas classiques : saucisses locales et, le week-end, chèvre sauvage ou agneau *tsigariasto* (sautés) ou *vrasto* (bouillis), facturés au kilo.

Sur la route d'Imbros, le **Lefkoritis Resort** (☎ 28250 95455 ; app été 45-95 €), une élégante retraite en pierre appréciée des chasseurs, ouvre toute l'année et comprend une taverne. Les chambres et les appartements de 6 personnes sont joliment meublés. La vue panoramique porte sur les montagnes environnantes.

GORGES D'IMBROS (FARAGUI IMBROU) ΦΑΡΆΓΓΙ ΙΜΠΡΟΥ

À 57 km au sud-est de La Canée, les **gorges d'Imbros** (2 € ; 🕑 toute l'année), tout aussi splendides que celles de Samaria, sont moins fréquentées. Chênes verts, figuiers et amandiers se

PETIT GUIDE DE SURVIE DANS LES GORGES

La randonnée dans les gorges de Samaria est longue et, par endroits, difficile. Ne la tentez pas si vous n'êtes pas un bon marcheur. Si vous trouvez le chemin trop pénible dans la première heure, adressez-vous aux gardes du parc, qui vous ramèneront à l'entrée des gorges à dos d'âne. Ils sont là pour aider les visiteurs les plus en peine.

De bonnes chaussures de marche sont indispensables pour parcourir le sentier inégal, couvert de pierres acérées. Ne tentez pas la randonnée si vous n'êtes pas bien chaussé. Le chemin descend tout du long de Xyloskalo à Agia Roumeli et il est accidenté sur la majeure partie du parcours. Emportez un chapeau, de la crème solaire et une petite bouteille d'eau, que vous remplirez en cours de route aux nombreuses sources (ne buvez pas l'eau du cours d'eau principal). Prenez des en-cas énergétiques, car vous ne trouverez pas de nourriture dans les gorges.

raréfient à mesure que l'on descend pour céder la place aux cyprès et aux phlomis. Les parois rocheuses atteignent 300 m de haut et se rapprochent pour former un passage de 2 m de large au point le plus étroit. La randonnée de 8 km est plus facile que celle de Samaria. La plupart des visiteurs partent du village de montagne d'**Imbros**, mais on peut aussi choisir comme point de départ le village de **Komitades**, au sud. Ces deux bourgades ne manquent pas de supérettes ni de tavernes où reprendre des forces. Le village d'Imbros ne possède aucun hébergement.

L'entrée des gorges, bien signalée, se situe près de la taverne Porofarango, sur la route de Hora Sfakion. Le sentier est facile à suivre car il longe le lit du cours d'eau, en passant devant des éboulis et des grottes. Il aboutit à Komitades, d'où une marche de 5 km ou un taxi (17-20 €) vous mènera à Hora Sfakion.

À l'entrée des gorges, la chaleureuse taverne **Porofarango** (☎ 28250 95450 ; plats 6-8 €), tenue par une famille, possède un grand balcon avec vue panoramique sur les gorges et sert du raki, ainsi qu'une cuisine crétoise d'un bon rapport qualité/prix. La viande provient généralement de l'élevage familial et la taverne propose souvent de la chèvre sauvage. Le porc *tsigariasto* est excellent.

Chaque jour, 3 bus circulent entre La Canée et Hora Sfakion (6,50 €, 1 heure 45) et font halte à Imbros. En sens inverse, ils s'arrêtent à Komitades.

Happy Walker (p. 123), à Rethymnon, organise des randonnées dans les gorges d'Imbros.

EXCURSION : DOMAINE DOURAKIS

Les amateurs de vin apprécieront une halte au **domaine Dourakis** (☎ 28250 51761), près de l'embranchement pour Alikambos sur la route de Hora Sfakion. Andreas Dourakis, le viticulteur, fait volontiers visiter sa cave en pierre et propose une dégustation dans une agréable salle à l'étage. Vous pourrez goûter quelques-uns de ses 17 vins excellents, dont un rouge bio et son fameux Logari. Dourakis produit chaque année plus de 180 000 bouteilles avec des cépages locaux et étrangers.

CÔTE SUD

Rocheuse, la côte sud est parsemée de localités à l'ambiance détendue, comme Paleohora, Sougia, Frangokastello et Loutro. Les montagnes et les gorges qui coupent cette partie de l'île se prolongent jusqu'à la mer et rendent la plupart des plages inaccessibles par la route. Les gorges de Samaria aboutissent au village d'Agia Roumeli. La région offre de fantastiques randonnées et permet de caboter le long de la côte jusqu'aux plages isolées – ce qui n'est possible dans aucune autre région crétoise.

AGIA ROUMELI (AGHIA ROUMELI)
ΑΓΙΑ ΡΟΥΜΕΛΗ

123 habitants

La plupart des randonneurs qui arrivent des gorges de Samaria s'arrêtent à Agia Roumeli le temps d'une baignade et d'un déjeuner avant de prendre le ferry (seul moyen de partir du village). L'endroit constitue une halte plaisante malgré les montagnes environnantes qui retiennent la chaleur. La plage de galets est parfois si brûlante qu'il est impossible de s'y installer sans louer un parasol et une chaise longue (4 €).

Si vous souhaitez vous attarder sur place, le village compte quelques hébergements et restaurants corrects. Il est par contre dépourvu d'infrastructures touristiques et de banque. Les sites à visiter se résument à l'**église de la Panagia**, qui renferme quelques vestiges d'un sol romain en mosaïque, et aux ruines bien préservées d'un **château vénitien** qui domine le village (environ 30 min de marche).

Le samedi de Pâques, les tavernes locales organisent un **festin post-résurrection**, offert à tous.

Où se loger et se restaurer

Gigilos Taverna & Rooms (☎ 28250 91383 ; gigilos@mycosmos.gr ; plats 4-7 € ; s/d/tr 25/35/40 € ; ❄). Sur la plage, à l'extrémité ouest du village, l'établissement propose des chambres propres et joliment meublées, avec des sdb récentes et un réfrigérateur commun dans le hall. Les plus plaisantes donnent sur la route de la plage. La taverne s'agrémente d'une grande terrasse ombragée sur la plage.

Oasis (☎ 28250 91391 ; s/d/tr 25/30/35 € ; ❄). La famille qui loue ces chambres vit sur place, au rdc, ce qui donne à l'endroit une atmosphère chaleureuse. Les chambres, meublées simplement, comprennent réfrigérateur et balcon, ainsi que des sdb défraîchies mais fonctionnelles.

Farangi Restaurant & Rooms (☎ 28250 91225 ; plats 4,50-8,50 € ; d/tr 30/35 € ; ❄). Sur la route de la plage, le Farangi offre des spécialités crétoises, des plats de taverne classiques, de la bière à la pression et un service sympathique. Au-dessus du restaurant, les chambres propres et bien équipées disposent d'un réfrigérateur, d'une bouilloire et d'une TV. Certaines ont vue sur la mer.

Depuis/vers Agia Roumeli

La **billeterie** (☎ 28250 91251) des bateaux est installée dans une petite structure en béton près de la plage.

Deux bateaux partent tous les jours d'Agia Roumeli à 15h45 et 18h pour Hora Sfakion (7,50 €, 1 heure) via Loutro (5 €, 45 min) ; ils assurent la correspondance avec le bus pour La Canée, ainsi qu'avec le bateau qui part le matin de Paleohora pour Hora Sfakion. En direction de l'ouest, un bateau quitte Agia Roumeli à 16h45 pour Paleohora (11 €, 1 heure 30), et fait escale à Sougia (6,30 €, 45 min).

HORA SFAKION (HORA SFAKIONE)

ΧΟΡΑ ΣΦΑΚΙΩΝ

302 habitants

Hora Sfakion est le petit port où débarquent les randonneurs venant des gorges de Samaria. Beaucoup ne s'arrêtent que le temps de prendre le bus pour La Canée. Le village est néanmoins un endroit agréable où passer quelques jours et compte plusieurs plages accessibles en bateau ou par la route, dont celle de **Glyka nera** (Sweetwater), isolée, et celle **d'Ilingas**, à l'ouest. C'est aussi une étape pratique pour rejoindre d'autres stations à l'ouest ou pour prendre un ferry jusqu'à Gavdos.

Sous la domination vénitienne, puis turque, Hora Sfakion était un important centre maritime et le cœur de la lutte pour l'indépendance, en tant que capitale de la région de Sfakia. Au XIXe siècle, les Turcs tentèrent de mater à coups de représailles l'esprit rebelle des habitants. Par la suite, l'économie de la ville s'effondra et ne se releva qu'avec l'arrivée du tourisme, il y a une vingtaine d'années. Hora Sfakion joua un rôle important pendant la Seconde Guerre mondiale, lorsque des milliers de soldats alliés furent évacués par bateau après la bataille de Crète.

Orientation et renseignements

L'embarcadère des ferries se situe du côté est du port. Les bus partent de la place à flanc de colline, du côté nord-est. Un DAB est à disposition. La poste est installée sur la place, en face du poste de police.

Sfakia Tours (☎ 28250 91130), à côté de la poste, loue des voitures et peut vous aider à trouver un hébergement. Un parking avoisine l'arrêt de bus et le terminal des ferries. **Kenzo Club** (3 €/h ; 🕓 8h-tard) offre l'accès à Internet.

Centre de plongée Notos Mare (☎ 28250 91333 ; www.notosmare.com ; à partir de 42 €) propose diverses sorties pour les plongeurs débutants et expérimentés, ainsi que du snorkeling et des excursions en bateau le long de la côte sud.

Vous pouvez aussi faire du **saut à l'élastique** depuis le pont Aradena (Aradhena ; p. 96).

Où se loger et se restaurer

Samaria & Lyvikon (☎ 28250 91261, 28250 91211 ; fax 28250 91161 ; s/d 20/30 € ; ❄). Une même direction gère ces grands établissements voisins dont les tavernes partagent une cuisine. Ils offrent des chambres correctes, un peu défraîchies. Celles du Lyvikon sont plus séduisantes, avec baignoire, réfrigérateur, TV et balcon donnant sur la mer.

Rooms Stavris (☎ 28250 91220 ; stavris@sfakia-crete.com ; s/d 21/24 € ; ❄). En haut des marches à l'extrémité ouest du port, cette enseigne loue des chambres sommaires et propres, certaines avec kitchenette et réfrigérateur. Des travaux de rénovation sont prévus.

Lefka Ori (☎ 28250 9109 ; www.chorasfakion.com ; s/d 23/27 € ; ❄). À l'extrémité ouest du port, cette taverne sert des repas copieux et dispose de chambres bon marché derrière le restaurant.

Xenia (☎ 28250 91490 ; fax 28250 91491 ; d 33-38 € ; ❄). Bien situé à la lisière ouest de la ville, cet hôtel rénové comprend une aile moderne avec des chambres spacieuses donnant sur le front de mer. Plus exiguës, celles du bâtiment principal sont moins avantageuses.

Parmi des restaurants plutôt quelconques, le **Delfini** (☎ 28250 91002) semble le meilleur.

Pour profiter du coucher du soleil et d'une vue superbe jusqu'à Loutro, rendez-vous au Thalassa Café, à 1,5 km de la ville.

Depuis/vers Hora Sfakion

BATEAU

Le **kiosque** (☎ 28250 91221), dans le parking, vend les billets de bateau. De juin à août, un bateau relie tous les jours Hora Sfakion et Paleohora (11 €, 3 heures) via Loutro, Agia Roumeli et Sougia. Il part de Hora Sfakion à 13h et s'arrête 2 heures à Agia Roumeli pour attendre les randonneurs qui partent vers l'ouest. Quatre autres bateaux circulent entre Hora Sfakion et Agia Roumeli (7,50 €, 1 heure) via Loutro (4 €, 15 min). À partir du 1er juin, des bateaux desservent l'île de Gavdos (12 €, 1 heure 30 ; voir p. 105) les vendredis, samedis et dimanches.

BUS

Chaque jour, 4 bus relient Hora Sfakion et La Canée (6,50 €, 2 heures). Ceux de l'après-midi, à 17h30 et 19h, attendent les bateaux en provenance d'Agia Roumeli. En été, 3 bus quotidiens rallient Rethymnon via Vryses (6,50 €, 1 heure). Deux bus se rendent tous les jours à Frangokastello (1,50 €, 25 min).

ENVIRONS DE HORA SFAKION

Une route spectaculaire, incroyablement escarpée, sinue sur 12 km à l'ouest de Hora Sfakion jusqu'à **Anopoli** (Ανώπολη), un paisible village sur un plateau fertile au pied des Lefka Ori. Un monument à la mémoire des résistants se dresse sur la place principale. Cette région est l'une des rares à n'être jamais tombée aux mains des Turcs, et l'on comprend pourquoi en découvrant la topographie.

La **pâtisserie Orfanoudakis** (☎ 28250 91189) propose d'excellents biscuits, biscottes et douceurs, dont de grandes *sfakianes pites*. Elle loue aussi de beaux et spacieux studios et appartements à proximité (35 €).

On peut également rejoindre Anopoli par un chemin très raide qui part de Loutro.

Presque abandonné, le hameau en pierre d'**Aradena**, à 2 km à l'ouest d'Anopoli, est connu pour le **pont Vardinogiannis** qui traverse les gorges d'Aradena. La *kantina* proche du pont vous indiquera comment rejoindre le refuge d'Agios Ioannis.

Le week-end, les amateurs de sensations fortes se jettent du haut du pont, à 138 m au-dessus des gorges, pour le plus haut **saut à l'élastique** (☎ 6937 615191 ; www.bungy.gr) de Grèce. Pour une activité plus calme, gagnez l'entrée des gorges en flânant dans les ruines du village. Comptez 2 heures 30 de marche pour arriver à la **plage de Marmara** et à l'excellente **taverne Dialeskari** (☎ 6942 201456), perchée au-dessus de cette crique de galets idyllique (sauf les week-ends et en août). Trois chambres rudimentaires, sans électricité, sont à louer.

FRANGOKASTELLO ΦΡΑΝΚΟΚΑΣΤΕΛΛΟ

154 habitants

Imposante forteresse du XIVe siècle, Frangokastello se dresse sur une jolie plage de la côte sud, à 15 km à l'est de Hora Sfakion. Prisée pour les escapades d'une journée, la bourgade dispersée autour du château est une destination paisible. La large plage de sable blanc qui s'étire au pied du fort descend doucement vers une mer chaude et peu profonde, idéale pour les enfants. Les constructions ont été limitées et la plupart des hébergements sont en retrait de la côte, préservant la beauté naturelle de l'endroit.

Frangokastello a connu une histoire mouvementée. Le fort couleur sable fut édifié par les Vénitiens pour se défendre des pirates et des rebelles sfakiotes. Le légendaire Ioannis Daskalogiannis, qui conduisit une désastreuse rebellion contre les Turcs en 1770, fut persuadé de se rendre au fort de Frangokastello, où il fut écorché vif. Le 17 mai 1828, 385 rebelles crétois lancèrent une dernière attaque héroïque contre le fort dans l'une des batailles les plus sanglantes de la lutte pour l'Indépendance.

VENDETTAS CRÉTOISES

Renommés pour leur hospitalité envers les étrangers, les Crétois sont néanmoins réputés dans le pays pour les vendettas meurtrières qui se prolongent sur plusieurs générations et ont causé la fuite de milliers d'habitants.

Particulièrement répandus parmi les populations montagnardes de Sfakia, où des villages entiers ont été décimés, les conflits peuvent être provoqués par le vol d'un mouton, une balle tirée lors d'un mariage ou toute atteinte à l'honneur d'une famille. L'insulte est vengée par le meurtre, lui-même vengé par un autre meurtre… et la vendetta perdure. Si cette tradition a perdu de son importance, il arrive encore que la police se retrouve face à des cas mystérieux, sans témoin ni personne disposée à donner la moindre information sur un meurtre. Ainsi, en 2007, un appelé a été tué dans une caserne de Rethymnon devant sa famille et d'autres témoins. Pourtant, personne n'a pu identifier le meurtrier. Certains sont même allés en Grèce continentale ou à l'autre bout du monde pour exécuter leur vengeance.

Environ 800 Turcs furent tués en même temps que les rebelles.

Selon la légende, à l'aube de chaque 17 mai, leurs fantômes, les *drosoulites*, reviennent marcher le long de la plage. Selon une autre théorie, les "fantômes" seraient une illusion d'optique créée par des conditions atmosphériques particulières, et les silhouettes seraient le reflet de chameaux ou de soldats dans le désert de Libye. Leur nom vient du grec *drosia* qui signifie "humidité", et évoquerait la rosée présente lors de l'apparition des fantômes.

Il n'y a pas de centre-ville à Frangokastello, juste une succession de *domatia*, de tavernes, et de résidences éparpillées de part et d'autre de la route entre Hora Sfakion et le fort, ainsi que quelques supérettes. Le bus marque plusieurs arrêts le long de la route.

À l'est du château, une longue série de dunes de sable borde l'étonnante plage d'**Orthi Ammos** (peu plaisante les jours venteux).

Où se loger et se restaurer

Les hébergements, d'un bon rapport qualité/prix, s'adressent surtout aux longs séjours. Si vous surveillez votre budget, évitez la luxueuse taverne Kriti, en face du château.

Stavris Studios (☎ 28250 92250 ; stavris@sfakia-crete.com ; studio 35-38 € ; ⌘). À l'entrée du village en venant de Hora Sfakion, des studios calmes et bien tenus, avec kitchenette, balcon et vue sur la mer, ainsi que des chambres communicantes pour les familles.

Mylos (☎ 28250 92161 ; www.milos-sfakia.com ; studio 35-50 € ; ⌘). Situé sur la plage, cet ancien moulin à vent en pierre a été transformé en appartement et les 4 cottages en pierre sous les tamaris sont devenus d'agréables studios. À cela s'ajoutent des studios modernes et bien équipés.

Fata Morgana & Paradisos (☎ 28250 92077 ; www.fatamorgana-kreta.com ; studio 40-50 € ; ⌘). Au milieu d'une oliveraie, au-dessus de la plage d'Orthi Ammos, ce charmant complexe comprend de jolis studios spacieux et équipés, des appartements pour les familles et deux faux châteaux confortables (55 €). Aire de jeu et volière pour les enfants.

Oasis Taverna (☎ /fax 28250 92136 ; www.oasisrooms.com ; plats 4,50-8 €). La meilleure taverne de l'endroit fait partie d'un excellent complexe de studios et d'appartements, tenu par une famille à l'extrémité ouest de la plage. Parmi les spécialités crétoises réalisées de main de maître, citons la délicieuse *kreatopita* (tourte à la viande et au fromage). Les vastes chambres, avec cuisine, sont installées dans un beau jardin, à proximité d'une plage tranquille.

Taverna Babis & Popi (☎ 28250 92091 ; www.frangokastello.de ; plats du jour 3-5,50 €). Cette taverne sert des repas d'un bon rapport qualité/prix sous une tonnelle, cachée derrière les chambres à louer et la supérette.

Flisvos Taverna (☎ 28250 92069 ; plats 5,50-9 €). Joliment située au bord de l'eau, cette taverne propose une cuisine correcte que l'on déguste à l'ombre des tamaris. Des petites chambres (35 €) sont installées au-dessus de la taverne, qui propose également des appartements plus grands près de la plage et 2 maisons restaurées dans un village voisin.

Depuis/vers Frangokastello

En été, 2 bus relient chaque jour Hora Sfakion et Plakias et font halte à Frangokastello (1,50 €, 25 min). Un bus part l'après-midi de La Canée (7,20 €, 2 heures 30). En venant de Rethymnon, il faut changer à Vryses.

LOUTRO ΛΟΥΤΡΌ

89 habitants

Petit village de pêcheurs densément construit, Loutro se situe entre Agia Roumeli et Hora Sfakion. La localité forme un croissant de *domatia* bleu et blanc autour d'une plage étroite. Plaisante et paisible, elle n'est jamais envahie de visiteurs, mais peut être animée et étouffante en juillet-août. C'est une base appréciée pour les randonnées (voir p. 99).

Seul port naturel de la côte sud, Loutro n'est accessible qu'en bateau ou à pied. L'absence de voitures et de vélos contribue au calme.

Prisé durant l'Antiquité pour sa position géographique, le port desservait Finix (ou Phoenix) et Anopoli. Saint Paul serait parti de Loutro pour se rendre à Finix lorsqu'il fut pris dans une tempête qui le projeta au-delà de l'île de Gavdos ; il finit par s'échouer à Malte.

Loutro constitue un bon point de départ pour des excursions en bateau le long de la côte sud. Vous pouvez louer des **canoës** (2/7 € par heure/jour) ou prendre un petit ferry jusqu'à la plage de Glyka nera (Sweetwater ; 3,50 €, 15 min).

Orientation et renseignements

Loutro ne compte ni banque ni poste, mais des établissements changent des espèces à l'extrême ouest de la plage. Les bateaux accostent en face du Sifis Hotel. La billetterie ouvre une heure avant le départ. Le Daskalogiannis Hotel possède un **accès à Internet** (4 €/h).

Où se loger et se restaurer

Loutro offre un bon choix d'hébergements bon marché qui, pour la plupart, dominent le port.

The Blue House (☎ 28250 91127 ; bluehouseloutro@chania-cci.gr ; d 40-45 € ; ❄). Des chambres spacieuses et bien aménagées, avec de grandes vérandas donnant sur le port. Les plus jolies sont dans la partie rénovée du dernier étage. Au rdc, la taverne sert d'excellents *mayirefta* (plats au four ou mijotés ; 5-7 €), dont de délicieux épinards à l'ail et de savoureux *boureki* (feuilletés) aux courgettes, pommes de terre et fromage de chèvre.

Hotel Porto Loutro I & II (☎ 28250 91433 ; www.hotelportoloutro.com ; s/d/tr avec petit déj 45/55/65 € ; ❄). L'hôtel le plus chic de Loutro occupe 2 bâtiments. Les chambres, joliment décorées dans le style de l'île, s'agrémentent de linge de qualité, d'oreillers supplémentaires, d'un réfrigérateur, d'un téléphone et d'un petit balcon donnant sur la plage. L'hôtel n'accepte pas les enfants de moins de 7 ans.

Apartments Niki (☎/fax 28250 91259 ; www.loutro-accommodation.com ; studio et app 40-55 € ; ❄). Superbement meublés, ces studios pour 2-4 pers, avec poutres apparentes, sols en pierre, ventilateur, clim, kitchenette et balcon, surplombent le village et jouissent d'une vue splendide.

Faros (☎/fax 28250 91334 ; d/tr 35/40 € ; ❄). Des chambres claires et spacieuses, avec poutres apparentes, réfrigérateur et balcon, à deux pas de la plage. Supplément de 5 € pour la climatisation.

Rooms Sofia (☎ 28250 91354 ; d/tr 20/25 €). Au-dessus de la supérette Sofia, à une rue de la plage, voici sans doute les chambres les moins chères du bourg. Simples et propres, un peu exiguës, elles possèdent pour la plupart réfrigérateur et clim.

Keramos (☎ 28250 91356 ; ch 35 €) loue des chambres sans prétention, ornées de peintures murales minoennes. Celles du dernier étage, avec clim, valent 5 € de plus.

Les tavernes en front de mer sont étonnamment bonnes. Les plus grandes concoctent un large choix de *mayirefta* et un bel éventail de douceurs. Nous vous recommandons **Notos** (☎ 28250 91501) pour les mezze (2,50-7 €), **Pavlos** (☎ 28250 91366 ; grillades 6-8 €) pour les grillades et **Ilios** (☎ 28250 91460) pour le poisson.

Depuis/vers Loutro

Loutro se situe sur le principal itinéraire maritime Paleohora-Hora Sfakion. D'avril à octobre, 4 bateaux partent chaque jour de Hora Sfakion (4 €, 15 min), quatre démarrent d'Agia Roumeli (5 €, 45 min), et un de Paleohora (13 €, 2 heures 30). Des bateaux-taxis desservent la plage de Glyka nera et Hora Sfakion.

SOUGIA (SOUGUIA) ΣΟΥΓΙΑ

97 habitants

Sougia est l'une des stations balnéaires les plus détendues et les moins développées de la côte sud. Elle possède une large plage incurvée de sable et de galets, ainsi que quelques tavernes et hébergements le long d'une route côtière ombragée. Cet ancien repaire de hippies reste un lieu de pèlerinage pour les routards des années 1970. L'ambiance, paisible, est idéale pour oublier les soucis du quotidien.

Sougia doit en grande part sa tranquillité préservée aux vestiges archéologiques, à

RANDONNÉES AUX ENVIRONS DE LOUTRO *Graham Williams*

De Loutro à la plage de Marbre via Livaniana

Distance : 6,5 km
Durée : 3 heures 30

Empruntez le chemin à côté de l'Hotel Daskalogiannis et suivez le marquage jaune et noir du sentier E4 sur le promontoire menant à Finix. Dans la descente, Finix est indiqué ; prenez le chemin de droite qui contourne les maisons. Traversez la piste et grimpez la colline vers Livaniana. Au sommet, prenez le chemin de Livaniana et suivez les marques bleues. Traversez la route et empruntez le chemin qui monte vers la périphérie du village. À 200 m, une taverne vend des boissons.

Montez à l'église, et suivez les marques bleues jusqu'au panneau indiquant la plage de Marbre. Le balisage contourne un champ et longe le bord d'une terrasse plantée d'oliviers. Après 100 m, une percée dans la clôture dévoile les gorges d'Aradena. Peut-être verrez-vous des aigles de Bonelli planant dans les courants. Tournez à gauche, en suivant le balisage pour descendre dans les gorges, puis prenez à gauche vers la mer et la plage de Marbre. L'itinéraire n'est pas toujours clair, la peinture rouge passée étant le balisage le plus sûr. Sur la plage, une taverne sert des repas simples.

Pour retourner à Loutro, suivez le sentier E4 qui part derrière la plage et le marquage jaune et noir. Au bout de 30 min, vous arriverez au hameau de Likkos. Passez entre les tavernes et empruntez le sentier (marques bleues) qui traverse le promontoire pour retrouver le chemin de Livaniana.

De Loutro à Anopoli et aux gorges d'Aradena

Distance : 7 km (9 km en revenant à Loutro par le sentier E4)
Durée : 5-6 heures

Ce trek difficile passe par un village charmant et par des gorges grandioses menant à une plage.

Partez tôt, car le début de la randonnée est le plus difficile – une grimpée de 680 m de la mer à la plaine d'Anopoli. Le sentier commence derrière la taverne Kri Kri : passez par la nouvelle porte en métal, tournez à gauche et suivez le chemin qui monte à flanc de colline. Au bout d'une heure, vous atteindrez une piste ; traversez-la et continuez tout droit jusqu'à ce que vous la rencontriez à nouveau. Prenez à droite et parcourez 100 m avant d'arriver à une citerne (sur la gauche), où vous retrouverez le sentier. Après 200 m, il bifurque : tournez à gauche et continuez à monter. Vous devrez rejoindre l'enclos fortifié qui se profilera en amont. Au sommet, profitez de la vue avant d'emprunter la route goudronnée qui mène à la place du village et à ses deux tavernes.

Un panneau indique la route d'Aradena, que vous suivrez sur 1,5 km. Une fois les ruines d'Aradena en vue, repérez sur la droite un petit cairn et un sentier au balisage bleu décoloré. Suivez-le en direction d'Aradena avant de descendre dans les gorges. En bas, tournez à gauche. Après 20 min de marche, vous apercevrez un escalier taillé dans une paroi des gorges. Empruntez-le avec prudence sur 300 m. Autrefois, les gorges d'Aradena étaient difficiles d'accès et ce secteur nécessitait l'utilisation de cordes et d'échelles fixes.

Suivez les cairns et les marques rouges passées jusqu'au croisement du chemin de Livaniana, puis suivez l'itinéraire de la marche précédente.

De Hora Sfakion à la baie de Glyka nera (Sweetwater) et Loutro

Distance : 5,5 km
Durée : 2 heures

À Sfakion, prenez la route vers l'ouest, en direction d'Omalos. Après 20 min de marche, traversez un caniveau puis grimpez jusqu'au premier lacet où un panneau E4 indique la baie de Glyka nera. Suivez le sentier balisé en jaune et noir, qui traverse un éboulis de pierres et conduit à Glyka nera en 1 heure. De l'autre côté de la baie, le sentier continue à monter à côté de la taverne jusqu'au sommet du cap. Loutro se situe à 1 heure de marche de là, par un chemin facile et sans ombre.

Si vous lisez l'anglais, procurez-vous *Walks Around Loutro* dans les boutiques de Loutro (5 €).

Graham Williams effectue des randonnées en Crète tous les ans depuis 1988.

l'extrémité est de la plage, qui interdisent tout développement. De plus, l'étroite route sinueuse qui y mène décourage les bus d'excursion et les voitures. La localité compte quelques hébergements et tavernes, deux bars de plage décontractés, deux clubs en plein air et un camp de nudistes près des vestiges archéologiques. Les randonneurs apprécieront la proximité des gorges de Samaria et de celles d'Agia Irini.

L'ancienne ville se tenait à l'ouest du village actuel. Prospère aux époques romaine et byzantine, c'était alors le port d'Elyros, une importante cité de l'arrière-pays aujourd'hui disparue. À l'extrémité ouest du village, une basilique du VIe siècle renfermait un beau sol en mosaïque, désormais exposé au Musée archéologique de La Canée (p. 79).

Une seule route conduit à Sougia et le bus vous déposera sur la route côtière, devant l'hôtel Santa Irene, où se tient une billetterie. Un DAB est installé près de la Taverna Galini. Consultez le site www.sougia.info pour toute information sur la ville.

La boutique d'en-cas **Roxana** (☎ 28230 51668 ; ⌚ 5h-tard) vend des billets de bateau pour Elafonissos. **Internet Lotos** (☎ 28230 51191 ; 3 €/h ; ⌚ 7h-tard) offre un accès à Internet.

Où se loger

Aretousa (☎ 28230 51178 ; fax 28230 51178 ; s/d/studio 35/40/42 € ; ❄). Cette charmante pension, sur la route de La Canée, propose des chambres rénovées, claires et confortables, avec lits et draps neufs et TV à écran plat, ainsi que des studios avec kitchenette.

Captain George (☎ 28230 51133 ; g-gentek@otenet.gr ; s/d/studio 35/40/48 € ; ❄). Dans un joli jardin où vit une *kri-kri*, les chambres et les studios offrent un bon rapport qualité/prix. Le capitaine organise des excursions en bateau-taxi à Lissos, à Domata et vers d'autres plages.

Rooms Ririka (☎ 28230 51167 ; s/d 35/40 € ; ❄). Sur le côté est de la plage, ces petites chambres accueillantes donnent sur une cour verdoyante.

Santa Irene Hotel (☎ 28230 51342 ; www.sougia.info/hotels/santairene ; s/d/app 35/45/55 € ; ❄ 💻). Cet élégant hôtel sur la plage possède des chambres avec sol en marbre, TV et kitchenette et 2 chambres familiales avec berceau. Les prix baissent fortement en basse saison.

Arhontiko (☎ 28230 51200 ; ch 40-50 € ; ❄). Derrière le supermarché, Arhontiko loue de beaux studios récents et spacieux, ainsi que des appartements confortables pour des séjours plus longs.

Pension Galini (☎ /fax 28230 51488 ; s/d/tr 35/40/45 € ; ❄). Également recommandée, cette enseigne dispose de chambres bien équipées et de barbecues.

Où se restaurer

Polyfimos (☎ 28230 51343 ; plats 5,20-7,80 € ; ⌚ dîner). En retrait de la route de La Canée, derrière le poste de police, Iannis, un ancien hippy, fabrique son huile, son vin et son raki, et prépare les *dolmades* (feuilles de vigne farcies au riz) avec la vigne de sa cour. La cuisine est excellente et le sourire au rendez-vous.

Kyma (☎ 28230 51670 ; plats de viande 5,50-7 €). Sur le front de mer à l'entrée de la ville, vous le repérerez à l'aquarium en vitrine. Kyma propose un bon choix de *mayirefta* (plats au four ou mijotés), des viandes et des poissons fournis par le frère du patron. Le *tsigariasto* (chèvre au vin) et le lapin sont des valeurs sûres. Faites-vous plaisir avec des spaghettis aux langoustines (70 €/kg).

Taverna Rembetiko (☎ 28230 51510 ; mezze 2,30-3,80 €). Sur la route de La Canée, cette taverne prisée affiche une belle carte de plats crétois, comme les *boureki* et les fleurs de courgettes farcies. L'excellente musique grecque contribue à l'atmosphère agréable.

La cuisine internationale de l'Omikron, tenu par un Français, et la taverne Livykon, à l'extrémité ouest de la plage, sont également recommandées.

Où sortir

Sougia compte deux clubs en plein air, étonnamment animés pour une petite station balnéaire. L'Alabama, du côté est de la plage, reste le rendez-vous favori. Le Fortuna, sur la gauche avant l'entrée de la ville, a été entièrement rénové ; c'est une excellente adresse pour un verre tard dans la nuit. Tous deux s'animent après minuit.

Depuis/vers Sougia

Un bus relie tous les jours La Canée et Sougia (6,10 €, 1 heure 50). Sougia se situe sur l'itinéraire maritime Paleohora-Hora Sfakion. Des bateaux partent le matin pour Agia Roumeli (6,30 €, 1 heure 45), Loutro (10 €, 1 heure 30) et Hora Sfakion (11 €, 1 heure 45). Un bateau part pour Paleohora (7 €, 1 heure), à l'ouest, à 17h15.

ENVIRONS DE SOUGIA

L'embouchure des jolies **gorges d'Agia Irini** se situe à 12 km au nord de Sougia. Moins courues que celles de Samaria, elles sont moins bondées et moins éreintantes. Longues de 7 km, elles sont tapissées de lauriers roses et de châtaigniers, et embaument le romarin, la sauge et le thym. En arrivant de Sougia, l'entrée des gorges se trouve à droite. Traversez le lit d'un cours d'eau avant d'arriver à des oliveraies – détruites en grande partie par un incendie en 1994. De là, le sentier suit une rivière asséchée bordée de grottes sculptées dans la roche. En chemin, des aires de repos et des coins tranquilles invitent à s'arrêter pour admirer les paysages.

Les agences de voyages de Paleohora (ci-contre) proposent des **marches guidées** dans les gorges, mais vous pouvez facilement organiser la randonnée vous-même : prenez le bus d'Omalos à Paleohora ou celui de La Canée à Sougia, et descendez à Agia Irini.

Lissos Λισσοσ

Les ruines de la ville antique de Lissos se situent à 1 heure 30 de marche de Sougia par le sentier côtier menant à Paleohora (voir encadré p. 105), qui commence au bout du port de Sougia.

Fondée sous les Doriens, Lissos prospéra sous la domination byzantine, avant d'être détruite par les Sarrasins au IXe siècle. Elle faisait partie d'une ligue de cités-États, dirigée par l'ancienne Gortyne, et frappait ses propres pièces d'or du nom de "Lission". La cité possédait un réservoir, un théâtre et des sources thermales, mais les fouilles ne les ont pas encore mis au jour. La plupart des vestiges exhumés datent du Ier au IIIe siècle av. J.-C., quand Lissos était renommée pour ses sources aux vertus curatives. L'**Asclépeion**, un temple du IIIe siècle av. J.-C. bâti près de l'une des sources, porte le nom du dieu grec de la médecine, Asclépios (Esculape).

Les fouilles ont mis au jour une statue décapitée d'**Asclépios** ainsi que des fragments de 20 autres statues, aujourd'hui au Musée archéologique de La Canée (p. 79). On peut voir la base de l'autel en marbre qui soutenait la statue près du puits où l'on déposait les offrandes. Les autres éléments intéressants sont le sol de **mosaïque** multicolore représentant de superbes motifs géométriques et des oiseaux. En descendant vers la mer, on découvre des traces de ruines romaines et, sur le versant ouest de la vallée, des tombes aux voûtes en berceau inhabituelles.

Non loin se tiennent les ruines de deux basiliques chrétiennes du XIIIe siècle, **Agios Kirkos** et la **Panagia**.

Après la marche, vous pourrez vous rafraîchir sur la ravissante plage de Lissos. Le 15 juillet, une **fête** se déroule en l'honneur d'Agios Kirkos.

PALEOHORA ΠΑΛΑΙΟΧΩΡΑ

2 205 habitants

Depuis sa découverte par les hippies dans les années 1960, Paleohora n'est plus une somnolente bourgade de pêcheurs. Malgré les hôtels de taille moyenne et les voyageurs en séjour organisé, la ville reste plaisante et détendue. Si le nombre de routards a diminué, les randonneurs affluent au printemps et en automne et des habitués reviennent chaque année. Aujourd'hui fréquentée par une clientèle plus âgée et familiale, Paleohora connaît un pic d'animation au cœur de l'été. C'est la seule station balnéaire de Crète qui ne ferme pas en hiver.

La ville s'étend sur une étroite presqu'île, bordée d'un côté par une longue plage de sable exposée au vent et ombragée de tamaris, et de l'autre par une plage de galets abritée. Le dédale de ruelles qui entoure le château forme le quartier le plus pittoresque.

Les soirs d'été, l'artère principale en bord de plage est fermée à la circulation. Les tavernes créent alors une ambiance joyeuse.

Orientation et renseignements

Venizelou, l'agréable rue principale qui longe la plage, devient le centre de l'activité en début de soirée. Les bateaux partent du vieux port, à l'extrémité sud de la plage de galets. Des DAB sont installés le long de Venizelou.

Erato Internet (☎ 28230 8301 ; Eleftheriou Venizelou ; 3 €/h)

Laverie Wash & Go (lavage 4 € ; séchage 4 € ; 🕒 8h-22h). À côté de Notos.

Notos Internet (☎ 28230 42110 ; Eleftheriou Venizelou 53 ; 2 €/h ; 🕒 8h-22h)

Office du tourisme municipal (☎ 28230 41507 ; 🕒 10h-13h et 18h-21h tlj sauf mar mai-oct). Sur la route de la plage, près du port.

Poste. À l'extrémité nord de la plage de Pahia Ammos.

À voir et à faire

Grimpez jusqu'aux ruines du **château vénitien** du XIIIe siècle pour la vue splendide sur la mer et les montagnes. Les Vénitiens bâtirent ce château au sommet d'une colline pour surveiller la côte sud-ouest. Il ne reste pas grand-chose de la forteresse, détruite par les Vénitiens, les Turcs, le pirate Barberousse (XVIe siècle), puis par les Allemands durant la Seconde Guerre mondiale.

Plusieurs jolies plages se situent non loin et des chemins de randonnée sillonnent les alentours. De Paleohora, une marche de 6 heures par un beau **sentier côtier** mène à Sougia, via l'antique Lissos (voir p. 101). Une promenade plus facile conduit à Anydri (p. 104).

Aqua Creta Diving & Adventures (☎ 28230 41393 ; www.aquacreta.gr ; Kondekaki 4) propose un choix de cours, des plongées pour débutants (50 €) aux stages de 7 à 10 jours (580 €). Il organise également des excursions d'une journée avec cabotage et snorkeling près des plages isolées de la côte sud, jusqu'à Gavdos (50-60 €).

Musée des Acrites d'Europe (☎ 28230 42265 ; près de l'église de la Panagia ; entrée libre ; 🕓 10h-13h et 18h30-21h mer-dim). Cet étrange musée est dédié aux combattants et héros des frontières de l'Europe médiévale et byzantine. Bien présenté, il renferme des instruments de musique, des armes et d'autres objets de cette époque. Le lien avec Paleohora reste un mystère.

Circuits organisés

De Paleohora, vous pouvez effectuer les randonnées des gorges de Samaria et d'Agia Irini en circuit organisé ou en prenant le bus local KTEL, avec retour en ferry.

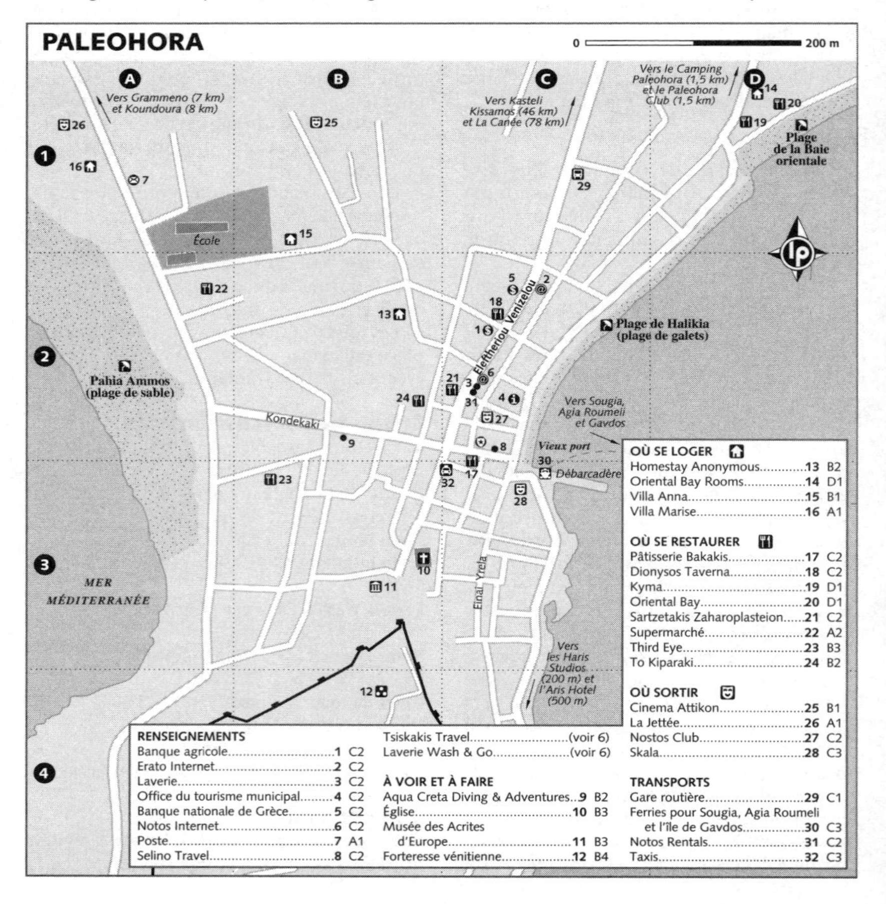

TOUT NUS ET TOUT BRONZÉS

Si l'on peut prendre le soleil seins nus sur la plupart des plages crétoises, mieux vaut observer le comportement des autres baigneuses dans les endroits familiaux et tenir compte des signes vous encourageant à garder le haut de votre maillot de bain.

Bien que le naturisme ne soit pas officiellement autorisé, les plages éloignées de la côte sud sont moins strictes qu'ailleurs et vous rencontrerez des naturistes dans les coins isolés des plages reculées ou dans des criques abritées. Des naturistes grecs, des adeptes du camping sauvage (généralement étrangers) et des hippies fréquentent ces plages, à l'ambiance souvent bon enfant. Parmi les plages prisées des naturistes, citons Kommos près de Matala, la pointe sud de la plage de sable de Paleohora et l'extrémité est de Sougia. Glyka nera (Sweetwater), près de Loutro, fait partie des classiques, comme Orthi Ammos, à l'est de Frangokastello, et Ditikos, à l'ouest de Lendas.

En été, des excursions d'une journée en bateau mènent à **Elafonissos** (voir p. 114). Les **circuits d'observation des dauphins** (18 € ; 3 heures) partent à 17h ; vous avez 50% de chances d'en apercevoir quand il n'y a pas de vent.

Tsiskakis Travel (☎ 28230 42110 ; www.notoscar.com ; Eleftheriou Venizelou 53)

Selino Travel (☎ 28230 42272 ; selino2@otenet.gr)

Où se loger

Camping Grammeno (☎/fax 28230 42125 ; empl par pers/tente 4,27/3 €). Ce nouveau camping se situe sur la plage de Grammeno, à 5 km à l'ouest, le long de la route de Koundoura.

Camping Paleohora (☎ 28230 41120 ; empl par pers/tente 5/3 €, tente petite/grande 6/10 €). Vaste camping à 1,5 km au nord-est de la ville et à 50 m de la plage de galets, il offre des équipements un peu rudimentaires et comprend une taverne (pas de supérette). La nouvelle direction prévoit d'améliorer les infrastructures.

Homestay Anonymous (☎ 28230 41509 ; www.anonymoushomestay.com ; s/d/tr 17/24/28 €). Cette excellente petite pension loue des chambres propres et joliment meublées, avec sdb, et met à disposition une cuisine commune dans la cour verdoyante. Les chambres peuvent communiquer pour les familles. Les vieux murs en pierres apparentes contribuent au charme du lieu. L'aimable propriétaire, Manolis, est une mine d'informations.

Oriental Bay Rooms (☎ 28230 41076 ; s/d/tr 30/35/38 € ; ❄). Au nord de la plage de galets, ce grand bâtiment moderne renferme des chambres impeccables, avec bouilloire, réfrigérateur et balcon donnant sur la mer ou la montagne.

Villa Anna (☎ 2810 346 428 ; anna@her.forthnet.gr ; app 42-80 € ; ❄). Au cœur d'un jardin bordé de peupliers, ces appartements bien équipés, avec lits d'enfants, peuvent accueillir jusqu'à 5 personnes et séduiront les familles. Balançoires et bac à sable dans le jardin ombragé.

Haris Studios (☎ 28230 42438 ; www.paleochoraholidays.com ; d/app 45/50 € ; ❄). Sur le front de mer rocheux de l'autre côté du port, ces studios accueillants et bien équipés, avec des sdb simples et fonctionnelles, restent ouverts en hiver. Ceux du dernier étage sont plus jolis et bénéficient d'une vue superbe. Flora, une Écossaise, cuisine un festin pour les hôtes une fois par semaine, souvent avec le poisson que ramène Haris, son compagnon pêcheur.

Aris Hotel (☎ 28230 41502 ; www.aris-hotel.gr ; s/d avec petit déj 40/50 €). Au bout de la route qui serpente autour du cap depuis le port, cet hôtel sympathique et avantageux offre des chambres lumineuses, avec balcon donnant sur le jardin ou sur la mer. Certaines, pratiques pour les familles, communiquent. Les tarifs baissent fortement hors saison.

Également recommandée et plus grande, la **Villa Marise** (☎ 28230 41162 ; www.villamarise.com ; studio/app à partir de 45/70 € ; ♿), sur la plage, possède un bar attrayant.

Où se restaurer

Les restaurants de Paleohora sont généralement corrects et d'un bon rapport qualité/prix.

Dionysos Taverna (☎ 28230 41243 ; plats 4,40-6,80 €). L'une des plus anciennes tavernes de la ville, réputée pour la qualité de sa cuisine. Outre d'excellents *mayirefta*, elle propose des plats végétariens et des grillades. Installez-vous dans la salle spacieuse ou dans la grand-rue.

Third Eye (☎ 28230 41234 ; plats 5 €). Derrière la plage de Pahia Ammos, ce restaurant végétarien offre une carte éclectique – curries, salades, pâtes, plats grecs et asiatiques, etc. –, grâce aux produits de la ferme bio familiale. Des musiciens se produisent souvent le samedi. La taverne loue également des chambres et des appartements à l'étage, avec clim, réfrigérateur et balcon (20-40 €).

Kyma (☎ 28230 41110 ; poisson jusqu'à 42 €/kg). L'une des meilleures adresses pour le poisson frais, le Kyma est tenu par un pêcheur qui cuisine habituellement ses propres prises. Agréablement situé à l'extrémité paisible de la plage, il compte des tables sous les arbres.

To Kiparaki (☎ 28230 42281 ; plats 8-9 €). Géré par un Hollandais, ce petit restaurant sert une cuisine de style asiatique, préparée avec des produits frais ; le menu change tous les jours. Huit tables seulement, disposées dans le petit jardin à l'arrière.

Oriental Bay (☎ 28230 41322 ; plats 5-8 €). Cette taverne en bord de plage est l'une des meilleures options du secteur. À la sélection de plats végétariens bon marché, comme les haricots verts et les pommes de terre, s'ajoutent des choix plus roboratifs, tels le "baiser du coq" (blanc de poulet au lard) ou la "côtelette ivre" (côte de porc au vin rouge).

Les douceurs et glaces maison de la **Sartzetakis Zaharoplasteion** (☎ 28230 41231) et les en-cas de la **pâtisserie Bakakis** (☎ 28230 41069) sont également recommandés.

Pour une excellente cuisine crétoise traditionnelle, rendez-vous à **Grammeno** (☎ 28230 41505 ; spécialités 4,50-9 €), juste après la plage, à 5 km à l'ouest de Paleohora. La carte comprend des spécialités comme le coq braisé, divers légumes sauvages, l'agneau cuit dans des feuilles de vigne et la chèvre rôtie.

Sur la plage de Krios, à l'extrémité est de Koundoura, à 9 km de Paleohora, une *kantina* sert une cuisine crétoise délicieuse et bon marché. Essayez les *kalitsounia* (feuilletés au fromage ou aux légumes) ou les *sfakianes pites* (crêpes) au miel.

Où sortir

La Jettee, sur la plage derrière l'hôtel Villa Marise, possède un charmant jardin. Près du port, le Skala est un bar classique à l'ancienne.

La plupart des visiteurs passent au moins une soirée au **Cinema Attikon** (billet 7 € ; ⏲ séance à 22h), en plein air.

Le **Nostos Club** (☎ 28230 42145 ; ⏲ 18h-2h) comprend un bar en terrasse et une petite discothèque qui passe de la musique grecque et occidentale. Le **Paleohora Club** (☎ 28230 42230 ; ⏲ 23h-tard), proche du camping, était autrefois réputé pour ses fêtes de la pleine lune ; c'est aujourd'hui un club huppé, moins séduisant. Un bus fait la navette à partir du port.

Depuis/vers Paleohora

BATEAU

Les horaires des bateaux changent tous les ans ; vérifiez-les auprès des agences de voyages. En été, un ferry part le matin de Paleohora pour Hora Sfakion (14 €, 3 heures), via Sougia (7 €, 50 min), Agia Roumeli (11 €, 1 heure 30) et Loutro (13 €, 2 heures 30). En été, il continue 3 fois/semaine jusqu'à Gavdos (15 €, 2 heures 30).

À partir de la mi-avril, le M/B *Elafonisos* transporte des passagers jusqu'à la plage d'Elafonissi (7 €, 1 heure), sur la côte ouest, 3 fois/semaine. Le service devient quotidien de mi-mai à septembre. Le bateau part à 10h et revient à 16h.

Les billets peuvent s'acheter à **Selino Travel** (☎ 28230 42272 ; selino2@otenet.gr).

BUS

L'été, 4-6 bus/jour quittent la **gare routière** (☎ 28230 41914) pour La Canée (6,50 €, 2 heures). Un bus quotidien part à 6h15 à destination d'Omalos (5,50 €, 2 heures), pour les gorges de Samaria, et fait halte à l'entrée des gorges d'Agia Irini (4,50 €).

Comment circuler

Notos Rentals (☎ 28230 42110 ; notosgr@yahoo.gr ; Eleftheriou Venizelou) loue autos, motos et VTT.

La **station de taxis** (☎ 28230 41128 ; 6972 726 149) se situe près du port. Comptez 40 € pour Kissamos, 60 € pour La Canée (aéroport 70 €) et 60 € pour Elafonissi.

ENVIRONS DE PALEOHORA

Le village d'**Anydri,** à 5 km au nord-est de Paleohora par une route pittoresque à travers des gorges, est une destination prisée des randonneurs. Les pères fondateurs du village étaient deux frères partis de Hora Sfakion pour échapper à une vendetta meurtrière, ce qui explique pourquoi la plupart des villageois portent le même nom.

Les randonneurs effectuent habituellement un circuit de Paleohora à Andyri en passant par les gorges et en revenant par la côte. Suivez la route qui passe devant les campings et prenez la route asphaltée sur la gauche, bordée de rochers escarpés. À l'entrée du village, un panneau indique les **gorges d'Anydri**.

RANDONNÉE CÔTIERE DE PALEOHORA À SOUGIA

Du centre de Paleohora, suivez les panneaux jusqu'aux campings, au nord-est. Tournez à droite au carrefour avec la route d'Anydri pour rejoindre rapidement le sentier côtier balisé E4. Après 2 km, le sentier grimpe fortement et offre une vue superbe sur Paleohora, à l'arrière. Il passe par la **plage d'Anydri** et par plusieurs jolies **criques**, parfois fréquentées par des nudistes. Faites un plongeon avant de repartir vers l'intérieur des terres pour traverser le **cap Flomes**. Vous marcherez le long d'un plateau couvert de broussailles en direction de la côte en contemplant de splendides échappées sur la mer de Libye ; vous arriverez bientôt au site minoen de **Lissos** (voir p. 101), avant de traverser une pinède. L'itinéraire s'achève au port de Sougia. La marche de 14,5 km (environ 6 heures) n'est quasiment pas ombragée ; emportez plusieurs litres d'eau et de la crème solaire. De juin à août, mieux vaut partir au lever du soleil afin d'arriver à Sougia avant la forte chaleur.

Après quelques centaines de mètres sur un chemin, vous verrez un sentier envahi par la végétation sur la gauche. Un balisage rouge mène aux gorges. Vous pouvez aussi faire une pause dans le village, à l'excellent **Kafeneio To Scholio** (☎ 28230 83001), une ancienne école, et prendre un autre sentier via l'**église Agios Georgios**, ornée de fresques du XIVe siècle.

Suivez le lit d'une rivière asséchée, puis des panneaux vous conduiront à la large **plage de Gialiskari**, au bout des gorges. Le secteur le plus joli est l'étendue de sable grossier à l'extrémité est, à gauche de la *kantina*. Vous pouvez prendre un chemin différent pour revenir à Paleohora, en suivant le fléchage du E4 qui longe les falaises côtières. La plage est accessible par une piste carrossable, indiquée sur la droite bien avant les gorges.

GAVDOS ΓΑΥΔΟΣ

81 habitants

Gavdos est un paradis pour les voyageurs qui recherchent le calme et la solitude. L'île séduit une clientèle fidèle de campeurs, de nudistes et d'esprits indépendants en quête de plages préservées, de longues marches et de vacances sans contrainte.

Située au sud de la Crète dans la mer de Libye, à 65 km de Paleohora, Gavdos est l'endroit le plus méridional d'Europe et la proximité de l'Afrique lui vaut un climat très doux. On peut se baigner dès février. Étonnamment verte et accidentée, l'île est couverte à près de 65% de pins, de cèdres et de végétation. Plusieurs plages splendides la bordent, essentiellement sur la côte nord-est, et certaines ne sont accessibles qu'à pied ou en bateau. Des falaises forment la côte sud.

Gavdos compte trois "villages" principaux, virtuellement abandonnés et plus ou moins en ruines, et une station balnéaire qui s'anime en juillet-août. Au plus fort de la saison touristique, la population atteint 1 000 personnes.

Des fouilles archéologiques ont prouvé que l'île était habitée dès le néolithique. À l'époque gréco-romaine, Gavdos, alors appelée Clauda, appartenait à la cité de Gortyne. Un village romain était établi à la pointe nord-ouest. Durant la période byzantine, l'île fut le siège d'un évêché ; quand les Arabes conquirent la Crète au IXe siècle, elle devint un repaire de pirates.

Jusqu'à la fin des années 1960, Gavdos souffrait d'une pénurie d'eau et n'avait ni électricité ni téléphone ; la plupart des habitants émigrèrent en Crète ou à Athènes. Si l'eau est aujourd'hui abondante, il peut toujours y avoir des coupures et des pannes d'électricité (surtout en été) car une seule partie de l'île est alimentée par le réseau national ; ailleurs, on utilise des générateurs qui sont souvent éteints la nuit et en milieu de journée. N'oubliez pas d'emporter une lampe électrique. Des vents forts peuvent empêcher la navigation pendant plusieurs jours, mais peu de visiteurs s'en plaignent.

Orientation et renseignements

Le port, Karabe, se situe sur la côte est, tandis que la capitale, Kastri, se trouve au centre de l'île. Il n'y a pas de banque ; vous pourrez poster votre courrier à Sarakinikos. Kastri compte deux supérettes qui vendent des produits de base et un dispensaire. Le réseau de téléphonie mobile ne couvre pas toute l'île, mais on trouve des téléphones à carte. La saison touristique est courte et la majorité des tavernes et des hébergements ferment début septembre, à la rentrée scolaire.

Karabe possède un nouveau port et un **poste de police** (☎ 228230 41109).

À voir et à faire

Sarakinikos, la plus grosse bourgade côtière au nord-est de l'île, possède une large plage de sable, plusieurs tavernes et un **amphithéâtre** où se tiennent des spectacles occasionnels. En été, la plage splendide d'**Agios Ioannis**, à la pointe nord, est fréquentée par un nombre croissant de nudistes et de campeurs. D'autres plages superbes bordent la côte nord, comme **Potamos** et **Pyrgos**, que l'on peut rejoindre à pied (1 heure) de Kastri en suivant le sentier qui mène à Ambelos et plus au nord. À **Tripiti**, le point le plus méridional d'Europe, trois arches immenses creusées dans le promontoire sont les curiosités naturelles les plus connues de Gavdos. La plage est accessible en bateau ou à pied (1 heure 15 depuis Vatsiana).

Sur la route du village d'Ambelos, le **phare** restauré de 1880 abrite un musée et un café. Avant d'être bombardé par les Allemands en 1941, c'était le phare le plus lumineux au monde après celui de la Terre de Feu.

À **Vatsiana**, le pope de l'île a installé un petit **musée** (☎ 28230 42167 ; 10h-18h juil-août, frappez à la porte voisine le reste de l'année) privé dans une vieille maison en pierre. Il contient des objets récupérés sur l'île, dont des outils agricoles et ménagers, un métier à tisser et des tissages. À côté, un four à bois traditionnel continue de fonctionner, et l'épouse du pope, Maria, sert ouzo et gâteaux dans l'insolite *kafeneio* adjacent.

Malgré la faible population, l'ile compte 16 églises. La plupart des propriétaires de bateaux proposent des **croisières** d'une demi-journée ou d'une journée, notamment à l'île lointaine et inhabitée de Gavdopoula, dépourvue de plage séduisante. Renseignez-vous dans les tavernes.

Où se loger et se restaurer

Les établissements disposant de l'électricité étaient auparavant considérés comme luxueux. Aujourd'hui, les hébergements se sont multipliés et certains offrent des prestations haut de gamme. Le camping sauvage reste populaire. Les tavernes offrent toutes un bon rapport qualité/prix.

Nychterida Taverna & Rooms (☎ 28230 42120 ; d 20-50 €) propose des chambres sans prétention et confortables sur la plage de Sarakinikos.

Akrogiali Taverna & Rooms (☎ 28230 42384 ; d/tr 35/40 €), sur la plage de Korfos, loue des chambres simples, avec réfrigérateur et ventilateur, donnant sur la mer. La taverne prépare de copieux repas crétois, composés de poissons locaux ou de viande de chèvre.

Sarakiniko Studios (☎ 28230 42182 ; www.gavdostudios.gr ; studio d/tr avec petit déj 50/60 €), au-dessus de la plage de Sarakinikos, possède des studios confortables et des nouvelles villas qui peuvent loger jusqu'à 5 personnes (80-100 €). Demandez que l'on vienne vous chercher au port, ou marchez 20 min vers le nord. Un camping devrait ouvrir en 2008.

Taverna Sarakiniko (☎ /fax 28230 41103 ; gavdos@cha.forthnet.gr ; ch/studio 60/85 € ;). Tenue par Manolis, un pêcheur, et Gerti, son épouse, la taverne cuisine les prises du jour. Elle dispose de chambres avec réfrigérateur, clim (électricité 24h/24) et vue sur la mer, ainsi que de studios en pierre, dotés de meubles en pin et d'une kitchenette et pouvant accueillir 4 personnes. Location de voitures et de vélos.

Theophilos Taverna (☎ 28230 41311). Au-dessus de la plage d'Agios Ioannis, ses excellents *mayirefta* (plats au four ou mijotés) régalent les campeurs après la baignade.

Comment s'y rendre et circuler

Les services pour Gavdos varient au cours de l'année et la traversée peut durer de 2 heures 30 à 5 heures, selon le bateau et les escales. Le trajet le plus direct part de Hora Sfakion, avec des services les vendredis, samedis et dimanches (15 €, 1 heure 30). Deux bateaux par semaine (trois de mi-juillet à août) partent de Paleohora, mais ils font escale aux ports de la côte sud et à Hora Sfakion, ce qui porte la traversée à 5 heures. Le mardi matin, un bateau postal part également de Paleohora, via Sougia.

Seuls quelques ferries acceptent les voitures ; renseignez-vous sur place.

Vous pouvez louer un vélo ou une voiture au port ou à Sarakinikos, mais sachez qu'ils ne sont pas toujours assurés.

OUEST DE LA CANÉE

La Crète occidentale est moins fréquentée par les touristes que le reste de La Canée. La côte nord se compose des presqu'îles quasiment inhabitées de Gramvoussa et de Rodopos. Kolymbari, au bout de la presqu'île de Rodopos, est la localité touristique la plus développée.

La province de Kissamos est une région accidentée, parsemée de villages et de bourgades peu visités. Sa capitale, Kasteli Kissamos, est le port où accostent les bateaux venant du Péloponnèse. La côte ouest abrite deux des plus belles plages de Crète, étonnamment peu construites : Falassarna, au nord, et Elafonissi, au sud. La province de Selino englobe la région de l'Innahorion et ses petits villages de montagne.

PRESQU'ÎLE DE RODOPOS

Aride et rocheuse, la presqu'île de Rodopos est inhabitée, à l'exception de quelques petits villages regroupés à sa base. Une route, asphaltée jusqu'à Afrata, se transforme ensuite en piste et serpente à travers la presqu'île. Si vous voyagez à pied, en 4x4 ou à moto, vous pourrez aller jusqu'au sanctuaire de Diktynna, au bout de la presqu'île, mais préparez votre circuit, car Afrata est le dernier endroit pour s'approvisionner en eau, nourriture et essence. À Afrata, une route sinueuse descend vers la **plage d'Afrata**, couverte de galets, où un petit snack-bar ouvre en saison.

Kolymbari (Kolimbari) Κολυμπάρι

919 habitants

À 23 km à l'ouest de La Canée, Kolymbari se situe au début de la presqu'île de Rodopos et séduit les vacanciers en quête de tranquillité et de repos. Ce village de pêcheurs commence juste à se développer, mais la situation change vite à mesure qu'apparaissent hôtels et *domatia* au bord de la longue plage de galets. Kolymbari constitue une bonne base pour la marche jusqu'au Moni Gonias (p. 107) et un lieu idéal pour déguster des poissons locaux dans les tavernes réputées.

Le bus en provenance de La Canée vous déposera sur la grand-route, à 500 m du bourg. Un DAB est installé dans l'artère principale et une poste, dans le centre.

OÙ SE LOGER ET SE RESTAURER

Rooms Lefka (☎ 28240 22211 ; fax 28240 22211 ; s/d/tr 25/35/45 € ; ❄). Sur la droite entre l'arrêt de bus et le centre-ville, cet établissement bon marché et correct loue des chambres démodées mais confortables, avec réfrigérateur et douches artisanales, accrochées au lavabo. Ses installations conviendront aux familles. La taverne, au rdc, sert une bonne cuisine crétoise et un copieux petit déj (6 €).

Aeolos Apartments (☎ 28240 22203 ; studio/app 45/60 € ; ❄). Signalé sur la gauche près de la route principale, ce complexe daté mais bien entretenu, est installé à flanc de colline, avec parterres de fleurs et grands balcons donnant sur la mer. Spacieux et aérés, les confortables studios et appartements de 2 chambres s'agrémentent de lits en bois sculpté, d'une TV et d'une kitchenette avec des tabourets de bar.

Argentina (☎ 28240 22243 ; poisson 30-48 €/kg). Considéré comme l'une des meilleures tavernes de poisson de la région, l'Argentina dispose des tables le long de l'artère principale et de l'autre côté, près de la mer. Délicieux poissons et fruits de mer, comme le poulpe aux olives, et belle carte des vins.

Diktina (☎ 28240 22611 ; poisson jusqu'à 47 €/kg). Cette enseigne rénovée ressemble plus à un restaurant de ville haut de gamme qu'à une taverne. Vous savourerez d'excellents plats de poisson en contemplant la mer.

Milos tou Tzerani (☎ 28240 22210). Dans un moulin en bord de mer, ce café-bar est idéal pour un café ou un verre en soirée. Il sert aussi des en-cas et des mezze.

Également recommandé, le **Palio Arhondiko** (☎ 28240 22124) est installé sur la plage.

DEPUIS/VERS KOLYMBARI

Les bus qui relient La Canée et Kasteli Kissamos font halte à Kolymbari (2,80 €, 40 min, toutes les 30 min).

Moni Gonias Μονη Γονιασ

Fondé en 1618, le **Moni Gonias** (☎ 28240 22313 ; Kolymbari ; entrée libre, musée 2 € ; 🕒 8h-12h30 et 16h-20h lun-ven, 16h-20h sam, 7h-12h et 16h-20h dim) fut endommagé par les Turcs en 1645, reconstruit en 1662 et agrandi au XIXe siècle. Le monastère possède une collection unique d'icônes des XVIIe et XVIIIe siècles, accrochées dans l'église et dans les deux salles du musée. La plus précieuse est celle d'*Agios Nikolaos,* peinte en 1637 par Palaiokapas (sur la gauche dans le musée). Elle illustre parfaitement l'école crétoise de peinture d'icônes qui prospéra au XVIIe siècle. Le monastère, qui abrite également l'école théologique de Crète, est facilement accessible de Kolymbari. Du centre-ville, suivez la route côtière vers le nord sur 500 m environ.

Diktynna (Diktina) Δικτυνα

À la pointe de la presqu'île de Rodopos se dressent les vestiges d'un temple dédié à Diktynna, la déesse crétoise de la chasse, objet d'un culte fervent dans cette partie de l'île. C'était le sanctuaire le plus important de la région pendant l'époque romaine.

Le nom de la déesse viendrait du mot *diktuon* (filet) : selon la légende, elle fut sauvée par un filet de pêcheur lorsqu'elle sauta dans la mer pour échapper aux avances du roi Minos. Le temple date du IIe siècle, mais il fut sans doute édifié sur le site d'un sanctuaire plus ancien.

Il fut profané après la chute de l'Empire romain, mais ses fondations, un autel sacrificiel et des citernes romaines subsistent. Après la visite, vous pourrez vous détendre sur une charmante plage de sable. Diktynna n'est accessible que par une piste au départ de Kolymbari. Des agences de voyages de La Canée (p. 83) organisent des excursions en bateau.

KASTELI KISSAMOS (KISSAMOS KASTELI) ΚΊΣΣΑΜΟΣ ΚΑΣΤΈΛΛΙ

3 969 habitants

Plus grande ville et capitale de la province de Kissamos, Kasteli Kissamos est souvent appelée Kissamos. Les bateaux en provenance du Péloponnèse ou de Cythère accostent dans cette ville portuaire de la côte nord. Cette localité paisible, à la population plutôt âgée, ne s'intéresse guère au tourisme et mérite plus qu'un simple coup d'œil. Toutefois, de nombreux hôtels familiaux ont surgi ces dernières années, et les visiteurs semblent plus nombreux. De belles plages de galets et de sable ourlent la vaste baie de Kissamos et l'atmosphère bucolique de la région change agréablement de l'agitation de la Crète orientale. Un chapelet de tavernes et de bars borde le front de mer, qui ne s'anime qu'en août. Entre la presqu'île de Gramvoussa, à l'ouest, et celle de Rodopos à l'est, Kissamos constitue une bonne base pour des randonnées et des circuits dans la région. Des croisières vers la presqu'île de Gramvoussa partent du port de Kissamos.

Histoire

Dans l'Antiquité, Kissamos était déjà la principale ville de la province du même nom. Lorsque les Vénitiens arrivèrent, ils firent construire un château et elle fut appelée Kasteli (Kastelli). En 1966, les autorités décidèrent de changer son nom pour éviter la confusion avec l'autre Kastelli, proche d'Héraklion. Elle est redevenue officiellement Kissamos, mais on l'appelle encore Kasteli ou Kasteli Kissamos.

L'ancienne Kissamos était un port pour l'importante cité-État de Polyrrinia, à 7 km à l'intérieur des terres. Des vestiges d'édifices romains ont été mis au jour, mais la majeure partie de l'antique cité est enfouie sous la ville moderne et ne peut pas être excavée. Kissamos conquit son indépendance au IIIe siècle, puis devint un évêché durant l'époque byzantine. Elle fut occupée par les Sarrasins au IXe siècle et prospéra sous la domination vénitienne. Des pans des remparts du château subsistent à l'ouest de la place Tzanakaki.

Orientation et renseignements

Le port se situe à 3 km à l'ouest de la ville. En été, un bus attend l'arrivée des bateaux ; la course en taxi coûte environ 5 €. La gare routière se trouve sur la place principale, la Plateia Tzanakaki. L'artère commerçante, Skalidi, part de cette place en direction de l'est. La poste se tient dans la rue principale, près de la Plateia Venizelou. Plusieurs banques avec DAB bordent la route nationale et Skalidi. Il suffit de parcourir 200 m pour rejoindre le front de mer.

Pour des renseignements sur la ville, consultez le site de la municipalité, www.kissamos.net. **Horeftakis Tours** (☎ 28220 23250 ; www.horeftakistours.com ; Skalidi) est une bonne source d'informations. La **librairie Fountoulakis** (☎ 28220 22361), dans Skalidi, vend des journaux et des livres étrangers. **Gamers Internet Cafe** (☎ 28220 22112 ; Skalidi 17 ; 1,70 €/h ; ⏲ 10h-tard) offre des services complets.

À voir et à faire

Le nouveau **Musée archéologique de Kissamos** (☎ 28220 83308 ; Plateia Tzanakaki ; entrée libre ; ⏲ 8h30-15h) occupe un imposant bâtiment turco-vénitien de deux étages sur la place principale. Il possède une collection bien présentée d'artefacts mis au jour lors des fouilles, dont des statues, des bijoux, des pièces de monnaie et un grand sol en mosaïque provenant d'une villa de Kissamos. Des objets viennent de Falassarna et de Polyrrinia. La collection date essentiellement des époques hellénistique et romaine, avec certains objets du Minoen et de Nopigia.

Dirigé par Stelios Milonakis et son épouse, Angela, **Strata Walking Tours** (☎ 28220 24336 ; www.stratatours.com) offre un éventail de randonnées en petits groupes, des excursions paisibles d'une journée dans la campagne environnante avec déjeuner dans une taverne (40 €) aux circuits de 15 jours jusqu'à la côte sud (895 €), ainsi que des safaris en 4x4 vers des destinations reculées (40 €).

Où se loger

Camping Mithimna (☎ 28220 31444 ; www.campingmithimna.com ; Paralia Drapania ; empl par pers/tente 6/4 €). À 6 km à l'est de la ville, il occupe un beau site ombragé proche de la plus jolie plage et comprend un restaurant, un bar et une boutique. Prenez un bus jusqu'au village de Drapanias, puis marchez pendant 15 min parmi les oliveraies (ou parcourez 4 km le long de la plage).

Bikakis Family (☎ 28220 22105 ; www.familybikakis.gr ; Odos Polemiston 1941 ; s/d 20/25 €, studio 30 € ;). Meilleur choix de Kissamos pour les petits budgets, cette enseigne offre des chambres et des studios étincelants, pour la plupart avec vue sur le jardin et la mer (kitchenette, TV, sèche-cheveux, accès Internet gratuit, etc.). De grands studios et des chambres attenantes conviennent aux familles. Expert en infusions et fin connaisseur de la région, le propriétaire veille au bien-être de ses hôtes et à l'ambiance familiale. Petit déj disponible.

Thalassa (☎ 28220 31231 ; www.thalassa-apts.gr ; Paralia Drapanias ; studios 35-55 € ;). Ce complexe isolé, idéal pour se retirer avec une pile de livres, fait face à la plage, à 100 m à l'est du Camping Mithimna. Il comporte des studios immaculés, aérés et bien aménagés avec fer à repasser, sèche-cheveux et connexions ADSL/wi-fi ; barbecue sur la pelouse et petite aire de jeu.

Galini Beach (☎ 28220 23288 ; ch 38-48 €). À l'extrémité est de la plage, près du terrain de football, cet hôtel accueillant, familial et bien tenu, loue des chambres spacieuses, décorées dans des tons doux, dont certaines adjacentes pour les familles. Quelques-unes sont équipées d'une kitchenette.

Christina Beach Hotel (☎ 28220 83333 ; studio 60-80 € ;). Cet élégant ensemble de studios, du côté ouest de Kissamos, est le seul hébergement haut de gamme de la ville. En bord de plage, les vastes studios modernes et lumineux disposent tous d'une prise Internet RNIS.

Où se restaurer

Kellari (☎ 28220 23883 ; spécialités crétoises 3-7,50 €). Cette taverne réputée, à l'extrémité est de la plage, offre un grand choix de plats crétois, de grillades et de poissons frais, ainsi qu'un menu grec dégustation pour deux (16 €). Tenue par la famille qui gère Strata Walking Tours (voir en face), elle utilise ses propres produits : viande, vin, huile d'olive, etc.

Papadakis (☎ 28220 22340 ; plats 5-8 €). L'une des plus anciennes tavernes de la ville, prisée de la population locale, elle sert de délicieux plats de poisson, comme le poisson au four (6 €) ou la soupe de poisson, dans un cadre paisible, près de la plage.

O Stimadoris (☎ 28220 22057 ; poisson 30-45 €/kg). Cette autre taverne de poisson renommée se situe à 2 km à l'ouest de la ville, juste avant le petit port. Les propriétaires pêchent eux-mêmes le poisson, toujours de première fraîcheur. Essayez la *salata tou yialou*, une salade d'algues au vinaigre. La taverne accueille des mariages et évoque un petit musée.

Violaki (☎ 28220 23068), dans l'artère principale, est recommandé pour sa bonne cuisine maison. **Akroyiali**, sur la plage et bien signalé avant Kissamos, se distingue par ses poissons délicieux.

Depuis/vers Kasteli Kissamos

BATEAU

Le F/B *Myrtidiotissa* d'ANEN Ferries circule le week-end et passe par Anticythère (9,40 €, 2 heures), Cythère (16,40 €, 4 heures) et

EXCURSION : RAVDOUHA

Le modeste village de pêcheurs de **Ravdouha,** sur la côte ouest de la presqu'île accidentée de Rodopos, est l'un des trésors cachés de la région pour les gastronomes. Suivez les panneaux indiquant Ravdoucha jusqu'à une bifurcation. À gauche, une piste cahoteuse mène, à 700 m, à **Waves on the Rock** (☎ 28240 23133), où le pêcheur Theodoris Falelakis sert d'excellents poissons. Si vous souhaitez vous évader totalement, louez l'une des 5 **chambres** (25-30 €) à l'étage, avec kitchenette et climatisation.

À la bifurcation, la route de droite conduit à une petite plage de galets, avec une jetée et quelques tavernes, dont un insolite restaurant italien. Tenu par un chef italien à la retraite, le **Don Rosario** (☎ 28240 23781 ; plats 9,50-22,50 €) propose une cuisine méditerranéenne raffinée, servie sur une terrasse ombragée. Les spaghettis aux fruits de mer sont un régal.

Gythion (22,10 €, 5 heures). Le dimanche, il va jusqu'au Pirée, mais le trajet est plus rapide à partir de La Canée. Vous pouvez acheter vos billets à **Horeftakis Tours** (☎ 28220 23250) ou à l'**agence ANEN** (☎ 28220 22009 ; Skalidi).

BUS

De la **gare routière** (☎ 28220 22035) de Kissamos, 14 bus partent chaque jour pour La Canée (4 €, 40 min), où l'on peut prendre une correspondance pour Rethymnon et Héraklion. Deux bus quotidiens desservent Falassarna (3 €, 20 min), un bus se rend à Paleohora (6,50 €, 1 heure 15) et un autre à Elafonissi (5,90 €, 1 heure 15).

Comment circuler

Moto Fun (☎ 28220 23440 ; Plateia Tzanakaki) loue des voitures, des vélos et des VTT.

ENVIRONS DE KASTELI KISSAMOS

Polyrrinia (Polirinia) Πολυρρηνια

Les ruines de l'antique cité de Polyrrinia s'étendent à 7 km au sud de Kasteli Kissamos, au-dessus du village d'Ano Paleokastro (également appelé Polyrrinia). Des vues splendides sur la mer et la montagne récompensent la rude grimpée jusqu'aux ruines, et la campagne se couvre de fleurs sauvages au printemps. Fondée par les Doriens au VIe siècle av. J.-C., la cité fut constamment en guerre avec les Kydoniens de La Canée. Les pièces de monnaie de cette période représentent Athéna, la déesse de la Guerre, vénérée par les farouches Polyrriniens.

Contrairement à leurs rivaux kydoniens, les Polyrriniens ne résistèrent pas à l'invasion romaine et leur cité ne fut pas détruite. Ville la mieux fortifiée de Crète, elle fut le centre administratif de la Crète occidentale durant les époques romaine et byzantine. Les Vénitiens l'utilisèrent ensuite comme forteresse. La plupart des constructions, dont un **aqueduc** construit par Hadrien, datent de l'occupation romaine.

La structure la plus imposante est l'**acropole** bâtie par les Byzantins et les Vénitiens. Une église a été édifiée sur les fondations d'un **temple hellénistique** du IVe siècle av. J.-C. Près de l'aqueduc, une **grotte** dédiée aux nymphes contient les niches destinées aux statuettes.

De Kasteli Kissamos, une belle marche de 2 heures mène à Polyrrinia. Pour rejoindre la route de Polyrrinia, suivez l'artère principale de Kasteli Kissamos vers l'est et tournez à droite après le bureau OTE (compagnie nationale de téléphone). Vous pouvez traverser le village et faire halte à l'**atelier** (☎ 28220 24168) de Iorgos Tsichlakis, qui travaille le bois d'olivier.

En voiture, prenez la route périphérique à la bifurcation qui mène à la **taverne Acropolis** (☎ 28220 23678). Derrière la taverne, qui offre une jolie vue, un chemin sur la gauche, environ 100 m avant l'église Agios Pateras, conduit à l'acropole. Vous pouvez faire le tour complet de la colline pour profiter de la vue, mais le chemin est souvent recouvert par la végétation.

Aucun bus ne dessert le site.

Sirikari Σηρικαρι

De Polyrrinia, de nombreux marcheurs intrépides continuent la randonnée jusqu'aux **gorges de Sirikari**, l'un des parcours les plus prisés et les plus pittoresques de la région. La marche dure environ 2 heures (et autant pour rejoindre Kissamos si vous faites la boucle). En venant du hameau de Sirikari, l'entrée des gorges se situe près de l'église Agios Apostoli.

Une charmante nouvelle pension, la **Kastania Traditional Guest House** (☎ 28220 51449 ; Sirikari ; d avec petit déj 40-60 €), séduira ceux qui recherchent un hébergement isolé. Le propriétaire, un contrôleur aérien à la retraite, a transformé la maison familiale en 4 studios douillets, de style traditionnel. Il propose un petit déjeuner copieux et cuisine de bons repas sur demande. De là, de superbes marches à une forêt de châtaigniers conduisent à Kambos.

PRESQU'ÎLE DE GRAMVOUSSA (HERSONISSOS GRAMVOUSSA)

ΧΕΡΣΌΝΗΣΟΣ ΓΡΑΜΒΟΎΣΑ

Au nord-ouest de Kissamos s'étend la presqu'île de Gramvoussa, superbement sauvage et isolée. Son principal attrait est la plage de **Balos**, sur le cap Tigani, du côté ouest de la pointe étroite de la presqu'île. Cette plage de sable idyllique, baignée par des eaux turquoise, est dominée par deux petites îles, **Agria Gramvoussa** (sauvage) et **Imeri Gramvoussa** (apprivoisée). Toutefois, la foule des excursionnistes nuit à son charme.

La piste cahoteuse mais carrossable (de préférence en 4x4) qui mène à Balos commence au bout de la grand-rue du village de **Kalyviani** et suit le flanc est du mont Geroskinos. La vue sur le littoral et la presqu'île de Rodopos est spectaculaire.

La piste aboutit au parking (avec une *kantina*), où un sentier descend vers la plage, au pied des falaises (30 min de marche à l'aller et 45 min au retour).

Les bus qui partent vers l'ouest de Kissamos vous déposeront à l'embranchement pour Kalyviani, à 2 km du village. Pour rejoindre Balos, vous devrez marcher en plein soleil sur 3 km – emportez un chapeau et de l'eau.

Les moins sportifs opteront pour l'une des trois **croisières** (☎ 28220 24344 ; www.gramvousa.com ; adulte/tarif réduit 22/12 € ; 55 min) quotidiennes. Les bateaux du matin s'arrêtent à Imeri Gramvoussa, dominée par un **château vénitien** qui offre une vue superbe sur la presqu'île. Comptez 20 min de grimpée ardue jusqu'au sommet. La petite plage en contrebas, agrémentée d'une épave, peut être bondée si les bateaux sont pleins, de même que Balos. Les billets sont en vente le jour même au port de Kissamos. Les départs ont lieu à 10h, 10h15 et 13h, et les retours à 17h45 et 20h. La traversée peut être mouvementée les jours venteux.

Histoire

L'île d'Imeri Gramvoussa occupait une position stratégique pour les Vénitiens, qui y construisirent une forteresse afin de protéger leurs navires en route vers Venise. Considéré inexpugnable, le fort recélait une grande cache d'armes. Les Turcs ne parvinrent pas à conquérir Imeri Gramvoussa en même temps que le reste de la Crète en 1645, et le fort resta aux mains des Vénitiens. Après le départ de ces derniers, la forteresse demeura inutilisée jusqu'à ce que les révolutionnaires crétois s'en emparent en 1821. Elle devint par la suite un repaire notoire de pirates, puis les Turcs l'annexèrent pour bloquer l'accès à la côte durant la guerre d'Indépendance. Selon une légende locale, les pirates auraient amassé une fabuleuse fortune qu'ils auraient cachée dans des grottes autour de l'île.

L'**épave de Kalyviani**, qui rouille à l'ouest de la plage de Kalyviani, est un navire libanais échoué en 1981 alors qu'il naviguait entre la Libye et la Crète.

Où se loger et se restaurer

Bonne base pour visiter la région, le village de Kalyviani se situe à 7 km à l'ouest de Kissamos.

Kaliviani (☎ /fax 28220 23204 ; www.kaliviani.com ; d et tr 40-55 € ; ⌘). Cette jolie pension en pierre comprend des chambres confortables, qui sont meublées avec goût et dotées d'un réfrigérateur et d'un balcon. L'excellent restaurant (plats 4,80-8,50 €) sert une cuisine authentique, à base de produits bio autant que possible. Le *gramvousiano yiahni* est un délicieux ragoût de chèvre (7 €).

Olive Tree Apartments (☎ 28220 24336 ; www.olivetree.gr ; app 40-70 € ; ⌘). Niché dans une oliveraie à l'entrée du village, ce beau complexe comporte des appartements spacieux, confortables et bien agencés, convenant aux familles et aux longs séjours, ainsi qu'une piscine attrayante.

Gramvousa (☎ 28220 22707 ; spécialités au four à bois 5,50-8,70 €). Dans le centre du village, cette enseigne sert une bonne cuisine crétoise traditionnelle dans un bâtiment en pierre joliment décoré et entouré d'un superbe jardin. Goûtez les spécialités cuites dans le four à bois, comme le cochon de lait ou l'agneau au miel.

FALASSARNA ΦΑΛΑΣΑΡΝΑ

21 habitants

Falassarna, à 16 km à l'ouest de Kissamos, était une cité-État au IVe siècle av. J.-C. Il n'en reste que peu de vestiges et les voyageurs viennent pour sa longue et large plage de sable, considérée comme l'une des plus belles de Crète. Des pointes rocheuses la séparent en plusieurs criques et elle est réputée pour ses superbes couchers de soleil et les reflets rosés du corail dans le sable.

Si vous appréciez la solitude, Falassarna vous séduira, sauf pendant l'agitation de mi-juillet à mi-août. Vous ne trouverez ni village ni services, juste des hébergements et des tavernes éparpillés entre les serres qui gâchent un peu les abords de la plage. La plage ne possède aucun équipement, à part un bar au centre et les inévitables parasols et transats par endroits. La grande étendue sablonneuse au sud est la plus animée ; la crique rocheuse, au milieu, est fréquentée par les nudistes. Au nord s'étire une petite plage plus paisible.

Histoire

Falassarna fut habitée au moins depuis le VIe siècle av. J.-C. et atteignit son apogée au IVe siècle av. J.-C. Bien qu'elle ait été construite près de la mer, les ruines de la cité sont à 400 m du littoral en raison de l'élévation de la côte ouest au fil des siècles. La ville devait sa prospérité à la production agricole de la fertile vallée au sud. Port de la côte ouest pour Polyrrinia, elle devint par la suite sa principale rivale pour la domination de la Crète occidentale. Lorsque les Romains envahirent l'île en 67 av. J.-C., Falassarna était devenue un repaire de pirates. Les blocs de pierre mis au jour près de l'entrée du vieux port indiquent que les Romains tentèrent sans doute d'en empêcher l'accès aux pirates.

À voir

Les **ruines** de l'ancienne cité de Falassarna constituent le principal attrait de la région, bien qu'il n'en reste pas grand-chose. Sur la grand-route, des panneaux indiquent le site, le long d'une piste au bout de la route goudronnée.

On découvre d'abord un grand trône en pierre, dont l'usage reste ignoré. Plus loin se dressent les vestiges des remparts qui entouraient la ville et un petit port. Remarquez les trous dans le mur, qui servaient à attacher les bateaux. Des pans du mur de l'acropole, un temple en ruines et quatre bains d'argile coiffent le sommet de la colline.

Où se loger et se restaurer

La plupart des hébergements sont destinés aux voyageurs indépendants. Ceux qui bordent la plage sont malheureusement les moins attrayants. Le camping sauvage est toléré dans de nombreux endroits – bien qu'officiellement interdit, comme partout ailleurs.

Rooms Anastasia-Stathis (☎ 28220 41480 ; fax 28220 41069 ; d/app 40/50 € ; ❄). Les chambres aérées et joliment meublées, avec réfrigérateur et grand balcon, sont idéales pour la détente. La sympathique propriétaire, Anastasia, sert de gargantuesques petits déjeuners (6 €) à ses hôtes et aux non-résidents. Les clients peuvent cueillir des légumes du jardin.

Doma (☎ 28220 41726 ; www.domaapts.gr ; studio 44 €, app 50-70 €). Entouré d'un jardin, ce beau complexe comprend des studios et des appartements d'une ou deux chambres meublés avec goût et bien équipés pour les longs séjours. Ils s'agrémentent de grands balcons et d'extras, comme les sèche-cheveux et la TV, et certains comportent une grande cuisine.

Kavousi Resorts (☎ 28220 41251 ; www.kavoussiresorts.com ; studio et app 45-70 € ; ❄). Haut perchée avant d'arriver à Falassarna, cette adresse offre des studios et des appartements récents, spacieux et confortables, et une vue panoramique. Accessible en voiture uniquement.

Rooms for Rent Panorama (☎ 28220 41336 ; www.falasarna.gr ; d/tr 48/55 € ; ❄). Cet établissement, l'un des premiers rencontrés – il est indiqué sur la gauche le long d'une piste gravillonnée –, possède des studios rénovés, impeccables et confortables, avec réfrigérateur ou kitchenette. Le restaurant, accueillant et bien tenu, jouit d'une belle vue sur la plage et sert une bonne cuisine crétoise.

Galasia Thea (☎ 28220 41421 ; mayirefta 4,50-6 €). Sur la falaise qui surplombe la plage, ce café bénéficie d'une vue spectaculaire depuis son immense terrasse. Il propose un grand choix de plats au four et de *mayirefta*, comme l'agneau *sfakiano* au citron.

Également recommandé, le **Sun Set** (☎ 28220 41204) est une taverne de poisson et de spécialités crétoises.

Depuis/vers Falassarna

De juin à août, 3 bus quotidiens circulent entre Kissamos et Falassarna (2,60 €) et 3 autres viennent de La Canée (6 €).

INNAHORION (INACHORIONE)

ΙΝΝΑΧΟΡΙΟΝ

Belle région montagneuse au sud de Kasteli Kissamos, l'Innahorion est réputée pour ses châtaigniers. On l'appelle souvent "Ennia Horia" (Neuf Villages), bien qu'elle en compte davantage.

Si vous disposez d'un moyen de transport, vous pourrez traverser la région en allant au Moni Hrysoskalitissas et à Elafonissi ou, en faisant un détour, à Paleohora. Vous pourrez aussi faire une boucle et revenir par la route côtière. En partant vers le sud de Kissamos, vous passerez par l'une des parties les plus verdoyantes et les plus fertiles de l'île.

Le premier village, **Voulgaro**, possède deux églises byzantines. À 3 km au sud, le charmant village de **Topolia** se compose de maisons blanchies à la chaux, couvertes de plantes et de vigne vierge.

Après Topolia, la route serpente le long des **gorges de Koutsomatados**, offrant des paysages spectaculaires. Juste avant l'étroit tunnel, un **snack-bar** sur la gauche constitue une bonne halte pour prendre des photos des gorges. Peu après, on arrive à la **grotte Agia Sofia**, qui renferme des preuves de présence humaine remontant au néolithique. Souvent utilisée pour des baptêmes, la grotte accueille des festivités en l'honneur de sa sainte patronne le 13 avril. Au tiers des 250 marches taillées dans la roche qui mènent à l'entrée, la taverne **Romantza** bénéficie d'une vue superbe sur les gorges ; elle est tenue par Manolis, qui porte le costume crétois traditionnel. Une belle route conduit au hameau de **Koutsomatados**, puis au village de **Vlatos**. Juste au sud de Milia (voir l'encadré p. 115) et de retour sur la nationale, un embranchement se dirige vers Paleohora via **Strovles** et **Drys**. Bien que la plupart des cartes indiquent une mauvaise route, elle est en fait asphaltée et permet de rejoindre Paleohora plus rapidement que par Tavronitis.

Elos, la plus grosse bourgade et le centre du commerce de la châtaigne, organise une **fête de la Châtaigne** le troisième dimanche d'octobre. Les platanes, les eucalyptus et les châtaigniers qui ombragent la place principale font d'Elos une étape plaisante. Derrière la taverne de la grand-place, vous verrez les vestiges de l'aqueduc qui acheminait autrefois l'eau des montagnes jusqu'au moulin.

Continuez vers le sud jusqu'au beau village de **Perivolia** avant d'arriver à **Kefali** et à son église du XIVe siècle ornée de fresques. Quelques tavernes invitent à s'arrêter pour profiter du beau cadre et de la vue. De Kefali, vous pourrez prendre la route d'Elafonissi ou tourner à droite pour revenir vers votre point de départ le long de la côte ouest. La route côtière serpente autour des falaises et chaque virage dévoile un paysage éblouissant – c'est l'une des plus belles routes de Crète.

En suivant les gorges, on passe par le hameau de **Pappadiana** avant de commencer à grimper dans les montagnes vers **Amygdalokefali**. À proximité du bourg, un promontoire offre un fabuleux panorama sur la mer. **Kambos**, un petit village au bord d'une gorge à 50 min environ de Kefali, constitue une bonne étape pour la nuit. De là, on peut traverser la gorge à pied jusqu'à la plage, ou revenir à Kissamos par un chemin de randonnée. Celui-ci, vanté comme une alternative au **sentier E4**, est appelé **sentier F1**.

Au nord de Kambos, la route passe de l'autre côté de la gorge et descend en serpentant vers **Sfinari**, 9 km plus loin. Ce village agricole assoupi s'étire jusqu'à une grande plage, bordée de serres à l'extrémité nord. Elle comprend une petite crique caillouteuse, un terrain de camping rudimentaire et quelques bonnes tavernes de poisson.

Après Sfinari, la route continue de longer la côte avant de descendre vers **Platanos**, un village paisible et ombragé, aux maisons chaulées éparpillées. Vous pouvez tourner à gauche pour rejoindre **Falassarna** ou rester sur la droite pour redescendre vers Kissamos.

Où se loger et se restaurer

Les hébergements de la région se composent de *domatia* assez éloignées et peu fréquentées. Vous ne trouverez aucun grand complexe hôtelier.

Panorama Taverna and Rooms (☎ 28220 51163 ; Katsomadatos ; d 25 €). Ces chambres simples et propres, dotées de balcons surplombant les gorges, constituent une bonne base pour les randonnées. Elles sont fraîches la nuit malgré l'absence de climatisation. Tenue par Manolis et Antonia, son épouse hollandaise, la taverne sert des *mayirefta* et prépare des repas sur commande pour les clients en long séjour.

Arhontas Taverna and Rooms (☎ 28220 51531 ; Katsomadatos ; d 30 €). En contrebas de la grand-route, cet endroit ombragé, quasiment dans les gorges, est entouré d'arbres fruitiers. Parmi les chambres sommaires et fonctionnelles, deux disposent d'une sdb sur le balcon.

Kokolakis Rooms (☎ 28220 61258 ; Elos ; d 30 €). Le seul hébergement d'Elos se situe au-dessus de la taverne Kastanofolia, dans la grand-rue, près du cours d'eau qui traverse le village. Les prix sont exagérés pour des chambres spartiates, avec sdb commune.

À Elos, l'accueillante **taverne Kamares** (☎ 28220 61332 ; plats 5,50-7 €) prépare d'excellents *mayirefta*.

À Vlatos, **To Metohi Tou Monahogiou** (☎ 28220 51655) produit de l'huile d'olive bio et propose des dégustations. Il offre également des chambres séduisantes mais chères (doubles avec petit déj 90 €) dans une ferme en pierre restaurée, au milieu de la forêt.

Polakis Rooms (☎ 28220 61260 ; Kefali ; ch 30 €). Des chambres sans prétention, avec ventilateur au plafond et vue superbe.

Pour un repas à Kefali, optez pour l'**Elafos** (☎ 28220 96614) ou la terrasse ombragée du **Panorama** (☎ 28220 61208).

Sunset Rooms (☎ 28220 41128 ; s/d 15/25 €), à Kambos, loue des chambres rudimentaires et correctes et se distingue par une vue splendide sur la vallée. Sa **Sunset Taverna** (plats 2-5 €) sert des grillades et de copieuses salades.

Hartzoulakis Rent Rooms (☎ 28220 41445 ; manolis_hartzoulakis@yahoo.gr ; Kambos ; s/d 20/25 €). Bonne adresse pour les randonneurs : ces petites chambres sommaires et impeccables s'agrémentent d'une grande véranda. La taverne, installée sur la terrasse, sert une bonne cuisine crétoise et un excellent raki.

Clara's (☎ 28220 61537 ; www.cafeclara.com ; Amigdalokefali ; d 25-50 €). Lena Troelso, une Danoise, a créé ce charmant repaire en contrebas de la route côtière. La vue est fabuleuse. L'établissement comprend un ravissant cottage en pierre avec sdb et 2 chambres rustiques qui partagent une sdb extérieure, avec douche aménagée dans un ancien pressoir à raisins. Lena fait du pain tous les jours et peut préparer des repas. Renseignez-vous à la *kantina* dans la rue principale ou appelez Lena pour qu'elle vous indique le chemin.

Captain Fidias (☎ 23220 41107 ; plage de Sfinari). L'une des trois tavernes sur la plage de Sfinari ; celle-ci est tenue par l'aimable Fidias et ses quatres fils pêcheurs.

Andonis Theodorakis (☎ 28220 41125 ; Sfinari ; mayirefta 4-7 €). Sur la route principale de Platanos, la taverne d'Andonis mitonne une cuisine campagnarde et sert du poisson local. Le poulet aux gombos est délicieux. Les chambres adjacentes, simples et douillettes, ont vue sur la mer (s/d 15/24 €).

O Zaharias (☎ 28220 41285 ; Platanos ; mayirefta 4-6 €). Près de la nationale en direction de Falassarna, ce restaurant plaisant et apprécié propose des plats traditionnels, comme l'*avgokolokytho* (œufs avec courgettes, tomates et huile d'olive). La grande peinture murale inspirée d'Astérix et Obélix est l'œuvre du propriétaire.

MONI HRYSOSKALITISSAS (MONI CHRYSSOSKALITISSAS)

ΜΟΝΗ ΧΡΥΣΟΣΚΑΛΊΤΙΣΣΑΣ

À 5 km au nord d'Elafonissi, ce splendide **monastère** (☎ 28220 61261 ; 2 € ; 7h-19h) est perché sur un rocher au-dessus de la mer. Hrysoskalitissas signifie "escalier en or". Selon certains, la dernière des 98 marches menant au monastère était en or, mais ne pouvait être vue que par les fidèles. On raconte aussi que l'une des marches était creuse et servait à cacher le trésor de l'église. Quoi qu'il en soit, durant l'occupation turque, l'or et la majorité des biens du monastère furent utilisés pour payer les lourdes taxes imposées par les Ottomans.

Si l'église est récente, le monastère daterait d'un millier d'années et serait construit sur le site d'un temple minoen.

Le monastère possède deux petits **musées**, un musée d'artisanat qui contient des tissages et des ustensiles de la vie rurale, et un musée d'art sacré, qui présente essentiellement des icônes et des manuscrits. Les bus à destination d'Elafonissi font halte au monastère.

Aux alentours, quelques tavernes et hébergements constituent une alternative à Elafonissi. Sur la grand-route avant le monastère, le **Glykeria** (☎ 28220 61292 ; www.glykeria.com ; d avec petit déj 50 € ;), un petit hôtel accueillant et familial, dispose de chambres simples et propres avec réfrigérateur et balcon donnant sur la mer, d'une piscine attrayante et d'une taverne de l'autre côté de la route.

ELAFONISSI ΕΛΑΦΟΝΗΣΙ

12 habitants

Elafonissi doit son succès à sa plage de sable, l'une des plus belles de Crète. À la pointe sud de la côte ouest, cette longue et large plage est séparée de l'île d'Elafonissi par 50 m d'une eau turquoise qui arrive à hauteur des genoux. Seuls quelques snack-bars et loueurs de parasols et de transats ponctuent ce qui ressemble à un paradis tropical. Avec ses dunes basses et ses criques isolées, l'île attire quelques naturistes. Malheureusement, ce lieu idyllique est perturbé en été par les excursionnistes venus pour la journée. Quelques hébergements, à proximité ou aux alentours de Hrysoskalitissa, permettent de profiter du calme revenu en fin d'après-midi.

Où se loger et se restaurer

Rooms Panorama (☎ 28220 61548 ; studio s/d 20/25 €). La taverne, sur un promontoire, domine la mer. Les chambres, avec kitchenette et réfrigérateur, sont souvent louées au mois par des travailleurs saisonniers.

Rooms Elafonisi (☎ 28250 61274 ; fax 28250 97907 ; s/d 30/35 € ;). 21 chambres spacieuses avec réfrigérateur, des chambres plus vastes et joliment meublées à l'arrière, parmi des oliviers, et des appartements avec cuisine. Un patio avec vue et un restaurant complètent l'offre.

Innahorion (☎ 28250 61111 ; d/tr 30/35 € ;). À 2,5 km de la côte à Elafonissi, ce restaurant, le meilleur des environs, sert une bonne cuisine crétoise sur la terrasse. Éloignées de la plage, ses 15 chambres, avec réfrigérateur et kitchenette, sont moins séduisantes que celles des deux autres options.

Depuis/vers Elafonissi

De mi-juin à septembre, un bateau circule tous les jours entre Paleohora et Elafonissi (4,50 €, 1 heure), avec un départ à 10h et le

LE VILLAGE DE MILIA

Le hameau de montagne isolé de **Milia** (☎ 28220 51569 ; www.milia.gr ; cottage avec petit déj 50-65-70 €) est l'un des pionniers de l'écotourisme en Crète. Seize fermes en pierre abandonnées ont été restaurées et transformées en cottages écologiques, fonctionnant à l'énergie solaire pour les besoins basiques (inutile d'apporter votre ordinateur ou votre sèche-cheveux). Les lits anciens et les meubles rustiques renforcent la sensation de retour à la nature.

Particulièrement paisible et séduisant, Milia mérite aussi le détour pour un repas dans la superbe taverne, qui utilise les produits bio de la ferme – huile, vin, lait, fromage, poules, chèvres et moutons (élevés en plein air). Essayez le *boureki*, le lapin farci au fromage *myzithra* ou au yaourt, ou le porc aux feuilles de citronnier, qui aura lentement mijoté durant la nuit. Nous avons aimé le plat d'hiver conseillé : pommes de terre, châtaignes et petits oignons dans une sauce au vin rouge. La taverne ne sert ni soda, ni autre produit industriel !

L'embranchement est signalé sur la droite après le village de Vlatos. La route d'accès, plutôt étroite, se transforme en piste carrossable sur 3 km.

retour à 16h. Chaque jour, 2 bus partent de La Canée (8 €, 2 heures 15) et de Kissamos (3,40 €, 1 heure 30) et retournent dans l'après-midi.

EST DE LA CANÉE

Le nord-est du nome de La Canée possède plusieurs sites intéressants, dont le seul lac d'eau douce naturel de l'île, le lac Kournas, et des stations balnéaires comme Kalyves, Almyrida ou Georgioupoli ; ces dernières conservent plus une ambiance de village que celles à l'ouest de La Canée. Le village restauré de Vamos, le site antique d'Aptera et des villages traditionnels comme Gavalohori comptent également parmi les attraits de la région. Le développement des séjours organisés est en train de changer la nature de la presqu'île d'Apokoronas, comme la construction frénétique de maisons de vacances pour les étrangers.

GEORGIOUPOLI (GHEORGHIOUPOLI)

ΓΕΩΡΓΙΟΎΠΟΛΗ

489 habitants

Autrefois retraite paisible, Georgioupoli a été submergée par le développement de l'industrie hôtelière. Prisée des familles et des amoureux de la nature, elle conserve néanmoins l'ambiance nonchalante des stations balnéaires avec ses rues bordées d'eucalyptus et la pittoresque chapelle Agios Nikolaos, dressée sur une étroite jetée rocheuse.

Située à l'embouchure de l'Almyros, Georgioupoli est un site de ponte pour les tortues caouannes, une espèce menacée. Les **marais** qui entourent le fleuve sont réputés pour leur avifaune, notamment les aigrettes et les martins-pêcheurs qui migrent en avril, ainsi que pour les hordes de moustiques en été. Le fleuve déverse ses eaux glacées près de la petite plage au nord du port, où une autre petite église, Agios Kyriakos, se tient au bout de la crique.

La longue et étroite bande de sable à l'est de la ville, coupée par un autre fleuve, se transforme en une belle plage qui se prolonge sur une dizaine de kilomètres vers Rethymnon.

Georgioupoli doit son nom au prince Georges, haut-commissaire de la Crète de 1898 à 1906, qui y possédait un pavillon de chasse. Appelée Amphimalla durant l'antiquité, elle était le port de l'ancienne Lappa.

La ville constitue une base pratique pour découvrir La Canée et Rethymnon.

Orientation et renseignements

Plusieurs agences de voyages, tavernes et DAB bordent l'artère principale, qui relie la nationale et le centre-ville. **Ballos Travel** (☎ 28250 83088 ; www.ballos.gr) vend des billets de bateau, organise des excursions, réserve des hébergements et loue des voitures. L'agence change des espèces, peut effectuer des transferts d'argent et vend des timbres – la boîte aux lettres est installée devant. Le **Planet Internet Cafe** (☎ 28250 61732 ; 3 €/h ; 🕑 9h-tard) se situe près de la place. Le site www.georgioupoli.net recense des hébergements et d'autres informations.

À voir et à faire

Yellowboat (6 €/h par pers) loue des pédalos et des canoës pour remonter le fleuve.

Si vous n'êtes pas motorisé, un **train touristique** (6 €) assure des circuits vers le lac Kournas voisin et Argyroupoli. **Zoraida's Horseriding** (☎ 28250 61745 ; www.zoraidas-horseriding.com) propose plusieurs excursions à cheval dans les environs, notamment sur la plage (30 €), et des promenades spéciales pour les enfants. **Adventure Bikes** (☎ 28250 61830 ; www.adventurebikes.org) loue des vélos et propose des circuits à vélo dans la région (35-56 €).

Où se loger

La plupart des grands hôtels sur la plage accueillent des touristes en voyage organisé.

Andy's Rooms (☎ 28250 61394 ; d 29,50 € ; studio 25-63 € ; ❄). À droite de l'artère principale, en face de l'église, cet établissement offre des chambres d'un bon rapport qualité/prix avec sol en marbre, moustiquaires, kitchenette, TV, ventilateur et grand balcon, ainsi que de grands appartements pour les familles.

Porto Kalivaki (☎ /fax 28250 61316 ; d 30-35 € ; ❄). Derrière une taverne sur la plage nord, plus isolée, des studios sans prétention sont répartis dans deux bâtiments. Des reconstitutions un peu kitch de l'Acropole et d'autres monuments parsèment le jardin.

Egeon (☎ 28250 61161 ; fax 28250 61171 ; studio 40 € ; ❄). Près du pont, Polly, une sympathique Gréco-Américaine, et son mari pêcheur proposent des chambres agréables, avec moustiquaires, mobilier récent et, pour certaines, kitchenette et TV.

Nicolas Hotel (☎ 28250 61375 ; nicolashotel@yahoo.gr ; d avec petit déj 55 € ; ❄). Dans l'artère principale à l'entrée de la ville, cet hôtel dispose de doubles joliment meublées de pin et dotées d'un coffre.

Apartments Sofia (☎ 28250 61325 ; www.river-side.gr ; studios d/qua 50/60 € ; ❄). Ce bâtiment saumon comprend des balcons donnant sur la mer et des chambres bien équipées avec kitchenette, lecteur CD et sèche-cheveux.

Où se restaurer

Poseidon Taverna (☎ 28250 61026 ; poisson 30-50 €/kg). Indiquée au bout d'une étroite ruelle sur la gauche à l'entrée de la ville, cette taverne prisée est tenue par une famille de pêcheurs. Faites votre choix parmi les poissons et les fruits de mer présentés sur le comptoir et savourez un excellent repas à l'ombre des mûriers dans la jolie cour.

Arolithos (☎ 28250 61406 ; spécialités grecques 5,50-7,70 €). Près du Andy's Rooms, un vaste choix d'entrées, de plats grecs traditionnels comme le *spetsofai* (ragoût de saucisses et de poivrons) et de recettes inventives, tel le poulet grillé avec une sauce à l'orange.

Bonne adresse pour le poisson, le **Fanis** (☎ 28250 61374 ; poisson et fruits de mer 5,50-8,50 €), au bord du fleuve, sert aussi des viandes et des plats crétois très corrects.

Pour une cuisine traditionnelle, vous pourrez aussi essayer le Zorba's ou le Konaki ; pour des grillades, rendez-vous au Plateia.

Où sortir

Georgioupoli n'est guère réputée pour ses bars. Le nouveau Tropicana Club, un grand établissement de deux étages sur la plage, devrait cependant mettre un peu d'animation. Titos est le bar le plus vivant de la grand-place.

Sur la plage, le vaste complexe de l'Edem Park possède une grande piscine ouverte au public. En été, il organise parfois des concerts de musique crétoise, de même que certains hôtels et tavernes.

Depuis/vers Georgioupoli

Les bus qui relient La Canée et Rethymnon marquent une halte sur la nationale, près de Georgioupoli.

LAC KOURNAS (LIMNI KOURNAS)
ΛΊΜΝΗ ΚΟΥΡΝΆΣ

À 4 km de Georgioupoli dans l'arrière-pays, le lac Kournas est un endroit charmant et paisible pour un déjeuner ou un après-midi de détente. Seul lac naturel de l'île, il est alimenté par des sources souterraines. Il mesure environ 1,5 km de diamètre, sur 45 m de profondeur. Une étroite bande de sable en fait le tour et on peut marcher le long de la rive sur les deux tiers. L'eau cristalline, propice à la baignade, change de couleur selon les saisons et les heures. Louez un **pédalo** ou un **canoë** (4 €/heure) pour voir les tortues, les crabes, les poissons et les serpents qui l'habitent. En plein été, les touristes affluent.

Plusieurs tavernes sont installées autour du lac et quelques-unes louent des chambres. **To Mati tis Limnis** (☎ 28250 61695 ; plats 5,50-7 €), une taverne ombragée à l'extrémité la plus calme du lac, prépare de bons plats traditionnels comme le lapin *stifado* (braisé avec des oignons) ou les roboratives *mizythropites* (tourtes au fromage).

Vous pourrez essayer l'**Omorfi Limni** (☎ 28250 61665), à l'autre bout de la rangée de restaurants, ou prendre un verre en profitant de la vue sur le lac et la mer à l'**Empire Cafe** (☎ 28250 83008), au surprenant décor amérindien.

Du lac, une grimpée ardue de 5 km mène à **Kournas**, un village traditionnel de maisons chaulées, avec quelques demeures de pierre et deux *kafeneia*. Vous savourerez un repas délicieux à la **Kali Kardia Taverna** (☎ 28250 96278 ; grillades 5 €), dans la rue principale. Kostas Agapinakis, le propriétaire, est renommé pour ses saucisses (primées), son excellent *apaki* (porc fumé) et ses viandes cuites sur le gril devant la taverne. Avec un peu de chance, vous dégusterez son succulent *galaktoboureko* (pâtisserie à la crème) encore tiède.

À l'entrée du village, Kostas Tsakalakis possède une belle **boutique de céramiques** (☎ 28250 96434 ; 9h-20h30) ; il utilise de l'argile locale et des vernis spéciaux sans plomb. Le choix est immense et les prix, très raisonnables.

Un petit train touristique relie Georgioupoli et le lac Kournas en été. Le lac n'est pas desservi par les transports publics.

KALYVES (KALIVES) ΚΑΛΎΒΕΣ

1 408 habitants

À 18 km à l'est de La Canée dans la baie de Souda, Kalyves est un ancien village agricole reconverti en station balnéaire, la plus importante de la presqu'île d'Apokoronas. Il s'est transformé en une sorte d'enclave étrangère, largement britannique, grâce au boom de la construction de maisons de vacances dans la région. Dotée d'une longue plage de sable, la localité conserve une ambiance villageoise assez détendue.

Une poste et un DAB sont installés dans l'artère principale. **Flisvos** (☎ 28250 31337 ; www.flisvos.com ; 8h30-13h30 et 17h30-22h) loue des voitures et des vélos. Le **Floppy Cafe** (8h-22h ; 3 €/h) propose un accès haut débit à Internet, des webcams et des glaces.

Où se loger et se restaurer

La plupart des *domatia* privées se regroupent à l'extrémité ouest du village.

Thamiris (☎ 28250 31637 ; www.thamiris.georgioupoli.net ; studio/app 25-60 € ;). Cette adresse accueillante, juste avant le pont, propose un choix de chambres confortables et de studios équipés, répartis dans deux complexes bien tenus, ainsi que deux jolis studios plus isolés sur la plage, à côté de la taverne Piperia. Service de ménage quotidien.

Maria (☎ 28250 31748 ; ch 35 € ;). Maria offre des petites chambres avec kitchenette et vue sur la mer. À l'entrée du village, repérez le cygne géant en face du supermarché.

Piperia (☎ 28250 31245 ; plats 6,50-7 €). Sur la plage juste avant le village, cette taverne est l'une des meilleures de Kalyves, grâce à un beau choix de spécialités crétoises et de poissons. Sur la carte figurent des plats confectionnés avec des produits bio, dont une salade grecque exceptionnelle.

Vous pouvez également essayer le Provlita, un établissement réputé sur le front de mer, ou le Gialos, à l'autre bout de la plage. Dans le centre de Kalyves, faites un tour à l'Old Bakery pour ses délicieux gâteaux et ses pains et biscuits maison.

Depuis/vers Kalyves

Sept bus circulent quotidiennement entre La Canée et Kalyves (2,10 €, 20 min).

ALMYRIDA (ALMIRIDA) ΑΛΜΥΡΊΔΑ

119 habitants

À 4 km à l'est de Kalyves, l'ancien village de pêcheurs d'Almyrida est bien moins développé que son voisin, mais suit le même chemin. Il reste plaisant pour un court séjour et convient mieux aux voyageurs indépendants que Kalyves. Les véliplanchistes apprécient la longue plage venteuse. Les amateurs d'histoire pourront découvrir les vestiges d'une ancienne **basilique chrétienne** à l'extrême ouest.

Une rue traverse le village et longe la plage. Vous trouverez un DAB et pourrez consulter vos mails chez **Internet Services** (11h-21h). **Flisvos Tours** (☎/fax 28250 31100 ; 8h-13h30 et 17h-21h30), près de l'artère principale, loue des voitures, des scooters et des VTT. **UCPA Sports** (☎ 28250 31443 ; www.ucpa.com), tenu par des Français, organise des cours de planche à voile (8 €/heure) et loue des catamarans et des kayaks. **Dream Adventure Trips** (☎ 6944 357 383) offre des excursions en vedette avec natation et snorkeling dans des grottes et des criques, ainsi qu'à la plage de Marathi (15 €).

Où se loger et se restaurer

Almyrida Beach Hotel (☎ 28250 32284 ; www.almyridabeach.com ; s et d avec petit déj 90-130 € ;). Cet hôtel occupe 2 bâtiments en face de la plage et comprend une piscine. Une aile

EXCURSION : KOUMOS

L'une des curiosités les plus insolites de la région d'Apokoronas est sans conteste **Koumos** (☎ 28250 32256 ; ⏰ 10h-tard), un vaste ensemble de structures en pierre construites par un habitant, Iorgos Havaledakis. Ce dernier a passé des années à ramasser des pierres, des galets et des rochers de toutes tailles, formes et couleurs dans les montagnes environnantes pour édifier cet étrange taverne et *kafeneio* à ciel ouvert. Le domaine, qui rappelle l'œuvre du facteur Cheval, comprend une église, des ponts, des arcs, des sculptures, des lampadaires et même des sanitaires.

moderne blanc et gris renferme des chambres et des suites (à partir de 120 €).

Rooms Marilena (☎ 28250 32202 ; d 25 €). Plus prisées des travailleurs saisonniers que des véliplanchistes, ces petites chambres correctes sont équipées d'un ventilateur au plafond, d'un réfrigérateur et d'un réchaud électrique sur demande. Elles sont installées derrière la station de planche à voile.

Psaros (☎ 28250 31401 ; plats 6-10 €). Bien située au bout de la plage, avec un décor bleu et blanc classique, cette taverne sympathique propose du poisson frais. Le **Lagos** (☎ 28250 31654), doté d'une jolie terrasse ombragée à l'entrée du village, est recommandé pour sa cuisine traditionnelle, et la taverne familiale de **Dimitri** (☎ 28250 31303), pour l'agréable service et les produits provenant de sa ferme.

PLAKA ΠΛΆΚΑ

279 habitants

D'Almyrida, une jolie route mène au village de Plaka, malheureusement touché lui aussi par la frénésie de construction de maisons de vacances toutes similaires. À l'écart de la côte et autour de la place principale ombragée d'eucalyptus, les ruelles sinueuses et les basses maisons blanches semblent à mille lieues de l'agitation touristique. Le village compte quelques tavernes, qui jouissent d'une vue superbe sur la mer.

Eva Papadomanolakos, propriétaire des **Studios Koukourou** (☎ 28250 31145 ; fax 28250 31879 ; studio 35 € ; ❄), réussit à préserver une chaleureuse ambiance crétoise dans ses chambres impeccables, avec kitchenette. Des fleurs et des plantes tropicales décorent l'établissement et le jardin sur le toit offre une vue panoramique sur la côte. Les studios sont bien signalés à l'entrée du village.

APTERA ΑΠΤΕΡΑ

Les ruines de l'ancienne cité d'**Aptera** (⏰ 8h-15h tlj sauf lun), à 3 km à l'ouest de Kalyves, s'étendent sur deux collines qui dominent la baie de Souda. Fondée au VIIe siècle av. J.-C., Aptera était l'une des plus importantes cités-États de Crète occidentale et fut continuellement habitée jusqu'à sa destruction par un tremblement de terre au VIIe siècle av. J.-C.

Elle revint à la vie avec la reconquête byzantine de la Crète au Xe siècle, et devint un évêché. Le monastère de Saint-Jean-le-Théologien fut construit au XIIe siècle ; aujourd'hui rebâti, il se trouve au centre du site.

Les fouilles continuent et ont récemment mis au jour les vestiges d'une tour fortifiée, une porte et un épais rempart qui entourait Aptera. On peut également voir des citernes romaines et un temple grec du IIe siècle av. J.-C. À l'extrémité ouest, une forteresse turque bâtie en 1872 domine la baie de Souda. Elle faisait partie d'un vaste projet de construction de forteresses alors que les Crétois étaient en état d'insurrection quasi permanent. Remarquez le "Mur des inscriptions", qui faisait sans doute partie d'un important édifice public et fut excavé en 1862 par des archéologues français. Le ministère de la Culture grec œuvre pour la restauration du site.

Aptera n'est pas desservie par les transports publics.

VAMOS ΒΆΜΟΣ

643 habitants

Ce village du XIIe siècle, à 26 km au sud-est de La Canée, fut la capitale de la province de Sfakia de 1867 à 1913 et le théâtre d'une révolte contre la domination turque en 1896. Valos est aujourd'hui la capitale de la province d'Apokoronas. En 1995, un groupe de villageois s'est formé pour préserver le mode de vie traditionnel. Ensemble, ils ont persuadé l'UE de financer un projet de présentation des produits et des métiers de la région, afin de développer une nouvelle forme de tourisme en Crète. Ils ont restauré les anciennes bâtisses de pierre du village avec des techniques et des matériaux traditionnels pour les transformer en pensions, et ont ouvert des magasins et des cafés où les visiteurs peuvent déguster les produits régionaux. Cette opération s'est développée et prédomine dans le village, qui invite à une halte et constitue une base plaisante pour explorer la région. Bien que l'authenticité du village soit exagérée, Vamos reste l'un des meilleurs exemples de ce style de tourisme alternatif.

Fin mars ou début avril, Vamos célèbre **Hohliovradia** (la nuit des Escargots) avec un festin d'escargots, arrosé de vin et de raki.

L'**office du tourisme de Vamos** (☎/fax 28250 23251 ; www.vamossa.gr ; 🕓 9h-21h en été) loue des voitures, réserve des excursions et organise des cours de cuisine crétoise dans un pressoir à olives restauré. Il propose des hébergements dans plusieurs **pensions traditionnelles** (cottage 75-120 €), des maisonnettes de pierre joliment restaurées, avec cuisine, cheminée et TV. La plupart accueillent jusqu'à 4 personnes ; certaines sont plus grandes et disposent d'une piscine.

Vieille taverne en pierre, **I Sterna tou Bloumosifi** (☎ 28250 22932 ; plats 5-9,80 €) possède une cour verdoyante et est réputée pour sa cuisine crétoise. Commencez par un *gavro* (anchois doux) dans des feuilles de vigne ou des champignons à l'ail et aux herbes, et continuez avec des *hilopita* (tagliatelles) au coq.

Autre bonne adresse, le discret **Liakoto** (☎ 28250 23251), un café-bar doublé d'une galerie d'art, possède une terrasse charmante qui domine la mer et les montagnes. À côté, vous pourrez acheter du raki, des herbes, de l'huile bio et d'autres produits locaux au **Myrovolo Wine Store & General Store** (☎ 28250 22996).

Six bus circulent quotidiennement entre La Canée et Vamos (2,80 €, 45 min).

ENVIRONS DE VAMOS

Le village de **Gavalohori**, à 25 km au sud-est de La Canée, constitue une étape agréable. Principale attraction, le **musée du Folklore** (☎ 28250 23222 ; 2 € ; 🕓 9h-20h tlj sauf dim, 11h-18h dim) est installé dans un bâtiment rénové, construit pendant la domination vénitienne et agrandi par les Turcs. Les collections, bien expliquées en anglais, comprennent des poteries, des tissages, des sculptures sur bois ou sur pierre et d'autres objets crétois, comme les belles *kapaneli* (dentelles de soie finement ouvragées). Une section historique retrace les luttes locales pour l'indépendance.

Des panneaux indiquent les **puits byzantins**, les **arcades vénitiennes** et les **tombes romaines** à 1,5 km au-dessus du village.

La **Coopérative des femmes** (☎/fax 28250 22038 ; 🕓 10h-22h avr-oct), sur la place principale, vend quelques pièces de *kapaneli*, fabriquées par des villageoises. On peut habituellement voir des dentellières à l'œuvre. Pour une dentelle de qualité, comptez de 15 à 1 500 €, selon la taille.

VRYSES (VRISSÈS) ΒΡΎΣΕΣ

848 habitants

La plupart des visiteurs ne font que traverser Vryses, à 30 km au sud-est de La Canée, sur la route de la côte sud. Ce joli village constitue une halte agréable pour un déjeuner au bord de l'une des deux rivières qui le traversent (la Voutakas et la Vrysanos). Des tavernes sont installées sous les platanes géants des berges. Vryses est un centre marchand pour les produits agricoles de la région. Les Grecs s'y arrêtent souvent pour acheter du yaourt et du miel, les spécialités locales. Un monument commémorant l'indépendance de la Crète se dresse au centre du village.

Laissez-vous tenter par l'odeur alléchante de l'agneau et des autres viandes qui rôtissent à la broche devant la **Taverna Progoulis** (☎ 28250 51086 ; grillades 4,50-6 €) et installez-vous à une table sous les arbres.

Près du carrefour dans le centre du village, le modeste **Vryses Way** (☎ 28250 51705) sert d'excellents *gyros*, des *sfakianes pittes* (crêpes traditionnelles) et du yaourt au miel.

Les bus qui relient La Canée et Hora Sfakion font halte à Vryses (3,50 €, 30 min).

Rethymnon (Rethymno) Ρεθυμνο

Le nome de Rethymnon, le moins étendu et le plus montagneux de l'île, englobe le plus haut pic de Crète, le mont Psiloritis (mont Ida), à l'est. Sa situation centrale en fait une bonne base pour visiter les grands sites crétois et avoir un aperçu de ce que ce territoire a à offrir. Sans rivaliser avec La Canée et Héraklion, la région ne manque pas d'attrait.

Cette préfecture se présente comme le centre culturel de l'île, grâce à une riche tradition musicale et à son rôle dans la Renaissance crétoise. La vieille ville de Rethymnon est un véritable trésor architectural, avec sa forteresse, son port vénitien et ses rues bordées de maisons vénitiennes et turques. À l'est de la ville s'étend la plus longue plage de sable de l'île, jalonnée d'une succession de grands complexes hôteliers, tandis que plus loin, vers Héraklion, se tiennent les petites stations balnéaires de Panormos et de Bali.

L'arrière-pays abrite les minuscules hameaux agricoles de la vallée d'Amari, la ville d'Anogia, célèbre pour ses musiciens et ses mariages tumultueux, et le village de potiers de Margarítes. Les voyageurs en route vers le sud s'arrêtent à Spili pour boire l'eau de la fontaine vénitienne ornée de têtes de lions. Autour des sources d'Argyroupoli, les tavernes offrent un refuge contre la chaleur estivale.

Le nome de Rethymnon compte trois grottes célèbres – celles de Melidoni, de Zoniana et de l'Ida, au Psiloritis, où Zeus aurait grandi. Sur la côte sud, les stations d'Agia Galini et de Plakias attirent une clientèle fidèle, alors que plus loin, à l'ouest, les falaises accidentées sont ourlées de plages préservées qui comptent parmi les plus belles de l'île. La région possède aussi deux des plus importants monastères crétois – le Moni Arkadiou, au nord, et le Moni Preveli, dominant la mer de Libye.

À NE PAS MANQUER

- Une promenade dans les ruelles du **vieux quartier turco-vénitien** de Rethymnon (p. 123)
- Un moment de détente près des sources d'**Argyroupoli** (p. 129)
- La découverte des plages préservées de la côte sud, de **Preveli** (p. 140) à **Agios Pavlos** (p. 141)
- Les stations balnéaires du littoral nord, **Bali** (p. 143) et **Panormos** (p. 143)
- La visite du **Moni Preveli** (p. 139)
- Un concert de *mantinades* (petits poèmes en musique) au clair de lune, à **Anogia** (p. 135)

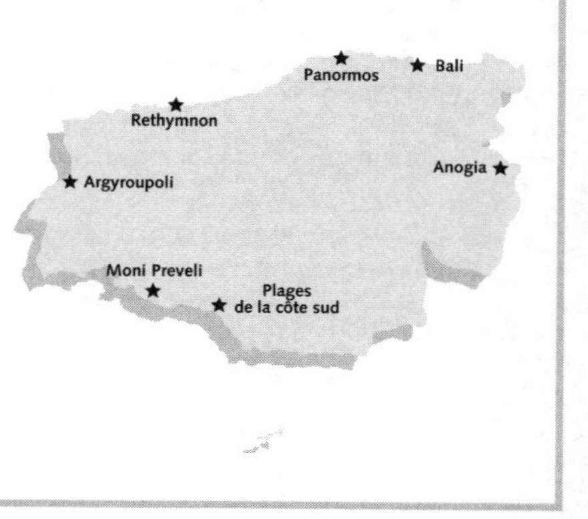

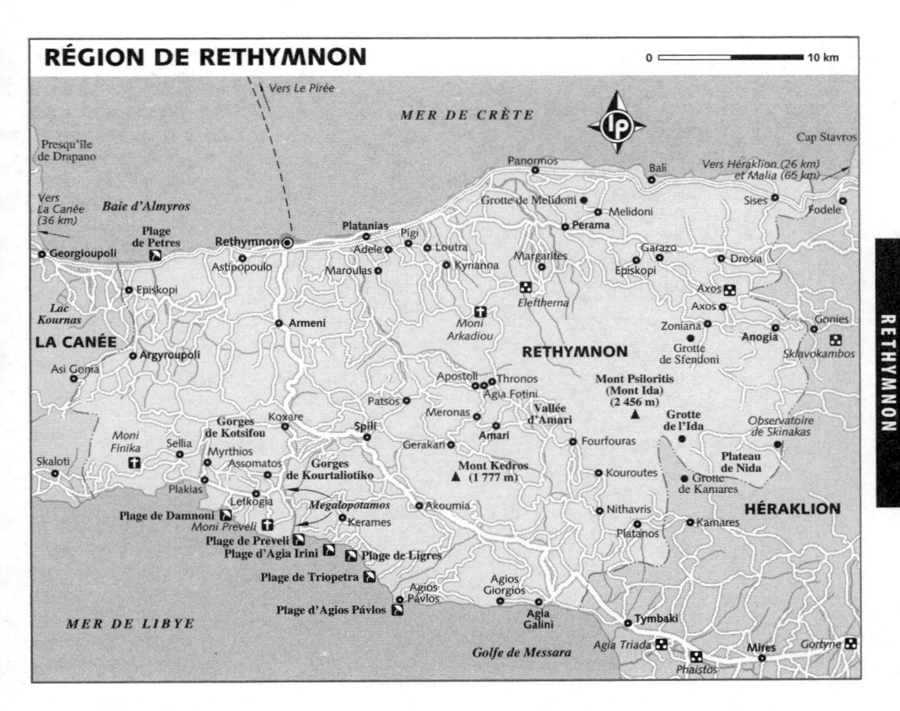

RETHYMNON (RETHYMNO) ΡΕΘΥΜΝΟ

28 959 habitants

Rethymnon est la troisième plus grande ville de Crète et l'une des plus pittoresques, avec son charmant port vénitien et son ravissant quartier turco-vénitien.

Ce vieux quartier est un dédale de ruelles bordées d'auvents fleuris, de maisons aux gracieux balcons de bois et de monuments au décor vénitien. Plusieurs minarets ajoutent une touche orientale. Si l'architecture évoque La Canée (Khaniá), Rethymnon possède un caractère bien à elle.

HISTOIRE

Rethymnon signifie "cours d'eau". Certains objets exposés au Musée archéologique indiquent que le site est occupé depuis le Minoen récent. Aux IIIe et IVe siècles av. J.-C., l'ancienne Rithymna était un État autonome suffisamment puissant pour battre sa propre monnaie. Elle s'étendait sans doute au pied de la colline de Palekastro, mais ses vestiges n'ont jamais été mis au jour, bien qu'on ait retrouvé des mosaïques romaines plus tardives sous la ville moderne.

Les Vénitiens, qui régnèrent de 1210 à 1645, firent de la ville, rebaptisée Castel Vecchio, un centre d'exportation du vin et de l'huile, un foyer artistique et la capitale d'une préfecture. Ils construisirent le port et commencèrent à fortifier la cité au XVIe siècle pour la protéger des Turcs. Michele Sanmicheli, le meilleur architecte militaire de son temps, dessina les épaisses murailles extérieures, dont seule subsiste aujourd'hui la Porta Guora. Les remparts n'empêchèrent pas le pirate Barberousse de mettre la ville à sac en 1538.

Les Vénitiens édifièrent alors une puissante forteresse sur la colline, qui fut pourtant incapable de résister à l'attaque turque de 1646 et s'effondra après 22 jours de siège. Sous les Turcs, Rethymnon, alors un important siège du gouvernement, fut également le centre de la résistance à la domination étrangère. Cette combativité persista malgré les représailles infligées à la ville pour son rôle dans l'insurrection de 1821.

Les forces turques maintinrent leur domination jusqu'en 1897, puis la ville passa aux mains des Russes lors de l'occupation de la Crète par les grandes puissances. Après l'arrivée en 1923 de nombreux réfugiés de Smyrne (actuelle Izmir, en Turquie), Rethymnon devint un foyer artistique et intellectuel.

Aujourd'hui, la ville abrite un campus de l'université de Crète, dont les étudiants garantissent une animation constante même en dehors de la saison touristique.

ORIENTATION

Rethymnon est peu étendue, et les sites principaux, les hôtels et les restaurants se concentrent à proximité du vieux port vénitien. De nombreuses rues de la vieille ville sont piétonnes et se garer peut être très difficile : mieux vaut laisser sa voiture dans l'un des parkings (voir carte p. 124).

Le vieux quartier occupe le promontoire au nord de la rue Dimakopoulou, qui court de la Plateia Vardinogianni, à l'ouest, jusqu'à la Plateia Iroön, à l'est. C'est là que sont regroupés les hôtels et restaurants pittoresques. Les banques et les services sont installés au sud, à la périphérie de la ville nouvelle.

La plage s'étend à l'est, non loin du port vénitien. À un pâté de maisons derrière le front de mer s'étire Arkadiou, la grande rue commerçante.

Les bus vous déposeront à la gare routière, assez mal située, à 600 m à l'ouest de la Porta Guora, l'ancienne porte de la vieille ville. Si vous arrivez par le ferry, le vieux quartier se trouve au bout du quai.

RENSEIGNEMENTS

Accès Internet

Cybernet (Kallergi 44-46 ; 3 €/h ; ⌚ 10h-5h)
Galero (☎ 28310 54345 ; Plateia Rimondi ; 3 €/h ; ⌚ 6h-tard)

Agence de voyages

Ellotia Tours (☎ 28310 24533 ; www.rethymnoatcrete.com ; Arkadiou 155 ; ⌚ 9h-21h mars-nov). Très pratique, s'occupe des billets de bateau et d'avion, change les devises, loue voitures et motos et réserve des excursions.

Argent

Alpha Bank (Pavlou Koundouriotou 29). Guichet de change automatique 24h/24 et DAB.
Banque nationale de Grèce (Dimokratias). De l'autre côté de la place par rapport à l'hôtel de ville.
Banque nationale d'hypothèque (National Mortgage Bank). À côté de l'hôtel de ville. Guichet de change automatique 24h/24 et DAB.

Consigne

KTEL (☎ 28310 22659 ; angle Kefalogiannidon et Igoumenou Gavriil). Dans la gare routière (1,50 €/jour).

Laverie

Laundry Mat (☎ 28310 29722 ; Tombazi 45 ; lavage et séchage 9 € ; ⌚ 8h30-14h et 17h30-21h lun-ven, 8h30-14h15 sam). À côté de l'auberge de jeunesse.

Librairies

Librairie Mediterraneo (☎ 28310 23417 ; Mavrokordatou 2). Livres en anglais, guides de voyage et presse étrangère.
Librairie Ilias Spondidakis (☎ 28310 54307 ; Souliou 43). Romans en anglais, ouvrages sur la Grèce, cassettes de musique grecque et quelques livres d'occasion.
Xenos Typos (☎ 28310 29405 ; Ethnikis Antistaseos 21). Journaux étrangers, guides de voyage et cartes.

Offices du tourisme

Office du tourisme municipal (☎ 28310 29148 ; bât. Delfini, Eleftheriou Venizelou ; ⌚ 8h30-20h30 lun-ven, 9h-20h30 sam-dim mars-nov)
Office du tourisme de la préfecture (☎ 28310 25571 ; www.rethymnon.gr ; Dimokratias 1 ; ⌚ 7h30-15h lun-ven)

Poste

Poste (☎ 28310 22303 ; Moatsou 21 ; ⌚ 7h-19h lun-ven)

Services médicaux

Hôpital de Rethymnon (☎ 28210 27491 ; Triandalydou 17 ; ⌚ 24h/24)

Toilettes

Vous trouverez des toilettes publiques correctes près du port vénitien, à deux pas d'Arkadiou.

Urgences

Police touristique (☎ 28310 28156 ; bât. Delfini, Eleftheriou Venizelou ; ⌚ 7h-14h30). Dans le même bâtiment que l'office du tourisme municipal.

À VOIR

Érigée au XVIe siècle, la **forteresse** (fortezza ; ☎ 28310 28101 ; colline de Palekastro ; 3,10 € ; ⌚ 8h-20h juin-oct) occupe le site de l'ancienne acropole. Ses puissants remparts englobaient autrefois un grand nombre d'édifices, dont ne subsistent aujourd'hui qu'une église et une mosquée. Les ruines rendent néanmoins la visite intéressante, de même que le panorama qui s'ouvre depuis les remparts. La porte principale est en face du Musée archéologique, du côté est ; il existait jadis deux autres portes, à l'ouest et au nord, pour le passage des vivres et des munitions. En été, le site accueille les concerts du festival Renaissance (p. 125).

Le minuscule **port vénitien** est bordé de tavernes de poisson et de cafés devant lesquels attendent des rabatteurs. Pour s'imprégner de l'atmosphère, le mieux est de se promener le long des vieilles murailles et des bateaux de pêche jusqu'au **phare**, bâti par les Turcs.

Le petit **Musée archéologique** (☎ 28310 54668 ; 3 € ; 🕑 8h30-15h tlj sauf lun), près de l'entrée de la forteresse, était autrefois une prison. Légendés en anglais, les objets comprennent des outils du néolithique, des poteries minoennes provenant des tombeaux avoisinants, des figurines mycéniennes, un relief d'Aphrodite du Ier siècle et une importante collection de pièces de monnaie. De superbes exemples de verre soufflé de l'ère classique sont aussi exposés. Plusieurs présentations montrent les fouilles archéologiques réalisées dans la région. Le **musée d'Histoire et d'Art populaire** (☎ 28310 23398 ; Vernardou 28-30 ; 3 € ; 🕑 9h30-14h30 tlj sauf dim), dans un charmant bâtiment vénitien, offre un excellent aperçu de la vie rurale grâce à ses collections de vêtements, de paniers, de tissus et d'outils agricoles, assortis d'intéressants panneaux explicatifs.

Le plus beau témoignage de la domination vénitienne reste la **fontaine de Rimondi**, avec ses têtes de lions crachant de l'eau et ses chapiteaux corinthiens, élevée en 1588 puis reconstruite en 1626 par un recteur de la ville, Alvise Rimondi. Autre monument de premier plan, la **loggia** du XVIe siècle, autrefois lieu de rendez-vous de la noblesse vénitienne, est devenue une boutique de musée vendant des reproductions de qualité.

À l'extrémité sud de la rue Ethnikis Antistaseos se dresse la **Porta Guora** (Grande Porte), un vestige bien préservé du mur d'enceinte. Elle était jadis surmontée du symbole de Venise, le lion de Saint-Marc, aujourd'hui conservé au Musée archéologique. Autour de la Porta Guora s'étend un réseau de rues tracées par les Vénitiens, puis reconstruites par les Turcs. Le **centre d'Art byzantin** (☎ 28210 50120 ; Ethnikis Antistaseos ; 🕑 10h-14h et 19h-tard), dans une sublime demeure turco-vénitienne, renferme des expositions, des ateliers et un café en plein air offrant une vue magnifique sur la vieille ville. Les legs de la domination turque dans le vieux quartier comportent aussi la **mosquée Kara Musa Pasha**, avec sa fontaine voûtée, et la **mosquée Nerantzes**. Cette dernière, ancienne église franciscaine transformée en mosquée en 1657, abrite le **Conservatoire hellénique** (☎ 28310 22724 ; Vernadou 1 ; 🕑 fermé en août), où ont lieu des concerts et des récitals. On vous laissera volontiers jeter un coup d'œil au bâtiment. Le minaret de 1890 était en cours de restauration lors de notre passage.

La **Galerie d'art municipale** (☎ /fax 28310 52530 ; Himaras 5 et Melissinou ; 🕑 9h-14h mar-dim, 17h-21h mer), près de la forteresse, présente une exposition permanente d'œuvres du peintre Lefteris Kanakakis, un enfant de la ville, et d'artistes grecs contemporains (depuis 1950). Elle fait partie du **Centre d'art contemporain** (www.rca.gr ; 🕑 9h-13h et 19h-22h mar-ven, 11h-15h sam-dim), qui accueille des expositions temporaires. Le plaisant **parc municipal** permet d'échapper à la chaleur et à la foule.

À FAIRE

Randonnée

Happy Walker (☎ /fax 28310 52920 ; www.happywalker.com ; Tombazi 56 ; 🕑 17h-20h30) organise des excursions dans les environs, notamment des séjours de randonnée complets.

Le Club alpin grec **EOS** (☎ 28310 57766 ; www.eos.rethymnon.com ; Dimokratias 12 ; 🕑 8h30-22h30) donne des renseignements sur la région.

Vélo

Amoureux de la petite reine et champion des Jeux paralympiques, **Odyseas the Cyclist** (☎ /fax 28310 58178 ; odyseasthecyclist@hotmail.com ; Velouhioti 31) propose de courts circuits guidés, notamment des excursions d'une demi-journée à Arkadi, à Margarítes et à Argyroupoli (40 €) et des sorties d'une journée à Preveli (60 €). Il loue des vélos de marque et organise des circuits sur mesure pour les handicapés.

Plongée

Le **centre de plongée Paradise** (☎ 2831 026 317 ; www.diving-center.gr) offre des activités et des cours PADI pour tous niveaux depuis sa base située à Petres, à 15 minutes à l'ouest de Rethymnon. Le **centre de plongée Kalypso Rock's Palace** (☎ 28310 20990 ; www.kalypsodivingcenter.com ; Eleftheriou Venizelou 42) propose également des plongées, essentiellement à Plakias (carte p. 121), sur la côte sud.

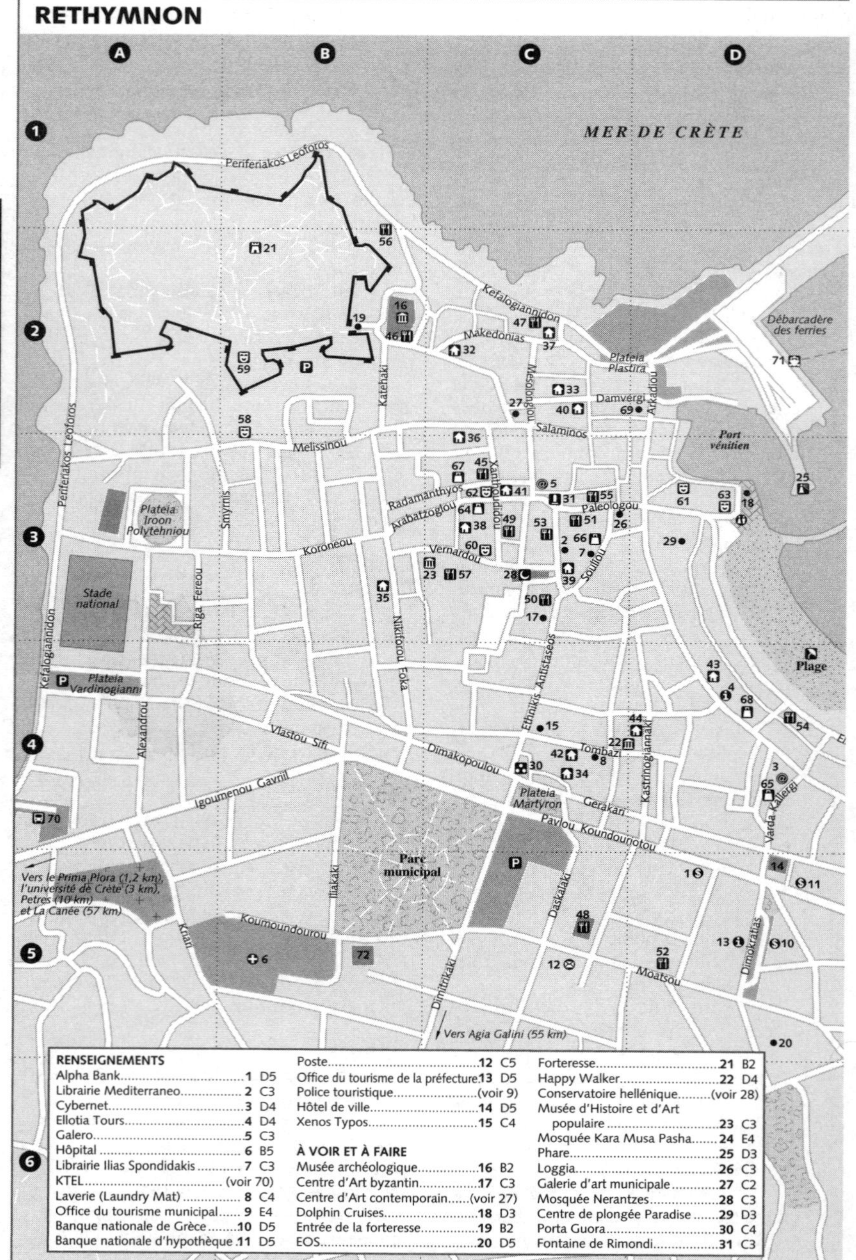
RETHYMNON
A
B
C
D
1
2
3
4
5
6
MER DE CRÈTE
Periferiakos Leoforos
Kefalogiannidon
Makedonias
Mesolongiou
Katehaki
Plateia Plastira
Arkadiou
Damvergi
Salaminos
Melissinou
Débarcadère des ferries
Port vénitien
Radamanthyos
Arabatzoglou
Xanthoudidou
Paleologou
Koroneou
Vernardou
Souliou
Smyrnis
Plateia Iroon Polytehniou
Stade national
Riga Fereou
Nikiforou Foka
Ethnikis Antistaseos
Plateia Vardinogianni
Alexandrou
Vlastou Sifi
Dimakopoulou
Tombazi
Kastrinogiannaki
Igoumenou Gavriil
Plateia Martyron
Gerakari
Pavlou Koundouriotou
Varda Kallergi
Plage
Parc municipal
Iliakaki
Daskalaki
Dimitrakaki
Koumoundourou
Kriari
Moatsou
Dimokratias
Vers le Prima Plora (1,2 km), l'université de Crète (3 km), Petres (10 km) et La Canée (57 km)
Vers Agia Galini (55 km)
RENSEIGNEMENTS
Alphа Bank 1 D5
Librairie Mediterraneo 2 C3
Cybernet 3 D4
Ellotia Tours 4 D4
Galero 5 C3
Hôpital 6 B5
Librairie Ilias Spondidakis 7 C3
KTEL (voir 70)
Laverie (Laundry Mat) 8 C4
Office du tourisme municipal 9 E4
Banque nationale de Grèce 10 D5
Banque nationale d'hypothèque 11 D5
Poste 12 C5
Office du tourisme de la préfecture 13 D5
Police touristique (voir 9)
Hôtel de ville 14 D5
Xenos Typos 15 C4
À VOIR ET À FAIRE
Musée archéologique 16 B2
Centre d'Art byzantin 17 C3
Centre d'Art contemporain (voir 27)
Dolphin Cruises 18 D3
Entrée de la forteresse 19 B2
EOS 20 D5
Forteresse 21 B2
Happy Walker 22 D4
Conservatoire hellénique (voir 28)
Musée d'Histoire et d'Art populaire 23 C3
Mosquée Kara Musa Pasha 24 E4
Phare 25 D3
Loggia 26 C3
Galerie d'art municipale 27 C2
Mosquée Nerantzes 28 C3
Centre de plongée Paradise 29 D3
Porta Guora 30 C4
Fontaine de Rimondi 31 C3

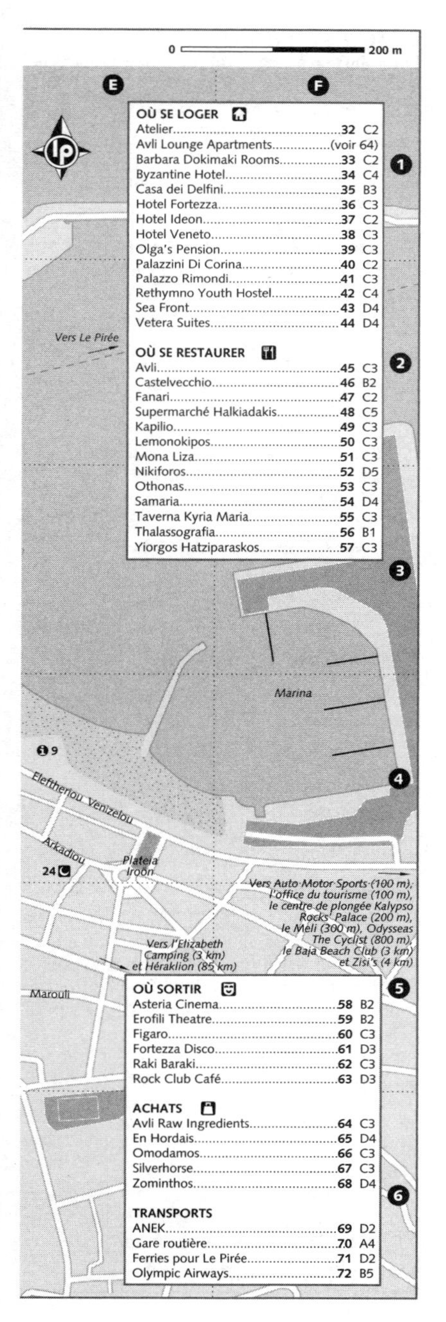

CIRCUITS ORGANISÉS

Sur le port, plusieurs sociétés organisent des excursions en bateau, notamment **Dolphin Cruises** (☎2831 057 666), qui offre des circuits de 3 heures en "bateau pirate" vers les grottes voisines, Panormos et Bali (adulte/moins de 12 ans 25/12 €), des excursions d'une journée à la plage de Marathi (34/17 €) et des parties de pêche sur une vedette (25 €).

Les agences de voyages vendent des excursions en bus dans les grands sites touristiques, comme les gorges de Samaria (28 €), Elafonissi (26 €) et Gramvoussa (24 €). Le prix ne comprend pas les droits d'entrée dans les sites ni les billets de bateau.

FÊTES ET FESTIVALS

Principale manifestation culturelle, le **festival Renaissance** (☎28310 51199 ; www.rfr.gr), organisé tous les ans de juillet à septembre, se déroule essentiellement au **théâtre Erofili**, dans la forteresse, et permet d'applaudir les grandes compagnies de théâtre grecques, ainsi que des troupes de danse, de musique et de théâtre de toute l'Europe. L'accent est mis sur les auteurs dramatiques étrangers autant que crétois. Le programme et les billets sont disponibles à l'**hôtel de ville** (☎28310 88279 ; 9h-13h30 lun-ven) ; on peut aussi se présenter au théâtre Erofili une heure avant le spectacle.

Presque tous les ans, une **fête du Vin** se tient à la mi-juillet dans le parc municipal : une bonne occasion de découvrir le vin et la gastronomie locale. Renseignez-vous à l'office du tourisme. Rethymnon est également connue pour son **carnaval** (http://carnival-in-rethymnon-crete-greece.com), célébré généralement en janvier ou février, et qui donne lieu à trois semaines de festivités avant le carême : bals costumés, jeux, chasses au trésor et défilé dans les rues.

OÙ SE LOGER

La vieille ville dissimule des demeures restaurées, des hôtels de charme et des pensions accueillantes pour tous les budgets. Beaucoup restent ouverts toute l'année. À l'est s'étend une suite ininterrompue d'hôtels et de complexes de vacances.

Petits budgets

Elizabeth Camping (☎28310 28694 ; www.camping-elizabeth.com ; 6,54 €/pers, petite/grande tente 4,85/5,65 €). Près de la plage de Mysiria, le camping le plus proche, à 3 km à l'est de Rethymnon. Taverne, snack-bar, supérette, réfrigérateur commun, chaises longues et parasols gratuits ; barbecue sur la plage toutes les semaines. Le bus d'Héraklion s'y arrête.

Youth Hostel Rethymnon (☎ 28310 22848 ; www.yhrethymno.com ; Tombazi 41 ; dort avec sdb commune 9 € ; 💻). Une sympathique auberge de jeunesse bien tenue, avec douches chaudes gratuites. Petit déj à partir de 2 € et bar le soir. Pas de restriction d'horaires. Ouverte toute l'année.

Barbara Dokimaki Rooms (☎ 28310 24581 ; alicedok@yahoo.com ; Damvergi 14 ; s 30 €, d 45-60 €, tr 70 € ; ❄). Bien située, cette adresse se cache dans un bâtiment vénitien doté d'un nouvel étage moderne et d'une cour agréable. Chambres sans prétention, avec du parquet, quelques éléments d'époque, la TV et une sdb vieillotte mais fonctionnelle.

Sea Front (☎ 28310 51981 ; Arkadiou 159 ; d 35-45 € ; ❄). Jouissant d'un emplacement pratique, sur la plage, cette pension comporte de plaisantes chambres pour les budgets modérés, avec parquet et réfrigérateur. Elle propose aussi d'agréables studios plus près de la plage municipale, avec vue sur la mer et ventilateur, et d'autres chambres dans un bâtiment voisin.

Atelier (☎ 28310 24440 ; atelier@ret.forth net.gr ; Himaras 27 ; d 35-45 €). L'un des meilleurs rapports qualité/prix de la ville. Ces chambres propres et rénovées, adjacentes à un atelier de potier et gérées, ainsi que ce dernier, par Froso Bora, offrent des murs aux pierres apparentes, de nombreux détails architecturaux vénitiens, une TV à écran plat, une sdb neuve et une kitchenette.

Olga's Pension (☎ 28310 28665 ; Souliou 57 ; s/d/tr 35/45/65 €). Une pension accueillante, dans la touristique et pittoresque Souliou. Elle dégage un charme fané, avec son décor original et son réseau de terrasses débordant de fleurs et de plantes qui relient des chambres vieillottes colorées. La plupart ont un réfrigérateur, une TV, un ventilateur et une sdb basique. Le prix comprend le petit déj, servi au rdc.

Byzantine Hotel (☎ 28310 55609 ; Vosporou 26 ; d avec petit déj 45 €). Ce petit hôtel d'un excellent rapport qualité/prix, dans une vieille bâtisse près de la Porta Guora, a conservé une atmosphère traditionnelle. Les chambres décorées simplement, avec des meubles en bois sculpté, sont dotées pour certaines d'une baignoire. Celles de l'arrière donnent sur la vieille mosquée et son minaret. L'établissement prévoit d'installer la climatisation.

Catégorie moyenne

Hotel Fortezza (☎ 28310 55551 ; www.fortezza.gr ; Melissinou 16 ; s/d avec petit déj 62/75 € ; P ❄ 🏊). Dans un bâtiment rénové au cœur de la vieille ville, des chambres raffinées avec TV et téléphone. Après une journée de déambulations dans Rethymnon, la piscine est bien agréable.

Casa dei Delfini (☎ 28310 55120 ; kzaxa@reth.gr ; Nikiforou Foka 66-68 ; studios 45-70 €, ste 80-140 € ; ❄). Cette élégante pension a intelligemment conservé des éléments architecturaux turcs et vénitiens, notamment un abreuvoir en pierre et le plafond de l'ancien hammam dans la sdb de l'un des studios. Elle loue des chambres traditionnelles, avec kitchenette. Le logement le plus impressionnant est une maisonnette dotée d'une grande terrasse privée.

Hotel Ideon (☎ 28310 28667 ; www.hotelideon.gr ; Plastira 10 ; s/d 54/75 €, studio/app avec petit déj 90/105 € ; 🏊). Cet établissement central et raffiné est l'un des plus vieux hôtels de la ville. Il est composé de 2 bâtiments anciens et d'une aile moderne. Les chambres, joliment décorées et bien aménagées, sont agrémentées d'un balcon donnant sur la mer. La piscine pourra vous éviter la longue marche jusqu'à la plage…

Hotel Veneto (☎ 28310 56634 ; www.veneto.gr ; Epimenidou 4 ; studio/ste avec petit déj 124/143 € ; ❄). La partie la plus ancienne de l'hôtel date du XIVe siècle et de nombreux éléments d'époque ont été préservés sans que le confort moderne soit délaissé. Splendide mosaïque dans le hall et chambres séduisantes avec parquet ciré, plafond en bois, lit en fer forgé, TV sat et kitchenette. Les tarifs baissent hors saison.

Catégorie supérieure

Vetera Suites (☎ 28310 23844 ; www.vetera.gr ; Kastrinogiannaki 39 ; d 85-150 € ; ❄). Ces 6 suites élégantes se distinguent par l'attention portée aux détails : rideaux en dentelle, produits de toilette, tasses à thé en porcelaine au petit déj. Chaque chambre est chic, avec lits en fer forgé et antiquités, et offre une kitchenette astucieusement cachée, un lecteur de DVD et d'autres équipements modernes, comme un accès Internet pour ordinateur portable. Les carreaux des sdb représentent des œuvres de Degas, le peintre favori du patron.

Palazzo Rimondi (☎ 28310 51289 ; www.palazzorimondi.com ; Xanthoudidou 21 et Trikoupi 16 ; d studio/ste avec petit déj 160-190 € ; ❄). Cette charmante demeure vénitienne dans la vieille ville renferme de superbes studios avec kitchenette et décoration personnalisée. Petite piscine dans la cour, où le petit déjeuner est servi.

Palazzini di Corina (☎ 28310 21205 ; www.corina.gr ; Damvergi 9 ; d 120 €, ste 160-220 € ;). Cette majestueuse demeure vénitienne magnifiquement restaurée juste à côté du port est l'un des hôtels de charme les plus chics de la ville. Meubles anciens, murs en pierres apparentes, plafonds voûtés en bois, cour intérieure ornée d'une mosaïque. Petit déj compris.

Avli Lounge Apartments (☎ 28310 58250 ; www.avli.gr ; angle Xanthoudidou 22 et Radamanthios ; ch avec petit déj à la carte 199-239 € ;). Ces suites éclectiques se répartissent dans 2 splendides bâtiments vénitiens de la vieille ville. Lits en fer forgé ou en bois, antiquités, meubles d'un goût exquis et objets d'art font des chambres l'endroit idéal pour se retirer, après un bon dîner dans la cour pleine de charme.

OÙ SE RESTAURER

Le front de mer le long d'Eleftheriou Venizelou est bordé de restaurants à touristes où des rabatteurs cherchent à attirer le client. Même chose sur le port vénitien, sauf que le cadre est plus joli et les prix, plus élevés. Les meilleurs établissements se cachent dans les petites rues derrière le port. En dehors du quartier touristique, on trouve également deux ou trois bonnes adresses.

Petits budgets

Taverna Kyria Maria (☎ 28310 29078 ; Moshovitou 20 ; plats crétois 2,50-6,50 €). Cette taverne traditionnelle d'un bon rapport qualité/prix, derrière la fontaine de Rimondi, dispose d'une terrasse, sous un treillage verdoyant où sont accrochées des cages à oiseaux. Les repas s'achèvent normalement sur un dessert et un verre de raki offerts gracieusement.

Zisi's (☎ 28310 28814 ; ancienne route Rethymnon-Héraklion Mysiria ; grillades 3,20-6 € ; tlj sauf mar). Les gens du coin adorent la cuisine crétoise savoureuse et bon marché du Zisi's, en particulier les viandes grillées et les 25 plats du jour. L'endroit se situe un peu à l'extérieur de la ville, parmi les hôtels et les complexes touristiques bordant la mer (à droite juste avant le Creta Palace), mais il mérite le déplacement. La nouvelle aire de jeu enchantera les enfants.

Samaria (☎ 28310 24681 ; Eleftheriou Venizelou ; mayirefta 4-6,50 €). L'une des rares tavernes du front de mer où vous croiserez des familles locales. Large choix de *mayirefta* (plats au four ou mijotés). Soupes et grillades excellentes.

Nikiforos (☎ 28310 55403 ; Moatsou 40 ; plats 4-7 € ; 12h-22h). L'ambiance du vieux quartier manque, mais ce *mayireio* (restaurant spécialisé dans les plats du jour) traditionnel de la ville nouvelle prépare des plats très appréciés. Vente à emporter.

Kapilio (☎ 28310 52001 ; Xanthoudidou 7 ; menu 12,50-13,80 €). Fréquenté par les étudiants, ce *mezedopoleio* (restaurant de mezze) tenu par un Serbe propose une carte variée et des menus comprenant raki, vin, salade et plat.

Catégorie moyenne

Thalassografia (☎ 28310 52569 ; Kefalogiannidon 33 ; mezze 3,80-7,30 €). Cet excellent *mezedopoleio* permet d'admirer le coucher du soleil en dégustant de bons mezze, des pâtes ou d'autres plats copieux. Ambiance décontractée et cadre époustouflant, sous la forteresse, avec vue sur la mer. Goûtez les délicieuses sardines grillées et les champignons à la crème.

Fanari (☎ 28310 54849 ; Kefalogiannidon 15 ; mezze 2,50-10 €). À l'ouest du port vénitien, cette chaleureuse taverne du front de mer sert de bons mezze, du poisson frais et de la cuisine crétoise. Le *bekri mezes* (porc au vin et aux poivrons) est un régal, de même que la spécialité locale, l'*apaki* (porc fumé). Vin maison correct.

Castelvecchio (☎ 28310 55163 ; Himaras 29 ; plats 7-16 € ; dîner uniquement juil-août, déj et dîner sept-juin). Valantis vous aidera à vous sentir comme chez vous sur la terrasse verdoyante de cette taverne familiale près de la forteresse. Goûtez le *kleftiko* (agneau cuit au four à feu doux).

Lemonokipos (☎ 28310 57087 ; Ethnikis Antistaseos 100 ; plats 5,80-9 €). Dînez au milieu des citronniers dans l'agréable cour de cette taverne réputée du vieux quartier. Savoureuse cuisine typiquement crétoise, avec un bon choix de plats végétariens et quantité de hors-d'œuvre appétissants.

Nous vous recommandons également l'**Othonas** (☎ 28310 55500 ; Petihaki 27) pour sa cuisine crétoise traditionnelle. Ne vous fiez pas à la façade clinquante : l'établissement est membre de Concred (p. 56) et utilise des produits de qualité.

Catégorie supérieure

Avli (☎ 28310 26213 ; www.avli.com ; angle Xanthoudidou 22 et Radamanthios ; plats 13,50-30 €). Cette ancienne villa vénitienne est parfaite pour un dîner romantique. Sa merveilleuse cuisine crétoise contemporaine vous enchantera, de

RETHYMNON

DOUCEURS CRÉTOISES

L'un des derniers fabricants traditionnels de *filo* du pays, **Iorgos Hatziparaskos** (☎ 28310 29488 ; Vernardou 30) continue de confectionner à la main cette pâte feuilletée ultrafine, qu'il rassemble en une gigantesque boule avant de l'étaler sur une immense table. Sa femme Katerina encourage les passants à admirer le spectacle et à goûter d'inoubliables baklavas et *kataifi*.

Au **Mona Liza** (☎ 28310 23082 ; Paleologou 36), à deux pas de la loggia, Nikos Skartsilakis est célèbre pour ses glaces *crema* faites avec du lait de brebis, ainsi que pour ses succulentes sucreries. Essayez les *galaktoboureko* (pâtisseries à la crème), le gâteau aux noix ou encore les *vrahaki*, des chocolats aux amandes.

Les *loukoumades*, sortes de beignets au miel et à la cannelle, ont été élevés au rang d'art par **Kanakakis** (☎ 28310 22426 ; Plateia Martyron), juste à l'extérieur de la Porta Guora. Les habitants plébiscitent les glaces de **Meli** (☎ 28310 50847 ; S Venizelou 7), sur le front de mer.

même que son jardin idyllique empli d'herbes en pots, de tonnelles, de bougainvillées, d'arbres fruitiers et d'objets d'art. Le bar installé dans les anciennes écuries adjacentes sert plus de 400 vins grecs. La direction a ouvert un bar à mezze plus simple, le Raki Baraki (Radamanthios 16), où des musiciens se produisent du jeudi au dimanche.

Prima Plora (☎ 28310 24925 ; Akrotiriou 2, Koumbes ; mezze aux fruits de mer 5,50-16 €). Cet élégant restaurant moderne sur le nouveau front de mer en développement, du côté ouest de la ville, vaut le détour. Il bénéficie d'un cadre exceptionnel tout au bord de l'eau, près d'une ancienne pompe à eau vénitienne, avec vue sur la forteresse. Sa carte raffinée comporte de bons plats de fruits de mer, comme le risotto aux crevettes, et fait place aux légumes bio.

OÙ SORTIR

Bars et discothèques

Les soirs d'été, les bars et les cafés d'El Venizelou se remplissent de touristes qui viennent siroter des boissons tropicales. Une vie nocturne plus animée se concentre autour de Nearhou et de Salaminos, non loin du port vénitien, et dans les bars du front de mer, près de la Plateia Plastira. Les étudiants fréquentent les *rakadika* (cafés servant des mezze accompagnés de raki ou de vin) de la rue Vernadou.

Fortezza Disco (Nearhou 20 ; 🕑 23h-aube). La plus ancienne discothèque de la ville est un grand établissement clinquant, avec trois bars, un spectacle laser et une clientèle internationale qui commence à affluer aux alentours de minuit. L'incontournable **Rock Club Café** (☎ 28310 31047 ; Petihaki 8 ; 🕑 21h-aube) attire tous les soirs une foule de touristes.

Figaro (☎ 28310 29431 ; Vernardou 21 ; ☎ 11h-tard). Dans un bâtiment ancien astucieusement restauré, voici un bar agréable à l'atmosphère tranquille, axé sur l'art et la musique.

Baja Beach Club (☎ 28310 20333 ; Platanias). Sur l'ancienne nationale, à l'est de la ville, ce gigantesque bar de plage évoque un paradis tropical, avec ses palmiers et ses bars entourant une grande piscine. La nuit, il se transforme en club branché. Prenez la bifurcation juste avant le pont.

Cinéma

Asteria Cinema (☎ 28310 22830 ; Melissinou 21 ; 7 € ; 🕑 21h). Un petit cinéma en plein air projetant des films récents.

ACHATS

La rue commerçante de Rethymnon est relativement peu étendue. On y vend de tout, des souvenirs aux bijoux de luxe. Vous trouverez des articles de meilleure qualité dans Arkadiou. La pittoresque Souliou est bordée d'une succession de petites boutiques. Le marché du jeudi, dans Dimitrakaki, le long des jardins publics, permet d'acheter des fruits et des légumes frais, des vêtements et toutes sortes de babioles.

Omodamos (☎ 28310 58763 ; www.omodamos.com ; Souliou 3). Céramiques originales créées par des artistes grecs de renom.

Zominthos (☎ 28310 52673 ; Arkadiou 129). Grand choix de bijoux de créateurs grecs contemporains, plus quelques céramiques et sculptures.

En Hordais (☎ 28310 29043 ; Varda Kalergi 38). Cette minuscule échoppe vend des instruments de musique faits à la main. Parfait pour se procurer une *lyra* crétoise (instrument à trois cordes semblable à un violon), un bouzouki ou d'autres instruments grecs.

Silverhorse (☎ 28310 51401 ; www.silverhorse.gr ; Radamanthios 10). Une boutique spécialisée dans les ceintures, les selles et autres articles en cuir, qui peuvent être fabriqués sur demande.

Avli Raw Materials (☎ 28310 58228 ; Arabatzoglou 38-40). Les gourmets adoreront ce magasin rempli de produits d'épicerie fine de toute la Grèce ; excellent choix de vins.

DEPUIS/VERS RETHYMNON

Bateau

Certains ferries partent du port, d'autres de la marina, un peu plus loin à l'est.

ANEK (☎ 28310 29221 ; www.anek.gr ; Arkadiou 250). Trois ferries circulent chaque semaine entre Rethymnon et Le Pirée (29 €, 10 heures) ; départ à 20h dans les deux sens.

NEL LINES (☎ 28310 24295 ; www.nel.gr). Liaison rapide entre Rethymnon et Le Pirée (57 €, 5 heures) tlj de juillet à septembre et 4 fois/semaine de mai à juin.

SeaJets Service rapide en catamaran Superjet les jeudis et samedis entre Rethymnon et Santorin (37,90 €, 2 heures 40), Íos, Náxos et Mýkonos (58 €).

Bus

Au départ de la **gare routière** (☎ 28310 22212 ; Igoumenou Gavriil), des bus circulent toutes les heures en été vers La Canée (6 €, 1 heure) et Héraklion (6,50 €, 1 heure 30). Il existe 6 liaisons/jour pour Plakias (3,50 €, 1 heure), et Agia Galini (5,30 €, 1 heure 30), 3 pour le Moni Arkadiou (2,40 €, 40 min), 2 pour Omalos (11,90 €, 2 heures), 2 pour Margarítes (lun-ven, 3 €, 30 min), 2 pour Anogia (lun-ven, 4,50 €, 1 heure 15) et 4 pour Preveli (4 €, 1 heure 15). Des bus se rendent tous les jours à Hora Sfakion via Vryses. Les services sont bien moins nombreux en basse saison.

COMMENT CIRCULER

Auto Motor Sports (☎ 28310 24858 ; www.automotosport.com.gr ; Sofoklis Venizelou 48) loue des voitures et des motos.

ENVIRONS DE RETHYMNON

Dans l'intérieur des terres, les villages proches de Rethymnon permettent de plaisantes excursions si vous êtes motorisé. Les collines sont doucement vallonnées, la circulation reste raisonnable et les paysages sont agréablement verdoyants. Au sud-ouest de Rethymnon, au moins deux villages se prêtent à une tranquille sortie d'un après-midi.

Episkopi, à 23 km à l'ouest, est un joli village traditionnel aux ruelles tortueuses et aux maisons minuscules surplombant la vallée. Les sources et les cascades d'Argyroupoli (ci-contre) vous réservent une fraîche et délicieuse surprise. La charmante ville de **Maroulas** (p. 132), à 10 km au sud-est de Rethymnon, offre une vue imprenable sur la mer.

Le ravissant village d'**Asi Gonia** vous donnera un aperçu de la vie traditionnelle crétoise. Lors de la fête des éleveurs, organisée chaque année pour la Saint-Georges (le 23 avril), des milliers de chèvres et de brebis sont rassemblées autour de l'église pour être bénies et traites (le lait étant distribué à la foule). Les festivités se poursuivent ensuite jusqu'au soir.

ARGYROUPOLI ΑΡΓΥΡΟΎΠΟΛΗ

398 habitants

Quand la chaleur de l'été se fait trop intense sur la plage, Argyroupoli, à 25 km au sud-ouest de Rethymnon, possède une sorte de système de climatisation naturelle. Au pied de ce village se déversent plusieurs torrents de montagne qui maintiennent la température à un niveau nettement moins élevé que sur la côte. S'écoulant par des aqueducs, ruisselant le long des murs, s'infiltrant entre les pierres et jaillissant par des robinets extérieurs, cette eau fraîche et abondante alimente toute la ville de Rethymnon.

Les châtaigniers et les platanes de haute taille et la végétation luxuriante créent un lieu ombragé et tranquille où l'on peut déjeuner parmi les cascades et les fontaines intégrées à toutes les tavernes du village. Argyroupoli est bâtie sur les ruines de l'ancienne cité de Lappa. Les villageois conservent un mode de vie traditionnel peu touché par le tourisme. Fiers de leur patrimoine, ils vous feront volontiers visiter les lieux. Stelios Manousakas, au **Lappa Avocado Shop** (☎ 28310 81070), à quelques pas de la grand-place, est une bonne source d'information ; il fournit des plans du village (dont il est maire) et vend des produits de beauté à base d'avocats provenant de la plantation familiale et exportés à Athènes et en France.

L'embranchement vers les sources et les tavernes est indiqué à droite avant le village.

À voir

La grand-place est dominée par l'**église Agios Ioannis**, un bâtiment vénitien du XVIIe siècle. Dans la grand-rue, un pittoresque **musée de la Vie villageoise** est installé au-dessus d'une supérette tenue par la famille Zografakis (voir ci-dessous). La dynamique Eleftheria a amassé une collection éclectique d'objets de famille et historiques, provenant des villages voisins. Si le musée est fermé, allez voir à la taverne ou à la supérette pour qu'on vous organise une visite guidée.

On pénètre dans le vieux quartier par l'arche en pierre qui se dresse en face de l'église. Des vestiges romains sont dispersés parmi les bâtisses vénitiennes et turques.

En remontant la grand-rue, on passe devant une **porte romaine**, à gauche, portant l'inscription *Omnia Mundi Fumus et Umbra* ("Tout dans le monde est fumée et ombre"). Quelques mètres plus loin, une ruelle à droite conduit à une **citerne en marbre** du IIIe siècle av. J.-C., dotée de sept arches intérieures.

En retournant dans la grand-rue et en continuant dans la même direction, vous verrez sur votre gauche un **pavement romain en mosaïque** du Ier siècle av. J.-C. Avec ses 7 000 tesselles de six couleurs différentes, ce pavement bien conservé est un bon exemple de la période géométrique (1200-800 av. J.-C.).

Deux rues signalées par des panneaux mènent aux tavernes, regroupées autour des sources en contrebas du village, mais mieux vaut se procurer un plan au Lappa Avocado Shop (page précédente). Un chemin partant de la taverne Paleos Mylos (ci-dessous) conduit à une **machine** du XVIIe siècle bien conservée, qui fonctionnait à l'eau et servait à épaissir le linge en l'humidifiant et en le battant. Non loin, on peut voir des **bains romains** et l'**église Sainte-Marie**, bâtie sur un ancien temple de Neptune.

Au nord du village, un sentier à droite aboutit au bout de 50 m à une **nécropole romaine** regroupant des centaines de tombes creusées dans la falaise. En continuant, on arrive à un **platane** que l'on dit vieux de 2 000 ans.

LES TAVERNES DE VILLAGE

Les tavernes des villages de montagne, dont la découverte constitue l'un des plaisirs d'un séjour en Crète, connaissent une véritable renaissance. Servant une cuisine crétoise traditionnelle dans un cadre plus élégant que jadis, elles se multiplient dans les villages ruraux, auxquels elles insufflent une vie nouvelle. Autour de Rethymnon, le choix ne manque pas. L'une des meilleures est **O Kipos Tis Arkoudenas** (☎ 28310 61607), près d'Episkopi, à l'est de Rethymnon, qui se distingue par ses excellents produits bio et ses plats cuits dans un four à bois. Autre adresse de qualité : **Goules** (☎ 28310 41001), installée dans un charmant *kafeneio* en pierre restauré, dans le hameau de Goulediana, au sud de Rethymnon.

Où se loger et se restaurer

Lappa Apartments (☎ 28310 81204 ; d 30-35 € ; ⛝). Au cœur du village, ces appartements accueillants disposés autour d'une cour et d'un charmant jardin offrent une très belle vue sur les montagnes. Entièrement équipés, avec réfrigérateur de bonne taille, sdb correcte et barbecue, ils sont parfaits pour les longs séjours ou les vacances en famille.

Zografakis (☎ 28310 81269 ; d 25-30 €). Dans la grand-rue, la famille Zografakis loue des chambres correctes, propres et bon marché au-dessus de la taverne.

Les tavernes installées près des sources sont un peu touristiques et pratiquent des prix légèrement excessifs, mais le cadre est spectaculaire.

Vous devrez élever la voix pour vous entendre au-dessus du chant des cigales et du bruit de l'eau au **Paleos Mylos** (☎ 28310 81209 ; plats 6-9,90 €), la dernière taverne à droite en descendant, installée dans un ancien moulin à eau. Le cadre verdoyant est superbe et les grillades et les salades ne vous décevront pas. En face, l'**Athivoles** (☎ 2831 081 101) propose une truite excellente, de la viande de la région et des plats crétois.

Depuis/vers Argyroupoli

Du lundi au vendredi, 2 bus quotidiens rallient Argyroupoli au départ de Rethymnon (2,80 €, 40 min).

MONI AGIA IRINI (MONI AGHIA IRINIS) ΜΟΝΗ ΑΓΙΑ ΕΙΡΙΝΗΣ

À 5 km au sud de Rethymnon, avant le village du même nom, se dresse le **monastère Agia Irini** (☎ 28310 27791 ; 🕑 9h-13h et 16h-coucher du soleil). Sérieusement endommagé par les Turcs, cet édifice byzantin fut abandonné pendant plus de 150 ans. Les nonnes dynamiques qui le gèrent ont commencé à le restaurer en 1989 pour en faire un centre de protection de l'artisanat et des travaux d'aiguille. Il présente une exposition sur le tissage et la broderie et vend des objets d'artisanat et des icônes fabriqués par les religieuses. Une partie des bâtiments a été rénovée, notamment les écuries, le pressoir à vin et le réfectoire.

ARMENI ΑΡΜΕΝΟΙ

En quittant Rethymnon vers le sud, un embranchement à droite, à 2 km avant le village d'Armeni, conduit à un site datant du Minoen récent, le **cimetière d'Armeni**. Ici, quelque 200 tombes ont été creusées dans le roc entre 1300 et 1150 av. J.-C., au milieu d'une forêt de chênes. Curieusement, ce cimetière ne semble pas s'être trouvé à proximité d'une ville assez importante pour expliquer la présence de si nombreuses sépultures. Les poteries, les armes et les bijoux découverts dans les tombes sont exposés au Musée archéologique de Rethymnon (p. 123).

À Armeni, faites une pause déjeuner à l'**Alekos Kafeneio** (☎ 28320 41185), près d'une petite place, à quelques pas de la grand-route. Ce petit bijou tenu en famille depuis trois générations offre un choix limité mais excellent de plats traditionnels, comme l'agneau *tsigariasto* relevé d'un soupçon de yaourt et accompagné d'une impressionnante salade maison. Le lapin mérite aussi le détour.

INTÉRIEUR DES TERRES

L'arrière-pays montagneux de Rethymnon offre plusieurs itinéraires et détours intéressants. Dans la luxuriante vallée d'Amari se nichent des villages bucoliques préservés du tourisme. En allant au Moni Arkadiou, vous pourrez faire une halte dans le village de potiers de Margarítes et contempler les ruines de l'ancienne Eleftherna. Vers l'est, allez explorer quelques grottes ou prendre un café à Anogia, l'un des villages les plus célèbres et les plus traditionnels de l'île.

VALLÉE D'AMARI (KILADHA AMARIOU) ΚΟΙΛΆΔΑ ΑΜΑΡΊΟΥ

Vous aurez besoin d'un véhicule pour explorer la vallée d'Amari, située au sud-est de Rethymnon entre les monts Psiloritis (Ida) et Kedros. Cette région abrite une quarantaine de villages bien irrigués, dans un paysage dominé par les oliviers, les amandiers et les cerisiers et parsemé de nombreuses églises byzantines. La vallée commence dans le village d'**Apostoli**, à 25 km au sud-est de Rethymnon, accessible par une jolie route à travers des gorges sauvages et désertes, bordées de hautes falaises. La bifurcation vers Apostoli se situe sur la côte, à 3 km à l'est de Rethymnon. La route se sépare en deux au niveau d'Apostoli ; les deux branches se rejoignent à 38 km au sud, ce qui permet de faire le tour de la vallée en voiture. Sinon, continuez au sud vers Agia Galini.

À Apostoli, prenez la route qui part à gauche pour rejoindre le village de **Thronos** ; l'église de la Panagia, construite sur les vestiges d'une basilique chrétienne, recèle des fresques du XIVe siècle décolorées mais extraordinairement bien exécutées ; les plus anciennes se cachent dans le chœur. Demandez la clé au *kafeneio* (café), à côté.

Retournez à Apostoli et poursuivez au sud sur la route principale. Vous parvenez à **Agia Fotini**, une bourgade plus importante dotée d'un supermarché. La route serpente le long de la vallée avant d'arriver à **Meronas**, un petit village planté de grands platanes qui abrite une belle église de la Panagia. La partie la plus ancienne de l'édifice est la nef, bâtie au XIVe siècle. La partie sud, avec son élégant portail, fut ajoutée par les Vénitiens. Admirez les fresques du XIVe siècle brillamment restaurées.

Continuez au sud vers **Gerakari**, réputée pour ses délicieuses cerises. De là, une route récente mène à Spili.

LA BIÈRE CRÉTOISE

Quand le mathématicien allemand Bernd Brink, originaire de Düsseldorf, s'établit en Crète après avoir épousé une Crétoise, il choisit d'ouvrir... une brasserie. Depuis son inauguration en 2001, la **brasserie Rethymniaki** (☎ 2831 041 243 ; 🕑 14h-tard jeu-lun juil-oct), la seule de l'île, est passée d'une entreprise artisanale, où l'on nettoyait et étiquetait les bouteilles à la main, à une société prospère qui produit environ 150 000 bouteilles par an. Ses bières blondes et brunes bio se vendent dans toute la Grèce. Vous pourrez les goûter sur place, accompagnées de quelques mezze. La brasserie se trouve à environ 12 km au sud de Rethymnon, près d'Armeni.

Près du joli village de Patsos, l'**église Agios Antonios** a été édifiée dans une grotte dominant des gorges verdoyantes. Cette grotte était un important sanctuaire pour les Minoens et les Romains, et des pèlerins continuent de s'y rendre le 17 janvier. Pour y accéder, vous pourrez emprunter un itinéraire touristique en longeant la route Spili-Gerakari par des pistes en terre jusqu'à Patsos, où vous tournerez à gauche. L'entrée des gorges est clairement signalée et la grotte se trouve à quelques minutes de marche. En chemin, des tables de pique-nique permettent de se reposer dans un cadre idyllique.

SPILI ΣΠΗΛΙ

698 habitants

Spili est un joli village de montagne, avec des rues pavées, des maisons rustiques et des platanes. Sur la place, une fontaine vénitienne ornée de 19 têtes de lions a récemment fait l'objet d'une rénovation pas très heureuse. Apportez vos bidons pour les remplir de cette eau, excellente.

Les tour-opérateurs ont découvert Spili, et les bus de tourisme qui rallient la côte sud y font halte pendant la journée. Le soir, le lieu redevient la propriété des habitants. C'est une excellente base pour explorer la région et un endroit agréable pour une pause déjeuner. Deux DAB et une poste sont installés dans la grand-rue. Pour consulter vos e-mails, allez au Fabrica Café, près de la fontaine.

Où se loger et se restaurer

Heracles Rooms (☎/fax 28320 22411 ; heraclespapadakis@hotmail.com ; s/d 29/40 € ; ⊠). Chambres propres et joliment meublées, avec moustiquaires, réfrigérateur et vue imprenable sur la montagne. Le sympathique Heracles donne volontiers des informations sur la région.

Costas Inn (☎ 28320 22040 ; fax 28320 22043 ; d avec petit déj 40 €). Chambres bien tenues, avec TV satellite, radio, ventilateur, réfrigérateur pour certaines et accès libre à la machine à laver. Petit déj (œufs frais) servi au rdc.

Yianni's (☎ 28320 22707 ; plats 4-7 €). Après la fontaine, cette adresse accueillante comporte une grande cour et sert des plats traditionnels, comme le lapin au vin et les escargots de montagne. Bon vin rouge maison.

EXCURSION : MAROULAS

Perché sur une hauteur d'où s'ouvre une vue panoramique sur la mer, le village protégé de Maroulas, à 10 km au sud-est de Rethymnon, se reconnaît à la tour de 44 m qui le domine. Ce village fortifié présente un mélange d'architecture vénitienne tardive et turque et compte 10 pressoirs à olives. En grande partie restauré, il se prête à une délicieuse balade.

Maroulas abrite le **Marianna's Herb Workshop** (atelier d'herboristerie de Marianna ; ☎ 28310 72432 ; ⌚ 10h-14h et 16h30-20h été), véritable caverne d'Ali Baba emplie de remèdes et de préparations à base de plantes. Marianna cueille dans la montagne des herbes médicinales avec lesquelles elle fabrique des tisanes et des huiles à l'aide de méthodes traditionnelles. Elle propose des préparations pour tous types de maux, ainsi que des produits pour la peau et des herbes pour la cuisine. Parmi ses tisanes figure le Sarantovotano, un mélange de 40 plantes que les sages-femmes faisaient bouillir autrefois pour en faire respirer la vapeur aux nouveau-nés.

L'intérêt de Marianna pour les médecines parallèles lui a fait redécouvrir les remèdes d'antan, un hobby qui s'est transformé en une véritable passion lorsqu'elle s'est installée à Maroulas au milieu des années 1990. Elle s'est mise à parcourir les montagnes et à consulter les anciens pour identifier les diverses plantes et herbes de l'île. "C'est un savoir qu'il ne faut pas perdre. Les gens devraient pouvoir reconnaître chaque plante et savoir à quoi elle sert. Comme on le disait autrefois : 'On se soigne par ce qu'on mange'." Les animaux sont de bons guides pour choisir les herbes et les plantes, car ils restent à l'écart de tout ce qui est toxique. On a vu des *kri-kri* utiliser du *diktamo* (dictame), une plante endémique, pour soigner leurs blessures, tandis que des documents anciens font état de chèvres blessées qui en mangeaient pour expulser les flèches des chasseurs. Cette plante est l'une des plus difficiles à trouver, car elle ne se cueille que dans les gorges et tout en haut des montagnes, là où les chèvres ne peuvent pas accéder.

Profitez de votre passage à Maroulas pour contempler la vue sur la mer depuis le pittoresque café **Farmhouse Katerina** (☎ 28310 71627), flanqué d'un parc à bestiaux. Si vous appelez à l'avance, on vous préparera un repas avec la viande des animaux de la ferme. La taverne **Ofou to Lo** (☎ 28310 71670), également installée dans un cadre charmant, sert une bonne cuisine.

EXCURSION : ADELE

Pour un aperçu de la vie rurale présente et passée, faites un tour à **Agreco** (☎ 28310 72129 ; www.grecotel.gr ; entrée libre mais téléphonez à l'avance), reconstitution d'une ferme du XVIIe siècle et d'un minivillage sur un immense terrain près du village d'Adele, à 13 km au sud-est de Rethymnon. La ferme bio en activité se présente comme une vitrine de l'agriculture traditionnelle. Elle possède des outils modernes mais aussi des équipements anciens, comme un pressoir à olives actionné par un âne, un moulin à eau et un pressoir à vin. Vous pouvez assister aux activités agricoles, notamment à la fabrication du fromage, du pain, du raki et du vin, et vous promener dans le parc à bestiaux et le jardin. Le domaine est la propriété de la famille Daskalantonakis, qui détient la chaîne hôtelière Grecotel. Vous trouverez un *kafeneio* (café) et une boutique vendant des produits de la ferme et de la région. Terminez la visite par un repas dans la taverne donnant sur le vignoble, qui sert une excellente cuisine crétoise authentique préparée avec les produits de la ferme.

Stratidakis (☎ 28320 22006 ; plats du jour 4,50-6 €). La viande grésille sur des broches à l'extérieur et les plats du jour mijotent dans des casseroles à l'intérieur. Charmant balcon à l'arrière.

Panorama (☎ 28320 22555). Pantelis Vasilakis et son épouse Calliope tiennent une agréable taverne traditionnelle dans un cadre pittoresque, à la périphérie du village, sur la route d'Agia Galini. La terrasse offre un superbe panorama. Ici, l'accent est mis sur l'hospitalité et les recettes de famille. Le pain est généralement fait maison, les mezze sont excellents et on peut commander des spécialités comme le chevreau aux légumes sauvages. Panorama est membre du réseau Concred (p. 56).

Kambos (☎ 69749 24833). Isolée sur la route de Gerakari, à 6 km de Spili, dans une région réputée pour ses tulipes et ses orchidées sauvages, cette taverne familiale et sans prétention accueille surtout les gens du coin, qui viennent déguster une cuisine crétoise traditionnelle à base de viande et de légumes maison.

Depuis/vers Spili

Spili se trouve sur la ligne de bus Rethymnon-Agia Galini (voir p. 129), desservie 6 fois/jour.

MONI ARKADIOU (MONI ARKADHIOU) ΜΟΝΉ ΑΡΚΑΔΊΟΥ

Érigé au XVIe siècle, le **monastère d'Arkadi** (☎ 28310 83136 ; 2 € ; 9h-19h avr-oct) se détache sur un beau paysage montagneux à 23 km au sud-est de Rethymnon. Derrière un extérieur froid et impressionnant se cache une église vénitienne de 1587 à la façade Renaissance richement décorée, dotée de huit fines colonnes corinthiennes et surmontée d'un clocher à trois cloches (elle figurait sur les anciens billets de 100 drachmes).

En novembre 1866, les Turcs envoyèrent des forces massives réprimer les insurrections de plus en plus violentes qui éclataient dans l'île. Des centaines d'hommes, de femmes et d'enfants vinrent se réfugier dans le monastère. Quand 2 000 soldats turcs attaquèrent l'édifice, les Crétois préférèrent mettre le feu à un stock de poudre à canon plutôt que de se rendre. L'explosion tua tout le monde, Turcs inclus, à l'exception d'une petite fille qui vécut jusqu'à un âge avancé dans un village voisin. Les bustes de cette femme et du père supérieur qui mit le feu à la poudre se dressent à l'extérieur du monastère.

À gauche de l'église, un petit **musée** retrace l'histoire du monastère. Le tronc de cyprès dénudé visible dans la cour porte encore les traces de l'incendie ; une balle est incrustée dans l'écorce. L'ancien moulin à vent, à l'extérieur du musée, renferme une collection macabre de crânes et d'ossements des combattants de 1866.

Trois bus partent quotidiennement de Rethymnon pour le monastère (2,40 €, 30 min).

ELEFTHERNA ΕΛΕΥΘΕΡΝΑ

Les vestiges de l'ancienne **Eleftherna**, à 25 km au sud-est de Rethymnon, sont perchés dans un site spectaculaire, entre deux gorges. Construite par les Doriens au VIIIe siècle av. J.-C., la cité devint un important foyer de peuplement. Une grande partie de la zone continue d'être mise au jour par les archéologues grecs, qui ont commencé les fouilles en 1985 ; les Britanniques ont abandonné les leurs en 1929.

On peut accéder à Eleftherna depuis le Moni Arkadiou ou depuis Margarítes. À la fontaine, des panneaux indiquent l'**acropole**, située après le parking de la taverne Akropolis (laissez votre voiture ici), et les ruines d'une **tour**. Un chemin descend vers de grandes **citernes romaines** creusées dans la colline, d'où l'on voit la nouvelle zone de fouilles dans la vallée en contrebas. Une **nécropole** qui a livré des traces de sacrifices humains a été exhumée non loin, dans un lieu appelé Orthi Petra ; un **pont hellénistique** a été découvert au nord.

Pour arriver au nouveau chantier de fouilles de la **cité ancienne**, le mieux est de reprendre la grand-route en direction de Margarítes et de suivre la piste en terre qui mène au site. Les ruines romaines et hellénistiques sont protégées par des barrières, mais on peut les apercevoir. Le site devrait bientôt être rendu plus accessible.

MARGARÍTES (MARGARITÈS)

ΜΑΡΓΑΡΊΤΕΣ

330 habitants

Connue pour ses poteries, cette minuscule bourgade est envahie par les bus de tourisme le matin. L'après-midi, le calme revient et on peut profiter de la vue sur la vallée depuis les terrasses des tavernes de la grand-place, plantée d'eucalyptus géants.

Une unique rue traverse le village jusqu'à la grand-place, où s'arrête le bus. Il n'y a ni banque, ni poste, ni agence de voyages, mais plus de 20 ateliers de céramique fabriquant des objets d'une qualité et d'un goût inégaux. Parmi les devantures tapageuses, quelques boutiques proposent des articles de qualité décorés de motifs locaux authentiques. **Manolis Syragopoulos** (☎ 28340 92363), un septuagénaire héritier d'une longue lignée de potiers, est le seul à utiliser encore un tour à main et un four à bois, comme le faisait son arrière-grand-père. Son atelier se trouve à 1 km à l'extérieur du village, sur la gauche.

En ville même, les meilleurs articles sont ceux de l'excellent atelier de Konstantinos Gallios, **Ceramic Art** (☎ 28340 92304), dans une allée au bout du village, et de l'élégant **Kerameion** (☎ 28340 92135), dans la grand-rue, où George Dalamvelas sera heureux de vous présenter les techniques et l'histoire du village. Il utilise essentiellement de l'argile locale et s'inspire des motifs minoens. Les potiers traditionnels se servent de l'argile prélevée au pied du mont Psiloritis (mont Ida), à 4 km de là, si fine qu'elle ne nécessite qu'une seule cuisson et aucun vernissage, l'extérieur étant poli à la pierre. De nombreuses pièces arborent le motif floral typique de la région.

Où se loger et se restaurer

Kouriton House (☎ 28340 55828 ; www.kouritonhouse.gr ; ch avec petit déj 45-100 €). Juste à l'extérieur de Margarítes, à Tzanakiana, cette demeure de 1750 superbement restaurée est classée. La philologue Anastasia Friganaki fait volontiers visiter à ses hôtes les sites naturels et historiques de la région et leur montre les méthodes traditionnelles utilisées pour faire du miel, cueillir des herbes et des légumes et préparer de la cuisine crétoise et minoenne.

Mandalos (☎ 28340 92294). Sur la grand-place ombragée, cette taverne-*kafeneio* réputée est un bon endroit pour un déjeuner avec vue.

Depuis/vers Margarítes

De Rethymnon, 2 bus desservent Margarítes du lundi au vendredi (3 €, 30 min).

DE PERAMA À ANOGIA

La province de Mylopotamos recèle des paysages de toute beauté. L'intérieur vallonné

RETOUR À LA FERME

L'agrotourisme commence à se développer en Crète, et **Enagron** (☎ 28340 61611 ; www.enagron.gr ; studios et app 78-130 €), à Axos, est un bon exemple d'une nouvelle génération d'établissements tournés vers un tourisme rural chic. Cette ferme hôtelière organise parfois des stages consacrés à la cuisine crétoise et aux produits locaux, qui permettent aux clients de mettre la main à la pâte et de participer aux activités agricoles, de la fabrication du raki et du fromage avec le berger à la cueillette des légumes sauvages. Pour autant, on ne vit pas à la dure : l'endroit compte une piscine avec vue sur la montagne, de confortables studios en pierre avec ameublement traditionnel et cheminée, une charmante taverne servant des produits bio et un élégant espace commun agrémenté de meubles anciens. On peut faire des promenades guidées et des balades à cheval ou à dos d'âne dans les environs. Les prix baissent de 20% en été.

Vous pouvez visiter la ferme et manger au restaurant en réservant.

abrite quelques villages et villes agricoles où le tourisme commence tout juste à pénétrer. Les routes qui conduisent au sud-est entre le petit centre marchand de **Perama** et Anogia traversent de jolis hameaux et des bourgs animés le long des contreforts du Psiloritis.

De Perama, prenez la bifurcation qui part au nord-est vers la **grotte de Melidoni** (☎ 28340 22650 ; 3 € ; ⌚ 9h-18h mars-oct), également appelée Gerontospilios. Plus de 300 villageois s'y réfugièrent en 1824 pour se protéger de l'armée turque. Quand ils refusèrent de sortir, les Turcs lancèrent des matériaux en feu à travers le trou en haut de la grotte et asphyxièrent tous les occupants. Découvrez le monument aux martyrs, dans la salle des Héros, puis promenez-vous dans les différentes salles pour admirer les stalactites et les stalagmites.

Poursuivez vers l'est et tournez à gauche vers le village de **Garazo**, où vous trouverez deux tavernes et une poste. En chemin, un embranchement dans le village de Moutzana mène au charmant hameau d'**Episkopi**, siège de l'évêché à l'époque vénitienne. La bourgade compte de nombreuses maisons en pierre, notamment plusieurs demeures vénitiennes en cours de restauration, destinées à devenir des musées privés. On peut admirer quelques fresques dans les ruines de l'**église** du XVe siècle et une **fontaine** vénitienne tout au bout du village, près du pont.

D'Episkopi, continuez au sud-est par un itinéraire touristique qui traverse la plus grande ville de la région, **Zoniana**.

Des panneaux indiquent la **grotte de Sfendoni** (☎ 28340 61734 ; www.zoniana.gr ; ⌚ 10h-17h avr-nov, 10h-15h week-end déc-mars), sans doute la plus impressionnante de l'île, hérissée de stalactites, de stalagmites et de curieuses formations rocheuses. L'entrée servait de refuge aux combattants grecs contre les Turcs, mais une grande partie de cette immense caverne (3 000 m^2) n'a jamais été occupée et reste inaccessible aux visiteurs. On peut cependant pénétrer relativement loin à l'intérieur par une série de passerelles : regardez où vous marchez, car le sol est glissant. Les lumières changent de couleur en illuminant différentes parties de la grotte. Normalement, on ne peut entrer qu'en groupe, accompagné d'un guide.

À Zoniana, faites un tour au **musée de Cire de Potamianos** (☎ 28340 61087 ; 3,50 € ; ⌚ 10h-coucher du soleil), sorte de musée Grévin crétois. Il contient 103 statues en cire des grandes figures de l'histoire crétoise dans des reconstitutions de scènes historiques, notamment une école secrète et une exécution macabre. Cette collection privée a été créée il y a plus de 25 ans par le septuagénaire Dionysis Potamianos et sa femme. La route continue ensuite vers le village d'**Axos**, dont l'atmosphère alanguie en fait une halte appréciée des bus de tourisme. En journée, le lieu est paisible ; à la nuit tombée, les terrasses des tavernes accueillent des "soirées folkloriques crétoises" pour touristes.

ANOGIA (ANOGHIA) ΑΝΩΓΕΙΑ

2 125 habitants

Si un lieu devait incarner l'essence de la "vraie" Crète, ce serait Anogia, un village bucolique accroché aux flancs du mont Psiloritis (mont Ida).

Anogia est célèbre pour son esprit rebelle et sa volonté de préserver son caractère authentique. Dans cette bourgade très traditionnelle, les *kafeneia* de la grand-place sont fréquentés par des hommes moustachus, dont les plus âgés portent le costume régional (pantalon bouffant et couvre-chef), leurs cadets conduisant des camionnettes 4x4 bringuebalantes. Les femmes restent en retrait ou confectionnent les objets artisanaux vendus dans les boutiques.

Anogia est également connue pour sa musique entraînante et a vu naître un grand nombre de musiciens crétois célèbres (voir p. 50), notamment le légendaire Nikos Xylouris (sa maison natale, sur la grand-place, est devenue une sorte d'autel à sa gloire, avec un *kafeneio* tenu par sa sœur).

Pendant la Seconde Guerre mondiale, Anogia fut un noyau de résistance contre les Allemands, qui massacrèrent tous les hommes du village pour les punir d'avoir abrité les Alliés et contribué à l'enlèvement du général Kreipe. Aujourd'hui, les hommes portent des chemises noires en signe de deuil.

Anogia est le centre d'une prospère industrie d'élevage de moutons et d'un tourisme florissant, alimenté aussi bien par les Grecs que par les visiteurs étrangers en quête d'une expérience authentique, loin du littoral saturé. Vous aurez peut-être la chance d'assister à un concert improvisé de *mantinades* (chants traditionnels en vers) dans l'un des cafés ou tavernes du village, surtout au moment de la tonte des moutons, en juillet, avec force rasades de raki. L'air du soir résonne souvent de coups de pistolet.

UNE AFFAIRE CRÉTOISE

Anogia est célèbre pour ses mariages extravagants qui se déroulent traditionnellement sur les places du village – la plupart des habitants y participent et on compte souvent jusqu'à 2 000 invités. La famille et les amis se réunissent pour accompagner le futur marié dans une procession musicale à travers les rues jusqu'à la maison de sa promise.

Des rafales de mitraillette ou des coups de pistolet signalent le départ de la procession (les propositions visant à interdire cette pratique ont rencontré un succès mitigé). Arrivés à la maison de la fiancée, le futur marié et ses accompagnateurs sont accueillis par d'autres rafales de mitraillette. Tout le monde se rend alors à l'église pour la cérémonie, avant de rejoindre l'une des places ou tavernes du village. Les invités mangent abondamment (essentiellement de l'agneau et des pastèques) en absorbant de grandes quantités d'alcool, puis commencent des chants et des danses qui se poursuivent jusqu'à l'aube. Quand le mariage se tient sur la place, on laisse généralement les visiteurs se joindre discrètement aux festivités, mais ne vous mêlez pas aux danses sans y être prié, car chaque chanson est payée par le groupe qui est en train de danser. Si vous êtes à Anogia le week-end, renseignez-vous ; on vous invitera peut-être. Sinon, suivez les camionnettes chargées de viande ou guidez-vous d'après les coups de feu.

Derrière la grand-place de la partie basse du village, le petit **musée Grilios** (☎ 28340 31593) présente de curieuses sculptures sur pierre et bois réalisées par Alkiviadis Skoulas, un artiste local. Il est tenu par son fils Iorgos, qui donne parfois des concerts de *lyra* impromptus. S'il n'est pas ouvert, frappez à la porte voisine ou renseignez-vous sur la place.

Orientation et renseignements

Le village s'étend à flanc de coteau, avec les boutiques de textiles dans la partie basse et la plupart des hébergements et des commerces dans la partie haute. Se déplacer demande de bons mollets. La partie haute abrite un DAB et un bureau de poste.

Infocost (☎ 28340 31808 ; 3 €/h ; 17h-tard), dans la partie haute, offre un accès Internet.

Fêtes et festivals

Des festivités, officielles ou non, ont généralement lieu tous les week-ends.

À Anogia, les **mariages** mobilisent souvent tout le village (voir l'encadré ci-dessus). Fin juillet se tiennent plusieurs évènements culturels et des concerts, mais surtout le **Festival Yakinthia** (www.yakinthia.com), organisé par le musicien Loudovikos ton Anogion, avec des concerts en plein air sur les pentes du mont Psiloritis. Cette manifestation est annoncée par voie d'affiche dès la mi-juillet, mais vous pouvez aussi consulter le site Internet.

Où se loger et se restaurer

Kitros (☎ 28340 31429 ; d 25 €). Le seul hébergement de la partie basse. Prix raisonnables ; chaque sdb est commune à 2 chambres. Au rdc, une taverne (grillades 4-7 €) prépare des plats corrects, comme des *gigandes* (haricots de Lima) ou de l'agneau aux pommes de terre. Le vin et le raki maison sont bons également.

Rooms Aris (☎ 28340 314817 ; d 30 €). Sans doute le plus beau panorama du village. Chambres propres et douillettes, toutes dotées d'une sdb neuve. À côté de l'Aristea.

Hotel Aristea (☎ 28340 31459 ; d avec petit déj 40 €). Dans la partie haute, le sympathique Aristea profite d'une jolie vue et d'une brise fraîche. Chambres simples et bien équipées, avec TV, sdb et balcon. Les propriétaires louent aussi d'excellents studios modernes, à côté.

Ta Skalomata (☎ 28340 31316 ; grillades 4-8 €). Le restaurant le plus vieux du village offre un large choix de grillades et de plats crétois à des prix très raisonnables. Les courgettes au fromage et aux aubergines sont délicieuses, de même que le pain maison. Du côté est de la ville haute, l'endroit jouit d'une vue splendide.

Aetos (☎ 28340 31262 ; grillades 5-8,50 €). Cette taverne populaire dans la partie haute possède un barbecue géant à l'avant et une vue fantastique sur la montagne à l'arrière. Elle sert une bonne cuisine crétoise dans un décor traditionnel. Goûtez la spécialité régionale, l'*ofto* (agneau ou chèvre cuits à la flamme) ou le plat typique du village, des spaghettis cuits dans du bouillon avec du fromage.

L'immense restaurant **Delina** (☎ 28340 31701), propriété du célèbre joueur de lyre Vasilis Skoulas, qui vient parfois y manger, est plus adapté aux grands banquets qu'à un dîner en tête à tête. Il est situé à côté du nouveau **Delina**

Mountain (www.delina.biz), un complexe chic avec piscine intérieure, sauna et hammam, à 2 km sur la route du plateau de Nida.

Si la place de la partie basse du village vous semble un peu intimidante pour prendre un café, montez jusqu'à une ravissante place ombragée, près de l'église Agios Yiorgos, où vous devez absolument essayer les glaces au lait de brebis et les *galaktoboureko* (pâtisseries à la crème) de **Skandali Zaharoplasteio** (☎ 28340 31236).

Depuis/vers Anogia

Anogia est desservie par le bus 4 fois/jour depuis Héraklion (voir p. 157 ; 3,40 €, 1 heure) et 2 fois/jour du lundi au vendredi depuis Rethymnon (4,50 €, 1 heure 15).

MONT PSILORITIS (OROS PSILORITIS) ΟΡΟΣ ΨΕΙΛΟΡΊΤΗΣ

À 2 456 m d'altitude, le majestueux mont Psiloritis, également appelé mont Ida, ou Ídi, est le point culminant de l'île. À son pied, côté est, s'étend le vaste **plateau de Nida**, encerclé par d'imposantes montagnes, où viennent paître les moutons. La route goudronnée qui monte en serpentant sur 22 km à partir d'Anogia est bordée de fleurs sauvages au début du printemps et jalonnée de nombreuses *mitata* (huttes de berger rondes en pierre), dont certaines sont gardées par des chiens.

Les bâtiments futuristes qui se détachent sur un paysage lunaire, à l'est, appartiennent à l'**observatoire de Skinakas**, le plus grand du pays, situé à 1 750 m. On peut monter en voiture jusqu'au site pour profiter de la vue, mais les astronomes, qui vivent plutôt la nuit, n'apprécient pas les visites diurnes. L'observatoire ouvre toutefois au public une fois par mois à la pleine lune, entre mai et septembre, de 17h à 23h. Consultez le site Internet (www.skinakas.org.gr).

Le principal site digne d'intérêt du Psiloritis est la **grotte de l'Ida (Ideon Andron)** où, d'après la légende, Zeus aurait été élevé et qui a peut-être été habitée au début du néolithique. Son attrait reste surtout historique, car il s'agit d'une immense caverne assez banale, jonchée de vieilles poutres en bois et de rails.

CÔTE SUD

À l'approche de la côte sud en venant de Spili, le paysage devient plus spectaculaire et une merveilleuse perspective s'ouvre sur la mer de Libye. En allant vers l'ouest puis vers le sud pour rejoindre le littoral et Plakias, on traverse les impressionnantes **gorges de Kourtaliotis**, où la Megalopotamos s'écoule avant de se jeter dans la mer à la **plage de Preveli**. Au nord de Plakias s'étendent les magnifiques **gorges de Kotsifou**.

PLAKIAS ΠΛΑΚΙΑΣ

186 habitants

Plakias est l'une des stations balnéaires les plus animées de la côte sud. Son auberge de jeunesse attire des vacanciers plus jeunes que les villes voisines, tandis que les hôtels

RANDONNÉE AU MONT PSILORITIS

Du plateau de Nida, on peut rejoindre le sentier E4 qui traverse l'île d'est en ouest pour monter au sommet du Psiloritis, baptisé **Timios Stavros** (Sainte Croix). L'aller-retour se fait en 7 heures. Inutile d'être un alpiniste expérimenté, mais la marche est longue et la vue depuis le sommet peut être cachée par une brume de chaleur ou une couverture nuageuse. Peu après Nida, un sentier conduit à la **grotte de l'Ida (Ideon Andron)**, à une altitude de 1 495 m. Au cours de l'ascension, on rencontre plusieurs *mitata* (huttes de berger) qui peuvent offrir un refuge en cas de mauvais temps ; au sommet du Psiloritis se dresse une petite chapelle en pierres sèches coiffée de deux dômes.

Un autre itinéraire pour atteindre le sommet ou en descendre débute (ou finit) à **Fourfouras**, au bord de la vallée d'Amari, à 3 heures 30 de marche plus loin vers l'ouest. Un refuge est installé à peu près à mi-chemin. Une fois à Fourfouras, vous pourrez trouver un véhicule pour poursuivre votre route ou continuer sur le GR E4 jusqu'à **Spili**. Une troisième voie d'accès court au sud jusqu'au village de **Kamares** (5 heures). À mi-chemin, on passe devant la **grotte de Kamares**, où l'on a découvert une importante collection d'urnes minoennes peintes. Cette grotte constitue un but de randonnée d'une journée pour les visiteurs qui séjournent du côté sud du Psiloritis.

Pour marcher dans cette région, procurez-vous la carte Anavasi au 1/25 000 du mont Psiloritis (mont Ida, voir p. 137).

de taille moyenne et les *domatia* (chambres chez l'habitant) accueillent des voyageurs indépendants et des touristes en forfait séjour. Hors saison, on croise beaucoup de familles et de visiteurs plus âgés.

Plakias compte quelques restaurants corrects, de belles promenades, une vaste plage de sable et suffisamment d'activités et de vie nocturne pour vous occuper. C'est une bonne base pour explorer la région, et quelques jolies plages vous attendent dans les environs.

Orientation et renseignements

Aucun problème pour se repérer : la rue principale longe la plage, parallèlement à une autre rue plus à l'intérieur des terres. Le bus s'arrête au milieu du front de mer.

Plakias compte deux DAB. **Monza Travel Agency** (☎ 28320 31882), près de l'arrêt de bus, loue des voitures et des vélos et organise des excursions. La poste est installée dans la rue, à deux pas. Pour consulter vos e-mails, voyez **Frame** (☎ 2832 031 522 ; 4 €/h ; 9h-tard), au-dessus du supermarché, ou l'**auberge de jeunesse de Plakias** (☎ 28320 32118 ; 3,60 €/h).

À faire

Des **sentiers pédestres** bien balisés mènent au village de Sellia, au Moni Finika et à Lefkogia. On peut aussi faire une agréable balade le long des gorges de Kourtaliotis jusqu'au Moni Preveli. Un chemin facile de 30 minutes en montée, qui part devant l'auberge de jeunesse, conduit à Myrthios.

Pour les randonnées guidées, notamment une sortie à la plage de Preveli avec un retour en bateau (30 €), contactez **Anso Travel** (☎ 28320 31712 ; www.ansotravel.com). Vous pourrez organiser des excursions à cheval en contactant l'**Alianthos Beach Hotel** (☎ 28320 31196), qui offre également des promenades à dos de poney pour les enfants.

Le village compte plusieurs centres de plongée. L'un des premiers à s'être installé est le **centre de plongée de Kalypso Rocks' Palace** (☎ 28320 31895 ; www.kalypsodivingcenter.com), dont la base de plongée voisine propose un éventail de cours et d'activités. Autre adresse de bonne réputation : le **Phoenix Diving Club** (☎ 28320 31206 ; www.scubacrete.com).

Si vous voulez faire une **excursion en bateau** à Preveli (aller-retour 12 €), contactez le pêcheur propriétaire de la taverne Tasomanolis (voir en face).

La **bibliothèque de prêt** (9h30-12h30 dim, lun et mer, 17h-19h30 mar, jeu et sam), juste après l'auberge de jeunesse, possède une excellente collection de livres, de cassettes vidéo et de DVD en plusieurs langues.

Où se loger

La plupart des hébergements sont indiqués sur des panneaux en bois dans la grand-rue. Pour plus d'informations sur les hôtels, consultez le site www.plakias-filoxenia.gr.

Camping Apollonia (☎ 28320 31318 ; adulte/tente 5,50/3,50 € ;). Un camping ombragé un peu décrépit, sur le côté droit de la principale route d'accès à Plakias.

Youth Hostel Plakias (☎ 28320 32118 ; www.yhplakias.com ; dort 9 € ;). Une auberge de jeunesse très prisée des voyageurs indépendants. Le gérant britannique, Chris, a créé un lieu agréable, avec dortoirs impeccables, toilettes et douches rénovées, pelouse verdoyante, porche ombragé, terrain de volley et accès Internet. La collection de disques ajoute encore à l'ambiance. Indiqué par un panneau à l'arrêt du bus, à 10 minutes de marche.

Castello (☎ /fax 28320 31112 ; ch/studio 30/33 € ; P). La décontraction du patron, Christos, et le jardin ombragé font de cet endroit une retraite délicieuse. Chambres fraîches et propres, avec réfrigérateur, la plupart possédant aussi un coin cuisine et un grand balcon à l'ombre. Grands appartements de 2 chambres parfaits pour les familles (45-55 €). Comptez 5 € de plus pour la climatisation.

Paligremnos Studios (☎ 28320 31835 ; www.paligremnos.com ; ch 35-40 € ;). À l'extrémité est de la plage, ces studios tenus en famille sont un peu vieillots mais constituent une option correcte pour les voyageurs à petit budget. Ils sont dotés d'une kitchenette et certains bénéficient d'une belle vue sur la mer depuis le balcon. Taverne ombragée adjacente.

Pension Thetis (☎ 28320 31430 ; thetisstudios@gmail.com ; studios 45-70 € ;). Des studios plaisants et familiaux. Les chambres rénovées disposent d'un réfrigérateur, d'un coin cuisine, d'une cafetière et d'une TV satellite. Le jardin frais et ombragé permet de se détendre et compte une petite aire de jeu pour les enfants.

Alianthos Garden Hotel (☎ 28320 31280 ; www.alianthos.gr ; d avec petit déj 70 € ;). Un hôtel moderne à l'entrée de la ville, à côté de la route longeant la mer. Ameublement tout confort dans le style traditionnel crétois.

Où se restaurer

Les restaurants du front de mer offrant une carte assortie de photos sont généralement médiocres.

Taverna Christos (☎ 28320 31472 ; plats du jour 5-11 €). Sur le front de mer, cette taverne réputée possède une terrasse romantique ombragée par des tamaris et donnant sur la mer. Bon choix de spécialités crétoises, de poissons frais et de plats du jour.

Lisseos (☎ 28320 31479 ; plats 5,30-8,50 € ; à partir de 19h). L'emplacement en contrebas de la route, près du pont, n'a rien d'attrayant, mais cet endroit est connu pour ses *mayirefta*. La meilleure cuisine maison de la ville.

Tasomanolis (☎ 28320 31129 ; assortiment de poissons pour deux 16,50 €). Cette taverne traditionnelle spécialisée dans le poisson, à l'extrémité ouest de la plage, est tenue par un sympathique pêcheur. Sur une agréable terrasse donnant sur la plage, vous dégusterez du poisson grillé avec des légumes sauvages et du vin.

Iliomanolis (☎ 28320 51053 ; plats 4-6 €). Vous ne regretterez pas d'avoir fait le trajet en voiture à travers les gorges de Kotsifou pour venir déguster une solide cuisine crétoise maison dans le village de Kanevos. Dans un cadre magnifique, avec les gorges d'un côté et la forêt de l'autre, cette adresse est réputée pour son excellente table. La propriétaire, Maria, sera heureuse de vous emmener en cuisine pour vous montrer son alléchant choix de plats (entre 20 et 25 chaque jour). La viande provient essentiellement d'animaux élevés sur place et on peut acheter du vin, de l'huile d'olive et du raki faits maison.

Pour manger des souvlakis, le **Nikos Souvlaki** (☎ 28320 31921) est un lieu populaire et bon marché, prisé des clients de l'auberge de jeunesse. Les habitants ne jurent que par les souvlakis et les grillades du **To Xehoristo** (☎ 28320 31214). À noter également : le **Sifis** (☎ 28320 31001) pour les grillades, et le **Siroko** (☎ 28320 32055), juste après la taverne Tasomanolis.

Où sortir

La vie nocturne bat son plein en été. Les voyageurs se retrouvent notamment dans l'excellent bar installé au milieu de la plage. Les clients de l'auberge de jeunesse privilégient l'Ostraco ou encore le Finikas.

Depuis/vers Plakias

En été, 6 bus rejoignent quotidiennement Rethymnon (3,50 €, 1 heure). De Plakias, on peut se rendre à Agia Galini en prenant le bus pour Rethymnon jusqu'à la jonction de Koxare (indiquée Bale sur les horaires) et en attendant une correspondance. Plakias est bien desservie par le bus en été, très mal en hiver. Horaires affichés à l'arrêt de bus.

Comment circuler

Cars Alianthos (☎ 28320 31851 ; www.alianthos-group.com). Un loueur de voitures sérieux.

Easy Ride (☎ 28320 20052 ; www.easyride.gr). Non loin de la poste, loue des VTT, des scooters et des motos.

ENVIRONS DE PLAKIAS

Myrthios Μύρθιος

208 habitants

Ce plaisant village perché à flanc de coteau au-dessus de Plakias peut constituer un autre point de chute. Il se trouve à une distance accessible de la plage et de l'animation, à condition d'avoir une voiture (à pied, comptez 20 min). La vue sur la baie est superbe.

Niki's Studios & Rooms (☎ 28320 31593 ; ch/studio/tr 25/30/40 € ;). Chambres basiques et confortables ; quelques studios avec kitchenette, réfrigérateur et climatisation.

Anna Apartments (☎ 69733 24775 ; www.annaview.com ; d studios 39-55 € ;). Des studios et appartements agréables et spacieux, parfaits pour les longs séjours, avec un grand balcon et une vraie cuisine. Plus confortables et accueillants que la moyenne.

Stefanos Village (☎ 28320 32252 ; www.plakias.com ; studio/app à partir de 68/88 € ;). À la lisière du village, une très bonne option de catégorie moyenne, avec une séduisante piscine bénéficiant d'une vue panoramique. Ce complexe de 3 étages tenu en famille comprend des studios et des appartements indépendants disposant de grands balcons et d'une vue sur la mer. La plupart possèdent une cuisine équipée.

Plateia (☎ 28320 31560 ; plats 5,50-9 €), plus fréquemment appelé Friderikos (prénom du sympathique propriétaire), allie une belle vue, une cour en pierre et une cuisine succulente. Mention spéciale pour la fricassée de porc aux pommes de terre arrosée de vin maison.

Moni Preveli Μονή Πρέβελη

Perché en hauteur dans un splendide isolement, le **monastère de Preveli** (☎ 28320 31246 ; www.preveli.org ; 2,50 € ; 8h-19h mi-mars à mai, 9h-13h30 et 15h30-19h30 juin-oct) surplombe la mer de Libye. En montant, on aperçoit sur la falaise un mémorial de la guerre, avec les statues d'un prêtre armé d'un fusil et d'un soldat du Commonwealth. Du parking, à l'extérieur du monastère, un panorama exceptionnel se déploie sur la côte sud.

Les origines du monastère restent obscures, car la plupart des documents ont été détruits lors des attaques lancées au fil des siècles. La date de "1701" est sculptée sur la fontaine, mais il est possible que l'endroit ait été fondé bien avant. Comme beaucoup d'autres en Crète, ce monastère a joué un rôle important dans le soulèvement de l'île contre la domination turque. Devenu un foyer de résistance en 1866, il fut incendié par les Turcs, qui détruisirent les cultures alentour. Après la bataille de Crète, pendant la Seconde Guerre mondiale, de nombreux soldats alliés y trouvèrent refuge avant d'être évacués en Égypte. En représailles, il fut pillé par les Allemands.

Le **musée** contient un candélabre offert après la guerre par des soldats britanniques reconnaissants. Bâtie en 1836, l'église mérite la visite pour sa très belle collection de plus de 100 icônes, dont certaines datent du début du XVIIe siècle. On peut admirer plusieurs œuvres du moine Mihail Prevelis, notamment un magnifique panneau représentant Adam et Ève au Paradis au centre de l'autel.

À environ 1 km avant le monastère, une route descend vers un grand parking (2 €), où un sentier abrupt comptant 425 marches conduit à la plage de Preveli.

De juin à août, 4 bus relient quotidiennement Rethymnon au Moni Preveli (3,90 €, 1 heure 15).

Plage de Preveli Παραλία Πρέβελη

À l'entrée des gorges de Kourtaliotiko, la plage de Preveli, officiellement appelée Paralia Finikodasous (plage des Palmiers), est l'une des plus renommées de Crète. La rivière Megalopotamos débouche tout au bout de la plage, serpente à travers le sable et se jette dans la mer de Libye. Des lauriers-roses et des palmiers bordent les lieux, où les campeurs plantaient autrefois leurs tentes avant l'interdiction officielle. Recouverte essentiellement de sable, la plage est naturellement ombragée à ses deux extrémités – on peut cependant louer des parasols et des chaises longues –, et ses eaux tièdes et protégées sont propices à la baignade et à la plongée. Deux snack-bars s'installent en saison.

En suivant les berges de la rivière plantées de palmiers, on atteint des bassins d'eau douce parfaits pour faire trempette. On trouve aussi des pédalos à louer.

Un sentier escarpé descend à la plage depuis un parking situé 1 km avant le Moni Preveli. On peut aussi arriver en voiture à quelques centaines de mètres de la plage en prenant une piste en terre de 5 km, indiquée à partir d'un pont de pierre juste à côté de la route principale pour le Moni Preveli. Là, le **Gefyra** (☎ 69367 04126) permet de s'arrêter pour déjeuner ou se rafraîchir. La piste s'arrête à la plage d'Amoudi ; ensuite, il faut marcher sur 500 m vers l'ouest en contournant le promontoire. La plage de Preveli est également accessible en bateau de Plakias (de juin à août) ou en bateau-taxi depuis Agia Galini.

EXCURSION : ASSOMATOS

Sur la route de Plakias et de Preveli, le village d'**Assomatos** abrite le fascinant **musée de Papa Mihalis Georgoulakis** (☎ 28320 31674 ; www.plakias.net ; 2,50 € ; 10h-15h), un prêtre octogénaire qui a réuni une collection d'objets liturgiques et historiques, d'armes, de lettres et d'affiches de la résistance crétoise, d'icônes et d'objets de la vie quotidienne. Le tout est présenté dans une maison encombrée et pittoresque, au milieu du village, avec une charmante cour intérieure et un café qui vend du raki et de l'huile produits par la famille.

Plages des environs de Plakias

Entre Plakias et la plage de Preveli, des criques abritées attirent les campeurs indépendants et les nudistes. La **plage de Damnoni** est plaisante hors saison, malgré la présence de l'immense complexe touristique Hapimag.

Plus à l'ouest, la tranquille **Souda** est dotée de quelques chambres et de deux tavernes. En continuant vers l'ouest par le village de Sellia et **Rodakino**, on arrive à la paisible station balnéaire de **Polyrizos-Koraka** (également appelée Rodakino), qui ne compte qu'une poignée de tavernes et quelques petits hôtels éparpillés le long d'une agréable étendue de sable : le lieu idéal pour quelques jours de détente.

Le **Panorama** (☎ 28320 32179 ; d 30-40 € ;), à l'extrémité ouest de la plage de Rodakino, sur une hauteur, derrière la taverne au toit de chaume, propose un hébergement correct et bon marché, avec vue. Nous vous conseillons les nouveaux studios indépendants, avec sols carrelés, kitchenettes, lits doubles, lampes de bureau et mobilier neuf.

AGIOS PAVLOS (AGHIOS PAVLOS) ET TRIOPETRA

ΑΓΙΟΣ ΠΑΥΛΟΣ ΕΤ ΤΡΙΟΠΕΤΡΑ

Rien de surprenant à ce que les fabuleuses plages de sable d'Agios Pavlos et de Triopetra aient été choisies pour accueillir des retraites de yoga : ces plages préservées, entourées de dunes et de falaises déchiquetées, constituent sans doute l'une des plus belles étendues de littoral intact de Crète.

On prétend que les héros de la mythologie grecque Icare et Dédale s'envolèrent d'**Agios Pavlos**, mais la ville voisine d'Agia Galini affirme la même chose.

Agios Pavlos se résume à quelques chambres et tavernes autour d'une petite crique bordée d'une plage de sable. On peut voir de saisissantes formations rocheuses dans les falaises qui mènent à la première de trois criques (10 min à pied, la marche devient ensuite plus difficile). Les dunes montent jusqu'en haut, ce qui offre un spectacle extraordinaire mais peut s'avérer pénible les jours de grand vent. Les criques les plus éloignées sont moins fréquentées, mais sont agrémentées de quelques parasols en chaume et de chaises longues pour plus de confort.

Triopetra, ainsi baptisée en raison des trois rochers géants qui sortent de l'eau tout près de la côte, est accessible depuis Agios Pavlos (300 m sur une piste en terre carrossable) ou par une route asphaltée et venteuse de 12 km qui part du village d'Akoumia, sur la route Rethymnon-Agia Galini. Juste après Akoumia, l'église byzantine de **Metamorphosis tou Sotira** renferme de belles fresques de 1389.

Une route bitumée conduit à la **plage d'Agia Irini** via le village de Kerames.

Bien que ces routes aient été asphaltées il y a quelques années – elles sont actuellement prolongées vers Ligres et devraient à terme continuer jusqu'à Preveli –, elles restent préservées des promoteurs. Aucune des plages n'est accessible par les transports publics.

Où se loger et se restaurer

Agios Pavlos Hotel & Taverna (☎ 28320 71104 ; www.agiospavloshotel.gr ; Agia Irini ; d 30-40 €). Cet établissement familial sur la plage d'Agia Irini loue des chambres sans prétention dans le bâtiment principal, avec de petits balcons donnant sur la mer, et d'autres sous la terrasse ombragée, au-dessous de la taverne. Celle-ci sert une bonne cuisine crétoise (*mayirefta* 4,50-7 €). Un café-bar permet de prendre un petit déjeuner ou un verre et offre un accès Internet. La même famille propose de grands studios indépendants dans le complexe Kavos Melissa (ch 45 €), plus haut sur la falaise.

Yirogiali Taverna & Rooms (☎ 69745 59119 ; Triopetra ; d/tr 35/40 € ; ☒). Sur la longue plage de Triopetra, cette adresse est tenue par deux frères, dont la mère fait la cuisine. Chambres récentes avec sols et sdb en marbre, joli mobilier en bois, réfrigérateur, TV et balcon.

Pavlos Taverna Pension (☎ /fax 28310 25189 ; www.triopetra.com.gr ; d/tr/qua 30/35/45 €). Si vous cherchez la solitude, cette pension sur la petite plage à l'est de Triopetra loue des chambres correctes avec kitchenette. Une belle vue sur la mer se déploie derrière la taverne, qui propose de la viande produite localement, du poisson frais, des homards (souvent pêchés par le patron) et des légumes bio cultivés sur place.

Également à l'écart, la **Ligres Beach Taverna** (☎ 69725 24425) est un petit établissement familial doté de chambres modestes à côté d'une plage de toute beauté. Suivez les panneaux à partir du village de Kerames.

AGIA GALINI (AGHIA GALINI)

ΑΓΙΑ ΓΑΛΗΝΗ

855 habitants

Agia Galini, jadis pittoresque village de pêcheurs, a été dénaturé par l'explosion du tourisme et le développement immobilier. Il servait autrefois de port à la cité antique de Sybritos.

Encerclée par de grandes falaises de grès et envahie par une profusion d'hôtels et de *domatia*, Agia Galini peut sembler étouffante. C'est sans doute la station balnéaire la plus fréquentée du littoral sud, même si elle n'est rien comparée à celles de la côte nord. Toujours animée en haute saison, surtout la nuit, elle devient néanmoins plus tranquille, attirant une clientèle d'âge moyen et des familles. Elle constitue une base pratique pour visiter Phaistos et Agia Triada. La plage locale est bondée ; des bateaux pourront vous emmener vers d'autres plages plus agréables.

Orientation et renseignements

Le site Internet www.agia-galini.com propose des informations sur la ville. L'arrêt de bus se situe en haut de la route d'accès, juste avant la poste. Vous trouverez des DAB et des agences de voyages pratiquant le change. De nombreux cafés disposent d'un accès Internet, notamment **Hoi Polloi** (☎ 28320 91102 ; 4 €/h ; 🕑 9h-tard). Une **laverie** (🕑 10h-14h et 17h-21h) vous attend dans la rue face à la poste.

Circuits organisés

Près du port, **Cretan Holidays** (☎ 28320 91241) peut vous aider à trouver un hébergement et offre plusieurs excursions en bus : Cnossos (42 €), une sortie dans l'ouest de l'île comprenant La Canée, Rethymnon et Arkadi (45 €), les gorges de Samaria (44 €), et un circuit dans des villages et des fermes pour goûter la cuisine locale (45 €). On peut aussi s'inscrire à une excursion d'une journée en bateau à Agiofarango, déjeuner compris (44 €).

Où se loger

Les hébergements ne manquent pas à Agia Galini, mais beaucoup sont réservés par les tour-opérateurs en haute saison.

Adonis (☎ 28320 91333 ; www.agia-galini.com ; ch 50-120 € ; ❄ 🏊). Cet hôtel plaisant occupe plusieurs bâtiments dont les chambres, les studios et les appartements ont tous accès à une grande piscine. Chambres claires et propres, dont la plupart ont été rénovées. Certaines ont un balcon avec vue sur la mer.

Stohos Rooms & Taverna (☎ 28320 91433 ; d avec petit déj 40-45 € ; ❄). Sur la plage principale, des appartements avec kitchenette et grand balcon à l'étage, et de vastes studios parfaits pour les familles ou les groupes au rdc. Le sympathique Fanourios tient l'excellente taverne. Essayez le *kleftiko* ou d' autres plats cuits au four (8,50 €).

Erofili Hotel (☎ 28320 91319 ; hotelerofili@hotmail.com ; d avec petit déj 30-40 € ; ❄). Tenu dans la décontraction par Miro et sa tortue mascotte, cet hôtel de 10 chambres est plein de charme. Les chambres assez simples bénéficient pour certaines de la clim, d'un réfrigérateur et d'une TV. Toutes jouissent d'une belle vue sur la mer et celles du rdc ont une terrasse arborée. L'endroit est indiqué sur la droite depuis la grand-route. Miro gère également le bar musical Yamas.

Hotel Rea (☎/fax 28320 91390 ; www.hoter-rea.messara.de ; s/d 30/35 € ; ❄). Sur la grand-route près du port, un hôtel bon marché, vieillot mais propre, avec des chambres de bonne taille (lit double ou lits jumeaux) dotées de meubles en pin. Sdb basiques. Les chambres à l'avant ont un balcon donnant sur la mer.

Agapitos Rooms (☎ 28320 91164 ; d/tr/qua 30/35/40 € ; ❄). Pas de vue, mais des studios douillets à mi-pente d'un rapport qualité/prix correct, avec balcons et porches à l'arrière. Certains ont une sdb neuve.

Agia Galini Camping (☎ 28320 91386 ; empl 6 €/pers, tente 4 €). Près de la plage, à 2,5 km à l'est de la ville, ce camping est indiqué depuis la route Héraklion-Agia Galini. Bien ombragé. Piscine, restaurant et supérette.

Où se restaurer

Madame Hortense (☎ 28320 91351 ; plats grecs 4,50-13 €). Le restaurant le plus beau et le plus pittoresque de la ville, au dernier étage de l'ensemble Zorbas, sur le port. Cuisine grecque méditerranéenne et steaks (12 €).

La Strada (☎ 28320 91053 ; pizzas 5,50-7,50 €, pâtes 5-6 €). Dans la première rue à gauche après l'arrêt de bus. Pizzas, pâtes et risottos excellents.

Faros (☎ 28320 91346 ; plats de poisson 7-11 €). Derrière le port, cette taverne sans prétention est l'une des plus anciennes de la ville. On mange du poisson frais (45 €/kg), ainsi que des grillades et des *mayirefta*.

Kostas (☎ 28320 91323 ; plats de poisson 6-27 €). À l'extrémité est de la plage, cette taverne bien établie, au décor bleu et blanc classique, est plébiscitée par les habitants pour ses excellents poissons frais et fruits de mer (assez chers mais succulents). Grand choix de mezze.

Nous vous recommandons également le **Romantika**, à l'extrémité est de la plage, et la **Stohos Taverna** (voir ci-contre). En ville, l'ouzéri Petrino offre aussi une atmosphère authentique et de bons mezze.

Depuis/vers Agia Galini

BUS

En haute saison, on compte 6 bus/jour pour Héraklion (7,10 €, 2 heures), 6 pour Rethymnon (5,30 €, 1 heure 30) et 5 pour Phaistos et Matala (2,80 €, 40-45 min).

BATEAU-TAXI

En été, des bateaux-taxis relient quotidiennement le port aux plages d'Agios Giorgios, d'Agiofarango et de Preveli (de 10 à 20 €).

Comment circuler

En face de la poste, **Mano's Bike** (☎ 28320 91551) loue des scooters et des motos ; **Monza Travel** (☎ 28320 91278) loue des voitures et organise des excursions en bus.

CÔTE NORD-EST

En quittant Rethymnon vers l'est après la ribambelle de complexes hôteliers, on atteint une portion de littoral découpé et ponctué de grottes sous-marines et de criques isolées uniquement accessibles en bateau. Sur la côte nord, les principales stations balnéaires sont Bali et Panormos.

PANORMOS (PANORMO)
ΠΆΝΟΡΜΟ

873 habitants

Relativement préservée et facilement accessible depuis Rethymnon, Panormos est l'une des stations balnéaires les moins connues de la côte nord. Ses deux plages correctes ne sont pas toujours très propres, mais cet endroit détendu constitue une bonne solution pour échapper à la foule qui se presse immédiatement à l'est de Rethymnon et dans la ville voisine de Bali. Malgré la présence de deux grands complexes hôteliers à l'ouest du village, celui-ci conserve une atmosphère assez authentique. En été, des concerts et des manifestations sont organisés dans le centre culturel, une ancienne usine de transformation des caroubes, derrière l'arrêt de bus.

Panormos était autrefois un centre marchand dynamique qui vivait de l'exportation des agrumes et des caroubes. Il occupe le site d'un village antique dont on ne sait pas grand-chose, mais des pièces de monnaie retrouvées sur place indiquent qu'il a prospéré entre le Ier et le IXe siècle, avant d'être détruit par les Sarrasins. Il possédait une basilique chrétienne édifiée vers le VIe siècle. On peut voir les ruines d'un château génois sur le port.

Orientation et renseignements

L'arrêt de bus se trouve sur la grand-route, à l'extérieur du village. La poste est installée à une rue derrière les ruines du château. L'un des hôtels situés juste à la sortie de Panormos possède un DAB. Un petit train touristique partant de la grand-rue rejoint la grotte de Melidoni (p. 135) et le village de potiers de Margarítes (p. 134). Panormos compte un centre qui propose des stages de cuisine de bonne réputation (voir p. 62).

Pour plus de renseignements, voyez le site www.panormo.com.

Où se loger et se restaurer

Villa Kynthia (☎ 28340 51102 ; www.kynthia.gr ; d 129-171 € ; ❄ 🏊). Une vieille demeure dans le centre du village, restaurée et transformée en un charmant hôtel de style B&B, avec lits en fer forgé, meubles anciens et peintures murales. L'une des chambres est décorée d'une frise représentant l'*Odyssée*. L'endroit compte aussi un appartement familial. Le petit déj se prend dans une magnifique cour arborée dotée d'une piscine.

Lucy's Pension (☎ 28340 51212 ; www.lucy.gr ; d/studio 40/45 € ; ❄). Bien indiqué dans le centre du village. La patronne, Lucy, loue des chambres un peu vieillottes bien tenues, avec kitchenette et balcon. Celles de l'étage donnent sur la mer. Lucy tient aussi les appartements Castello sur le front de mer, lumineux et spacieux (TV et kitchenette).

Konaki Studio-Apartments (☎ 28340 51026 ; www.geocities.com/konakihotel ; studios 50 € ; 🏊). Le jardin et la piscine sont plus agréables que les chambres, mais ce petit hôtel n'en reste pas moins l'une des options les plus plaisantes. En surplomb de la plage, dans le nord du village.

To Steki tou Sifaka (☎ 28340 51230 ; plats 5-7,50 €). Mélange de taverne et d'ouzéri, dans une rue pavée à un pâté de maisons du front de mer. Une adresse douillette concoctant une bonne cuisine crétoise. Les plats du jour sont inscrits sur un tableau en devanture.

Angira (☎ 28340 51022 ; grillades 5,50-8 €). Une ancre géante à l'extrême est du port indique l'entrée de cette taverne réputée, qui sert des poissons et des fruits de mer, des grillades et des spécialités crétoises.

Vous pouvez aussi essayer la **Captains' House** (☎ 28340 51352), à l'extrémité ouest du port, pour ses poissons frais, ou la **Taverna Kastro** (☎ 28340 51362) aux allures de faux château, près de l'arrêt de bus, où vous attendent une cour agréable et de bons mezze.

Depuis/vers Panormos

Des bus quittent Rethymnon à destination de Panormos toutes les 20 minutes (2 €, 25 min). Les bus qui desservent la ligne Rethymnon-Héraklion marquent un arrêt sur la grand-route, à l'extérieur du village.

BALI ΠΠΑΛΊ

330 habitants

À 38 km à l'est de Rethymnon et à 51 km à l'ouest d'Héraklion, Bali est installée dans l'un des paysages les plus saisissants de la côte nord, avec une succession de petites criques le long d'un littoral découpé, ponctué de collines, de promontoires et d'étroites plages de sable. Hélas, le développement sauvage a sérieusement abîmé la beauté naturelle de cet ancien hameau de pêcheurs et les plages sont noires de monde en été. Vous apprécierez néanmoins de louer un bateau pour profiter pleinement du cadre spectaculaire.

Bali n'a aucun rapport avec son célèbre homonyme indonésien. Ce mot signifie "miel" en turc, car le village en produisait autrefois. Dans l'Antiquité, Bali s'appelait Astali, une cité dont il ne reste aucune trace.

Orientation et renseignements

Bali est très étendue ; comptez au moins 25 minutes de marche pour la parcourir. Elle est jalonnée de criques, plus connues par le nom des hôtels et des tavernes qui y sont installés que sous leur propre nom. Se succèdent ainsi la grande plage de Livadi (Paradise), Varkotopo (Kyma), puis la plage de Limani (plage de Bali), sur le port, à présent reliée à la petite plage de Limanakia. Après le promontoire, à l'extrême nord, la minuscule crique de Karavostasi (Evita) est accessible depuis le port par un sentier côtier, ou en voiture par une route en haut des falaises.

Un DAB est installé près du bureau des gardes-côtes. Vous pourrez aussi changer des devises dans les agences de voyages ou à Racer Rent-a-Car (voir ci-contre), à gauche en entrant dans la ville.

Derrière le port, le **Bali Net Cafe** (☎ 28340 94110 ; 3 €/h ; 10h-24h) propose un accès Internet rapide, tous les services habituels et des salles de jeux séparées. Si vous n'êtes pas motorisé, vous pourrez rejoindre les plages par le petit train **Bali Express** (aller 2 €).

À faire

Bali attire de nombreux plongeurs et on peut y pratiquer divers sports nautiques. Près du port, le **centre de plongée Hippocampos** (☎ 28340 94193 ; www.hippocampos.com ; plongée matériel compris à partir de 31 €) offre des sorties en plongée et en snorkeling pour tous niveaux. Sur le port, **Water Sports Lefteris** (☎ 28340 94102 ; cat_cruises@yahoo.gr) loue des pédalos et des canoës (8-10 €/heure), des bateaux à moteur (30 €/2 heures) et des jet-skis (40 €/15 min). Un vol de 15 minutes en parachute ascensionnel coûte 40 €. Possibilités de croisière d'une journée ou au crépuscule (25 €).

Où se loger

Bali compte peu d'hébergements bon marché, la plupart des hôtels étant occupés par des couples et des familles en long séjour ou par des groupes en voyage organisé. En haute saison, mieux vaut réserver.

Sunrise Apartments (☎ 28340 94267 ; d/app 40/50 € ;). Sur la plage d'Evita, des chambres propres et spacieuses, avec coin cuisine. On vient vous chercher à l'aéroport d'Héraklion.

Bali Blue Bay (☎ 28340 20111 ; mooky@otenet.gr ; d avec petit déj 50 € ;). Hôtel élégant et moderne dont les chambres et la piscine du dernier étage bénéficient d'une vue superbe. Chambres au décor contemporain, dotées d'une TV, d'un réfrigérateur et d'un sèche-cheveux.

Apartments Ikonomakis (☎ 28340 94125 ; d/qua 35/65 € ;). Cet établissement central, récemment rénové, se situe dans une rue tranquille un peu en retrait du port. Chambres confortables avec kitchenette.

Sea View Apartments (☎ 28340 94214 ; d 60 € ;). Après le port, de l'autre côté du promontoire, cet ensemble d'appartements aux couleurs pastel, aussi accessible par des petites routes, jouit d'un bel emplacement sur le front de mer. Appartements de 2 chambres spacieux et confortables, médiocrement décorés.

Où se restaurer

Taverna Karavostasi (☎ 28340 94267 ; plats du jour grecs 4,50-6,50 €). Appartenant au Sunrise Apartments, ce petit restaurant douillet, à 30 m derrière la plage d'Evita, prépare une cuisine sans prétention et des en-cas. L'agneau aux okras (gombos) est apprécié.

Taverna Nest (☎ 28340 94289 ; grillades 5-9 €). Cette taverne familiale est située en retrait du port, près du parking. Elle sert une cuisine maison et d'excellentes grillades sur une agréable terrasse. La viande, les fruits et les légumes sont presque tous produits sur place.

Panorama (☎ 28340 94217 ; plats 5-8,50 €). Avec sa situation imprenable au-dessus du port, cette adresse populaire, l'une des plus anciennes et des plus réputées de la ville, est spécialisée dans le poisson et les plats crétois.

Comment s'y rendre et circuler

Les bus qui circulent entre Rethymnon et Héraklion (5,90 €) vous déposeront sur la grand-route, à 2 km à pied du port. Pour louer une voiture, **Racer Rent-a-Car** (☎ 28340 94149 ; fax 28340 94249) possède un bureau à l'entrée de la ville et un autre sur le port.

Héraklion (Iraklio)
Ηρακλειο

Le nome d'Héraklion est l'une des régions les plus dynamiques et les plus captivantes de l'île. Il accueille près de la moitié de la population, une grande partie de l'activité commerciale et agricole, et des sites archéologiques majeurs. En arpentant les palais minoens de Cnossos, de Phaistos, d'Agia Triada, de Gortyne et de Malia, le visiteur prend la mesure du riche héritage culturel crétois. Les multiples trésors mis au jour en ces lieux sont regroupés dans la collection exceptionnelle du Musée archéologique d'Héraklion – la capitale de l'île et le port principal.

Héraklion est aussi une région disparate qui concentre le pire et le meilleur de la Crète. La côte nord a été en grande partie abandonnée au tourisme de masse et ses plages sont bordées d'hôtels. Développées à l'extrême, les stations balnéaires de Malia et d'Hersonissos proposent les scènes nocturnes les plus animées de l'île ; en contrepartie, elles doivent en gérer les conséquences. Le nord de la province héberge également quelques complexes de luxe, un aquarium flambant neuf et le seul golf crétois de standard international.

Il suffit néanmoins de s'éloigner de la côte nord pour pénétrer au cœur de l'île et découvrir des paysages champêtres et une industrie viticole de plus en plus sophistiquée et ouverte. Dans les villages de l'intérieur, l'âme de la Crète se cache dans le moindre recoin ; Archanes s'impose quant à elle comme une localité moderne et prospère. La beauté naturelle de la région est particulièrement frappante dans des bourgs comme Zaros, qui constitue une excellente base pour partir marcher dans les gorges de Rouvas ou visiter des monastères nichés dans les hauteurs. Les montagnes du Sud sont très appréciées des randonneurs.

Sur la côte sud, moins accessible et plus calme, l'ancien repaire de hippies de Matala est la seule station touristique développée. Les plages de Kastri et de Keratokambos sont plus paisibles et, si vous souhaitez un isolement total, un superbe trajet à travers les montagnes vous mènera à Lendas, pour une ambiance décontractée et des plages reculées.

À NE PAS MANQUER

- Les vestiges de la civilisation minoenne à **Cnossos** (p. 158), à **Phaistos** (p. 168) et à **Malia** (p. 177)
- La vie nocturne palpitante d'**Héraklion** (p. 155), capitale de l'île
- L'extraordinaire collection du **Musée archéologique d'Héraklion** (p. 148)
- Les superbes plages de **Matala** (p. 172) et de **Lendas** (p. 174), sur la côte sud
- L'air frais de la montagne et les monastères de **Zaros** (p. 166)

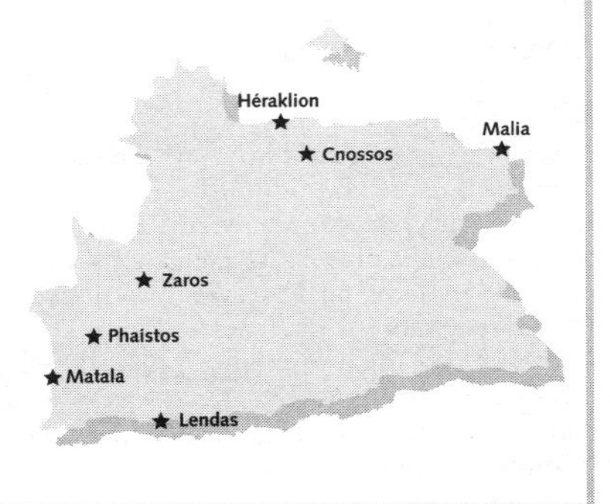

HÉRAKLION (IRAKLIO)
ΗΡΑΚΛΕΙΟ

137 390 habitants

La découverte d'Héraklion et de son activité débordante risque de déconcerter les nouveaux venus en quête d'une île grecque paradisiaque. Bruyante, envahie de voitures et truffée d'immeubles en béton, la capitale de la Crète (et cinquième plus grande ville de Grèce) est une vaste métropole moderne qui n'a pas le charme architectural de Rethymnon ou de La Canée (Khaniá).

Pourtant, Héraklion traverse une phase de renouveau urbain, qu'illustrent les nombreuses rénovations réalisées au cours des dernières années. Le front de mer a subi des améliorations significatives ; dans le centre historique, les rues sont devenues piétonnes et les édifices sont joliment mis en valeur.

Le Musée archéologique d'Héraklion et le palais de Cnossos (Knossós) offrent des fenêtres sur la culture minoenne. Par ailleurs, la ville renferme bien d'autres témoignages de son passé tumultueux. Les remparts vénitiens et la forteresse du XIVe siècle soulignent combien Héraklion (alors appelée Candie) fut importante aux yeux des Vénitiens. Beaucoup de monuments, notamment la fontaine Morosini, la loggia vénitienne et la basilique San Marco, datent de cette époque.

Héraklion a un côté urbain assez sophistiqué. Elle compte d'excellents cafés et restaurants, les meilleures boutiques de l'île et une scène nocturne dynamique. Avec un peu de temps, vous pourrez découvrir tous ses attraits, mais il est vrai que les voyageurs se contentent souvent d'un passage obligatoire par le musée et Cnossos avant de partir vers des régions plus séduisantes de prime abord.

HISTOIRE

Il semble que la naissance d'Héraklion remonte à la période néolithique. On sait assez peu de choses sur les premières années de son existence, si ce n'est qu'elle fut conquise par les Sarrasins en 824 et prit le nom de Rabdh el-Khandak (château des Douves), en référence aux fossés qui entouraient la ville fortifiée. Elle passait alors pour la capitale du trafic des esclaves de toute la Méditerranée orientale et pour la plaque tournante des terribles pirates de la région.

En 961, les troupes byzantines assiégèrent la ville pendant presque un an et finirent par évincer les Arabes. Le chef byzantin Nikiforos Fokas (Nicéphore Phokas) fit forte impression en décapitant les prisonniers et en jetant leurs têtes par-dessus les remparts.

La cité s'appela Chandax jusqu'à la vente de la Crète aux Vénitiens en 1204 ; elle fut alors rebaptisée Candie. Les Vénitiens élevèrent de superbes églises et bâtiments publics.

Pendant la période vénitienne, Candie devint un centre artistique et accueillit des peintres comme Damaskinos et le Greco. Lorsque les Turcs prirent Constantinople, les remparts de la forteresse de Candie furent prolongés afin d'anticiper la menace ottomane. Ainsi, les Turcs occupèrent l'île très rapidement en 1648, mais il leur fallut 21 ans pour franchir les murs de Candie.

De temps à autre, certains pays européens envoyaient des troupes et des provisions, mais ce sont surtout les remparts qui empêchèrent l'intrusion ottomane. Finalement, les Turcs réussirent à corrompre un colonel vénitien qui leur dévoila les points faibles de la muraille, et Candie fut prise en 1669. Les combats furent sanglants : 30 000 victimes du côté vénitien et 118 000 du côté turc.

Sous l'autorité des Turcs, la ville prit le nom de Megalo Kastro (Grand Château) et s'enfonça dans une période assez sombre. L'activité artistique périclita et beaucoup de Crétois furent tués ou contraints de fuir.

En août 1898, une bande turque massacra des centaines de Crétois, 17 soldats britanniques et le consul de Grande-Bretagne. Quelques semaines plus tard, une flotte de navires britanniques entra dans le port d'Héraklion et mit fin à la domination turque.

La Canée (Khaniá) devint la capitale de l'île indépendante. De par sa situation centrale, Candie s'imposa comme un grand centre de commerce. Devenue Héraklion, elle retrouva son statut de centre administratif en 1971.

Presque tous les vestiges vénitiens et turcs furent détruits lors des bombardements de la Seconde Guerre mondiale.

ORIENTATION

Héraklion comporte deux grandes places. La Plateia Venizelou, également appelée place du Lion en raison de la célèbre fontaine Morosini, correspond au cœur de la ville. Quant à la grande Plateia Eleftherias, elle se trouve en direction du port. Les rues piétonnes partant

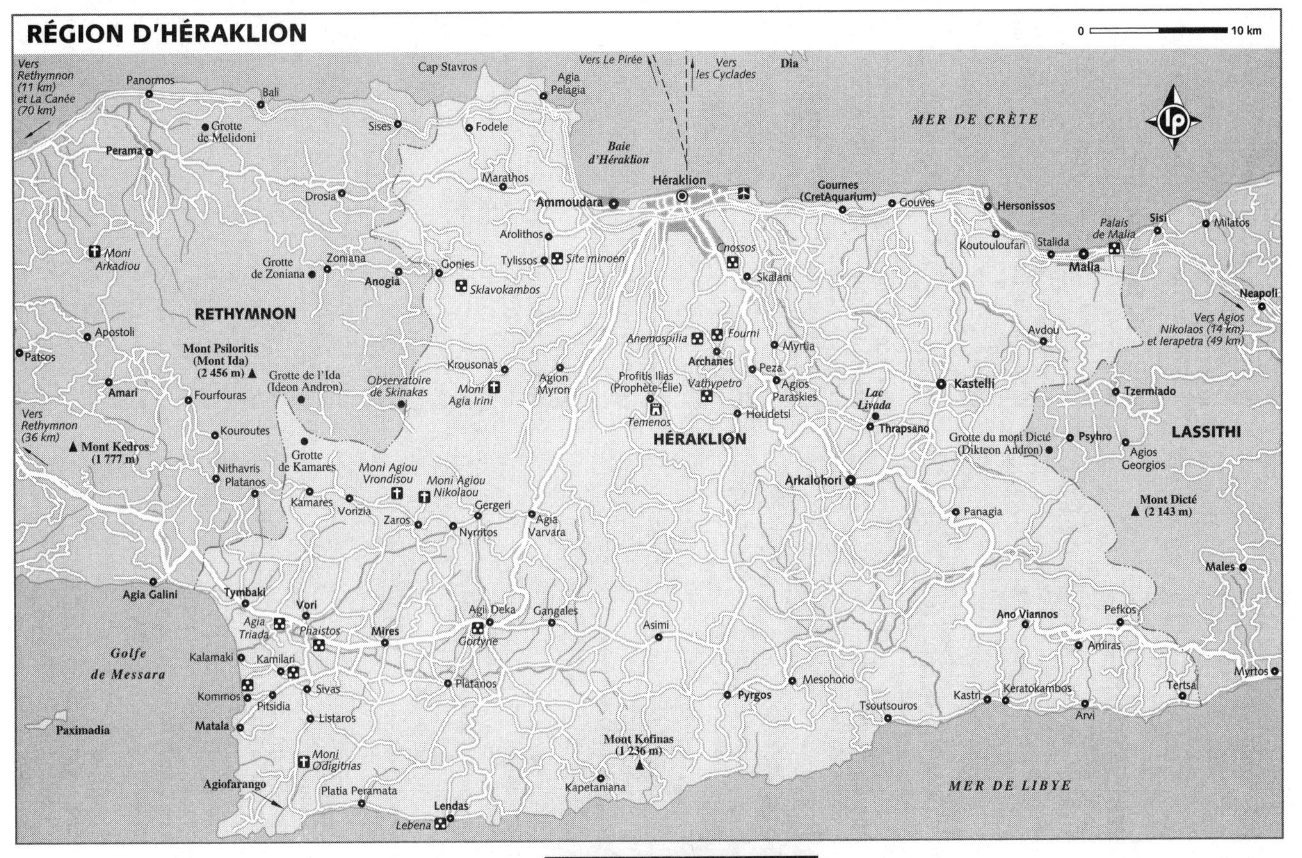
RÉGION D'HÉRAKLION
0
10 km
MER DE CRÈTE
MER DE LIBYE
Golfe de Messara
Baie d'Héraklion
Vers Le Pirée
Vers les Cyclades
Dia
Cap Stavros
HÉRAKLION
RETHYMNON
LASSITHI
Vers Rethymnon (11 km) et La Canée (70 km)
Vers Rethymnon (36 km)
Vers Agios Nikolaos (14 km) et Ierapetra (49 km)
Panormos
Bali
Grotte de Melidoni
Sises
Fodele
Agia Pelagia
Perama
Marathos
Drosia
Héraklion
Ammoudara
Gournes (CretAquarium)
Gouves
Hersonissos
Koutouloufari
Stalida
Malia
Palais de Malia
Sisi
Milatos
Neapoli
Moni Arkadiou
Arolithos
Tylissos
Site minoen
Cnossos
Skalani
Grotte de Zoniana
Zoniana
Anogia
Gonies
Sklavokambos
Apostoli
Patsos
Mont Psiloritis (Mont Ida) (2 456 m)
Grotte de l'Ida (Ideon Andron)
Observatoire de Skinakas
Krousonas
Moni Agia Irini
Agion Myron
Anemospilia
Fourni
Myrtia
Archanes
Peza
Agios Paraskies
Profitis Ilias (Prophète-Élie)
Vathypetro
Temenos
Houdetsi
Lac Livada
Thrapsano
Kastelli
Avdou
Tzermiado
Psyhro
Agios Georgios
Grotte du mont Dicté (Dikteon Andron)
Mont Dicté (2 143 m)
Amari
Fourfouras
Kouroutes
Mont Kedros (1 777 m)
Grotte de Kamares
Nithavris
Platanos
Kamares
Vorizia
Moni Agiou Vrondisou
Moni Agiou Nikolaou
Zaros
Nyrritos
Gergeri
Agia Varvara
Arkalohori
Panagia
Males
Agia Galini
Tymbaki
Vori
Agia Triada
Phaistos
Mires
Agii Deka
Gortyne
Gangales
Asimi
Ano Viannos
Pefkos
Amiras
Myrtos
Kalamaki
Kamilari
Kommos
Pitsidia
Sivas
Platanos
Mesohorio
Pyrgos
Tsoutsouros
Kastri
Keratokambos
Arvi
Tertsa
Paximadia
Matala
Listaros
Moni Odigitrias
Agiofarango
Platia Peramata
Lendas
Lebena
Mont Kofinas (1 236 m)
Kapetaniana

HÉRAKLION

de la fontaine concentrent la plupart des cafés et des restaurants.

Héraklion dispose de deux gares routières (voir p. 157). L'embarcadère des ferries se situe à 500 m à l'est du vieux port. L'aéroport est à 5 km à l'est du centre.

RENSEIGNEMENTS

Accès Internet

In Spot Internet Cafe (☎ 2810 300 225 ; Koraï 6 ; 2,40 €/h, 24h-12h 1,20 €/h ; 🕑 24h/24). Haut débit, impressions, gravure de CD et jeux en réseau.
Netc@fe (1878 4 ; 1,50 €/h ; 🕑 10h-2h). Tous les services sont disponibles.
Sportc@fe (angle 25 Avgoustou et Zotou ; 1 €/h ; 🕑 24h/24). Mal éclairé, enfumé et fréquenté par une foule de joueurs en réseau.

Agence de voyages

Skoutelis Travel (☎ 2810 280 808 ; www.skoutelistravel.gr ; 25 Avgoustou 24). Le personnel efficace organise des excursions et réserve les billets d'avion ou de ferry, ainsi que les hébergements ou les locations de véhicules. De bons renseignements concernant les ferries sont présentés sur le site Internet.

Argent

La plupart des banques se situent dans 25 Avgoustou.
Banque nationale de Grèce (25 Avgoustou 35). Un automate permet de changer des espèces 24h/24.

Consignes

Bus Station A (☎ 2810 246 538 ; 2 €/j ; 🕑 6h30-20h)
Consigne de l'aéroport d'Héraklion (☎ 2810 397 349 ; à partir de 2,50-5 € ; 🕑 24h/24). À côté de l'arrêt des bus locaux.
Laverie Washsalon (☎ 2810 280 858 ; Handakos 18 ; 3 €/j)

Laveries

La plupart des laveries facturent 6 € pour un lavage et un séchage.
Inter Laundry (☎ 2810 343 660 ; Mirabelou 25 ; 🕑 9h-21h tlj sauf dim)
Laverie Perfect (☎ 2810 220 969 ; Idomeneos et Malikouti 32 ; 🕑 9h-21h tlj sauf dim)
Wash Centre (☎ 2810 242 766 ; Epimenidou 38 ; 🕑 9h-21h lun-ven, 9h-20h sam)

Librairies

Marchand de journaux (☎ 2810 220 135 ; Plateia Venizelou). Presse étrangère, guides de voyage, cartes et ouvrages sur la Crète.
Librairie Planet International (☎ 2810 289 605 ; Handakos 73). Excellent choix de littérature, d'ouvrages historiques et de guides de voyage.
Road Editions (☎ 2810 344 610 ; Handakos 29). Spécialiste du voyage ; grand choix de guides et de cartes.

Offices du tourisme

EOT (Office du tourisme national grec ; ☎ 2810 246 299 ; Xanthoudidou 1 ; 🕑 8h30-20h30 avr-oct, 8h30-15h nov-mars). En face du Musée archéologique. Avec un peu de chance, on vous distribuera des brochures et des cartes. Un autre office du tourisme est situé dans la gare routière A.

Poste

Poste centrale (☎ 2810 289 995 ; Plateia Daskalogianni ; 🕑 7h30-20h lun-ven, 7h30-14h sam)

Services médicaux

Hôpital Apollonia (☎ 2810 229 713 ; Mousourou). Dans l'enceinte des remparts.
Hôpital universitaire (☎ 2810 392 111). À Voutes, à 5 km au sud d'Héraklion ; le mieux équipé de la ville.

Site Internet

www.heraklion-city.gr Le site Internet de la municipalité (en anglais).

Urgences

Police touristique (☎ 2810 210 171 ; Dikeosynis 10 ; 🕑 7h-22h)

À VOIR

Musée archéologique d'Héraklion

Avec une extraordinaire collection d'art minoen, ce remarquable **musée** (☎ 2810 279 000 ; Xanthoudidou 2 (entrée temporaire sur Hatzidakis) ; 4 €, avec l'entrée à Cnossos 10 € ; 🕑 13h-19h30 lun, 8h-19h30 mar-dim avr-oct ; 12h-15h lun, 8h-15h mar-dim fin oct à début avr) est le deuxième de Grèce par sa taille et sa qualité (après le musée national d'Archéologie d'Athènes). Il subit actuellement d'importantes rénovations (estimées à 21 millions d'euros) ; la réorganisation des locaux devrait être achevée en 2009. En attendant, une exposition temporaire regroupe les principales pièces dans une annexe du musée, sur le même site.

La collection couvre les différentes civilisations crétoises du néolithique à l'Empire romain, avec des poteries, des bijoux, des figurines, des sarcophages et quelques fresques célèbres provenant pour la plupart de Cnossos et d'Agia Triada. Toutes témoignent de la créativité et du savoir-faire des Minoens. L'exposition temporaire ne comporte que 400 des 15 000 artefacts de la collection, mais les pièces les plus significatives sont présentes et, au final, la qualité est digne d'un grand musée. Les fresques minoennes de Cnossos comptent parmi les éléments incontournables, notamment la **fresque de la procession**, la **fresque du griffon** (de la salle du trône), la **fresque du dauphin** (de la chambre de la reine) et l'étonnante **fresque du saute-taureau**, figurant un acrobate en train d'effectuer un saut au-dessus d'un taureau qui charge.

Signalons également la ravissante fresque du **prince des lys**, récemment restaurée, ainsi que deux autres fresques datant de la période néopalatiale, que les archéologues ont nommées la **Parisienne** et la **récolte du safran**.

Parmi les autres pièces découvertes au palais de Cnossos, citons les **tablettes rédigées en linéaire A et en linéaire B** (ces dernières ont été traduites et se révèlent être des comptes de ménages ou de commerçants), une statue en ivoire d'un **acrobate de taurokathapsie** (saute-taureau) et de magnifiques **sceaux en or**.

Concernant le Minoen moyen, la plus belle pièce est un vase de libation en pierre noire de 20 cm de hauteur, en forme de **tête de taureau**. Le front est doté de jolies boucles, de cornes dorées et les yeux en cristal peint sont très expressifs. Autres éléments intéressants : les minuscules bas-reliefs aux couleurs brillantes, appelés **mosaïques de ville**, qui ornaient les maisons minoennes de Cnossos.

Des figurines de **déesses aux serpents** et aux seins nus, provenant d'un sanctuaire de Cnossos, sont également à admirer.

Les bijoux minoens sont divins, en particulier le pendentif aux abeilles exhumé à Malia. Réalisé en or, il représente deux abeilles déposant leur récolte dans une ruche.

Le célèbre **disque de Phaistos** a été mis au jour à Phaistos. Cette tablette en argile de 16 cm de diamètre est gravée d'une série de pictogrammes qui n'ont jamais été déchiffrés.

Vous contemplerez de superbes éléments de **poterie du style de Kamares**, du nom de la grotte sacrée où furent trouvés les premiers artefacts. Le beau vase enjolivé de fleurs blanches sculptées provient de Phaistos.

Parmi les vestiges du palais de Zakros, un magnifique **rhyton en cristal** fut découvert en 300 morceaux et soigneusement reconstitué. On compte également des éléments de vaisselle ornés de motifs floraux et marins.

Le spectaculaire **sarcophage d'Agia Triada** est un cercueil en pierre couvert de motifs floraux et abstraits ainsi que de représentations de scènes rituelles. Il constitue l'un des témoignages les plus sublimes de l'art minoen.

En outre, vous verrez les trois célèbres vases d'Agia Triada. Le **vase des moissonneurs**, dont ne subsiste que la partie supérieure, dépeint l'allégresse de jeunes cultivateurs chargés de leur récolte d'olives. Le **vase des boxeurs** dépeint des Minoens se livrant à deux de leurs activités favorites, la lutte et la tauromachie. Sur la **coupe du chef** figure une scène plus mystérieuse : un chef tenant un bâton et trois hommes portant des peaux de bêtes.

Une salle regroupe des pièces provenant de sépultures minoennes, dont deux petites maquettes en argile représentant des groupes de personnages découverts dans une tholos (tombe mycénienne en forme de ruche). L'une d'elles, où quatre hommes dansent en rond en se prenant par les épaules, illustrerait un rite funéraire. L'autre se compose de deux groupes de trois individus se tenant dans une salle flanquée de deux colonnes ; dans chaque groupe, un petit personnage offre des libations à deux hommes assis, plus grands, qui évoqueraient des dieux ou des ancêtres.

Enfin, un autre aspect de la vie minoenne est illustré à travers un superbe **tableau de jeux** incrusté d'ivoire, de cristal, d'or et d'argent. Il date de la période néopalatiale de Cnossos.

LA VILLE D'HÉRACLÈS

Lorsque la femme du roi Minos, Pasiphaé, donna naissance au Minotaure, son amant (le taureau) se déchaîna et se mit à dévaster la campagne crétoise. Heureusement, Héraclès (Hercule), l'homme qui tua un lion à mains nues, sauva la situation. Son voyage en Crète pour dompter le taureau était le sixième de ses douze travaux. Alors que l'animal monstrueux crachait des flammes et de la fumée, Héraclès le captura d'une main et en débarrassa l'île. Les anciens Crétois furent si reconnaissants qu'ils donnèrent au port de la ville de Minos le nom de leur héros.

Musée d'Histoire de la Crète

Une collection intéressante de pièces relatives à l'histoire plus récente de la Crète est abritée dans ce **musée** (☎ 2810 283 219 ; www.historical-museum.gr ; Sofokli Venizelou ; 5 € ; 9h-17h lun-ven, fermé dim et jours fériés). Le rez-de-chaussée, qui couvre la période allant de la domination

HÉRAKLION

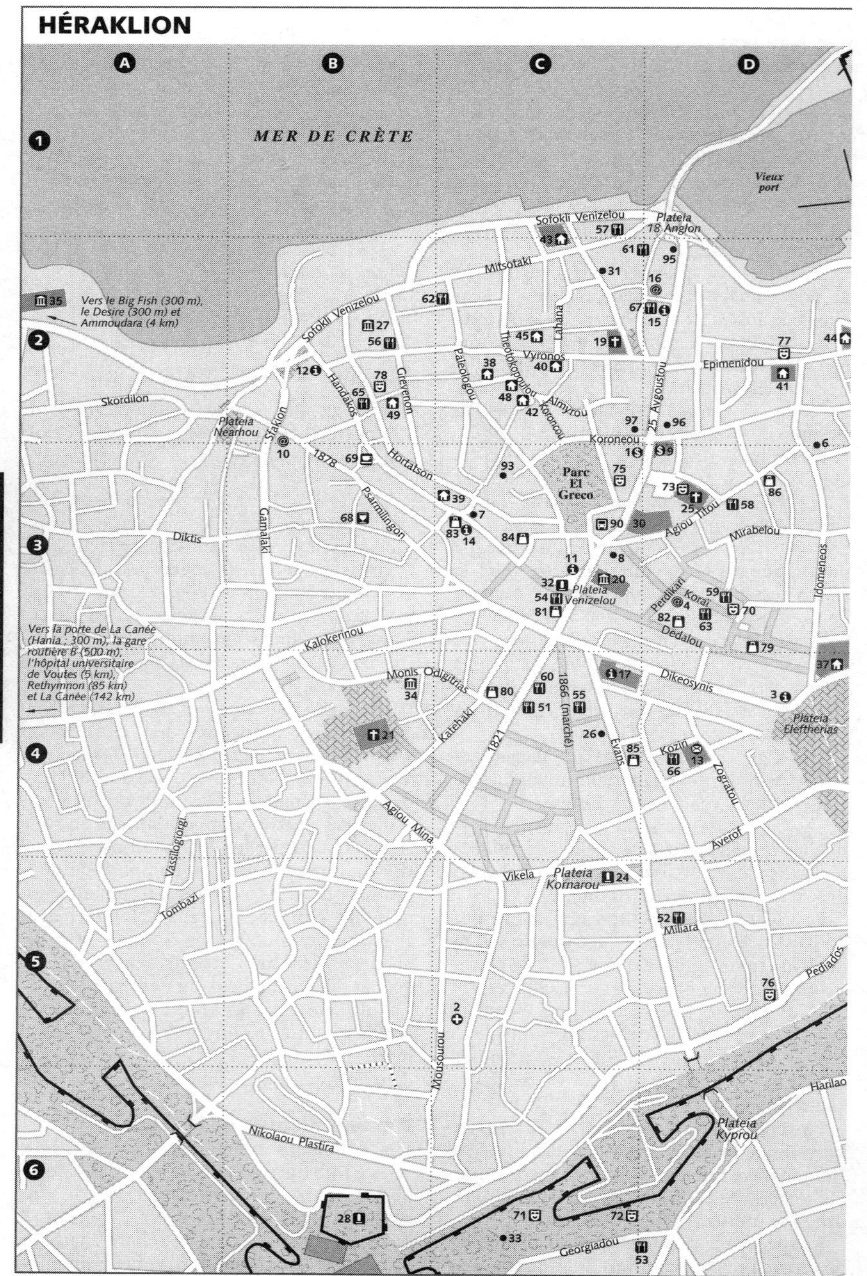

MER DE CRÈTE
Vieux port
Vers le Big Fish (300 m), le Desire (300 m) et Ammoudara (4 km)
Vers la porte de La Canée (Hania ; 300 m), la gare routière B (500 m), l'hôpital universitaire de Voutes (5 km), Rethymnon (85 km) et La Canée (142 km)
Sofokli Venizelou
Plateia 18 Anglon
Mitsotaki
Lahana
Theotokopoulou
Paleologou
Vyronos
Almyrou
Koronou
25 Avgoustou
Epimenidou
Handakos
Greyenon
Skordilon
Plateia Nearhou
Sfakion
1878
Hortatson
Koroneou
Parc El Greco
Psarmilingon
Gamalaki
Diktis
Agiou Titou
Mirabelou
Plateia Venizelou
Perdikari
Korai
Dedalou
Idomeneos
Kalokerinou
Monis Odigitrias
Dikeosynis
1866 (marché)
1821
Katehaki
Evans
Kozini
Zografou
Plateia Eleftherias
Agiou Mina
Averof
Vassilogiorgi
Vikela
Plateia Kornarou
Tombazi
Miliara
Pediados
Mousourou
Harilao
Nikolaou Plastira
Plateia Kyprou
Georgiadou

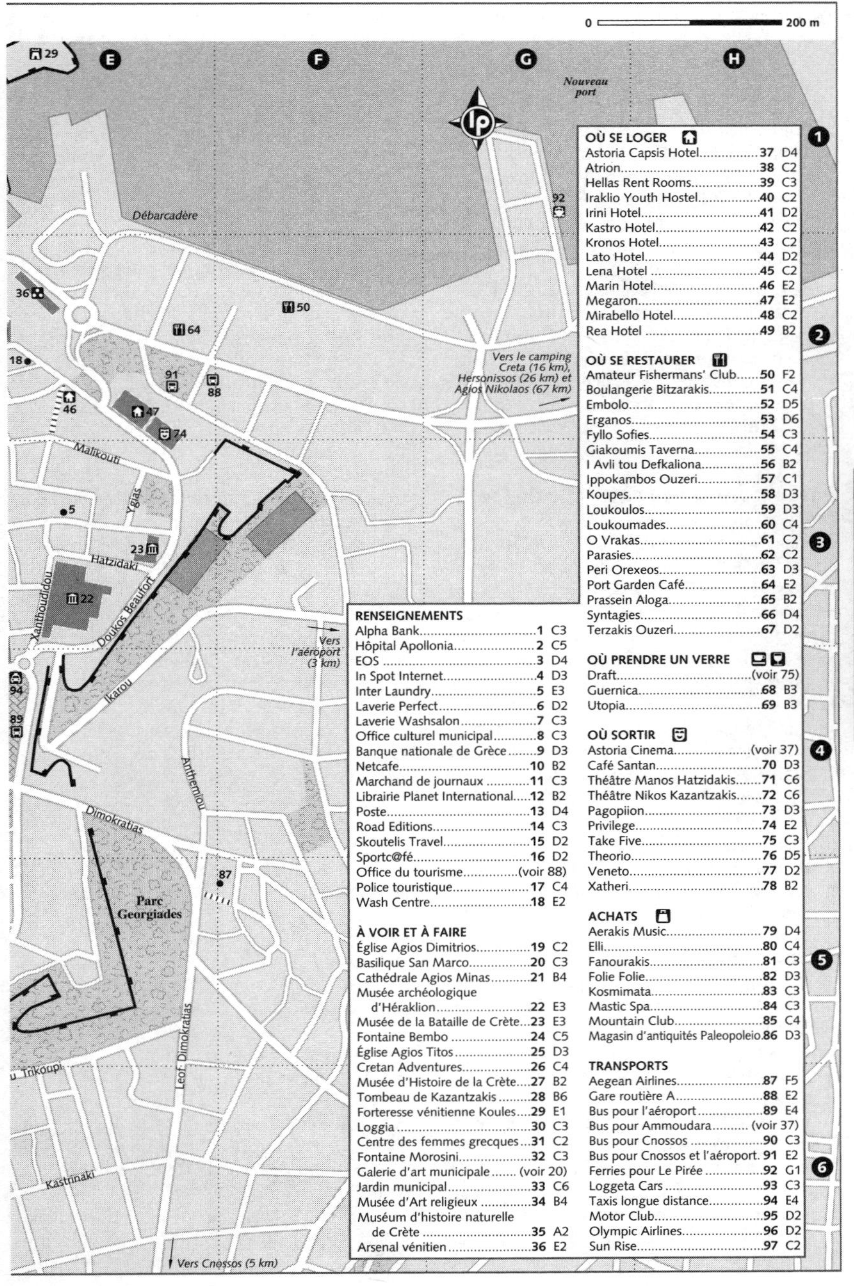
0 200 m
E
F
G
H
Nouveau port
Débarcadère
Vers le camping Creta (16 km), Hersonissos (26 km) et Agios Nikolaos (67 km)
Vers l'aéroport (3 km)
Malikouti
Ygias
Hatzidaki
Xanthoudidou
Doukos Beaufort
Ikarou
Anthemiou
Dimokratias
Parc Georgiades
Leof. Dimokratias
Trikoupi
Kastrinaki
Vers Cnossos (5 km)
1
2
3
4
5
6
OÙ SE LOGER
Astoria Capsis Hotel....37 D4
Atrion....38 C2
Hellas Rent Rooms....39 C3
Iraklio Youth Hostel....40 C2
Irini Hotel....41 D2
Kastro Hotel....42 C2
Kronos Hotel....43 C2
Lato Hotel....44 D2
Lena Hotel....45 C2
Marin Hotel....46 E2
Megaron....47 E2
Mirabello Hotel....48 C2
Rea Hotel....49 B2
OÙ SE RESTAURER
Amateur Fishermans' Club....50 F2
Boulangerie Bitzarakis....51 C4
Embolo....52 D5
Erganos....53 D6
Fyllo Sofies....54 C3
Giakoumis Taverna....55 C4
I Avli tou Defkaliona....56 B2
Ippokambos Ouzeri....57 C1
Koupes....58 D3
Loukoulos....59 D3
Loukoumades....60 C4
O Vrakas....61 C2
Parasies....62 C2
Peri Orexeos....63 D3
Port Garden Café....64 E2
Prassein Aloga....65 B2
Syntagies....66 D4
Terzakis Ouzeri....67 D2
OÙ PRENDRE UN VERRE
Draft....(voir 75)
Guernica....68 B3
Utopia....69 B3
OÙ SORTIR
Astoria Cinema....(voir 37)
Café Santan....70 D3
Théâtre Manos Hatzidakis....71 C6
Théâtre Nikos Kazantzakis....72 C6
Pagopiion....73 D3
Privilege....74 E2
Take Five....75 C3
Theorio....76 D5
Veneto....77 D2
Xatheri....78 B2
ACHATS
Aerakis Music....79 D4
Elli....80 C4
Fanourakis....81 C3
Folie Folie....82 D3
Kosmimata....83 C3
Mastic Spa....84 C3
Mountain Club....85 C4
Magasin d'antiquités Paleopoleio....86 D3
TRANSPORTS
Aegean Airlines....87 F5
Gare routière A....88 E2
Bus pour l'aéroport....89 E4
Bus pour Ammoudara....(voir 37)
Bus pour Cnossos....90 C3
Bus pour Cnossos et l'aéroport....91 E2
Ferries pour Le Pirée....92 G1
Loggeta Cars....93 C3
Taxis longue distance....94 E4
Motor Club....95 D2
Olympic Airlines....96 D2
Sun Rise....97 C2
RENSEIGNEMENTS
Alpha Bank....1 C3
Hôpital Apollonia....2 C5
EOS....3 D4
In Spot Internet....4 D3
Inter Laundry....5 E3
Laverie Perfect....6 D2
Laverie Washsalon....7 C3
Office culturel municipal....8 C3
Banque nationale de Grèce....9 D3
Netcafe....10 B2
Marchand de journaux....11 C3
Librairie Planet International....12 B2
Poste....13 D4
Road Editions....14 C3
Skoutelis Travel....15 D2
Sportc@fé....16 D2
Office du tourisme....(voir 88)
Police touristique....17 C4
Wash Centre....18 E2
À VOIR ET À FAIRE
Église Agios Dimitrios....19 C2
Basilique San Marco....20 C3
Cathédrale Agios Minas....21 B4
Musée archéologique d'Héraklion....22 E3
Musée de la Bataille de Crète....23 E3
Fontaine Bembo....24 C5
Église Agios Titos....25 D3
Cretan Adventures....26 C4
Musée d'Histoire de la Crète....27 B2
Tombeau de Kazantzakis....28 B6
Forteresse vénitienne Koules....29 E1
Loggia....30 C3
Centre des femmes grecques....31 C2
Fontaine Morosini....32 C3
Galerie d'art municipale....(voir 20)
Jardin municipal....33 C6
Musée d'Art religieux....34 B4
Muséum d'histoire naturelle de Crète....35 A2
Arsenal vénitien....36 E2
HÉRAKLION

byzantine à la domination turque, présente des plans, des cartes, des céramiques et des photographies. Au premier étage figurent les deux seuls tableaux du Greco exposés en Crète, la *Vue du mont Sinaï et du monastère de Sainte-Catherine* (1570) et le minuscule *Baptême du Christ* (1567), acquis récemment. D'autres salles rassemblent des fragments de fresques des XIIIe et XIVe siècles, des pièces de monnaie, des bijoux, des ornements liturgiques et des poteries médiévales.

Le deuxième étage comporte une reconstitution de la **bibliothèque de l'écrivain Nikos Kazantzakis**. Une autre salle est dévolue à l'ancien Premier ministre Emmanouil Tsouderos, originaire de Rethymnon. La partie du musée consacrée à la **bataille de Crète** expose de poignantes photographies d'Héraklion en ruine. Enfin, une magnifique **collection d'art populaire** occupe le troisième étage.

Muséum d'histoire naturelle de Crète

Créé par l'université de Crète, cet intéressant **Muséum d'histoire naturelle** (☎ 2810 282 740 ; www.nhmc.uoc.gr ; Sofokli Venizelou ; enfant 3 €, adulte accompagnant des enfants gratuit ; 🕑 8h30-14h30 lun-ven, 10h-15h dim, fermé sam) a été relogé sur sept étages dans les impressionnants locaux d'une ancienne centrale électrique, au bord de l'eau. Lors de notre passage, seules deux ailes étaient ouvertes, comportant un centre d'activités interactives pour les enfants, des laboratoires et des projets de fouilles. Le musée s'intéresse à l'évolution de l'espèce humaine, à la faune et à la flore crétoises, à l'écosystème et aux différents types d'habitats de l'île, à ses grottes, à ses côtes et à ses montagnes. On observera aussi une reconstitution de maison minoenne. Une agréable balade de 10 min le long de la côte mène au musée.

Autres curiosités

Héraklion a depuis longtemps débordé hors de ses **remparts** massifs édifiés par les Vénitiens ; avec leurs sept bastions et quatre portes, ceux-ci restent toutefois bien visibles et écrasent de leur hauteur les structures en béton du XXe siècle.

Datant du XVIe siècle, la **forteresse vénitienne de Koules** (port d'Héraklion ; 2 € ; 🕑 8h30-15h tlj sauf lun) s'élève au bout de la jetée du vieux port – elle a été récemment rénovée, car elle s'enfonçait dans l'eau. Œuvre des Vénitiens qui la nommèrent Rocca al Mare, elle stoppa l'avancée des Turcs pendant 21 ans, puis devint une prison turque où étaient enfermés les rebelles crétois. La façade imposante est ornée de bas-reliefs du lion de Saint-Marc. Les 26 salles de l'intérieur ont été entièrement rénovées et, d'en haut, le point de vue est superbe. Le rez-de-chaussée accueille des expositions d'art ; les étages supérieurs reçoivent des concerts et des spectacles de théâtre. Les arcades voûtées de l'**arsenal vénitien** se situent sur le devant du port, face à la forteresse.

Plusieurs autres vestiges de l'époque vénitienne subsistent. Le plus célèbre, la **fontaine Morosini** (sur la Plateia Venizelou), se compose de quatre lions crachant l'eau dans huit beaux bassins en marbre en forme de U. Elle fut construite en 1628 à la demande de Francesco Morosini, alors gouverneur de Crète. Une statue en marbre de Poséidon avec son trident s'élevait jadis au centre, mais elle fut détruite durant l'occupation turque. En face s'élève la **basilique San Marco**, avec ses trois nefs, érigée au XIIIe siècle et rebâtie à plusieurs reprises. Elle abrite désormais la **Galerie d'art municipale** (☎ 2810 399 228 ; 25 Avgoustou ; gratuit ; 🕑 9h-13h30 et 18h-21h lun-ven ; 9h-13h sam). Au nord de celle-ci se dresse la belle **loggia** vénitienne du XVIIe siècle, un club d'aristocrates où les hommes se retrouvaient autour d'un verre. Il s'agit désormais de l'hôtel de ville.

La ravissante **fontaine Bembo**, construite au sud de la rue 1866, figure sur les cartes locales sous le nom de fontaine turque, mais elle fut édifiée par les Vénitiens au XVIe siècle, à partir de matériaux disparates, dont une statue antique. À côté, le joli kiosque hexagonal était une station de pompage ajoutée par les Turcs ; c'est désormais un agréable *kafeneio* (café).

Le **musée d'Art religieux** (☎ 2810 288 825 ; Monis Odigitrias ; 2 € ; 🕑 9h30-19h30 tlj sauf dim avr-oct, 9h30-15h30 hiver) occupe l'ancienne église Agia Ekaterini (Sainte-Catherine), près de la **cathédrale Agios Minas**. Il recèle une impressionnante collection d'icônes, de fresques et de vêtements ecclésiastiques sophistiqués. Les pièces phares sont les six icônes de Michail Damaskinos, le maître du Greco.

L'**église Agios Titos** (Agio Titou), érigée à la libération de la Crète en 961, fut convertie en église catholique puis en mosquée. Reconstruite à deux reprises après l'incendie de 1554 et le tremblement de terre de 1856, c'est une église orthodoxe depuis 1925.

Allez voir le **tombeau** de Nikos Kazantzakis (1883-1957 ; voir p. 52), l'écrivain le plus célèbre de Crète, lors d'une visite du bastion de Martinengo (le plus grand et le mieux préservé), au sud de la ville. L'épitaphe gravée sur la tombe, "Je n'espère rien, je ne crains rien, je suis libre", est tirée d'une de ses œuvres. De là, vous pouvez longer les **remparts** jusqu'au rivage (1 heure) ou monter les marches à côté des arcades sur la place Kyprou.

Le **musée de la Bataille de Crète** (☎ 2810 346 554 ; angle Doukos Beaufort et Hatzidaki ; gratuit ; 8h-15h) relate cette bataille à travers des lettres, des photos, des uniformes et des armes.

Le pittoresque **Centre des femmes grecques** (☎ 2810 286 594 ; www.leher.gr ; Monis Agarathou 9 ; gratuit ; 10h30-12h30 lun-ven) possède une belle collection de costumes crétois, de tissages et d'autres pièces artisanales.

HÉRAKLION POUR LES ENFANTS

Le **Muséum d'histoire naturelle de Crète** (voir en face) et le **CretAquarium** (voir p. 161) raviront les plus jeunes. Si vos enfants se lassent des musées, optez pour le **Port Garden Cafe** (☎ 2810 242 411 ; Paraliaki Leoforo ; ☎ 7h-tard), au bord de l'eau. Les aires de jeux intérieures ou extérieures, à l'ombre, comptent châteaux gonflables et balançoires. Une alternative : le **parc Georgiades**, doté d'un café ombragé plaisant.

À FAIRE

Randonnée

Cretan Adventures (☎ 2810 332 772 ; www.cretanadventures.gr ; Evans 10, à l'étage). Cette agence tenue par deux frères a bonne réputation ; elle organise des randonnées à pied ou à VTT ainsi que toutes sortes de sports d'aventures. Presque tous les week-ends, le **club de montagne d'Héraklion** (EOS ; ☎ 2810 227 609 ; www.cretanland.gr/orivatikos (en grec) ; Dikeosynis 53 ; ☎ 20h30-22h30) met en place des excursions à travers l'île.

Baignade et plongée

Pour plonger dans les eaux chaudes et claires de la Crète, tentez le **Diver's Club** (☎ 2810 811 755 ; www.diversclub-crete.gr ; Agia Pelagia), à 20 km à l'ouest d'Héraklion. Différents sites sont proposés, avec des plongées depuis la plage ou le bateau. À 4 km à l'ouest d'Héraklion, Ammoudara est la plage la plus proche de la ville, mais mieux vaut se rendre à Agia Pelagia, plus à l'ouest, ou à Koundoura, à l'est.

CIRCUITS ORGANISÉS

Les agences de voyages d'Héraklion proposent des excursions en bus dans toute la Crète et des croisières d'une journée jusqu'à Santorin. Nous recommandons **Skoutelis Travel** (☎ 2810 280 808 ; www.skoutelistravel.gr ; 25 Avgoustou 24).

FÊTES ET FESTIVALS

Le **Festival des arts d'été** d'Héraklion reçoit des orchestres et des ballets internationaux ainsi que des talents locaux. La plupart des spectacles se tiennent en plein air dans l'énorme **théâtre Nikos Kazantzakis** (☎ 2810 242 977 ; bastion de Jésus ; billetterie 9h-14h30 et 18h30-21h30), à côté du fossé des remparts vénitiens, dans le théâtre Manos Hatzidakis, non loin de là, et dans la forteresse vénitienne Koules (p. 152). Les programmes sont annoncés au dernier moment sur www.heraklion-city.gr ; vous pouvez aussi vous renseigner à l'**office culturel municipal** (☎ 2810 399 211 ; Androgeiou 2 ; 8h-16h), derrière le café du Centre des jeunes.

OÙ SE LOGER

Les hôtels du centre d'Héraklion s'adressent surtout aux voyageurs d'affaires. En saison haute, les hébergements pour petits budgets sont pris d'assaut. La plupart des hôtels ont été rénovés avant les JO de 2004.

Petits budgets

Camping Creta (☎ 2897 041 400 ; fax 2897 041 792 ; tente/pers 5,50/4 €). Le camping le plus proche est à Gouves, à 16 km à l'est d'Héraklion. Les emplacements sont plats et sans ombre, mais il y a une plage de sable et de galets.

Iraklio Youth Hostel (☎ 2810 286 281 ; heraklioyouthhostel@yahoo.gr ; Vyronos 5 ; dort/d/tr sans sdb 10/25/35 €). Beaucoup de voyageurs se sont plaints de cette auberge de jeunesse de la GYHO. Dortoirs plus que sommaires. En dernier ressort.

Hellas Rent Rooms (☎ 2810 288 851 ; fax 2810 284 442 ; Handakos 24 ; dort/d/tr sans sdb 10,50/30/42 €). Cette auberge de 3 étages se distingue par son ambiance décontractée, son espace d'accueil et son bar avec jardin sur le toit. Les chambres sont dotées d'un balcon, d'un ventilateur et d'un lavabo. Les sdb communes, basiques, sont propres. Petit déj sur la terrasse (2,50 €).

Mirabello Hotel (☎ 2810 285 052 ; www.mirabello-hotel.gr ; Theotokopoulou 20 ; s/d sans sdb 35/44 €, d avec sdb 65 € ;). Dans une rue calme du centre, l'une des adresses les plus plaisantes de sa catégorie. Certaines chambres sont un peu exiguës, mais toutes sont immaculées et équipées avec TV, téléphone, balcon et belle sdb. Quelques chambres partagent des sdb non mixtes.

Lena Hotel (☎ 2810 223 280 ; www.lena-hotel.gr ; Lahana 10 ; s/d sans sdb 35/45 €, avec sdb 45/60 € ;).

Dans une rue tranquille, cet hôtel chaleureux loue 16 grandes chambres confortables avec téléphone, TV, ventilateur et fenêtres à double vitrage. La plupart sont pourvues de sdb ; sinon, les sdb communes sont agréables.

Rea Hotel (☎ 2810 223 638 ; www.hotelrea.gr ; Kalimeraki 1 ; d sans/avec sdb 34/44 €). Cet hôtel familial est très apprécié des voyageurs à petit budget. Les chambres sont toutes dotées de ventilateur et de lavabo, mais partagent les sdb. Il y a quelques chambres familiales (60 €) et une petite cuisine commune assez rudimentaire.

Catégorie moyenne

Kronos Hotel (☎ 2810 282 240 ; www.kronoshotel.gr ; Sofokli Venizelou 2 ; s/d 48/60 € ;). Installé de longue date en bord de mer et bien entretenu, cet hôtel propose des chambres confortables avec double vitrage, téléphone, TV et, pour la plupart, réfrigérateur. L'un des meilleurs établissements deux étoiles en ville. Demandez une chambre avec vue sur la mer.

Kastro Hotel (☎ 2810 284 185 ; www.kastro-hotel.gr ; Theotokopoulou 22 ; s/d/tr avec petit déj à partir de 50/75/90 € ;). Dans une petite rue, cet hôtel chaleureux, rénové et moderne est un bon choix. Grandes chambres avec réfrigérateur, TV, sèche-cheveux, téléphone et Internet.

Marin Hotel (☎ 2810 300 018 ; www.marinhotel.gr ; Doukos Beaufort 12 ; s 75 €, d 95-125 € ;). Des chambres plaisantes et bien agencées. Celles du devant jouissent d'une belle vue (port et forteresse) ; certaines ont de grands balcons. Service attentionné ; petit déj inclus.

Irini Hotel (☎ 2810 229 703 ; www.irini-hotel.com ; Idomeneos 4 ; s/d avec petit déj 71/100 € ;). Près du vieux port, cet établissement comporte 59 chambres spacieuses avec TV, radio, téléphone et balcon fleuri. Les tarifs baissent si vous ne prenez pas le petit déj.

Atrion Hotel (☎ 2810 246 000 ; www.atrion.gr ; Hronaki 9 ; s/d avec petit déj 95/110 € ;). Cet hôtel rénové est l'une des adresses les plus séduisantes d'Héraklion. Les chambres sont décorées avec soin dans des couleurs sobres ; elles sont équipées de TV, réfrigérateur, sèche-cheveux et prise de connexion. Les meilleures ont un petit balcon donnant sur la mer.

Catégorie supérieure

Lato Hotel (☎ 2810 228 103 ; www.lato.gr ; Epimenidou 15 ; s/d/ste 100/127/175 € ;). Cet agréable hôtel domine les ancien et nouveau ports. Décoration design et excellent service : c'est l'un des meilleurs établissements de la ville. Le bar/restaurant sur le toit offre un superbe point de vue, comme la plupart des chambres, en particulier les suites spacieuses. En bas, le **Brilliant** (☎ 2810 334 959) est un nouveau restaurant gastronomique.

Megaron (☎ 2810 305 300 ; www.gdmmegaron.gr ; Doukos Beaufort 9 ; s/d 190/215 €, ste à partir de 247 € ;). Ce vieux bâtiment du port a été admirablement réhabilité. Décoration à la pointe du design, lits douillets, Jacuzzi dans les suites de luxe, TV avec écran plasma et fax dans les chambres. Sur le toit-terrasse, profitez de la vue sur le port depuis le bar/restaurant ou la piscine aux parois vitrées.

OÙ SE RESTAURER

À Héraklion, il y a des restaurants pour tous les goûts et toutes les bourses. Des vendeurs de souvlakis sont ouverts toute la nuit autour de la fontaine Morosini et des tavernes pittoresques sont installées autour du marché et en bord de mer. La plupart des restaurants sont fermés le dimanche.

Petits budgets

Giakoumis Taverna (☎ 2810 280 277 ; Theodosaki 5-8 ; mayirefta 4-6 €). Notre préférée parmi les tavernes des petites rues autour du marché 1866. Grand choix de spécialités crétoises et de plats végétariens. Il y a beaucoup de passage, donc les produits sont frais. La viande est préparée sous vos yeux avant d'être cuite.

O Vrakas (☎ 6977 893 973 ; Plateia 18 Anglon ; mezze de fruits de mer 4,20-12 €). Dans ce modeste ouzéri (où l'on sert ouzo et en-cas), le poisson est grillé devant vous. Choix assez limité et clientèle locale. Notre suggestion : le poulpe.

Ippokambos Ouzeri (☎ 2810 280 240 ; Sofokli Venizelou 3 ; mezze 4,50-9,50 €). Les habitants fréquentent cette adresse classique marquant la limite avec les restaurants touristiques du bord de mer. Jetez un œil aux produits frais et aux *mayirefta* comme la cassolette de seiches, puis dînez sur le trottoir ou sur la promenade.

Fyllo…Sofies (☎ 2810 284 774 ; Plateia Venizelou 33 ; bougatsa 2,20 € ; 5h-tard). À côté de la fontaine Morosini, cet établissement est bondé le matin lorsque les touristes descendent du bateau et que les noctambules prennent leur petit déjeuner. Les *bougatsa* sont délicieux ; tentez la version à la crème ou celle au fromage *myzithra*, moins sucrée.

Boulangerie Bitzarakis (☎ 2810 287 465 ; rue 1821 7). Excellents *kalitsounia* (pâtisseries légèrement frites), en-cas, bonbons et produits traditionnels faits par les femmes de la coopérative de Krousonas (voir l'encadré p. 162).

Loukoumades (☎ 2810 285 567 ; rue 1821 9 ; 6 pièces 2 € ; 🕑 5h-22h tlj sauf dim). Délicieux *loukoumades* (beignets) saupoudrés de cannelle, de graines de sésame ou de miel.

Catégorie moyenne

Koupes (☎ 6977 259 038 ; Agiou Titou 22 ; mezze 2,50-6,50 €). Cette rue piétonne prisée des étudiants est bordée de *rakadika* (cafés servant du raki ou du vin avec des mezze). Celui-ci, face à l'école, propose un bon choix de mezze.

Terzakis Ouzeri (☎ 2810 221 444 ; Marineli 17 ; mezze 3,60-10,20 €). Sur une place en face de l'église Agios Dimitrios, cet excellent ouzéri sert un éventail de mezze, de *mayirefta* et de grillades. Tentez la salade d'oursins ou la spécialité, les *ameletita* (testicules de mouton frits).

Embolo (☎ 2810 284 244 ; Miliara 7 ; plats 4,50-8 €). Tenu par l'ancien musicien Giannis Stavrakakis, originaire d'Anogia, Embolo concocte une bonne cuisine crétoise : excellentes grillades, *pites* (tartes) et copieuses salades. Il y a parfois des concerts.

I Avli tou Defkaliona (☎ 2810 244 215 ; Prevelaki 10 ; plats 6-8,90 € ; 🕑 soir). Cette taverne populaire dotée de chaises en osier, de nappes à carreaux et d'une vigne en plastique est réputée pour son choix de mezze, ses plats simples, sa viande et ses fruits de mer de qualité, et son ambiance chaleureuse.

Peri Orexeos (☎ 2810 222 679 ; Koraï 10 ; plats 7-8 €). Dans la bouillonnante rue piétonne Koraï, ce restaurant mitonne une cuisine grecque savoureuse et moderne : *kataïfi* (chaussons à base de cheveux d'ange) au poulet fondant, énormes salades et solides spécialités crétoises. Fabuleux dessert au chocolat.

Syntagies (☎ 2810 241 378 ; Koziri 3 ; plats 9,50-19 €). Dans l'une des rares demeures néoclassiques des années 1920, ce restaurant a conservé ses peintures d'origine au plafond (des parties ont été endommagées lors de la Seconde Guerre mondiale). Les tables sont installées dans le jardin. Plats classiques grecs/crétois et internationaux. Excellents chaussons au pastrami.

Autres suggestions : **Parasies** (☎ 2810 225 009 ; Plateia Istorikou Mouseiou), à l'angle de la place à côté du musée d'Histoire, les bons fruits de mer de l'**Amateur Fisherman's Club** (☎ 2810 223 812), un bâtiment en béton au bord de l'eau, en face de la gare routière, et l'**Erganos** (☎ 2810 285 629 ; Georgiadi 5), en face du bastion de Jésus, pour des spécialités crétoises à petits prix.

Catégorie supérieure

Prassein Aloga (☎ 2810 283 429 ; angle Handakos et Kydonias 21 ; plats 12-18 €). Ce petit café-restaurant de style rustique sert une cuisine méditerranéenne savoureuse et novatrice. Le menu évolue sans cesse ; le chef réinterprète des plats traditionnels grecs, comme les médaillons de porc aux fruits secs et au riz sauvage.

Loukoulos (☎ 2810 224 435 ; Koraï 5 ; plats 15-32 €) prépare de succulentes spécialités méditerranéennes. Choisissez le cadre intérieur raffiné ou la terrasse sous le citronnier. En prime, vaisselle fine et musique classique.

Tentez également l'excellent **Pagopiion** (voir ci-dessous), assez tôt, car les lieux deviennent ensuite plutôt bruyants.

OÙ SORTIR

En dehors des concerts estivaux (voir p. 153), le théâtre Nikos Kazantzakis sert de **cinéma de plein air** (☎ 2810 242 977 ; bastion de Jésus).

L'**Astoria Cinema** (☎ 2810 226 191 ; Plateia Eleftherias) projette des films récents, souvent en anglais. Un nouveau multiplexe et centre de loisirs devrait ouvrir non loin du Muséum d'histoire naturelle, sur le rivage.

La boutique Aerakis Music (voir p. 156) est la meilleure source d'informations concernant les concerts de musique crétoise. Repérez également les affiches collées en ville, ou tentez le **Xatheri** (☎ 2810 332 757 ; Handakos 36) ou le **Theorio** (☎ 2810 288 390 ; Pediados 22), qui organisent régulièrement des concerts le vendredi et le samedi soir (de novembre à mai).

Cafés et bars

Héraklion renferme un nombre incroyable de bars et de cafés, concentrés principalement dans les rues piétonnes de Koraï et de Perdikari. La plupart se muent en bars animés après 23h. La rue Handakos est bordée d'établissements plus décontractés, parfaits pour discuter ou observer les passants.

Pagopiion (☎ 2810 346 028 ; Plateia Agiou Titou ; 🕑 10h-tard). L'art est à l'honneur dans cette ancienne fabrique de glace au succès constant. L'ambiance se fait plus chaude après 23h.

Guernica (☎ 2810 282 988 ; Apokoronou Kritis 2 ; 🕑 10h-tard). L'alliance du décor traditionnel et de la musique contemporaine fait de ce café-bar l'un des plus branchés de la ville. En été, le vieux bâtiment se double d'une adorable terrasse avec jardin.

Veneto (☎ 2810 223 686 ; Epimenidou 9). Depuis la jolie terrasse, le point de vue sur le port et la forteresse est imbattable. Cet ancien bâtiment se situe à côté de l'Hotel Lato.

Take Five (☎ 2810 226 564 ; Akroleondos 7 ; ⌚ 10h-tard). Installé de longue date dans le secteur piétonnier du parc El Greco, cet établissement est aujourd'hui un peu dépassé par la concurrence. À côté, le **Draft** (☎ 2810 301 341 ; Arkoleondos 9) sert des grillades et plus de 40 bières, mais les prix sont assez élevés (à partir de 5,50 €).

Utopia (☎ 2810 341 321 ; Handakos 51). Ce café à l'ancienne, tiré à quatre épingles, est parfait pour déguster un thé, un chocolat chaud, une fondue ou une glace divine.

Café Santan (☎ 6976 285 869 ; Koraï 13). Le premier café oriental de la ville offre narguilés, canapés et musique orientale. Des danseuses du ventre se produisent après 23h.

Discothèques

Héraklion possède la vie nocturne la plus sophistiquée de toute la Crète. Les clubs se concentrent dans le centre, le long de Leoforos Ikarou, juste en bas de la place Eleftherias, et dans Epimenidou. En été, l'animation se déplace sur le front de mer où l'on voit émerger un nouveau quartier de discothèques en plein air. Certains établissements ouvrent autour de minuit. Les tarifs d'entrée démarrent généralement à 6 €, consommation incluse.

Privilege (Doukos Beaufort 7). Une clientèle branchée investit ce club qui peut accueillir jusqu'à 1 000 personnes. Comme souvent en Crète, on écoute de la musique internationale (rock, techno, etc.) jusqu'à environ 2h, puis la musique grecque prend le relais.

En bord de mer, le club le plus couru est le superbe bâtiment de pierre restauré du **Big Fish** (☎ 2810 288 011 ; Makariou 17 et Venizelou ; ⌚ toute la journée), prétentieux mais assez classe. À côté, le **Desire** est une autre discothèque.

ACHATS

Héraklion dispose des boutiques les plus variées et les plus élégantes de l'île, l'occasion de découvrir les dernières tendances et de s'offrir des produits de luxe ou une nouvelle valise. Les rues piétonnes Daedalou et Handakos sont bordées de magasins assez classiques. Dans la rue commerçante 1866, étroite et animée, les multiples échoppes débordent d'éponges, d'herbes aromatiques, de fruits, de légumes, de T-shirts, de fruits secs, de miel, de chaussures et de sacs. Les créateurs dans le vent sont installés dans les rues Kalokerinou et 1821. Vous y trouverez des joailliers grecs comme **Fanourakis** (☎ 2810 282 708 ; Plateia N Foka).

Aerakis Music (☎ 2810 225 758 ; Daedalou 37 ; www.aerakis.net). Le meilleur choix de musique crétoise, des enregistrements les plus rares aux nouveautés. La boutique possède son propre label de disques, Seistron Music.

Magasin d'antiquités Paleopoleio (☎ 2810 240 155 ; Agiou Titou 52). L'un des derniers magasins d'antiquités de cette ville avide de marques et de modernité. Grand choix d'objets, d'icônes et de livres anciens.

Kosmimata (☎ 2810 346 888 ; Handakos 31). Dans leur petit atelier, la créatrice Lily Haniotaki-Besi et son mari joaillier confectionnent des bijoux en argent originaux et modernes.

Mountain Club (☎ 2810 280 610 ; Evans 15). Vêtements, chaussures et matériel pour le camping ou le cyclisme.

Folli Follie (☎ 2810 346 354 ; Daedalou 23). Cette marque grecque de sacs et de bijoux connaît un succès international.

Mastic Spa (☎ 2810 390 567 ; Kantanoleon 2). Aliments, cosmétiques et autres produits à base de mastic de l'île de Chios.

DEPUIS/VERS HÉRAKLION

Avion

Aéroport international Nikos Kazantzakis (code HER ; ☎ 2810 228 401)

VOLS NATIONAUX

Depuis Héraklion, **Olympic** (☎ en ville 2810 244 824, à l'aéroport 2810 337 203 ; www.olympicairlines.com ; 25 Avgoustou 27) et **Aegean** (☎ en ville 2810 344 324, fax 2810 344 330, ☎ à l'aéroport 2810 330 475 ; www.aegeanair.com ; Leof Dimokratias 11) desservent Athènes (au moins 5 vols/jour, à partir de 85 €) et Thessalonique (1 vol/jour, à partir de 106 €). Olympic vole aussi à Rhodes (à partir de 89 €). Les deux compagnies offrent des réductions, mais rarement en saison haute. En réservant en ligne tôt le matin, Aegean propose d'excellents tarifs, mais les dates ne sont pas modifiables. Pour les vols de dernière minute, Olympic est souvent moins cher. Les avions 18 places de **Sky Express** (☎ 2810 223 500 ; www.skyexpress.gr) desservent Rhodes chaque jour et Santorin (Thira), Lesbos (Mytilène), Cos (Kós), Samos et Icarie (à partir de 79 €) plusieurs fois par semaine.

VOLS INTERNATIONAUX

Depuis Héraklion, des vols charters desservent l'Europe. Skoutelis Travel (p. 153) est une bonne source d'informations. Depuis Gatwick, **GB Airways** (www.gbairways.com) propose des vols réguliers. Aegean Airlines a des vols directs reliant Héraklion à Rome, Lárnaka (Chypre), Stuttgart, Düsseldorf et Monaco.

Bateau

Au port, l'**administration portuaire d'Héraklion** (☎ 2810 244 912) a les horaires des ferries.

Les ferries de **Minoan Lines** (☎ 2104 145 700, 2810 229 624 ; www.minoan.gr) relient Héraklion et Le Pirée (dans les deux sens, départ à 22h, 7 heures). Les tarifs démarrent à 29 € en classe pont et à 54 € en cabine. Les bateaux à grande vitesse de Minoan Lines (F/B *Festos Palace* et F/B *Knossos Palace*) sont plus modernes et confortables que ceux d'ANEK.

En été, Minoan Lines propose des traversées supplémentaires (6 heures 30, classe pont 37 €) le week-end et certains jours de la semaine. Départ d'Héraklion ou du Pirée à 11h et arrivée à 17h30.

GA Ferries (☎ 2810 222 408 ; www.gaferries.gr) assure 4 ferries/semaine entre Héraklion et Thessalonique (46,50 €, 31 heures) via Santorin (16 €, 4 heures 30), Íos (18,80 €, 6 heures 30), Páros (24,30 €, 10 heures) et plusieurs autres îles. Au départ d'Héraklion, GA propose un ferry par semaine pour Rhodes (vendredi 17h ; 26,40 €, cabine 39,20 €, 14 heures 30) via Kassos (19,40 €, 6 heures) et Kárpathos (17,40 €, 8 heures).

Hellenic Seaways (www.hellenicseaways.gr) assure un bateau rapide quotidien pour Santorin (31 €, 1 heure 45), Íos (36,70 €, 2 heures 30), Páros (47,80 €, 3 heures 15), Náxos (41,70 €, 4 heures 15) et Mýkonos (48,70 €, 4 heures 45).

ANEK Lines (☎ 2810 244 912 ; www.anek.gr) dispose de ferries quotidiens entre Héraklion et Le Pirée (départ à 20h30 ; normal 32 €, cabine 58 €, 8 heures).

Les bateaux de **LANE Lines** (☎ 2810 346 440 ; www.lane.gr) partent d'Héraklion pour Sitia, Kassos (19,50 €, 6 heures), Kárpathos (19,50 €, 8 heures), Diafani (17,90 €, 9 heures), Halki (18,20 €, 11 heures) et Rhodes (27 €, 14 heures).

BUS AU DÉPART DE LA GARE ROUTIÈRE A

Destination	Durée	Tarif (€)	Fréquence
La Canée (Khaniá)	3 heures	10,50	18/jour
Rethymnon	1 heure 45	6,50	18/jour
Agia Pelagia	45 min	3,10	3/jour
Agios Nikolaos	1 heure 30	6,20	ttes les 30 min
Archanes	30 min	1,60	ttes les heures
Hersonissos/Malia	45 min	3,50	ttes les 30 min
Ierapetra	2 heures 30	9,50	8/jour
Cnossos	20 min	1,15	3/heure
Plateau du Lassithi	2 heures	4,70	1/jour
Milatos	1 heure 30	4,70	2/jour
Sitia	3 heures 30	13,10	5/jour

BUS AU DÉPART DE LA GARE ROUTIÈRE B

Destination	Durée	Tarif (€)	Fréquence
Agia Galini	2 heures	7,10	6/jour
Anogia	1 heure	3,40	4/jour
Matala	2 heures 30	6,80	5/jour
Phaistos	1 heure 30	5,70	8/jour

Bus

Héraklion comprend deux gares routières. La **gare routière A** (☎ 2810 246 534), qui dessert l'est et l'ouest de la Crète (dont Cnossos), se trouve au bord de l'eau, non loin de l'embarcadère, mais il est question de la déplacer. La **gare routière B** (☎ 2810 255 965), juste derrière la porte de La Canée (Hania), à l'ouest du centre-ville, dessert Phaistos, Agia Galini et Matala.

Les services sont réduits le week-end. Pour plus de détails, consultez www.ktel-heraklio-lassithi.gr.

Taxis longue distance

Des **taxis longue distance** (☎ 2810 210 102) partent de la place Eleftherias, face à l'Astoria Capsis Hotel, et de la gare routière B, pour toutes les villes de la Crète, notamment Agios Nikolaos (60 €), Rethymnon (70 €) et La Canée (120 €).

COMMENT CIRCULER

Le bus n°1 circule depuis/vers l'aéroport toutes les 15 minutes entre 6h et 1h ; il s'arrête et démarre à côté de l'Astoria Capsis Hotel, sur la place Eleftherias. Un taxi pour l'aéroport coûte 7 à 10 €. Essayez **Ikarus Radio Taxi** (☎ 2810 211 212).

De nombreuses agences de location de voitures sont installées à l'aéroport, dont de grandes chaînes internationales. Les tarifs sont beaucoup plus intéressants dans les agences locales, situées pour la plupart dans 25 Avgoustou.

Loggetta Cars (☎ 2810 289 462 ; www.loggetta.gr ; 25 Avgoustou 20)

HÉRAKLION

Motor Club (☎ 2810 222 408 ; www.motorclub.gr ; Plateia 18 Anglon). En face de la forteresse, le meilleur choix de vélos.
Sun Rise (☎ 2810 221 609 ; 25 Avgoustou 46). Juste en retrait de la rue piétonne.

ENVIRONS D'HÉRAKLION

CNOSSOS (KNOSSÓS) ΚΝΩΣΟΣ

Jadis capitale de la Crète minoenne, **Cnossos** (☎ 2810 231 940 ; 6 €, avec l'entrée au Musée archéologique d'Héraklion 10 € ; 8h-19h30 avr-oct, 8h-15h nov-mars) est le principal site touristique de l'île. Le palais est idéalement situé, à 5 km au sud d'Héraklion, au milieu de collines verdoyantes ombragées de pins. Malheureusement, la route menant au site est envahie de boutiques de souvenirs. Les ruines de Cnossos furent mises au jour en 1900 par l'archéologue britannique sir Arthur Evans (p. 160). Heinrich Schliemann, découvreur de Troie, se doutait qu'une cité antique était enterrée ici, mais il ne parvint jamais à s'entendre avec le propriétaire des terres (la Crète était alors sous contrôle turc). Intrigué par les sceaux gravés découverts par Schliemann puis par les poteries de Kamares, Evans embarqua pour la Crète en 1894 et acheta une partie des terres du site de Cnossos, ce qui lui donna le droit exclusif d'entreprendre des fouilles. Il revint cinq ans plus tard et commença à creuser avec un groupe d'ouvrières crétoises.

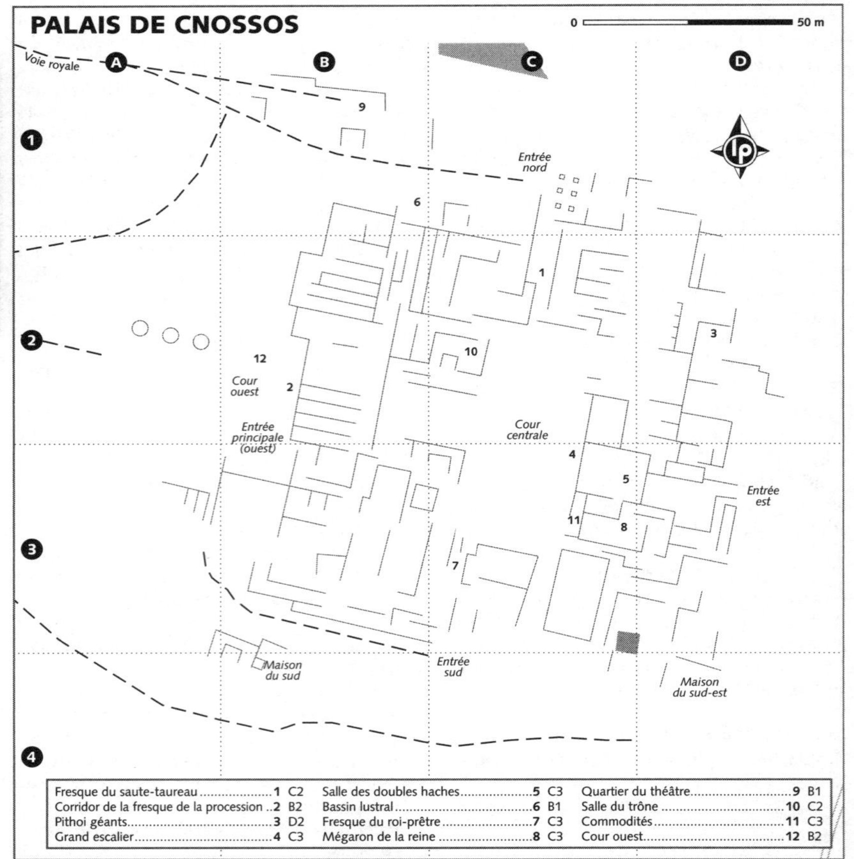

LE LABYRINTHE

Selon la légende, lorsque Minos refusa de sacrifier un magnifique taureau blanc en l'honneur de Poséidon, ce dernier se vengea en faisant en sorte que la femme du roi, Pasiphaé, tombe amoureuse de l'animal. Pour l'aider à séduire le taureau, Dédale, architecte en chef de Cnossos et sculpteur de talent, lui fabriqua une génisse de bois creux dans laquelle elle se dissimula. Apparemment, le taureau tomba sous le charme et leur union insolite donna naissance au Minotaure : un monstre mi-homme mi-taureau.

Le roi Minos ordonna alors à Dédale de construire un labyrinthe afin d'enfermer le Minotaure. Pour nourrir le monstre, Minos lui offrait chaque année sept jeunes gens et sept jeunes filles, tribut qu'il imposait à Athènes pour venger l'assassinat de son fils Androgée. Le héros athénien Thésée décida de tuer le Minotaure et embarqua pour la Crète en se faisant passer pour l'une des victimes sacrifiées. Il tomba amoureux d'Ariane, la fille de Minos ; elle promit de l'aider s'il acceptait de l'emmener avec lui. Ariane lui donna une pelote de fil qui lui permit de retrouver le chemin de la sortie du Labyrinthe après avoir éliminé le monstre. Ensemble, les deux amoureux s'enfuirent de Crète – mais Thésée abandonna Ariane sur l'île de Naxos.

Le premier vestige exhumé dans la colline de Kefala, aplatie au sommet, fut une fresque représentant un Minoen, puis la salle du trône. Les archéologues furent stupéfaits à l'idée qu'une civilisation aussi avancée ait existé en Europe à la même époque que les grands pharaons. Certains dirent même qu'il s'agissait de la cité perdue de l'Atlantide de Platon.

Les méthodes de reconstruction "réalistes" d'Evans continuent d'être critiquées par les archéologues et les visiteurs qui considèrent qu'il s'est parfois laissé porter par son imagination. Toutefois, à l'inverse d'autres sites archéologiques de Crète, la visite permet d'imaginer la splendeur des palais minoens.

Comptez quelques bonnes heures pour explorer Cnossos en détail. Le site comporte très peu d'indications, mieux vaut se procurer une documentation ou recourir aux services d'un guide. Pour échapper à la foule et à la chaleur, arrivez tôt, avant les bus des excursions organisées. Le café installé sur place est cher, prévoyez un pique-nique.

Histoire

Un premier palais fut édifié à Cnossos vers 1900 av. J.-C., mais il fut détruit par un tremblement de terre en 1700 av. J.-C. et remplacé par un ensemble palatial encore plus somptueux. Après avoir été partiellement endommagé entre 1500 et 1450 av. J.-C., ce deuxième ouvrage fut occupé durant une cinquantaine d'années avant d'être définitivement détruit par un incendie.

Le nouveau palais fut conçu pour répondre aux besoins d'une société complexe. Cnossos comportait des parties privées pour le roi et la reine, des résidences pour les prêtres et les fonctionnaires, des maisons pour les gens du peuple et des cimetières. Les salles de réception publiques, les sanctuaires, les ateliers, les salles du trésor et les entrepôts étaient construits autour d'une cour pavée. L'organisation générale, très compliquée, pourrait être à l'origine de la légende du Labyrinthe et du Minotaure (voir l'encadré ci-dessus).

Depuis 1997, on ne peut plus pénétrer dans les appartements royaux qui commençaient à se détériorer sous l'effet des piétinements continus. En cours de restauration, ils ne seront probablement pas rouverts au public.

Visite du site

En raison de l'abondance de salles, corridors, passages coudés, escaliers, coins et recoins, il est difficile de donner une description détaillée d'un itinéraire à travers le palais. Cependant, les reconstructions d'Evans permettent d'identifier facilement les parties les plus importantes du site. Au cours de votre périple, vous verrez nombre de colonnes reconstituées par Evans, le plus souvent peintes en rouge-brun sombre avec des chapiteaux noirs chargés de dorures. Comme toutes les colonnes minoennes, elles s'effilent au niveau de la base.

Placées en des points stratégiques, des copies de fresques minoennes contribuent à imprégner le site du raffinement artistique de cette civilisation. Autre secteur dans lequel les Minoens excellaient : les canalisations. Ils installaient des drains et des tuyaux afin d'éviter les inondations et savaient tirer parti de la force centrifuge. Par endroits, l'eau pouvait monter jusqu'en haut de la colline, ce qui démontre que les Minoens maîtrisaient le principe selon lequel l'eau trouve son propre niveau. Observez également les puits de lumière, l'agencement des salles, des passages, des porches et des vérandas qui permettaient de conserver la fraîcheur des pièces en été et leur chaleur en hiver.

L'entrée habituelle du palais se situe en face de la cour ouest par le **corridor de la fresque de la procession**. Sur cette fresque figurait une longue file de personnages apportant des offrandes au roi ; seuls subsistent quelques fragments. La copie d'un de ces fragments, appelée **fresque du roi-prêtre**, est visible au sud de la cour centrale.

Une alternative consiste à jeter un œil au corridor de la fresque de la procession puis à entrer par l'extrémité nord du site, par le **quartier du théâtre**, qui présente une série de gradins dont la fonction reste inconnue. Il pourrait s'agir d'un théâtre où étaient organisés des spectacles d'acrobatie ou de danse, ou d'un lieu accueillant les visiteurs importants qui arrivaient par la voie royale.

La **voie royale** mène vers l'ouest. Cette route était bordée d'ateliers et de maisons. Le **bassin lustral**, dans cette même zone, servait selon Evans aux ablutions rituelles précédant les cérémonies religieuses.

Quand on entre dans la **cour centrale** par le nord, on passe devant la **fresque du saute-taureau**, qui montre l'animal en train de charger. Les Minoens réalisaient les fresques en relief en moulant du plâtre humidifié, qui était peint avant de sécher.

Dans la partie nord du palais, ne manquez pas les **pithoi géants**, des jarres en céramique qui servaient à conserver l'huile d'olive, le vin et les grains. Evans découvrit à Cnossos plus d'une centaine de ces jarres, dont certaines mesurent 2 m de hauteur. Une fois parvenu dans la cour centrale, qui, à l'époque minoenne, était entourée par les hauts murs du palais, vous pouvez commencer à explorer les plus importantes salles du complexe palatial.

L'escalier qui part de l'angle nord-ouest du palais descend vers la **salle du trône**, ceinte de barrières qui n'empêchent toutefois pas de l'admirer. En son centre, le trône, simple mais joliment proportionné, est flanqué de la **fresque des griffons** (ces animaux mythiques revêtaient un caractère sacré pour les Minoens).

Cette salle est considérée comme un sanctuaire où le trône était destiné à une grande prêtresse plutôt qu'au roi. La pièce dégage en effet un mélange de mysticisme et de respect et n'évoque pas vraiment le luxe d'une cérémonie. Les Minoens ne vénéraient pas leurs divinités dans de grands temples mais dans de petits sanctuaires, chaque palais en dissimulant plusieurs.

SIR ARTHUR EVANS ET CNOSSOS

Sir Arthur John Evans (1851-1941) est le savant britannique qui découvrit les ruines du palais de Cnossos et nomma la civilisation minoenne d'après le légendaire roi Minos. Journaliste et aventurier intrépide, il fut le conservateur de l'Ashmolean Museum d'Oxford de 1884 à 1908. Son intérêt particulier pour les monnaies anciennes et les sceaux en pierre gravés de Crète le conduisit sur l'île pour la première fois en 1894. Il eut l'intuition que la civilisation mycénienne du continent avait ses origines en Crète. Avec l'aide de la nouvelle Société crétoise d'archéologie, il entama des négociations pour acheter les terres, ce qu'il réalisa en 1900 après une modification de la législation grecque. Les fouilles commencèrent et le palais fut rapidement mis au jour.

Evans fut tellement fasciné par sa découverte qu'il consacra 25 ans de sa vie et 250 000 £ de fonds personnels à poursuivre les excavations et à reconstruire certaines parties du palais. Il dégagea des vestiges néolithiques sous les ruines du palais minoen datant de l'âge du bronze. Il trouva également quelque 3 000 tablettes en terre cuite contenant des inscriptions en linéaire A et en linéaire B. Il fit une description exhaustive de son travail à Cnossos dans un opus de quatre volumes intitulé *Le Palais de Minos*. Le travail d'Evans fut salué de multiples honneurs et on lui conféra le titre de chevalier en 1911.

Beaucoup d'archéologues ont critiqué les reconstitutions d'Evans, arguant qu'il avait dénigré la réalité au profit de son imagination débordante. Evans assura qu'il avait été contraint de reconstruire des colonnes et des supports en béton pour éviter l'effondrement du palais, mais certains spécialistes estiment que le site a été endommagé de façon irrémédiable. Aujourd'hui, un archéologue ne pourrait jamais s'accorder une telle liberté.

Le premier étage de l'aile ouest héberge la partie qu'Evans nommait le **piano nobile**, parce que, selon lui, elle abritait les salles d'apparat et de réception. À l'extrémité nord de l'aile, une salle expose des copies de fresques découvertes à Cnossos.

Revenu dans la cour centrale, gagnez le majestueux **grand escalier** qui part du milieu de l'aile est pour mener aux appartements royaux qu'Evans appelait le **quartier domestique**. Une corde empêche désormais d'accéder à cette partie du site. Au sein des appartements royaux, la **salle des doubles haches**, ou mégaron du roi, est une spacieuse salle double dans laquelle le souverain dormait et donnait certaines audiences. Elle était dotée d'un puits de lumière à une extrémité et d'un balcon à l'autre pour permettre la circulation de l'air.

Cette salle doit son nom aux doubles haches figurant sur les parois du puits de lumière. Ce motif récurrent à Cnossos était un symbole sacré pour les Minoens. Le mot labyrinthe dérive de *labrys* (double hache en minoen).

Un passage conduit de la salle des doubles haches au **mégaron de la reine**. Le dessus du portail est orné d'une copie de la **fresque des dauphins**, l'un des chefs-d'œuvre les plus délicieux de l'art minoen, et un ornement floral de teinte bleue décore la porte. La salle de bains de la reine, attenante, est pourvue de sa baignoire en terre cuite et de ses **commodités**, les premières, assure-t-on, à utiliser le principe de la chasse d'eau, l'eau étant versée à la main.

Depuis/vers Cnossos

Toutes les 10 min, le bus n°2 quitte la gare routière A d'Héraklion à destination de Cnossos. De la route côtière, des panneaux vous mèneront jusqu'à Cnossos. Attention aux rabatteurs qui tenteront de vous diriger vers un parking payant. Il y a de nombreux parkings gratuits à proximité du site.

CRETAQUARIUM

L'imposant **CretAquarium** (☎ 2810 337 788 ; www.cretaquarium.gr ; adulte/enfant de plus de 4 ans 8/6 € ; 🕑 9h-21h mai à mi-oct, 10h-17h30 oct-avr) fait partie du complexe scientifique marin Thalassocosmos créé par le Centre hellénique de la recherche maritime, sur le site de l'ancienne base militaire américaine de Gournes (à 15 km à l'est d'Héraklion). Il s'agit du plus grand aquarium de tout le Bassin méditerranéen oriental. Plusieurs énormes bassins renferment une grande variété d'espèces marines, mais les gros poissons sont rares. Quelques éléments interactifs et des explications en plusieurs langues sont disponibles. La plage est à deux pas, prévoyez une baignade.

Les bus se dirigeant vers la côte nord (1,60 €, 30 min) vous déposeront sur la route principale ; de là, il faut marcher pendant 10 min. La bifurcation pour Kato Gouves est indiquée sur la nouvelle route nationale.

FODELE (FODÈLE) ΦΟΔΕΛΕ

521 habitants

À 25 km à l'ouest d'Héraklion, le charmant village de Fodele est célèbre pour avoir vu naître le Greco (p. 48). Ce fait est controversé ; toutefois, un petit **musée** (☎ 2810 521 500 ; 2 € ; 🕑 8h-19h tlj sauf lun) consacré à l'artiste occupe une jolie maison en pierre, à la sortie du village, où il aurait passé son enfance. Quelques représentations de ses œuvres sont exposées, mais on en apprend peu sur l'homme et sa vie. En face du musée se dresse l'**église de Panayia** et son dôme cruciforme byzantin. Construite à l'emplacement d'une ancienne basilique, elle est malheureusement souvent fermée.

Fodele est un village attrayant niché dans une vallée fertile et verdoyante, traversé par une rivière et ponctué de chapelles byzantines. Devant les magasins d'artisanat et de souvenirs qui bordent la rue principale, de nombreuses femmes tricotent au crochet. En hiver et au printemps, les habitants viennent manger de la viande dans les tavernes au bord de la rivière ; des terrasses sont installées sur les rives.

AROLITHOS ΑΡΟΛΙΘΟΣ

Sur la route de Tylissos, à 11 km au sud-ouest d'Héraklion, **Arolithos** est une reconstitution de village crétois renfermant un **musée d'Agriculture et d'Art populaire** (☎ 2810 821 050 ; www.arolithosvillage.gr ; adulte/enfant 3/1,50 € ; 🕑 9h-20h lun-ven, 9h-17h sam-dim en été ; 9h-17h lun-ven, 10h-18h sam-dim en hiver). Construit au milieu des années 1980, ce village en pierre géré par une famille comporte des ateliers de potier, tisserand et maréchal-ferrant, une taverne, un *kafeneio*, une boutique d'artisanat et une immense place où sont régulièrement fêtés de véridiques mariages et baptêmes crétois. Sur trois étages, le musée abrite une belle collection d'objets de la vie quotidienne et d'outils agricoles présentés dans leur contexte rural. Il y a également un confortable **hébergement** (d avec petit déj 55 €) de style traditionnel.

EXCURSION : KROUSONAS

Au pied du mont Psiloritis (mont Ida), les villageoises de Krousonas ont créé une entreprise unique produisant des pâtisseries traditionnelles crétoises et d'autres douceurs locales, selon des recettes de leurs grands-mères. La **coopérative Kroussaniotissa** (☎ 2810 711 989 ; 🕑 8h-23h) rassemble 25 femmes qui concoctent de délicieux *kalitsounia* (pâtisseries), biscuits aux amandes, gâteaux, pâtes, baklavas, *galaktoboureko* (pâtisseries à la crème), etc. Leur spécialité est le *kouloura* (petit pain décoré), préparé pour les mariages et les baptêmes. Il faut parfois deux femmes et 8 heures de travail pour décorer ces pains. La coopérative est la plus grosse entreprise du village ; au-delà de son rôle dans les mariages, elle a une fonction sociale et réalise des exportations partout en Grèce et jusqu'en Allemagne.

Après avoir fait le plein de victuailles, visitez le **Moni Agia Irini**, non loin de là. Ce beau monastère date des dernières années de la domination vénitienne. En 1822, les Turcs le détruisirent et tuèrent tous les moines. Reconstruit en 1940, il est actuellement habité par des nonnes.

Si vous cherchez un hébergement dans la région, voici une bonne alternative à Héraklion : les **appartements traditionnels Viglatoras** (☎ 2810 711 332 ; www.viglatoras.gr) sont situés à l'intérieur d'une ferme, dans le village voisin de Sarhos.

Sur la route venant d'Héraklion, vous repérerez la taverne **Koumbedes**, dans une ancienne mosquée ottomane – bonne cuisine et joli point de vue sur la vallée garantis.

HÉRAKLION

TYLISSOS ΤΎΛΙΣΟΣ

Le **site minoen** (☎ 2810 831 498 ; gratuit ; 🕑 8h30-15h tlj sauf dim) du petit village de Tylissos, à 13 km au sud-ouest d'Héraklion, s'adresse aux férus d'archéologie. Au milieu des maisons, trois grandes villas datant d'époques différentes ont été mises au jour. Les bus circulant entre Héraklion et Anogia passent par Tylissos. Ils desservent également un autre site minoen à **Sklavokambos**, 8 km plus loin en direction d'Anogia. Ces ruines remontent à 1500 av. J.-C. et correspondent probablement à la villa d'un gouverneur de district.

MYRTIA ΜΥΡΤΙΑ

À 15 km au sud d'Héraklion, Myrtia est le village natal du plus célèbre des écrivains crétois (voir p. 52) et héberge désormais le **musée Nikos Kazantzakis** (☎ 2810 742 451 ; www.kazantzakis-museum.gr ; adulte/étudiant et enfant 3 €/gratuit ; 🕑 9h-19h tlj mars-oct, 10h-15h dim nov-fév). Excellente collection de souvenirs en rapport avec l'auteur et son œuvre, notamment des films et des affiches de ses pièces de théâtre jouées dans le monde entier.

Deux bus quotidiens assurent la liaison avec Héraklion (2,20 €, 30 min).

TEMENOS ΤΕΜΕΝΟΣ

Au-dessus du village de Profitis Ilias (Prophète-Élie), à 24 km au sud-est d'Héraklion, le château byzantin de **Temenos** domine les deux sommets du mont Roka. Surplombant la côte nord et les montagnes voisines, il s'agissait d'un emplacement stratégique. Le leader byzantin Nikiforos Fokas (Nicéphore Phokas) édifia le château en 961 pour protéger Héraklion. Deux sentiers mènent aux remparts ; comptez 1 heure de marche depuis le haut du village.

Malgré sa proximité avec Héraklion, la région conserve son caractère rural et reçoit peu de touristes. Pour des informations sérieuses, contactez Dimitris Kornaros, un amoureux de la nature qui dirige **Axas Outdoor Activities** (☎ 2810 871 239 ; axas@yahoo.gr).

En juillet-août, des concerts sont organisés dans le village voisin de Kyparissi au **Theatro Agron**, un amphithéâtre en pierre construit au milieu des champs. Renseignez-vous auprès des habitants ou au magasin de musique Aerakis à Héraklion.

Mieux vaut disposer d'une voiture pour explorer la région.

CENTRE D'HÉRAKLION

La plupart des voyageurs ne font que traverser la région entre Héraklion et la côte sud, mais plusieurs sites méritent une visite (un véhicule est nécessaire).

À la sortie d'Héraklion, la route principale vers le sud passe par des quartiers commerçants et des villages ruraux peu fréquentés des touristes. Archanes constitue une bonne étape avec de bonnes tavernes et plusieurs sites minoens dans les environs. Zaros est également pratique pour sillonner la région.

Peza forme le cœur de l'industrie viticole du pays, tandis que Thrapsano est le géant de la poterie de style minoen.

ARCHANES (ARCHANÈS) ΑΡΧΆΝΕΣ

3 824 habitants

Archanes, à 14 km au sud d'Héraklion, se situe en pleine région viticole. Le fertile bassin d'Archanes est peuplé depuis la période néolithique. Les Minoens construisirent un immense palais qui était le centre administratif de tout le bassin d'Archanes, mais il fut détruit en même temps que d'autres grands complexes minoens. La ville reprit vie et prospéra sous les Mycéniens jusqu'à la conquête dorienne de 1100 av. J.-C.

Aujourd'hui, Archanes est une superbe ville composée de maisons soigneusement restaurées et de charmantes places. C'est un véritable modèle de réhabilitation d'un bourg ; la nouvelle route qui le relie à Héraklion amène de plus en plus de gens à venir s'y installer.

Beaucoup d'habitants d'Héraklion se restaurent dans les bonnes tavernes d'Archanes, tandis que les hommes du village fréquentent les cafés de la place principale. Le musée archéologique est petit et captivant et on compte de superbes possibilités d'hébergement dans de vieux édifices rénovés.

Orientation et renseignements

Le village est divisé en deux, la partie intéressante étant celle du haut (Ano Archanes). Il n'est pas facile de s'orienter dans les voies à sens unique et les ruelles étroites ; mieux vaut se garer à l'extérieur de la ville et suivre les panneaux jusqu'à la poste. Le bus s'arrête à l'entrée du village et à proximité de la place principale. Les DAB ne manquent pas. Pour plus de renseignements et pour trouver un hébergement, consultez www.archanes.gr.

À voir

Il ne reste que quelques bribes du **palais** (indiqué sur la route principale) et la plupart des petits sites autour de la ville sont fermés au public. Le **musée d'Archéologie d'Archanes** (☎ 2810 752 712 ; gratuit ; 🕒 8h30-14h30 tlj sauf mar), petit et bien agencé, présente des éléments intéressants découverts dans la région, notamment des *larnakes* (cercueils) en argile et des instruments de musique de Fourni, ainsi qu'un poignard sculpté mis au jour au temple d'Anemospilia (voir l'encadré p. 164) et utilisé lors de sacrifices humains.

Indiqué depuis le musée d'Archéologie, le **musée d'Art populaire d'Archanes** (☎ 2810 752 891 ; 1 € ; 🕒 9h-13h lun et mer-ven) occupe un édifice en pierre restauré. Il renferme une belle collection de meubles, de broderies, d'artisanat et d'objets de la vie rurale, notamment des vêtements et des jouets d'enfants. À la sortie de Kato Archanes, le **musée d'Histoire et d'Art populaire crétois** (☎ 2810 751 853 ; 3 € ; 🕒 9h30-17h) comporte une collection privée intéressante couvrant diverses périodes de l'histoire crétoise. On remarquera les effets personnels du général Kreipe (voir p. 34), détesté en son temps.

Où se loger et se restaurer

Neraidospilios (☎ 2810 752 965 ; www.neraidospilios.gr ; studio/app 40-70 € ; ❄ 🅿). À la sortie du village, ces grands studios et appartements parfaitement aménagés donnant sur les montagnes sont gérés par les frères du café Diahroniko (où vous devrez vous adresser). La piscine est très appréciable.

Villa Arhanes (☎ 2810 390 770 ; www.maris.gr ; app 129-194 € ; ❄ 🅿). Cette propriété intimiste et haut de gamme occupe une maison crétoise du XIXe siècle, restaurée avec goût dans les hauteurs du bourg. Les hôtes peuvent participer aux travaux agricoles ou aux activités saisonnières du village.

Autre adresse recommandée : l'**auberge Arhontiko** (☎ 2810 751 007).

Les tavernes de la ville ont bonne réputation. Sur la place, essayez **Likastos** (☎ 2810 752 433) ou **To Spitiko** (☎ 2810 751 591). En face de la coopérative agricole, **Ambelos** (☎ 2810 751 039) est recommandée pour les spécialités locales.

En arpentant les petites rues, vous tomberez sur la **Fabrica Eleni** (☎ 2810 751 331), un bar-*rakadiko* installé dans un ancien moulin à huile d'olive, où l'on peut encore voir le pressoir et un minimusée regroupant des inventions ingénieuses du père du propriétaire.

Depuis/vers Archanes

Des bus circulent toutes les heures entre Héraklion et Archanes (1,60 €, 30 min). Les chauffeurs empruntent souvent la route pittoresque passant par Cnossos. Plusieurs routes mènent au village ; la deuxième bifurcation débouche près de la place principale.

ENVIRONS D'ARCHANES

À **Fourni**, les pierres tombales en forme de ruche, datant d'environ 2500 av. J.-C., constituent le plus grand cimetière minoen de l'île. L'un des tombeaux contenait la dépouille d'une Minoenne noble, dont les bijoux sont exposés au Musée archéologique d'Héraklion. À l'arrêt de bus d'Archanes, suivez les panneaux le long d'un sentier escarpé jusqu'au cimetière.

À 5 km au sud d'Archanes, la **villa Vathypetro** (gratuit ; 8h30-15h tlj sauf lun), construite vers 1600 av. J.-C., était certainement la demeure d'un noble minoen. Dans les pièces servant de réserves, les archéologues ont retrouvé des pressoirs à vin et à huile, un métier à tisser et un four. Aucun transport public ne dessert le site, mais des agences d'Héraklion proposent la visite de la villa dans leurs circuits. Elle est bien indiquée depuis la ville.

À 1,5 km au nord-ouest d'Ano Archanes se trouve le site minoen d'**Anemospilia** (grotte du Vent). Découvert en 1979, ce sanctuaire du Minoen moyen est important, car il démontre que les sacrifices humains étaient pratiqués dans la société minoenne (voir l'encadré ci-dessous). Le site n'est ouvert au public que sur autorisation spéciale.

Depuis Archanes, 4,2 km à pied ou en voiture vous mèneront au sommet du **mont Yiouhta**, d'où le point de vue est imprenable. En outre, les vestiges d'un sanctuaire de sommet minoen sont visibles sur le versant nord.

HÉRAKLION

MEURTRE DANS LE TEMPLE

Les sacrifices humains ne sont pas, a priori, associés avec le pacifisme des Minoens. Des éléments découverts sur le site d'Anemospilia, à côté du village d'Archanes, à 18 km au sud d'Héraklion, vont pourtant à l'encontre de la vision traditionnelle. Lors de fouilles réalisées dans les années 1980 dans un temple de trois salles, des scientifiques ont mis au jour les restes d'un jeune homme ligoté sur un autel. Parmi les os gisait un énorme poignard de sacrifice en bronze, gravé d'un animal évoquant un sanglier. À proximité, deux autres squelettes – sans doute la prêtresse et un assistant – semblent indiquer que la mort du garçon faisait partie d'un rite sacrificiel. Ce sacrifice pourrait avoir eu lieu en 1700 av. J.-C., au moment du tremblement de terre, dans l'espoir désespéré d'apaiser les dieux.

HOUDETSI ΧΟΥΔΕΤΣΙ

864 habitants

Le village de Houdetsi n'a rien de remarquable si ce n'est l'**atelier musical Labyrinth** et le **musée des Instruments de musique** (2810 741 027 ; www.labyrinthmusic.gr ; 3 € ; 10h-16h mars-oct), créés par Ross Daly, talentueux musicien passionné de la Crète. Avec l'aide de la municipalité, Daly a transformé un manoir en pierre délabré en musée, où sont exposés ses innombrables instruments (majoritairement à cordes) venus du monde entier. Plus de 250 instruments rares sont présentés et un système audio permet d'écouter le son de chacun d'eux.

Tous les étés, de grands musiciens internationaux assistent à des ateliers et donnent des concerts dans les jolis jardins. Ne soyez pas surpris si vous croisez des Turcs, des Afghans, des Pakistanais, des Bulgares ou des Mongols dans les rues de Houdetsi. Daly, qui est d'origine irlandaise, est l'un des meilleurs joueurs de lyre crétoise au monde et maîtrise les musiques modales non harmoniques de Grèce, des Balkans, de Turquie, du Moyen-Orient, d'Afrique du Nord et d'Inde du Nord. Il a enregistré plus de 25 disques (voir p. 51).

Récemment restaurée, la **maison traditionnelle Petronikolis** (2810 743 203 ; www.petronikolis.gr ; app 60-70 € ;) regroupe 4 appartements spacieux décorés dans le style crétois (hormis les salles à manger indonésiennes), avec des outils agricoles ayant appartenu aux propriétaires. La même famille loue une jolie maison de ferme (jusqu'à 4 pers) à 1,5 km, au milieu des vignes et des oliviers.

En ville, la meilleure cuisine crétoise est servie à la **Roussos Taverna** (2810 742 189 ; juin-oct midi et soir, nov-mai soir tlj sauf lun).

Au-dessus du village, un chemin de terre escarpé mène en haut de la colline pour admirer la vue sur le nouveau **vignoble Tamiolakis** (voir en face).

Il y a trois bus quotidiens pour Houdetsi (2,20 €, 45 min).

THRAPSANO ΘΡΑΨΑΝΟ

1 381 habitants

D'ordinaire, seules les personnes intéressées par les **ateliers de poterie** se rendent à Thrapsano, à 32 km au sud d'Héraklion. Cette ville est le centre de production des énormes *pithoi* de style minoen qui ornent les hôtels, restaurants et maisons de l'île et sont exportés partout dans le monde. Une fête de la poterie se tient à la mi-juillet.

L'AUTRE PAYS DU VIN

La région au sud d'Héraklion forme le plus grand vignoble de Crète : près de 70% du vin produit sur l'île vient des environs de Peza. Dans ce secteur comme autour d'Archanes et de Dafnes, on cultive diverses variétés de raisin crétois et on produit des vins d'appellation contrôlée.

Les opportunités de dégustation se multiplient. À côté de Skalani, à environ 8 km d'Héraklion, l'impressionnant **vignoble Boutari** (☎ 2810 731 617 ; www.boutari.gr ; visite d'1 heure et dégustation 4,50 €, dégustation seule 4 € ; 9h-18h lun-ven, 10h-18h sam-dim) s'étend au milieu du domaine de Fantaxometoho ; il englobe une belle salle de dégustation et d'exposition donnant sur les vignes. La visite des terres et des cuves se poursuit par la projection d'un documentaire sur la Crète (commentaire en 4 langues) au cours duquel on apprend à déguster le vin.

Vous pourrez également découvrir des vins locaux dans la région viticole de Peza. L'immense **vignoble Minos** (☎ 2810 741 213 ; www.minoswines.gr ; dégustation gratuite, vidéo et visite 2 € ; 9h-16h lun-ven, 9h-15h sam) et l'**Association des producteurs locaux de Pezas** (☎ 2810 741 945 ; www.pezaunion.gr ; gratuit ; 9h-16h tlj sauf dim) proposent des dégustations et des vidéos, et possèdent des minimusées. En outre, ils pratiquent des prix moins élevés que les revendeurs.

Ne manquez pas de visiter le superbe **vignoble Tamiolakis** (☎ 2810 742 083 ; 9h-17h tlj sauf dim), magnifiquement situé à Houdetsi. Il s'agit d'une des meilleures entreprises viticoles de la nouvelle génération : vins biologiques, cépages crétois, œnologues formés à Bordeaux, matériel dernier cri et installations accessibles aux visiteurs. La belle salle de dégustation surplombe les vignobles et la vallée.

Les ateliers sont dispersés dans la ville et les visiteurs sont généralement bienvenus. Vous pourrez assister à la fabrication d'une jarre géante à l'**atelier de Nikos Doxastakis** (☎ 2891 041 160), en montant vers les bureaux municipaux. Des pièces plus petites pouvant être rapportées en souvenir sont confectionnées chez **Vasilakis Pottery** (☎ 2891 041 666), juste après l'intersection du lac, ou chez **Koutrakis Art** (☎ 2891 041 000), sur la route menant en ville.

Seul autre site digne d'intérêt, l'**église Timios Stavros**, au cœur du village, date du XVe siècle. Elle possède deux nefs et des fresques bien préservées.

Juste à la sortie de la ville, en direction du nord vers Apostoli, le **lac Livada** est une zone marécageuse avec un poste d'observation des oiseaux et une aire de pique-nique couverte, un peu délabrée. Au fil du temps, la superficie de l'eau a doublé, car les potiers récupèrent l'argile qui forme le fond du lac. Lors de notre passage, un gigantesque musée de la poterie était en construction sur le rivage.

En allant au lac, vous passerez devant l'**église Panagia Pigadiotissa** et le cimetière, où un monument a été érigé autour d'un vieux puits "miraculeux". Selon la légende, si un objet ou une personne tombe dans le puits, le niveau de l'eau monte automatiquement et les empêche de couler.

Pour se rendre à Thrapsano depuis Héraklion, le mieux est de prendre la route de Cnossos et de bifurquer au village d'Agies Paraskies, à côté de Peza. Quatre bus quotidiens circulent entre Thrapsano et Héraklion (3,10 €, 1 heure).

AVDOU ΑΒΔΟΥ

320 habitants

Le paisible village d'Avdou n'est qu'à 20 min en voiture de la station balnéaire de Malia, mais il appartient à un autre monde. La moitié des maisons semblent abandonnées ; les autres, parfois restaurées par des étrangers, sont splendides et débordent de fleurs.

En suivant les panneaux jusqu'au centre-ville, vous passerez devant un petit supermarché ; tournez à gauche au niveau de l'énorme platane et vous déboucherez sur une petite place avec un café, un magasin et quelques tavernes. Il y a quatre églises byzantines dans le village, mais seule l'**église Agios Antonios**, dotée de fresques originales, est généralement ouverte. Si elle est fermée, demandez la clé dans une taverne.

Levez les yeux vers le ciel pour observer les étranges vautours griffons et les parapentes de l'**International Centre of Natural Activities** (☎ 2897 051 200 ; www.icna.gr), basé à Avdou.

Pour une balade à cheval, adressez-vous à **Odysseia Stables** (☎ 2897 051 080 ; www.horseriding.gr), superbement placé à 2 km d'Avdou sur un chemin de terre. Manolis Frangakis et son épouse hollandaise Sabine gèrent également l'établissement attenant, le **Velani Country Hotel** (www.countryhotel.gr ; ch 50-70 €), disposant de chambres sobres et élégantes et d'une jolie piscine donnant sur la vallée. Faites le déplacement, ne serait-ce que pour manger à la **taverne**.

Pour l'hébergement à Avdou, il n'y a pas de juste milieu. Dans le village, les deux chambres très sommaires au-dessus du **Pantopoleion** (☎ 2897 051 243 ; ch avec petit déj 20 €) de Michalis Markantonakis sont propres, mais il faut partager le lavabo et les toilettes sur le balcon et prendre sa douche chez le propriétaire. Michalis tient également la taverne en face ; vous pourrez faire préparer votre dîner et vous servir du vin directement au tonneau en traversant la rue.

Avdou Villas (☎ 2810 300 540 ; www.avdou.com ; app 129-240 € ;) Beaucoup plus haut de gamme, cette ferme à la sortie du village offre des appartements meublés tout confort.

On mange convenablement au **Strovili** (☎ 2897 051 039), sur la route principale à côté de l'église, en face de l'aire de jeux.

Depuis Héraklion, deux bus quotidiens desservent Avdou (3,50 €, 30 min). Sur la route côtière principale, tournez à Malia en direction du village de Mohos.

ZAROS ΖΑΡΌΣ

2 081 habitants

Si le nom de Zaros vous est familier, c'est qu'il s'agit également d'une marque d'eau minérale. À 46 km au sud-ouest d'Héraklion, Zaros est un village authentique connu pour ses sources d'eau et son usine d'embouteillage. Des fouilles effectuées dans la région montrent que les Minoens et les Romains s'y sont installés, séduits par l'abondance d'eau potable. L'eau de Zaros alimentait également la prestigieuse capitale romaine de Gortyne : on compte une multitude de monastères byzantins. Vous pourrez en visiter certains et arpenter les superbes gorges de Rouvas. Relativement proche des plages de Kommos et des sites archéologiques de la région, Zaros est en outre une base parfaite pour les randonneurs.

Orientation et renseignements

Les différents services de Zaros sont implantés au niveau de l'entrée sud de la ville. En face du poste de police, vous trouverez la poste et un supermarché. Un DAB est installé dans la rue principale.

À voir et à faire

Si vous êtes motorisé, vous pourrez explorer les monastères byzantins et les villages nichés dans les collines. Depuis Zaros, empruntez la route vers l'ouest et suivez les indications pour le **Moni Agiou Nikolaou**, situé à l'entrée des verdoyantes **gorges de Rouvas**. Quelques moines vivent encore dans ce monastère dont l'église recèle des peintures du XIVe siècle. Quelques kilomètres plus loin, le **Moni Agiou Andoniou Vrondisiou** est remarquable pour sa fontaine vénitienne du XVe siècle et ses fresques de l'école crétoise du début du XIVe siècle.

La route menant aux monastères puis aux villages traditionnels de **Vorizia** et de **Kamares** est pittoresque. Des randonnées sont envisageables dans les terres ou sur le mont Psiloritis (Ida). Vous pourrez vous diriger à l'ouest sur le sentier E4 qui redescend jusqu'à Fourfouras ou à l'est, également sur le sentier E4, jusqu'au plateau de Nida. Une route goudronnée conduit au village d'Anogia.

Au nord de la ville, il est généralement possible de visiter l'**usine d'embouteillage** de Zaros. Peu avant l'usine, on passe par un joli parc ombragé, **Votomos**, agrémenté d'un petit étang, d'une taverne et d'une aire de jeux pour les enfants : un agréable pique-nique en perspective. Du lac, un sentier conduit au Moni Agiou Nikolaou (900 m) et à l'entrée des gorges de Rouvas (2,5 km). Cependant, mieux vaut commencer par les gorges puis se rendre au lac pour déjeuner.

Dans son **atelier de lyres** (☎ 2894 031 249), sur la route principale menant en ville, le célèbre Antonis Stefanakis fabrique des instruments vendus dans le monde entier. L'atelier est sur le point d'être déplacé dans des nouveaux locaux dans le haut du village, où seront exposés des costumes datant de l'époque où Stefanakis était un grand danseur folklorique.

Où se loger et se restaurer

Studios Keramos (☎/fax 2894 031 352 ; s/d avec petit déj 30/45 € ;). Près du centre, cet hôtel chaleureux est décoré d'artisanat crétois, de tissus et d'objets de famille. La plupart des chambres et des studios sont dotés de lits et de meubles anciens ; certains ont la TV et une kitchenette. Chaque matin, Katerina prépare un petit déjeuner copieux et savoureux.

Eleonas (☎ 2894 031 238 ; www.eleonas.gr ; app 56 € ;). Ce beau refuge de montagne niché au milieu des oliviers est organisé en terrasse et surplombe une vallée verdoyante. Les agréables appartements sont équipés de tout le confort : TV sat, lecteur DVD et cuisine. De multiples activités sont envisageables : équitation, tir à l'arc, VTT, randonnées guidées ou farniente à la piscine. Bonne taverne attenante.

I Limni (☎ 2894 031 338 ; truite 22 €/kg ; 🕑 9h-tard). Juste au bord de l'eau, cette taverne est un havre de paix où l'on déguste de la truite grillée et des spécialités crétoises. L'assortiment d'entrées servi avec le pain ne gâche rien.

Vengera (☎ 2894 031 730). Dans la rue principale, cette excellente taverne est tenue par la dynamique Vivi et sa mère Irini, qui mitonne chaque jour 5 à 6 plats traditionnels. Elles proposent une formule à 25 € avec repas et hébergement dans des studios voisins.

Votomos (☎ 2894 031 710 ; truite 27 €/kg). Les truites sont élevées et servies dans cette taverne installée à la sortie de la ville, après l'hôtel Idi.

Non loin de Zaros, dans le village de Nyvritos, le *kafeneio* traditionnel **Nivritos** (☎ 2894 031 296) sert une cuisine familiale exceptionnelle et se double d'une herboristerie tenue par Dimitris Tsakalakis.

Depuis/vers Zaros

Depuis Héraklion, deux bus se rendent chaque jour à Zaros (4,10 €, 1 heure).

SUD D'HÉRAKLION

La route principale reliant Tymbaki à Pyrgos sépare la partie nord de la préfecture d'Héraklion des stations balnéaires de la côte sud. La route passe par des centres commerçants comme Tymbaki, Mires, Agii Deka et Pyrgos, où sont distribuées les productions agricoles de la région. Ces villes ont peu d'intérêt pour les touristes, mais elles témoignent du dynamisme de l'économie crétoise.

La région centre-sud renferme trois sites archéologiques importants : Phaistos, Agia Triada et Gortyne, ainsi que des sites plus modestes hérités des civilisations minoenne ou romaine. Se rendre de l'un à l'autre requiert un véhicule ; les circuits organisés au départ d'Héraklion peuvent constituer une alternative. Dans les deux cas, prévoyez au moins un ou deux jours dans le secteur.

Si vous êtes lassé des vieilles pierres, à vous les longues étendues de sable de Matala, de Kommos, de Kalamaki et de Lendas, sur la côte sud. La route menant aux gorges d'Agiofarango passe par le monastère Moni Odigitrias. Plus à l'est, on arrive aux plages tranquilles de Kastri et de Keratokambos.

GORTYNE (GORTINA) ΓΟΡΤΥΝΑ

Le site archéologique de **Gortyne** (☎ 2892 031 144 ; 4 € ; 🕑 8h-19h30, 8h-17h en hiver), à 46 km au sud-ouest d'Héraklion, est le plus vaste de Crète et l'un des plus intéressants. Gortyne comporte assez peu d'éléments de la période minoenne, car elle était alors assujettie à la puissante Phaistos. Sous la domination dorienne, la ville commença à accumuler des richesses (principalement par des actes de piraterie) et, dès le Vᵉ siècle av. J.-C., elle devint aussi influente que Cnossos. Lorsque les Romains menacèrent d'envahir l'île, les Gortyniens eurent la bonne idée de signer un pacte avec eux. C'est ainsi que Gortyne devint la capitale de la Crète romaine en 67 av. J.-C. Les dirigeants romains firent prospérer la cité et construisirent de magnifiques bâtiments publics, notamment un prétoire, un amphithéâtre, des bains, une école de musique et des temples. À l'exception du temple d'Apollon Pythien et de l'église d'Agios Titos du VIIᵉ siècle av. J.-C., les vestiges que vous verrez à Gortyne datent de l'époque romaine. Le faste de Gortyne toucha à sa fin en 824, lorsque les Sarrasins envahirent l'île et détruisirent la ville.

L'immensité du site illustre l'importance de Gortyne aux yeux des Romains. La cité s'étend sur 1 km² de plaines et de collines, jusqu'au sommet du mont Agios Ioannis. Dans le passé, le système sophistiqué de fontaines et de bains publics était alimenté par des canalisations et des aqueducs qui acheminaient l'eau depuis le lac Votomos, à 15 km. Des rues et une place devaient également exister, mais elles n'ont pas encore été mises au jour.

L'archéologue italien Federico Halbherr commença les fouilles dans les années 1880 ; des travaux sont toujours en cours.

En démarrant au sud de la route principale, vous arriverez tout d'abord au **temple d'Apollon Pythien**, le sanctuaire principal de la Gortyne préromaine. Édifié au VIIᵉ siècle av. J.-C., ce temple fut agrandi au IIIᵉ siècle av. J.-C. et transformé en basilique chrétienne au IIᵉ siècle. Non loin, le **prétoire**, bâtiment administratif comportant une basilique et une résidence privée, était le palais du gouverneur romain de Crète. Datant du IIᵉ siècle, il a été en partie réhabilité au IVᵉ siècle. Plus au nord,

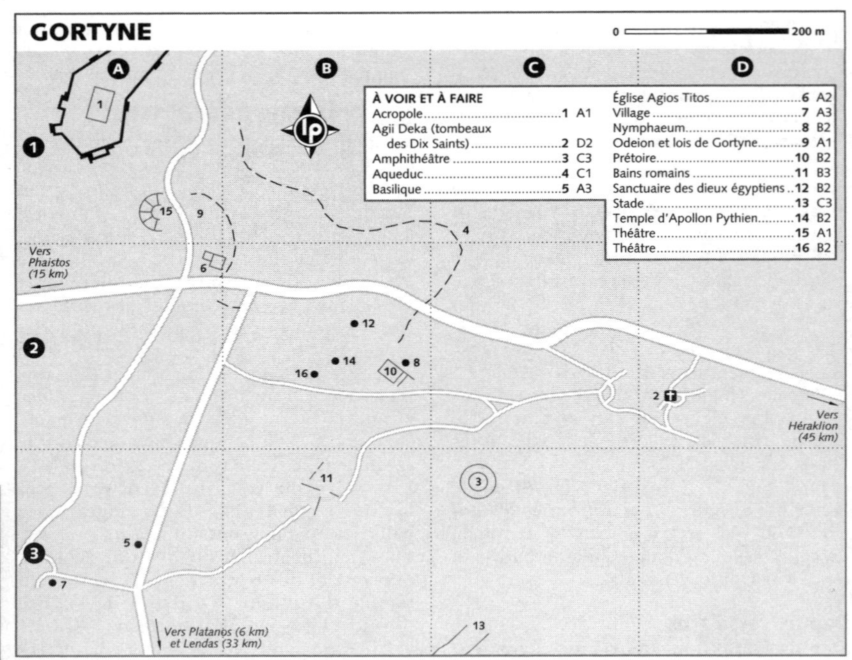

le **nymphaeum** du IIe siècle était un bain public alimenté par un **aqueduc** qui apportait l'eau depuis Zaros. À l'origine, il était agrémenté de statues de nymphes. Au sud du *nymphaeum*, l'**amphithéâtre** date de la fin du IIe siècle.

À l'intérieur de la zone close, le monument le plus impressionnant est l'**église Agios Titos**, la plus belle église du début de l'ère chrétienne en Crète. La construction date du VIe siècle, mais elle fut probablement édifiée à l'emplacement d'une église antérieure. Sur trois niveaux, l'église cruciforme en pierre dispose de deux petites nefs ; celle qui a survécu donne une idée de sa splendeur passée. Non loin, l'**Odeion** est un théâtre bâti vers le Ier siècle av. J.-C. Selon la légende, le platane qui se dresse derrière abritait les amours de Zeus et Europe.

Derrière l'Odeion se trouve aussi la découverte phare du site : des tablettes en pierre datant du VIe siècle av. J.-C., sur lesquelles furent gravées les **lois de Gortyne**. Ces 600 lignes écrites en dialecte dorien constituent le premier code juridique du monde grec. Les préoccupations des anciens Crétois étaient identiques à celles que l'on retrouve dans les tribunaux d'aujourd'hui : mariages, divorces, transferts de biens, héritages, adoptions et criminalité. On en apprend davantage sur l'organisation sociale préromaine : il s'agissait d'une société très hiérarchisée, divisée entre les esclaves et plusieurs classes de citoyens libres, chacun ayant des droits et des devoirs.

Pour visiter l'**acropole**, il faut marcher jusqu'en haut de la colline, dans l'angle nord-ouest du site, mais cela vaut le détour. Suivez le chemin le long du ruisseau derrière l'Odeion, vous atteindrez un portail qui marque le début du sentier menant au sommet. Outre une superbe perspective sur l'ensemble du site, l'acropole est l'occasion d'admirer une partie des remparts préromains.

Au départ d'Héraklion, les bus pour Phaistos s'arrêtent à Gortyne ; voir p. 170 pour plus de détails.

PHAISTOS (PHAÏSTOS) ΦΑΙΣΤΟΣ

Le site de **Phaistos** (☎ 2892 042 315 ; 4/2 €, avec l'entrée à Agia Triada 6 € ; 8h-19h30 juin-oct, 8h-17h nov-avr), à 63 km d'Héraklion, était la deuxième plus importante cité palatiale de la Crète minoenne. Avec une vue admirable sur la plaine de la Messara et le mont Psiloritis

(Ida), Phaistos jouit de l'emplacement le plus fantastique de tous les sites minoens. La disposition du palais ressemble à celle de Cnossos, les pièces étant regroupées autour d'une cour centrale.

Des vestiges de poteries révèlent que le site était habité à l'époque néolithique, vers 4000 av. J.-C., quand les premiers individus s'établirent sur les versants du mont Kastri. Le premier palais fut édifié vers 2000 av. J.-C. puis détruit par un tremblement de terre qui rasa de nombreux sites minoens. Les ruines furent ensevelies sous une couche de calcaire et de débris, qui forma la base du nouveau palais, construit vers 1700 av. J.-C. Ce dernier fut à son tour ravagé par la catastrophe qui toucha l'île en 1450 av. J.-C. Entre-temps, Phaistos devint le centre politique et administratif de la plaine de la Messara. Les textes anciens soulignent l'importance du palais, qui se démarquait en frappant sa propre monnaie. Si Phaistos fut encore habitée pendant plusieurs siècles, elle se mit à péricliter lorsque Gortyne gagna en influence. Sous les Doriens, Phaistos prit la tête d'une ligue unissant plusieurs villes dans l'ouest de la Crète, dont Matala et Polyrrinia. Cependant, Phaistos s'inclina face à Gortyne au IIe av. J.-C.

En 1900, les fouilles commencèrent sous la houlette du professeur Federico Halbherr, de l'École italienne d'archéologie, qui poursuit actuellement les excavations. À l'inverse de Cnossos, Phaistos a livré peu de fresques. Les murs du palais étaient, semble-t-il, souvent

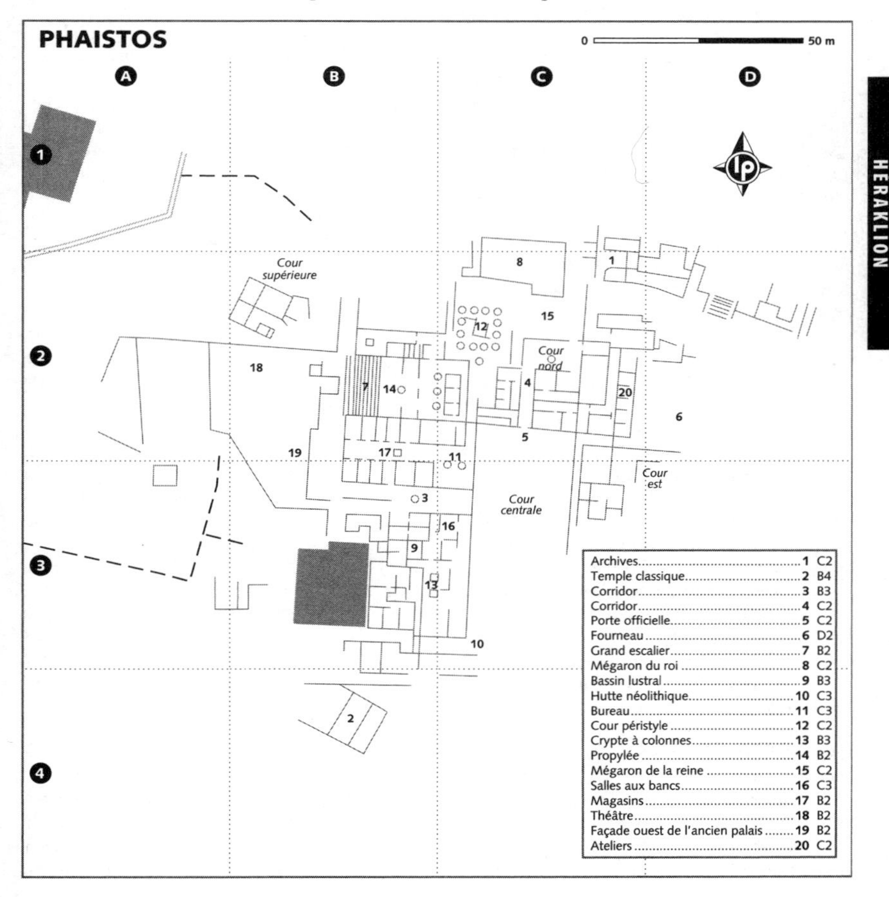

recouverts d'une couche de gypse blanc. Les ruines sont restées en l'état et il est assez difficile de se faire une idée d'ensemble, d'autant que le site inclut des vestiges de l'ancien et du nouveau palais.

Visite du site

Après le guichet d'entrée, la **cour supérieure**, utilisée aux époques protopalatiale et néopalatiale, contient les vestiges de bâtiments de l'ère hellénistique. Un escalier descend au **théâtre** qui accueillait jadis les spectacles. Les sièges sont placés du côté nord, tandis qu'au sud s'élève la **façade ouest de l'ancien palais**. Le **grand escalier** de 15 m de largeur mène au **propylée** (portique). Sous le propylée, les **magasins** renferment toujours des *pithoi* (jarres de stockage). À côté des réserves, la salle carrée serait un **bureau** ; en 1955, on y découvrit des manuscrits en linéaire A dissimulés sous le sol. Au sud des réserves, un **corridor** conduit au côté ouest de la **cour centrale**. Au sud du couloir, vous verrez un **bassin lustral**, des salles dotées de bancs et une **crypte à colonnes** semblable à celle de Cnossos. La cour centrale constitue le point névralgique du palais puisqu'elle offre un superbe point de vue sur le site. Elle est très bien conservée et permet de se faire une idée du prestige du palais. Ses grands côtés étaient jadis bordés de portiques supportés par des colonnes et des piliers. Remarquez la **hutte néolithique** dans l'angle sud-ouest de la cour centrale. Les parties les mieux préservées comprennent les salles de réception et les appartements privés au nord de la cour centrale (toujours en cours de fouille). Entrez par la **porte officielle**, flanquée de chaque côté par des demi-colonnes conservant leur assise in situ. Le corridor débouche sur la cour nord ; sur la gauche se trouve la **cour péristyle**, qui contenait jadis une véranda pavée. Les appartements royaux (**mégarons de la reine et du roi**) se situent au nord-est de la cour péristyle, mais ils sont inaccessibles. Le célèbre disque de Phaistos (p. 46) fut découvert dans un édifice au nord du palais. Il est désormais conservé au Musée archéologique d'Héraklion (p. 148).

Depuis/vers Phaistos

Chaque jour, huit bus partent d'Héraklion et se rendent à Phaistos (5,70 €, 1 heure 30) via Gortyne. Il y a aussi des bus au départ d'Agia Galini (2,80 €, 45 min, 5/jour) et de Matala (1,60 €, 30 min, 5/jour).

AGIA TRIADA (AGHIA TRIADA)
ΑΓΙΑ ΤΡΙΑΔΑ

Le petit site minoen d'**Agia Triada** (☎ 2892 091 564 ; 3 €, avec l'entrée à Phaistos 6 € ; 10h-16h30 en été, 8h30-15h en hiver) est situé à 3 km à l'ouest de Phaistos dans un adorable cadre de collines et d'orangers. À l'instar de Phaistos, Agia Triada fut peuplé dès la période néolithique.

Des chefs-d'œuvre de l'art minoen, dont des vases exposés au Musée archéologique d'Héraklion (p. 148), ont été découverts ici, mais le palais n'a pas l'envergure de celui de Phaistos. Le bâtiment principal présente, en taille réduite, la même disposition que les autres palais, et l'opulence des objets montre qu'il s'agissait d'une résidence royale, peut-être le palais d'été des souverains de Phaistos.

Après l'entrée, vous passerez d'abord devant les ruines d'une **maison minoenne** avant d'arriver au **sanctuaire** datant du début du XIVe siècle av. J.-C. Jadis, une fresque représentant des poulpes et des dauphins était peinte au sol ; elle est désormais conservée au Musée archéologique d'Héraklion. Au nord-ouest du sanctuaire, la cour pavée a été baptisée **cour des sanctuaires** par les archéologues. Notez les **magasins et ateliers** dans l'aile sud-ouest du palais ; la "coupe du chef" fut découverte dans l'une de ces salles. Au nord des ateliers, gagnez le **hall** puis la **chambre intérieure**, où l'on voit une dalle surélevée qui soutenait peut-être un lit, preuve qu'il s'agit de quartiers résidentiels. La **salle des archives** contenait jadis 200 sceaux en pierre et une fresque du chat sauvage de Crète, désormais exposée au Musée archéologique d'Héraklion. Dans le passé, la **Rampa al Mare**, une rampe qui court jusqu'au côté nord du palais, descendait probablement jusqu'à la mer. Un sentier part de la clôture du site et mène en haut de la colline à un **cimetière** minoen datant d'environ 2000 av. J.-C. Il y a deux tombes circulaires en forme de ruche.

Les transports publics ne desservent pas Agia Triada – le site se situe à 5 km des villages les plus proches. L'embranchement pour Agia Triada part sur la droite, à 500 m de Phaistos sur la route de Matala.

VORI ΒΏΡΟΙ

744 habitants

Authentique et agréable, le village de Vori, à 4 km à l'est de Tymbaki, comporte une belle place centrale entourée de rues tortueuses et de maisons blanchies à la chaux. Cerise

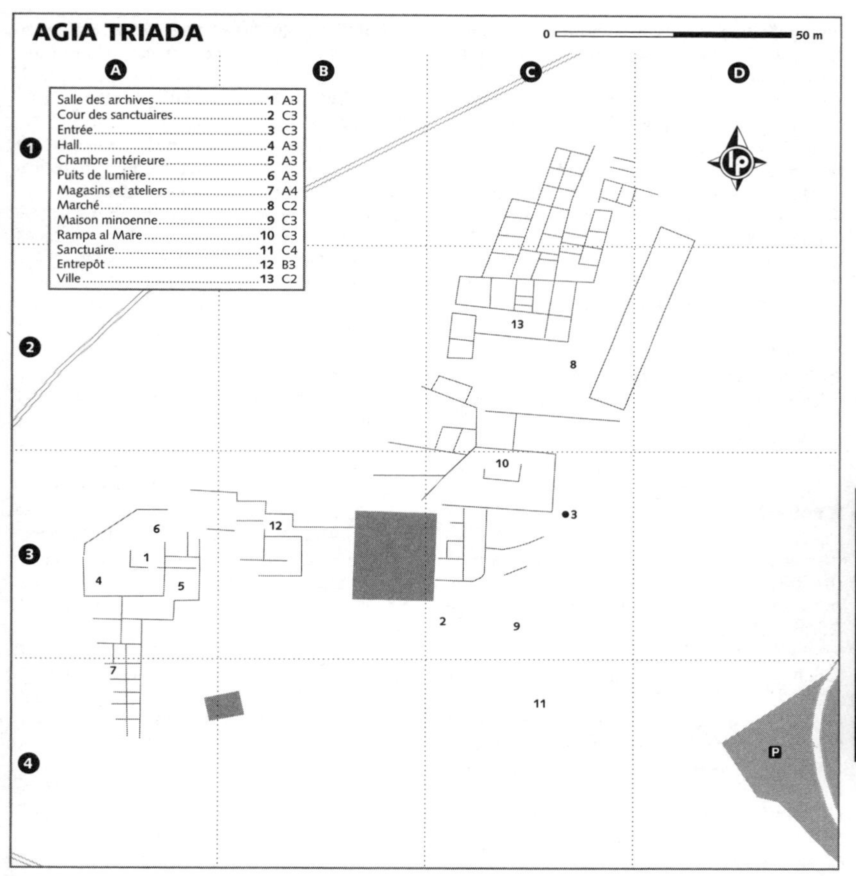

sur le gâteau, le **musée d'Ethnologie crétoise** (☎ 2892 091 112/0 ; 3 € ; ⏰ 10h-18h avr-oct, sur rdv en hiver) est une véritable immersion dans la culture traditionnelle de l'île. Les explications en anglais illustrent des thèmes comme l'agriculture, la guerre, les coutumes, l'architecture, la musique, les plantes ou les animaux typiques de la Crète. De superbes tissages, meubles, sculptures sur bois et instruments de musique sont exposés. Le musée est bien indiqué depuis la route principale.

Des tavernes sont situées sur la jolie place. À 400 m du musée, les **appartements Portokali** (☎ 2892 091 188 ; www.portokali.messara.de ; studio 30 € ; ❄) consistent en 4 studios chaleureux, d'un bon rapport qualité/prix, disposés dans un jardin avec barbecue. Vélos disponibles.

MATALA ΜΑΤΑΛΑ

101 habitants

Sur la côte, à 11 km au sud-ouest de Phaistos, Matala était jadis la destination hippie la plus réputée de la Crète. Admirez les dizaines de **grottes** féeriques creusées dans la paroi rocheuse au bout de la plage, et vous comprendrez ce qui fascina les babas cool des années 1960 (voir l'encadré p. 172). Habitées depuis des siècles, les grottes étaient, au Ier siècle, des tombes romaines taillées dans le grès. Fenêtres, portes et lits ont été sculptés dans la pierre.

Cependant, les temps ont changé. Matala s'est développée comme bien d'autres stations balnéaires et a perdu une bonne partie de son charme d'antan. Le village est bondé de touristes qui viennent passer une journée à la mer au milieu de leurs visites de sites archéologiques. On ne peut manquer le marché où sont vendus souvenirs et vêtements.

Certains fidèles reviennent à Matala tous les étés. Une belle **plage** de sable s'étend en contrebas des grottes ; la station est une bonne base pour visiter Phaistos et Agia Triada.

Matala et ses environs constituent une zone de nidification des tortues marines *Caretta caretta*. Un kiosque de la Société de protection des tortues de mer est situé près du parking.

Orientation et renseignements

L'arrêt de bus se trouve sur la place principale, à un pâté de maisons du bord de mer ; vous trouverez un parking à l'entrée de la ville et de la plage (2 €). Des DAB sont installés dans le village.

Monza Travel (☎ 2892 045 757). Change les espèces.

Zafiria Internet (☎ 2892 045 496 ; 4 €/h ; 8h-tard)

À voir et à faire

Les **grottes** sont fermées pendant la nuit. Lors de notre passage, il n'y avait ni gardien ni droit d'entrée. Si vous souhaitez une plage plus tranquille, gagnez **Kokkini Ammos** (plage Rouge). Il faut crapahuter pendant 30 min à travers les rochers en direction du sud. Quelques nudistes fréquentent cette plage.

Pour une balade à cheval sur la plage ou dans la montagne, adressez-vous à la **ferme équestre Melanouri** (☎ 2892 045 040 ; www.melanouri.com), dans le village voisin de Pitsidia.

Où se loger et se restaurer

Sur la route principale, une rue part sur la gauche vers l'intérieur des terres : elle est bordée d'hôtels pour voyageurs à petit budget. Il est facile de comparer et de choisir les tarifs les plus intéressants. En saison basse, les hôtels sont assez bon marché.

Matala Community Camping (☎/fax 2892 045 720 ; pers/tente 4,30/3 €). Terrain correct et ombragé, quoique un peu inégal. Derrière la plage.

Les **Fantastic Rooms to Rent** (☎ 2892 045 362 ; fax 2892 045 292 ; s/d/tr 20/25/25 €, d ou tr avec cuisine 30 € ;) existent depuis l'époque hippie ; une nouvelle aile a été ajoutée à l'arrière. Les chambres sont simples et confortables, beaucoup sont équipées d'une cuisine, du téléphone, d'une bouilloire et d'un réfrigérateur.

Pension Andonios (☎ 2892 045 123 ; fax 2892 045 690 ; d/tr 25/30 €). Tenue par le génial Antonis, cette pension douillette dispose de chambres joliment meublées entourant une belle cour. La plupart sont pourvues d'une cuisine ; celles de l'étage ont un balcon.

L'**Hotel Zafiria** (☎ 2892 045 366 ; fax 2892 045 725 ; d avec petit déj 40 € ; P) occupe tout un pâté de maisons dans la rue principale de Matala. Salon-bar spacieux, et chambres confortables avec téléphone, balcon et vue sur la mer ; piscine en contrebas des falaises.

Les restaurants touristiques du bord de mer se ressemblent tous et, au final, Matala n'offre pas de grands plaisirs gastronomiques. Surplombant la plage, **Lions** (☎ 2892 045 108 ; spécialités 6-9 €) est populaire, car offrant une nourriture plus savoureuse qu'ailleurs. Il s'anime le soir et invite à prendre un verre.

Au bout de la grand-rue, **Gianni's** (☎ 2892 045 719 ; plats 5-7 €) est un restaurant sans prétention où l'on sert de bonnes grillades, avec salade et pommes de terre (7 €).

À 1,2 km de la ville, la taverne **Mystical View** (☎ 6944 139 164) est idéale pour un somptueux coucher de soleil sur la plage de Kommos.

Depuis/vers Matala

Il y a cinq bus quotidiens entre Héraklion et Matala (6,80 €, 2 heures 30) et entre Matala et Phaistos (1,60 €, 30 min).

LA VAGUE HIPPIE

Bien avant que Mýkonos et Íos ne deviennent à la mode, Matala était le fief des babas cools défenseurs d'un mode de vie alternatif, qui transformèrent le village en une cité troglodytique à la fin des années 1960 et au début des années 1970.

Attirés par l'hébergement gratuit dans les grottes, la plage superbe, les tavernes bon marché et décontractées, et l'amour libre, les hippies s'installèrent en nombre à Matala, leurs guitares en bandoulière. Ils se déplacèrent toujours plus haut dans les falaises afin d'échapper à la police qui tenta ponctuellement de les déloger. La chanteuse Joni Mitchell faisait partie des habitants des grottes. Dans le titre *Carey* (album *Blue*, 1970), elle chante : *"Mais ne parlons pas de sévérité pour l'instant, la nuit est un dôme étoilé et le rock'n'roll sauvage résonne sous la lune de Matala."*

ENVIRONS DE MATALA

Bien d'autres villages, en particulier dans l'arrière-pays, peuvent servir de base pour explorer le sud de la province d'Héraklion.

À 5 km au nord-est de Matala sur la route principale, **Pitsidia** est calme pendant la journée, quand tout le monde est à la plage. L'ambiance est très agréable en soirée. La **Pension Aretoussa** (☎ 2892 045 555 ; www.pensionaretoussa.com ; s/d/tr 27/33/45 €), en bordure de la route principale, dispose d'une terrasse avec jardin sur le devant pour prendre le petit déjeuner. Les chambres sont propres, agrémentées de détails soignés, comme les moustiquaires ou les peintures du propriétaire, Michalis. Les chambres de l'arrière bénéficient d'un accès à un jardin privé – idéal pour les familles.

Outre ses délicieuses pizzas au feu de bois, **Bodikos Rooms & Pizzeria** (☎ 2892 045 438 ; www.bodikos-matala.com ; d 35 €) loue à l'étage des chambres et des studios spacieux et confortables ; hébergements familiaux à proximité.

Le soir, pour boire un verre en ville, tentez l'accueillant **Mike's** (☎ 2892 045 007) ou **Eva and Nikos** (☎ 2892 045 497), une taverne populaire sur la place principale.

Les bus pour Matala s'arrêtent au bord de la route. La place du village se situe à l'intérieur des terres.

Plus au nord de Pitsidia, à environ 2 km de la route principale dans les terres, le joli village de **Sivas** se compose d'une belle place animée et de nombreux édifices classés.

Sigelakis (☎ 28920 42748 ; plats 5-6 € ; soir) est une bonne adresse pour dîner sur la place. Le sympathique propriétaire Yiorgos est réputé pour sa cuisine traditionnelle et ses plats, comme le cabri à la sauce tomate, les champignons grillés ou les savoureuses aubergines à l'ail et à la tomate. Il a également construit de beaux **studios** (www.sigelakis-studios.gr ; ch 45-50 €) douillets, à proximité.

KOMMOS ΚΟΜΜΟΣ

Des fouilles sont encore menées par des équipes américaine et canadienne dans le site archéologique de Kommos, situé le long d'une belle plage, à 12 km au sud-ouest de Mires. Des barrières ferment l'accès, mais, même de l'extérieur, on se fait une bonne idée de l'ensemble. Renfermant beaucoup de structures minoennes, Kommos aurait été le port de Phaistos. On peut se figurer le tracé de la cité antique avec ses rues et ses cours ainsi que les vestiges d'habitations, d'ateliers et de temples. Remarquez la route minoenne pavée de calcaire qui se dirige vers Phaistos, au sud, par l'intérieur des terres ; on voit encore les ornières des chars minoens et une évacuation d'égout du côté nord.

Kommos est à 3 km au nord de Matala ; c'est une balade agréable.

KAMILARI ΚΑΜΗΛΑΡΙ

263 habitants

Kamilari est un village traditionnel aux rues tortueuses, construit sur trois collines. Il est encore assez peu connu des touristes. La plupart des hébergements se trouvent en périphérie du bourg et on compte généralement plus d'habitants que de visiteurs. La proximité de la plage de Kalamaki et sa situation centrale en font un bon point de départ pour explorer la côte sud et les sites archéologiques.

À 3 km du village, au milieu des champs, s'élève une **tombe minoenne** circulaire parfaitement préservée, avec des murs de pierre de 2 m de hauteur. Des figurines d'argile représentant des rites funéraires ont été mises au jour et sont conservées au Musée archéologique d'Héraklion (p. 148). Le tombeau est indiqué depuis l'entrée de Kamilari (30 min à pied).

Où se loger et se restaurer

Apartments Ambeliotissa (☎/fax 2892 042 690 ; www.ambeliotissa.com ; studio 25-50 € ;). Les familles sont les bienvenues dans ces studios et appartements équipés de cuisines et de balcons donnant sur le jardin. Il y a un barbecue, une aire de jeux et des vélos disponibles pour les hôtes. Les propriétaires gèrent également les studios Pelekanos, non loin.

Plaka Apartments (☎ 2892 042 697 ; www.plakakreta.com ; d 30-35 € ;). Sur une colline juste à la sortie du village, ces jolis appartements aux tons bleu et blanc se doublent de balcons avec vue sur la mer. Les chaises longues vous attendent dans le jardin de derrière. Renseignez-vous à la Taverna Mylonas.

Asterousia Apartments (☎ 28920 42832 ; www.asterousia.com ; studio 35-50 €). Un hamac sur le devant, quelques antiquités et des chambres peintes de couleurs vives : le ton est donné. Une grande table ancienne est installée sous la véranda et le jardin est plaisant. Idéal pour un séjour prolongé ou en famille.

Taverna Mylonas (☎ 2892 042 156 ; plats 5,50-6,50 €). Dans le centre du village, bons plats crétois, italiens ou chinois et splendide point de vue sur les montagnes depuis la terrasse.

Kentriko (☎ 2892 042 191 ; plats 5,50-6,50 €). Les Irini, famille gréco-australienne, ont restauré ce *kafeneio* en pierre de la rue principale. Sur les murs, admirez des photos de villageois en noir et blanc. Accès à Internet.

Depuis/vers Kamilari

Un bus quotidien part de la gare routière B d'Héraklion et passe par Mires (6 €, 1 heure 30).

KALAMAKI ΚΑΛΑΜΆΚΙ

71 habitants

Idéale pour se balader, la belle plage de sable blanc qui s'étend sur des kilomètres dans les deux directions est le point fort de Kalamaki. Le tourisme n'en est ici qu'à ses débuts. À 2,5 km au sud-ouest de Kamilari, c'est un endroit tranquille et adapté à la baignade.

La route principale débouche sur la place du village, juste derrière la plage. **Monza Travel** (☎ /fax 2892 045 692 ; 9h-14h et 17h-22h) propose des locations de voiture ou de vélo, des réservations d'hôtel, des billets d'avion ou de bateau et des excursions partout en Crète.

Où se loger et se restaurer

Kostas (☎/fax 2892 045 692 ; www.kreta-kalamaki.com ; d 25-70 € ;). Au-dessus de Monza Travel, ces belles chambres toutes différentes (jusqu'à 6 personnes) sont pourvues de réfrigérateurs, de TV et de cafetières. Sur le toit, le jardin commun est plaisant le soir.

Pension Galini (☎ 2892 045 042 ; www.pensiongalini.de (en allemand) ; ch/app 30/60 € ;). À 30 m de la plage, cette belle propriété dispose de chambres et d'appartements spacieux (jusqu'à 6 pers) avec cuisine, TV sat et connexion Internet. Terrasse sur le toit avec vue sur la mer.

Yiannis (☎ 2892 045 685 ; assortiment de mezze 7-9 €). On rate facilement cet établissement, derrière un hôtel qui bouche le point de vue sur la mer. Cependant, le succès de Yiannis ne se dément pas grâce à ses excellents mezze à prix raisonnables. Il y en a de 18 sortes (1,80-2,50 €), avec beaucoup d'options végétariennes. Un verre de raki est systématiquement offert.

Delfinia (☎ 2829 045 697 ; poisson 30-45 €/kg). À l'extrémité nord de la plage, cette taverne de poisson est l'une des plus réputées de la région. Grand choix de mezze.

Depuis/vers Kalamaki

Au départ de la gare routière B d'Héraklion, un bus quotidien dessert Kalamaki via Mires (6,80 €, 2 heures).

KAPETANIANA ΚΑΠΕΤΑΝΙΑΝΑ

98 habitants

Il y a deux bonnes raisons de traverser la plaine de la Messara et d'emprunter la route sinueuse dans les montagnes jusqu'au hameau retiré de Kapetaniana : la marche et l'escalade. Perché au pied du mont Kofinas (1 231 m), à 60 km d'Héraklion, Kapetaniana (du mot "capitaine") était fut le fief des rebelles crétois et bien plus tard le repaire des hippies de Matala qui fuyaient la police. Aujourd'hui, ses paysages sauvages attirent les randonneurs et les amoureux de la nature. Le mont Kofinas est le site le plus couru de Crète pour l'escalade (voir p. 174). Le village est divisé entre les parties haute et basse.

À Ano (haut) Kapetaniana, l'adorable **Pension Kofinas** (☎ 28930 41440 ; www.korifi.de ; s/d 20/25 €) est gérée par un couple d'anciens hippies autrichiens, Gunnar et Louisa, installés dans les années 1980, lorsqu'il n'y avait pas encore de route goudronnée (elle a été achevée en 2005). Ils organisent des randonnées guidées. Il n'y a que 4 chambres (dont une avec lits superposés), partageant une sdb extérieure. Il est impératif de réserver. Gunnar prépare un dîner gastronomique pour les hôtes (12-15 € vin compris) servi sur la terrasse donnant sur le Kofinas et la mer au loin.

À Kato Kapetaniana, quelque 15 maisons ont été restaurées et transformées en gîtes.

LENDAS ΛΈΝΤΑΣ

78 habitants

Le charme de Lendas tient à son isolement et à son ambiance détendue. Au bout d'une longue route tortueuse (les derniers kilomètres descendant au village sont particulièrement éprouvants), Lendas est accroché à la falaise et domine la plage, avec une belle vue sur la mer de Libye. Les étroites plages de galets sont plutôt agréables, mais on trouve d'autres plages plus séduisantes dans les environs, ainsi que d'étonnantes formations rocheuses. Lendas attire essentiellement des voyageurs indépendants, notamment des habitués qui viennent depuis plus de 20 ans. Le village a conservé une atmosphère intimiste et sereine due à l'absence de circulation. Sur la plage, des bars garantissent l'animation.

À quelques encablures, on découvre un site archéologique et la plage naturiste de **Diskos** (ou Dytikos), fief des irréductibles de Matala.

EXCURSION : LES GORGES D'AGIOFARANGO

Une expérience magique vous attend dans cette zone isolée du sud-ouest de la province d'Héraklion : combinez la visite d'un monastère avec une balade dans de superbes grottes et un plongeon dans une crique retirée.

À environ 7 km de l'embranchement pour Sivas, le **Moni Odigitrias** (☎ 2892 042 364 ; 9h-20h) est un ancien monastère qui a conservé sa tour, où les moines ont combattu les Turcs, les Allemands et les pirates. Désormais, il est possible de monter pour admirer un point de vue imprenable. Le monastère servait de base à de nombreux moines vivant en ermites dans les grottes des environs et dans des chapelles isolées. Un petit musée expose les pressoirs à huile d'olive et à vin d'origine, d'énormes pots, un alambic à raki et des outils agricoles. L'église Panagia contient des fresques et des icônes du XVe siècle.

En face du monastère, un panneau indique le sentier d'**Agiofarango** (Gorges sacrées). Comptez une heure de marche pour parvenir à l'entrée de ces gorges, qui sont assez peu visitées. Il est possible de continuer en voiture sur le chemin de terre (en mauvais état) et de se garer à 20 minutes de l'entrée. Les magnifiques grottes sont tapissées de lauriers et la paroi rocheuse attire de nombreux adeptes de l'escalade. Sur les falaises, on repère des grottes ainsi que des chapelles et des ermitages improvisés ; à mi-chemin s'élève la chapelle byzantine **Agios Antonios**. Les gorges débouchent sur une jolie crique aux eaux cristallines, fréquentée quasi exclusivement par des marcheurs (des excursions en bateau sont parfois proposées).

Au retour, accordez-vous une pause au **Kafeneio Xasou** (☎ 2892 042 804 ; mezze 2,50-4 € ; mar-sam 16h-23h, dim 10h-23h), sur la route principale en passant par le village de Listaros. Les propriétaires athéniens sont de fervents écologistes qui se sont installés ici à la recherche d'une vie plus sereine. Sylla, cuisinière hors pair, interprète superbement les recettes traditionnelles.

HÉRAKLION

Orientation et renseignements

En entrant dans le village, la route bifurque à gauche vers un parking et à droite vers la "place" principale. Le bus s'arrête devant le parking. Lendas dispose de supérettes et d'un **cybercafé** (☎ 2829 095 206 ; 3 €/heure) sur la place. Assurez-vous d'avoir assez d'essence, car la prochaine station est loin.

Pour gagner la plage de Dytikos, suivez la route principale vers l'ouest sur 1 km ou le sentier le long des falaises.

À voir

Le site archéologique de **Lebena** se situe à la sortie du village. Lebena était une station thermale fréquentée par les Romains. Du temple datant du IVe siècle av. J.-C., il ne reste que deux colonnes en granite. À côté du temple se trouvait la salle du trésor, dont le sol en mosaïque est encore visible. On ne distingue quasi rien de plus et les sources sont fermées depuis les années 1960.

Où se loger et se restaurer

Bungalows Lendas (☎ 2892 095 221 ; s/d 22/25-40 € ;). À l'ouest de la place principale, ce complexe paisible offre une vue imprenable depuis les balcons. Les chambres sont simples et propres, avec sdb sommaire et réfrigérateur. Il y a une cuisine commune. La propriétaire gère également la taverne **Elpida**, sur la plage, réputée pour ses plats traditionnels.

Studios Gaitani (☎ 2892 095 341 ; www.studios-gaitani.gr ; studio 30-50 € ;). Descendez quelques marches et vous voilà au bord de l'eau ! Des studios modernes avec cuisine, TV et réfrigérateur. Les plus grands accueillent 4 pers.

El Greco (☎ 2892 095 322 ; www.lentas-elgreco.com ; spécialités 4,50-9 €). Cette chaleureuse taverne est tenue par trois frères qui proposent un excellent choix de *mayirefta* ainsi que des plats grecs et internationaux servis dans un jardin donnant sur la mer. Il y a quelques chambres correctes avec vue sur la mer et clim derrière la taverne, et des studios spacieux de l'autre côté de la rue (30-40 €).

À côté, la taverne **Akti** (☎ 2892 095 206 ; plats 6-10 €) est également une bonne adresse pour sa cuisine de qualité et sa carte des vins.

De l'autre côté, à Dytikos (voir en face), **Villa Tsapakis** (☎ 2892 095 378 ; www.villa-tsapakis.gr ; d/studio 25/30-35 € ;) est un hôtel accueillant, avec des chambres organisées autour d'une cour centrale. Bon rapport qualité/prix.

Depuis/vers Lendas

Un bus arrive chaque jour d'Héraklion (7,10 €, 2 heures 30).

KASTRI ET KERATOKAMBOS
ΚΑΣΤΡΊ & ΚΕΡΑΤΌΚΑΜΠΟΣ

316 habitants

Dans les stations jumelles et désormais attenantes de Kastri et de Keratokambos, à 13 km en bas de la colline, on découvre une belle plage bordée d'arbres et quelques bars et restaurants. Le point fort : le calme. Beaucoup d'Allemands ont acheté des propriétés dans ces villages. Emportez un ou deux bons livres et offrez-vous quelques jours de détente. Sur place, le seul service offert est une supérette.

Où se loger et se restaurer

Filoxenia Apartments (☎/fax 2895 051 371 ; studio 25-30 € ; ❄). Dans un jardin fleuri, ces jolis studios pour 2 ou 3 personnes sont équipés de cuisine, réfrigérateur et TV. Excellent emplacement juste en face de la plage.

Komis Studios (☎ 2895 051 390 ; www.komisstudios.gr ; Keratokambos ; app avec petit déj 60-75 € ; ❄). Ces appartements haut de gamme pour 2 à 4 personnes sont décorés dans un style rustique, avec lits en fer forgé, vieilles TV et affiches de films aux murs. Ils sont bien meublés, avec téléphone, TV et sèche-cheveux.

Le long de la plage, la plupart des tavernes sont des valeurs sûres. La **Taverna Nikitas** (☎ 2895 051 477 ; plats 4-6 €) sert de bons plats et d'excellentes grillades. Le cabri à la sauce tomate et l'espadon sont particulièrement recommandés. La **Taverna Livyko** (☎ 2895 051 290 ; grillades 5,50-7 €) propose de la viande bio, du poisson frais et des spécialités crétoises comme le cabri bouilli ou l'agneau aux artichauts. Le cadre est splendide. Autre suggestion : la **Morning Star Taverna**, tout en blanc et bleu.

Depuis/vers Kastri et Keratokambos

Les transports en commun ne desservent pas Kastri et Keratokambos.

CÔTE NORD-EST

Depuis l'ouverture de la route nationale sur la côte nord en 1972, le littoral subit un développement débridé entre Héraklion et Malia, particulièrement dans les stations balnéaires de Hersonissos et de Malia. Les voyageurs indépendants ne trouveront pas grand-chose à leur goût, car les hôtels ne travaillent qu'avec des tour-opérateurs qui réservent les chambres des mois à l'avance.

Au-dessus de Hersonissos, Koutouloufari est le village le plus attrayant de la région. Le palais minoen de Malia est le seul site culturel intéressant et il y a un grand aquarium à Gournes. Au milieu des établissements de standing moyen, on relève quelques complexes de luxe et le seul golf 18 trous de Crète.

HERSONISSOS ET MALIA
ΧΕΡΣΌΝΗΣΟΣ/ΜΑΛΙΑ

Les complexes de Hersonissos et de Malia ont connu des jours meilleurs. Hersonissos, à 27 km à l'est d'Héraklion, était jadis un petit village de pêcheurs sur une colline, mais la station s'est étendue jusqu'à la plage. Désormais, le bord de mer est envahi d'hôtels tous semblables, de restaurants aux enseignes lumineuses et de boutiques bon marché. On compte de grands hôtels de luxe, mais les villes n'ont rien d'attirant. Hersonissos jouit de la vie nocturne la plus trépidante de l'île, ce qui conviendra (uniquement) aux amateurs de fête et de farniente.

À 7 km à l'est, Malia est également un haut lieu de la fête. Depuis quelque temps, les autorités sont intransigeantes avec les hooligans à Faliraki (Rhodes), et beaucoup de jeunes agités choisissent la Crète pour étancher leur soif de virées nocturnes. Bondée et bruyante, Malia déborde de pubs, de restaurants aux couleurs criardes et de touristes brûlés par le soleil chevauchant des quads. Le village est surdéveloppé. Beaucoup d'hôtels travaillent exclusivement avec les tour-opérateurs, mais, en ville, les agences de voyages pourront vous indiquer les établissements avec lesquels elles ont des partenariats.

Le seul centre d'intérêt des alentours est le superbe **musée Lychnostatis** (☎ 2897 023 660 ; www.lychnostatis.gr ; 4,50 € ; ⏲ 9h30-14h tlj sauf sam). Plutôt que de vendre sa parcelle située en bordure de la plage ou d'y construire un hôtel, la famille Markakis a pris l'excellente initiative de créer ce musée en plein air consacré à la vie rurale crétoise. Diverses activités sont représentées, notamment le tissage, un jardin d'herbes aromatiques crétoises et un petit *kafeneio*. Les explications sont données sous la forme de *mantinades* (chansons traditionnelles) pertinentes. Des vers sont dédiés à la femme du propriétaire, sur le mur du moulin.

De l'autre côté de la route, à 7 km au sud de Hersonissos, le **Crete Golf Club** (☎ 2897 026 000 ; www.crete-golf.gr ; 18 trous 67 €) comporte 18 trous.

TOURISME DE MASSE

Certes, Malia et Hersonissos ont leurs adeptes, mais la plupart des voyageurs désireux de connaître la Crète ont le même réflexe : fuir ces complexes touristiques. Même les habitants ont abandonné le bord de mer commercialisé à outrance pour se réfugier dans les villages des collines, de l'autre côté de la route principale. Les mots d'ordre : consommer et danser jusqu'au petit jour.

Les deux stations balnéaires visent en priorité les voyages tout compris à petits prix, mais Hersonissos dispose de quelques hôtels de luxe à la sortie de la ville. La plupart des vacanciers sont très jeunes, en particulier à Malia. Un séjour à Hersonissos ou à Malia se résume souvent à la fête et à beaucoup (trop) d'alcool. Vous savez désormais à quoi vous en tenir.

Courant sur les collines, le terrain est assez monotone et ne satisfera pas les spécialistes. Tarif réduit au crépuscule (42 €).

Toutes les 30 min, des bus quittent Héraklion pour Hersonissos et Malia (3,50 €, 45 min).

KOUTOULOUFARI ΚΟΥΤΟΥΛΟΥΦΑΡΗ

538 habitants

Éloignez-vous du tumulte, passez par les vieux villages de Hersonissos et de Piskopiniana et gagnez **Koutouloufari**, plus séduisant, qui conserve un certain charme malgré son côté touristique. En soirée, la rue principale est fermée à la circulation, ce qui crée une ambiance joyeuse. Les curieux jetteront un œil aux stations balnéaires, non loin.

Où se loger et se restaurer

Villa Iokasti (☎ 2897 022 607 ; www.iokasti.gr ; app 70-80 € ;). Appartements d'une ou deux chambres, dans un beau jardin, au bord de la rue principale vers la sortie du village. On compte également une bonne taverne et un agréable café avec vue sur la mer.

Elen Mari Apartments (☎ 2897 025 525 ; Koutouloufari ; app 40 € ;). Les studios équipés, mignons et bien entretenus, jouissent d'un très beau point de vue sur Hersonissos.

Emmanuel Taverna (☎ 2897 021 022 ; Plateia Eleftheriou Venizelou ; spécialités 10 €). Tenue par une famille gréco-australienne, cette taverne chaleureuse privilégie les viandes à la broche et les plats cuits dans le four à bois, allumé tous les soirs devant l'établissement. Découvrez l'agneau au vin de roses et au laurier.

Fabrica (☎ 2897 023 981 ; crêpes 2,50-7,50 €). En soirée, choisissez ce café-bar et son superbe toit-terrasse, avec vue sur Hersonissos. C'est un vieil édifice en pierre, sur la droite après Sergiani. Tournez à droite dès que vous parvenez à l'embranchement de Hersonissos.

PALAIS DE MALIA (ANAKTORA MALIONE)
ΑΝΆΚΤΟΡΑ ΜΑΛΊΩΝ

À 3 km à l'est de Malia, le **palais de Malia** (☎ 2897 031 597 ; 4 € ; 8h30-15h tlj sauf lun) fut édifié à la même période que les deux grands ensembles minoens de Phaistos et de Cnossos. Le premier palais fut érigé vers 1900 av. J.-C. et reconstruit après le tremblement de terre de 1700 av. J.-C. Vous verrez donc les vestiges du palais le plus récent, où de superbes artefacts minoens furent mis au jour. Commencées en 1915 par des archéologues grecs, les fouilles sont actuellement poursuivies par une équipe française. L'agencement des lieux est facile à comprendre puisque les structures ont été bien préservées au niveau du sol. La salle d'exposition abrite une reconstitution du site et des photos, notamment des clichés aériens. Une aire de repos ombragée permet de faire une pause le temps d'un café. À 300 m sur la droite, la plage offre les meilleures opportunités de baignade des environs.

Visite du site

L'accès aux ruines se fait par la **cour ouest**. Traversez les **magasins** au sud et découvrez huit fosses circulaires qui servaient, selon les archéologues, de **silos à grains**. À l'est se trouve l'entrée principale, qui mène à la lisière sud de la **cour centrale**. En avançant vers le nord-est, on tombe sur la **pierre de Kernos**, un disque dont la tranche est creusée de 24 cavités. Les spécialistes ne sont pas certains de son usage mais penchent pour une signification religieuse. Le **grand escalier** attenant conduisait probablement à un sanctuaire. Au nord des marches, le **corridor à colonnes** dessert des salles communiquant entre elles ; à côté, dans la **crypte à colonnes**, le symbole minoen de la double hache est gravé en haut des piliers. L'imposante **cour centrale** (48 m de longueur

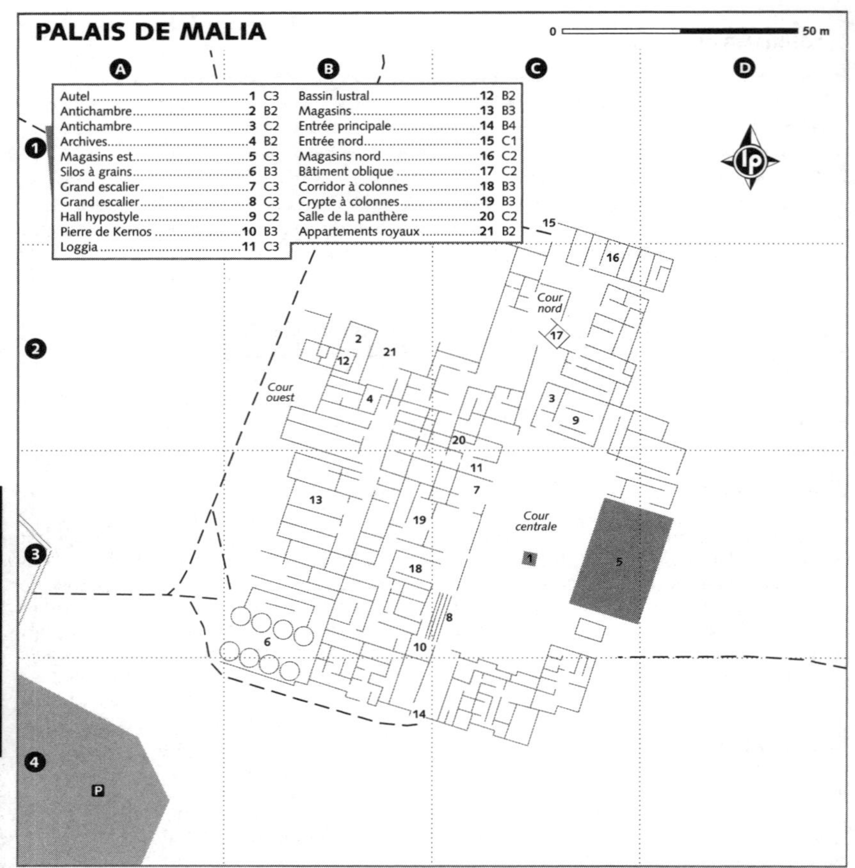

et 22 m de largeur) contient des vestiges de colonnes minoennes. Remarquez l'autel couvert creusé au centre de la cour.

À l'extrémité nord de la cour, côté ouest, la **loggia** accueillait les cérémonies religieuses. À côté se trouve la **salle de la panthère**, où l'on découvrit une hache en pierre en forme de panthère, datant du XVIIe siècle av. J.-C. Au nord-ouest, admirez les **appartements royaux** et le **bassin lustral**. Au nord de la cour centrale, le **hall hypostyle** est pourvu de bancs, signe qu'il pourrait s'agir d'une salle de conseil. On compte également une **salle des archives** qui contenait des tablettes écrites en linéaire A. La partie couverte en bordure de la cour centrale est occupée par les **magasins est**. Pour sortir, prenez l'entrée nord et remarquez le *pithos* géant dans la **cour nord**.

N'importe quel bus depuis/vers Héraklion longeant la côte nord vous déposera.

Lassithi Λασιθι

Bien moins visité que le reste de l'île, le nome le plus oriental de Crète est le fief d'un tourisme haut de gamme, notamment aux alentours d'Elounda et d'Agios Nikolaos. Parmi les luxueux hôtels d'Elounda figure l'un des plus somptueux palaces au monde ; Agios Nikolaos, capitale du Lassithi, est réputée pour son ambiance festive.

Ailleurs, la préfecture demeure délicieusement peu développée par rapport aux autres régions crétoises, en grande partie grâce à l'isolement des localités, au caractère sinueux des routes et à l'absence de vols charters internationaux.

Vers l'extrémité est de la côte nord, l'agréable ville de Sitia est le centre régional de la production d'huile d'olive. Un peu plus loin à l'est, la fameuse plage de Vaï, frangée de palmiers, se situe non loin d'un monastère historique.

Le fertile plateau du Lassithi vous réserve de superbes balades à vélo à travers de paisibles villages jusqu'à la grotte du mont Dicté (Dikteon Andron) où, selon la légende, Zeus aurait été mis à l'abri de son père meurtrier. L'exploration de l'arrière-pays permet de découvrir de nombreux villages traditionnels, des plateaux et des massifs montagneux isolés.

Le littoral sud s'étire du village de Myrtos, à l'ouest, à la ville marchande de Ierapetra. Il se prolonge par une côte découpée jusqu'aux plages préservées de Xerokambos.

À l'est, Zakros combine certains des atouts les plus séduisants de la Crète : une randonnée dans de superbes gorges jusqu'aux ruines évocatrices d'un palais minoen, à 200 m d'une plage peu fréquentée et de quelques bonnes tavernes.

Le Lassithi possède son lot de villages de pêcheurs tranquilles, tels Mohlos, au nord, et Plaka, à l'est. Quant à l'île de Spinalonga, elle continue d'intriguer les visiteurs.

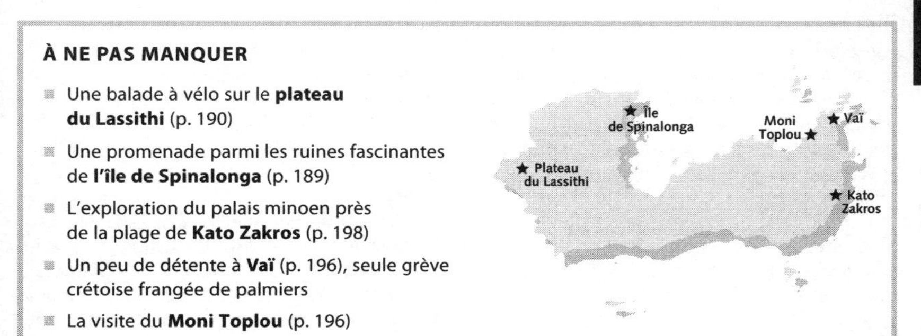

À NE PAS MANQUER

- Une balade à vélo sur le **plateau du Lassithi** (p. 190)
- Une promenade parmi les ruines fascinantes de **l'île de Spinalonga** (p. 189)
- L'exploration du palais minoen près de la plage de **Kato Zakros** (p. 198)
- Un peu de détente à **Vaï** (p. 196), seule grève crétoise frangée de palmiers
- La visite du **Moni Toplou** (p. 196)

CÔTE NORD

AGIOS NIKOLAOS (AGHIOS NIKOLAOS)
ΑΓΙΟΣ ΝΙΚΟΛΑΟΣ

11 286 habitants

Si Agios Nikolaos n'a pas le patrimoine historique d'autres villes crétoises, elle possède d'indéniables atouts naturels. Superbement située sur une colline dominant le golfe de Mirabello, la capitale du Lassithi comprend un joli port et un petit lac relié à la mer.

Au début des années 1960, l'ancien village de pêcheurs est devenu le repaire huppé de célébrités telles que Jules Dassin et Walt Disney, puis les tour-opérateurs l'ont investi dix ans plus tard, le transformant en une station balnéaire trop construite.

Après avoir connu des hauts et des bas, Agios semble avoir trouvé un équilibre entre les aspirations de la population locale et celles des touristes. Elle attire toujours la clientèle des complexes hôteliers qui jalonnent la côte jusqu'à Elounda, surtout le soir, quand les cafés et les restaurants proches du lac et du port se remplissent et que l'ambiance devient festive et cosmopolite. Moins déchaînée que par le passé, la vie nocturne reste animée. Si Agios Nikolaos reste l'épicentre du tourisme haut de gamme, elle accueille aussi des vacanciers discrets et plus âgés, ainsi que des familles.

À première vue, la ville ne semble pas la destination idéale pour les voyageurs indépendants. Elle offre néanmoins des hébergements convenables à des prix relativement modérés et suffisamment d'activités pour satisfaire tous les goûts.

C'est la première ville de Crète à avoir installé des connexions wi-fi gratuites dans le centre-ville et le quartier du port.

Histoire
Agios Nikolaos, alors appelée Lato-vers-Kamara, vit le jour en tant que port de la cité-État de Lato (p. 186) au début de la période hellénistique. Le port prit de l'importance durant l'époque gréco-romaine, après que les Romains eurent mis fin à la piraterie qui sévissait sur la côte nord.

La ville continua de prospérer pendant les premières années de la domination byzantine et la petite église byzantine d'Agios Nikolaos fut érigée au VIIIe ou IXe siècle.

Au XIIIe siècle, les Vénitiens bâtirent le Castel Mirabello sur une colline surplombant la mer et des constructions surgirent en contrebas. Endommagé par le tremblement de terre de 1303 et incendié par les pirates en 1537, le château fut reconstruit par l'architecte militaire Sanmicheli. Puis les Vénitiens le détruisirent en 1645 quand les Turcs les chassèrent, ne laissant que des ruines. Aujourd'hui, seul le nom du golfe, Mirabello (Belle Vue), rappelle l'occupation vénitienne.

La ville fut repeuplée au milieu du XIXe siècle par des rebelles fuyant la Sfakia et devint plus tard la capitale du Lassithi.

Orientation
Mal située, la **gare routière** (☎ 28410 22234) se trouve désormais au nord-ouest de la ville, à 800 m de la Plateia Venizelou, la place centrale. Le centre s'étend autour du lac Voulismeni. La plupart des banques, des agences de voyages et des boutiques sont installées dans Koundourou et 28 Oktovriou, une rue piétonne parallèle. Les principaux axes sont en sens unique ; si vous conduisez, suivez les panneaux indiquant le quartier du port ou l'un des parkings alentour.

Renseignements
Banque nationale de Grèce (Nikolaou Plastira). Changeur automatique disponible 24h/24.

Hôpital général (☎ 28410 66000 ; Knossou 3). Dans la partie ouest de la ville.

Librairie Anna Karteri (☎ 28410 22272 ; Koundourou 5). Un bon choix de cartes, de guides de voyage et de livres en langues étrangères.

Office du tourisme municipal (☎ 28410 22357 ; www.agiosnikolaos.gr ; 🕑 8h-21h30 avr-nov). Près du pont ; fournit des cartes et des informations utiles, change des espèces et aide à réserver l'hébergement.

Peripou Café (☎ 28410 24876 ; 28 Oktovriou 13 ; 4 €/h ; 🕑 9h-2h). Ordinateurs et connexions wi-fi.

PK's Internet (☎ 28410 28004 ; Akti Koundourou 1 ; 2 €/h ; 🕑 9h-2h). Imprimantes, graveurs, webcams et Skype (téléphone via Internet).

Police touristique (☎ 28410 91408 ; Erythrou Stavrou 47 ; 🕑 7h30-14h30 lun-ven)

Poste (☎ 28410 22062 ; 28 Oktovriou 9 ; 🕑 7h30-14h lun-ven)

À voir
Le **Musée archéologique** (☎ 28410 24943 ; Paleologou Konstantinou 74 ; 4 € ; 🕑 8h30-15h tlj sauf lun ; ♿) mérite la visite pour sa riche collection bien présentée concernant la Crète orientale. S'il ne possède pas d'œuvre majeure, son vaste ensemble d'objets minoens est particulièrement

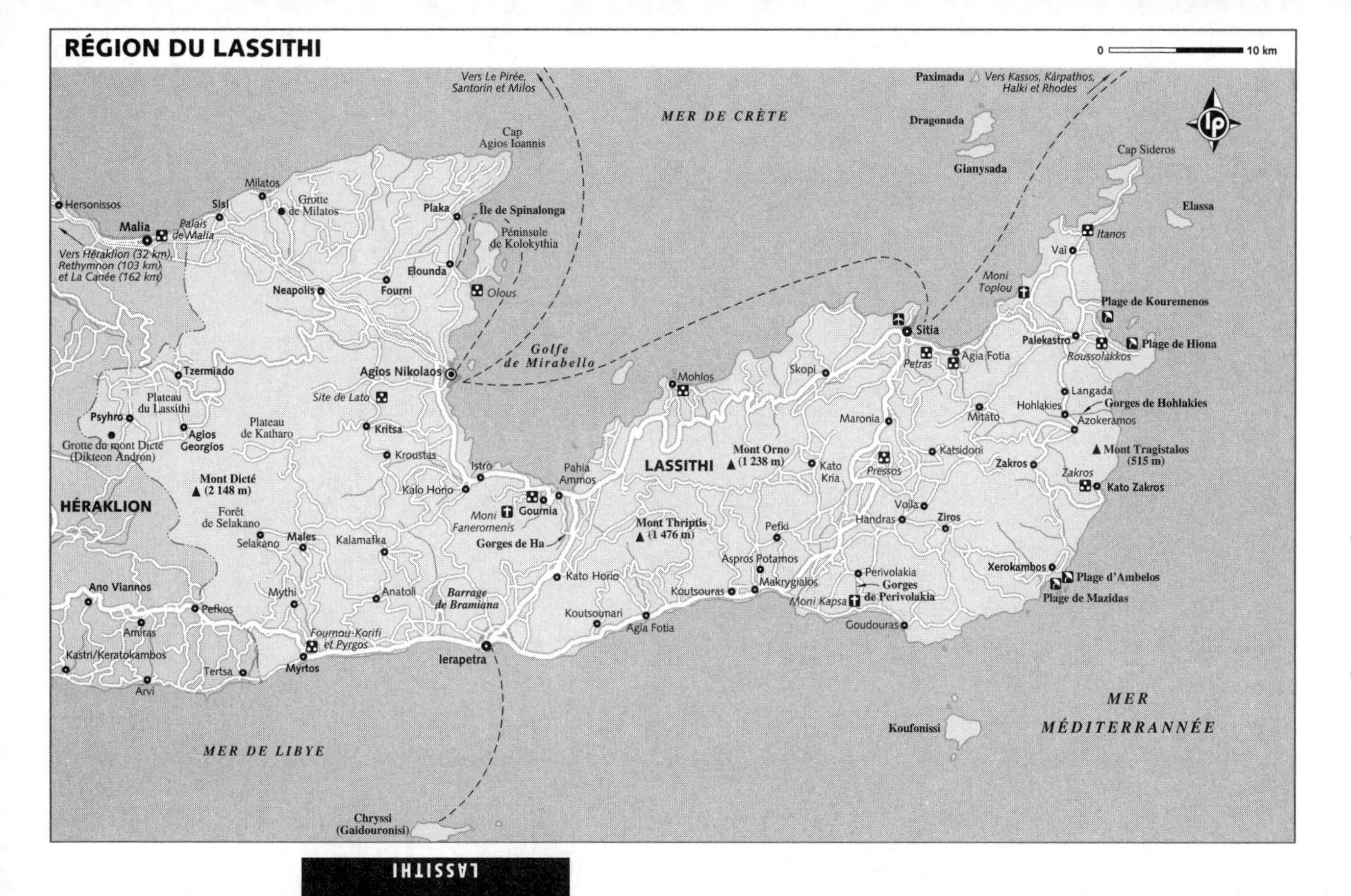
RÉGION DU LASSITHI
0
10 km
MER DE CRÈTE
MER DE LIBYE
MER MÉDITERRANNÉE
LASSITHI
HÉRAKLION
Vers Le Pirée, Santorin et Milos
Vers Kassos, Kárpathos, Halki et Rhodes
Vers Héraklion (32 km), Rethymnon (103 km) et La Canée (162 km)
Hersonissos
Malia
Palais de Malia
Sisi
Milatos
Grotte de Milatos
Cap Agios Ioannis
Plaka
Île de Spinalonga
Péninsule de Kolokythia
Elounda
Fourni
Neapolis
Olous
Golfe de Mirabello
Agios Nikolaos
Tzermiado
Plateau du Lassithi
Psyhro
Agios Georgios
Grotte du mont Dicté (Dikteon Andron)
Plateau de Katharo
Site de Lato
Kritsa
Kroustas
Mont Dicté (2 148 m)
Istro
Kalo Horio
Forêt de Selakano
Selakano
Males
Kalamafka
Moni Faneromenis
Gournia
Gorges de Ha
Pahia Ammos
Ano Viannos
Pefkos
Mythi
Anatoli
Barrage de Bramiana
Amiras
Fournou-Korifi et Pyrgos
Kastri/Keratokambos
Myrtos
Tertsa
Arvi
Ierapetra
Chryssi (Gaidouronisi)
Kato Horio
Koutsounari
Agia Fotia
Mohlos
Mont Orno (1 238 m)
Mont Thriptis (1 476 m)
Skopi
Kato Kria
Maronia
Pressos
Pefki
Aspros Potamos
Makrygialos
Koutsouras
Perivolakia
Gorges de Perivolakia
Moni Kapsa
Goudouras
Sitia
Petras
Agia Fotia
Katsidoni
Mitato
Volla
Handras
Ziros
Moni Toplou
Paximada
Dragonada
Gianysada
Cap Sideros
Elassa
Itanos
Vaï
Plage de Kouremenos
Palekastro
Roussolakkos
Plage de Hiona
Langada
Hohlakies
Gorges de Hohlakies
Azokeramos
Mont Tragistalos (515 m)
Zakros
Kato Zakros
Xerokambos
Plage d'Ambelos
Plage de Mazidas
Koufonissi

LASSITHI

remarquable et comprend des sarcophages en argile, des instruments de musique en céramique et des objets en or de l'île de Mohlos. Les pièces sont exposées par ordre chronologique, des vestiges du néolithique provenant du mont Tragistalos, au nord de Kato Zakros et des premières trouvailles minoennes d'Agia Fotia aux produits des fouilles de Malia et Mohlos. La pièce maîtresse est *La Déesse de Myrtos*, une jarre en terre cuite aux formes étranges datant de 2500 av. J.-C., trouvée près de Myrtos. Autre pièce minoenne exceptionnelle, un récipient rituel de pierre en forme de coquillage comportant deux démons et une déesse ; il a été découvert dans un sanctuaire minoen tardif à Malia. Parmi les plus belles pièces des périodes hellénistique et romaine, remarquez un crâne d'athlète avec une couronne dorée et une pièce de monnaie entre les dents pour payer son entrée aux royaume des Morts, ainsi qu'une figurine d'un Éros ailé.

Le **musée d'Art populaire** (☎ 28410 25093 ; Paleologou Konstantinou 4 ; 3 € ; 🕑 10h-14h tlj sauf lun), à côté de l'office du tourisme, renferme une petite collection bien agencée d'objets et de costumes traditionnels.

Le **musée Iris** (☎ 28410 25899 ; 28 Oktovriou 21-23 ; 2 € ; 🕑 9h-21h lun-ven), de taille modeste, présente des herbes séchées et la flore de Crète. Il vend également des huiles essentielles locales.

À faire

Assez petites, les plages de la ville, **Ammos** et **Kytroplatia**, peuvent être bondées. Plus plaisante et moins fréquentée, la plage de sable d'**Almyros**, à 1 km au sud, manque d'ombre mais on peut louer des parasols. Pour la rejoindre à pied, empruntez le chemin côtier qui commence au bout de la route après le stade. À 3 km au sud de la ville, la plage d'**Ammoudara**, bordée de restaurants et d'hôtels, offre un cadre un peu plus agréable.

Plus loin vers Sitia, on arrive aux longues criques sablonneuses de la **Golden Beach** (plage de Voulismao ; signalée) et de la **baie d'Istro**, baignées d'une eau turquoise.

Le **M/S Manolis** (☎ 6974 143 150), un voilier en bois, effectue des sorties de pêche avec barbecue et baignade à l'île de Kolokythia. On peut également le louer à titre privé.

Zaharias (☎ 69373 74954 ; www.sailcrete.com) propose des croisières organisées ou privées dans le golfe de Mirabello.

La plage municipale, du côté sud d'Agios Nikolaos, comprend un **aire de jeux pour les enfants**, une **piscine** et un **minigolf**.

Trois centres de plongée organisent des sorties et des stages PADI.

Crete Underwater Centre (☎ 28410 22406 ; www.creteunderwatercenter.com). Dans le Mirabello Hotel.

Happy Divers (☎ 28410 82546 ; www.cretashappydivers.gr). En face du Coral Hotel.

Pelagos (☎ 28410 24376 ; www.divecrete.com). Dans le Minos Beach Art Hotel.

Circuits organisés

Les agences de voyages offrent des excursions en bus vers les principaux sites de Crète. Au port, des bateaux affichent diverses sorties en mer. La croisière à Spinalonga (17 €) comprend la baignade à Kolokythia.

Minotours Hellas (☎ 28410 23222 ; www.minotours.gr ; 28 Oktovriou 6) propose des circuits guidés en bus à Phaistos, Gortyne et Matala (33 €), aux gorges de Samaria (45 €), au plateau du Lassithi (34 €), à Cnossos (30 €) et vers d'autres destinations.

Fêtes et festivals

En juillet-août, Agios Nikolaos organise le **Festival culturel de Lato**, avec des concerts de musiciens locaux et étrangers, des danses folkloriques, des concours de *mantinades* (couplets en vers), des représentations théâtrales et des expositions artistiques. Renseignez-vous auprès de l'office du tourisme. La **semaine de la Mer**, la dernière semaine de juin durant les années paires, s'accompagne de compétitions de natation, de planche à voile et de bateau.

Où se loger

PETITS BUDGETS ET CATÉGORIE MOYENNE

Pension Mary (☎ 28410 23760 ; Evans 13 ; s/d/tr 15/25/30 € ; ❄). Dans cette pension accueillante, le propriétaire vit au rez-de-chaussée et offre souvent des douceurs maison à ses hôtes. Les chambres sont simples et propres, presque toutes avec sdb, réfrigérateur et balcon donnant sur la mer. La plus séduisante bénéficie d'une terrasse avec barbecue. Cuisine commune à disposition et petit déjeuner à 5 €.

Pergola Hotel (☎/fax 28410 28152 ; Sarolidi 20 ; d avec vue 20-40 € ; ❄). Tenu par une famille, cet hôtel à l'ambiance chaleureuse loue des chambres confortables, toutes avec réfrigérateur,

LASSITHI

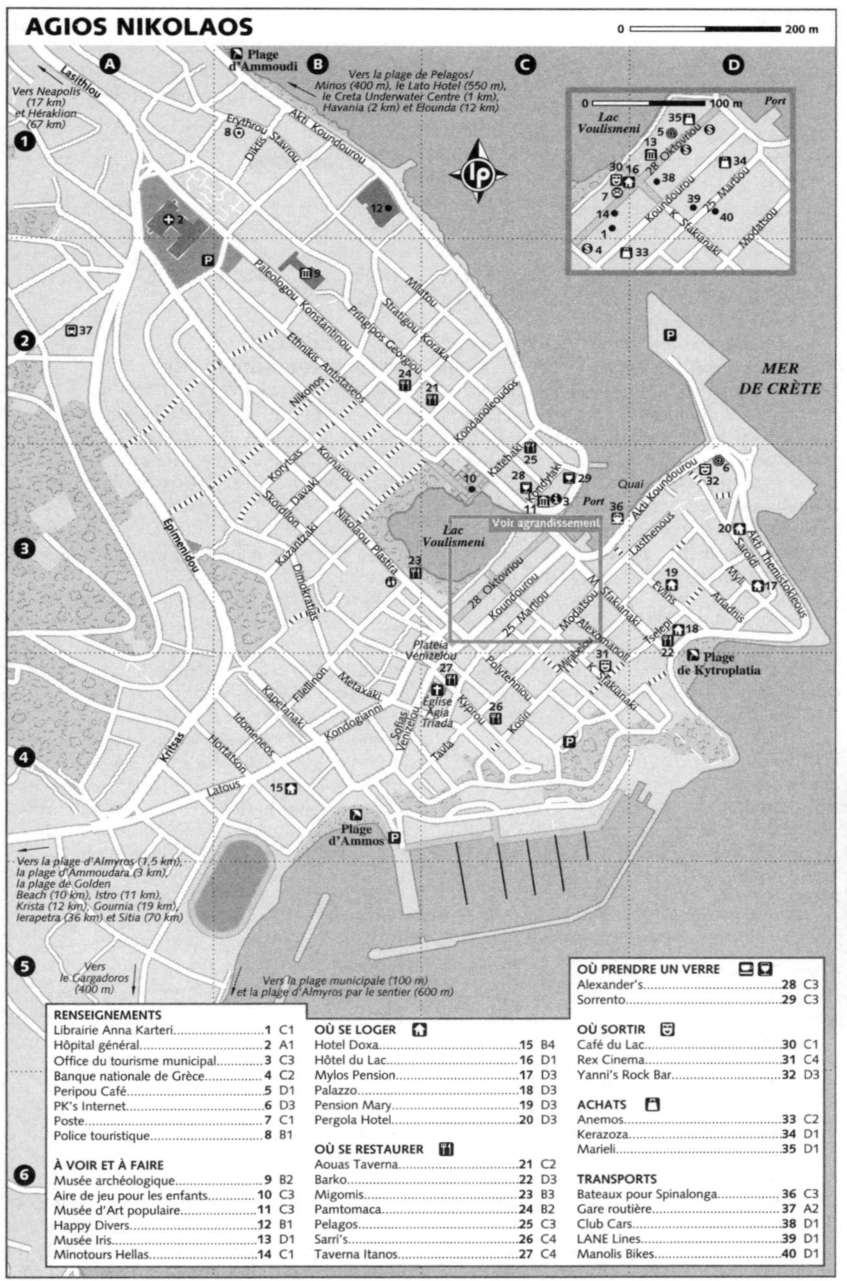
AGIOS NIKOLAOS
0 200 m
Plage d'Ammoudi
Vers Neapolis (17 km) et Héraklion (67 km)
Vers la plage de Pelagos/ Minos (400 m), le Lato Hotel (550 m), le Creta Underwater Centre (1 km), Havania (2 km) et Elounda (12 km)
Lac Voulismeni
Voir agrandissement
MER DE CRÈTE
Port
Quai
Plateia Venizelou
Église Agia Triada
Plage de Kytroplatia
Plage d'Ammos
Vers la plage d'Almyros (1,5 km), la plage d'Ammoudara (3 km), la plage de Golden Beach (10 km), Istro (11 km), Krista (12 km), Gournia (19 km), Ierapetra (36 km) et Sitia (70 km)
Vers le Gargadoros (400 m)
Vers la plage municipale (100 m) et la plage d'Almyros par le sentier (600 m)
RENSEIGNEMENTS
Librairie Anna Karteri 1 C1
Hôpital général 2 A1
Office du tourisme municipal 3 C3
Banque nationale de Grèce 4 C2
Peripou Café 5 D1
PK's Internet 6 D3
Poste 7 C1
Police touristique 8 B1
À VOIR ET À FAIRE
Musée archéologique 9 B2
Aire de jeu pour les enfants 10 C3
Musée d'Art populaire 11 C3
Happy Divers 12 B1
Musée Iris 13 D1
Minotours Hellas 14 C1
OÙ SE LOGER
Hotel Doxa 15 B4
Hôtel du Lac 16 D1
Mylos Pension 17 D3
Palazzo 18 D3
Pension Mary 19 D3
Pergola Hotel 20 D3
OÙ SE RESTAURER
Aouas Taverna 21 C2
Barko 22 D3
Migomis 23 B3
Pamtomaca 24 B2
Pelagos 25 C3
Sarri's 26 C4
Taverna Itanos 27 C4
OÙ PRENDRE UN VERRE
Alexander's 28 C3
Sorrento 29 C3
OÙ SORTIR
Café du Lac 30 C1
Rex Cinema 31 C4
Yanni's Rock Bar 32 D3
ACHATS
Anemos 33 C2
Kerazoza 34 D1
Marieli 35 D1
TRANSPORTS
Bateaux pour Spinalonga 36 C3
Gare routière 37 A2
Club Cars 38 D1
LANE Lines 39 D1
Manolis Bikes 40 D1

LASSITHI

TV et clim. Celles en façade possèdent un balcon avec vue sur la mer. Le petit déjeuner est servi sur l'agréable véranda, ombragée d'une pergola. Les propriétaires peuvent venir vous chercher à la gare routière.

Mylos Pension (☎ 28410 23783 ; Sarolidi 24 ; d 40 € ; ✱). Des fleurs artificielles aux photos de famille et aux icônes sur les murs, cette pension un peu désuète est une extension de la maison de la sympathique et alerte propriétaire. Les chambres en facade jouissent d'une vue splendide (demandez la n°2) et toutes s'agrémentent d'un réfrigérateur et d'une TV. Georgia veille à la fermeté des matelas.

Hotel Doxa (☎ 28410 24214 ; www.doxahotel.gr ; Idomeneos 7 ; s/d avec petit déj 55/65 € ; ✱). Le salon rempli de plantes ajoute au charme de cet hôtel proche du port de plaisance et de la plage d'Ammos. Il propose des chambres plaisantes et bien tenues avec réfrigérateur, sèche-cheveux et TV sat. Certaines profitent d'une vue. La jolie terrasse est idéale pour le petit déjeuner ou pour un verre.

Lato Hotel (☎ 28410 24581 ; Ammoudi ; s/d 46/59 € ; ✱ 💻 🏊). Sur la plage d'Ammoudi, cet hôtel accueillant constitue un bon choix si vous êtes motorisé. Doté d'une petite piscine, il se situe à 15 min de marche de la ville par le front de mer. La même direction loue les charmants studios Karavostasi, aménagés dans un ancien entrepôt de caroubes, dans une crique isolée à 8 km à l'est.

Du Lac Hotel (☎ 28410 22711 ; www.dulachotel.gr ; 28 Oktovriou 17 ; s/d/studio 40/60/80 € ; ✱). Au bord du lac, cet hôtel rénové dispose de chambres standards et de spacieux studios équipés. Tous sont dotés d'un élégant mobilier contemporain et de jolies sdb. L'hôtel profite d'une situation centrale et donne sur le lac.

LASSITHI

CATÉGORIE SUPÉRIEURE

Palazzo (☎ 28410 25080 ; www.palazzo-apartments.gr ; app 90-110 € ; ✱ 💻). En face de la plage de Kytroplatia, ces 10 appartements peuvent accueillir jusqu'à 4 personnes et ressemblent plutôt à un hôtel de charme avec leur décor personnalisé, des sols en mosaïque, une sdb en marbre et un joli balcon avec vue (en façade). Accès Internet gratuit au rdc.

Minos Beach Art Hotel (☎ 28410 22345 ; www.bluegr.com ; ch à partir de 180 € ; ✱ 🏊). Ce complexe haut de gamme, superbement situé à la sortie de la ville, ressemble à une galerie d'art, avec des sculptures d'artistes grecs et étrangers disposées dans le jardin en bord de plage. Premier complexe hôtelier de luxe en Crète, il se renouvelle en permanence ; son architecture peu élevée et son style sobre en font l'un des meilleurs hôtels de l'île.

Où se restaurer

Les restaurants en bord de lac profitent d'une situation exceptionnelle et servent souvent une cuisine "grecque" insipide à des prix trop élevés. Explorez plutôt les petites rues ou éloignez-vous du lac pour un repas plus authentique.

PETITS BUDGETS ET CATÉGORIE MOYENNE

Taverna Itanos (☎ 28410 25340 ; Kyprou 1 ; plats 4-9 €). Cette sympathique taverne, avec poutres au plafond et murs en stuc, séduit une clientèle locale en quête de cuisine crétoise traditionnelle. Faites votre choix parmi les délicieux *mayirefta* (plats cuits au four ou mijotés), comme la chèvre aux artichauts ou la fricassée d'agneau, présentés sur des plateaux au fond de la salle.

Sarri's (☎ 28410 28059 ; Kyprou 15 ; plats 6-8 €). Niché dans une petite rue, le Sarri's est une bonne adresse pour un petit déjeuner, un déjeuner ou un dîner sur la terrasse ombragée. Consultez le tableau des plats du jour.

Aouas Taverna (☎ 28410 23231 ; Paleologou Konstantinou 44 ; mezze 5,20-9,60 €). Sur le chemin du musée, cette taverne tenue par une famille propose diverses spécialités crétoises, comme les tartes aux herbes et les oignons confits, ainsi que de savoureuses grillades et de bons mezze. Si la salle est banale, la cour verdoyante est plaisante.

Pamtomaca (☎ 28410 82394 ; Paleologou 52 ; 🕒 19h-24h). Cette bonne adresse pour petits budgets propose une cuisine méditerranéenne aux influences catalanes.

Gargadoros (☎ 28410 22599 ; plage de Gargodoros ; plats 6-14 €). En face d'une plage relativement calme en direction d'Almyros, ce nouveau restaurant élégant offre un cadre frais et gai avec son mobilier coloré. Bien préparés, les plats traditionnels, principalement grecs et méditerranéens, sont revisités avec une touche de créativité. De la ville, une longue marche suit un sentier en bord de plage.

Barko (☎ 28410 24610 ; plage de Kytroplatia ; plats 8,50-13,80 €). Installé dans des locaux attrayants en face de la plage, ce restaurant sert toujours d'excellentes spécialités crétoises, ainsi que d'autres plats de style méditerranéen plus créatifs, comme le risotto à la citrouille et à l'*anthotyro* (fromage à pâte molle). Il possède une honorable carte des vins.

CATÉGORIE SUPÉRIEURE

Migomis (☎ 28410 24353 ; Nikolaou Plastira 20 ; plats 14-20 €). Haut perché au-dessus du lac Voulismeni, le Migomis est l'un des restaurants les plus raffinés et les plus chers des alentours. La vue et l'ambiance – avec un piano demi-queue – sont sensationnelles. Sur la carte figurent des plats grecs et internationaux, de l'autruche et des spécialités d'inspiration asiatique.

Pelagos (☎ 28410 25737 ; Katehaki 10 ; hors-d'œuvre 4-8,50 €). Réputé le meilleur (et le plus cher) restaurant d'Agios Nikolaos, le Pelagos occupe une maison superbement restaurée, entourée d'un beau jardin. Les mezze sont excellents, de même que les poissons et les fruits de mer.

Où sortir et prendre un verre

Les cafés du front de mer, le long d'Akti Koundourou, s'activent en fin d'après-midi et se transforment en soirée en bars animés. Les discothèques se regroupent dans "Little Soho", dans la rue 25 Martiou. Le Yanni's Rock Bar (Akti Koundourou 3) reste un rendez-vous apprécié, bien que le décor n'ait pas changé depuis des années.

Les touristes semblent préférer l'autre côté du port et se retrouvent notamment au bar **Sorrento** et à l'**Alexander's**, à deux pas.

Le **Café du Lac** (☎ 28410 26837 ; 28 Oktovriou 17) offre une vue sur le lac et une musique de fond diversifiée.

Le **Rex Cinema** (☎ 28410 83681 ; M. Sfakianaki 35) projette les derniers succès et des films d'art et d'essai le jeudi.

Achats

En ville, des boutiques vendent des articles et des souvenirs classiques.

Anemos (☎ 28410 23528 ; Koundourou 12). Des pièces uniques confectionnées par des bijoutiers de tout le pays.

Kerazoza (☎ 28410 22562 ; Koundourou 42). Masques, marionnettes et figurines faits main inspirés du théâtre grec antique, ainsi que quelques sculptures, céramiques et bijoux de qualité réalisés par des artisans locaux.

Marieli (☎ 28410 28813 ; 28 Octovriou 33). Une charmante petite boutique de cadeaux avec une sélection d'artisanat et de bijoux.

Depuis/vers Agios Nikolaos

BATEAU

LANE Lines (☎ 28410 89150 ; www.lane.gr) propose des bateaux 2 fois/semaine entre Agios Nikolaos et Le Pirée (pont/cabine 34/46 €, 14 heures), via Santorin (Thíra ; 20,20 €, 5 heures) et Milos (20,60 €, 9 heures). Du Pirée, un ferry dessert, via Milos, Agios Nikolaos, Sitia, Kassos, Kárpathos, Halki et Rhodes.

BUS

Des bus partent de la **gare routière** (☎ 28410 22234 ; www.crete-buses.gr) pour Elounda (1,30 €, 20 min, 16/jour), Ierapetra (3,30 €, 1 heure, 8/jour), Héraklion (6,20 €, 1 heure 30, toutes les demi-heures), Kritsa (1,30 €, 15 min, 10/jour), le plateau du Lassithi (3,50 €, 3 heures, 2/jour) et Sitia (5,90 €, 1 heure 30, 7/jour).

Comment circuler

Des agences de location de voiture et de moto sont installées dans 28 Oktovriou et sur le front de mer nord. **Club Cars** (☎ 28410 25868 ; www.clubcars.net ; 28 Oktovriou 30) loue des voitures à partir de 32 €/jour.

Manolis Bikes (☎ 28410 24940 ; 25 Martiou 12) dispose d'un vaste parc de scooters, de motos et de quads. Les prix débutent à 20 €/jour pour un scooter et grimpent jusqu'à 50 € pour une Yamaha XT 660. Il loue également des VTT de qualité supérieure (à partir de 10 €).

KRITSA ΚΡΙΤΣΑ

1 626 habitants

Perchée à 600 m d'altitude à flanc de montagne, à 11 km d'Agios Nikolaos, cette jolie bourgade est réputée pour ses broderies et tissages traditionnels. Cette activité est devenue une curiosité touristique et les habitants guettent les visiteurs qui débarquent des bus pour les attirer dans les échoppes. Si l'ambiance est amusante, la plupart des objets proposés ne sont plus ni faits main, ni authentiques. On peut encore trouver le motif géométrique traditionnel, ainsi que des couvertures et des nappes finement brodées, mais ces articles deviennent une rareté et ne sont pas, à juste titre, bon marché, compte tenu des heures de travail et du nombre restreint de femmes sachant et voulant les confectionner.

En dehors des broderies, **Olive Wood** (☎ 28410 51585) est l'une des quelques boutiques d'artisanat local. Vous pourrez commander une paire de bottes crétoises à **Detorakis** (☎ 28410 51349), qui les fabrique depuis 50 ans.

Presque chaque année, Kritsa organise en août un **mariage traditionnel** (20 €, repas et boissons compris) pour les couples souhaitant convoler en public. L'évènement comprend un banquet, des cérémonies et des danses traditionnelles, et attire les foules. Il a lieu habituellement le premier dimanche après le 15 août.

Une longue rue étroite traverse Kritsa et des parkings sont installés à chaque extrémité du bourg. La poste se situe près du parking inférieur et un DAB, à mi-chemin de la montée.

Où se loger et se restaurer

Rooms Argyro (☎ 28410 51174 ; www.argyrorentrooms.gr ; s 20 €, d 30-35 € ; ❄). Sur la gauche à l'entrée du village, cette adresse accueillante compte 12 chambres sans prétention et impeccables, avec balcon. Au rdc, un restaurant ombragé sert le petit déjeuner et des repas légers.

Olive Press (☎ 28410 51296 ; d/app 55/70 €). Des Belges tiennent ce B&B, installé dans un moulin à olives soigneusement restauré, dans le haut de la bourgade près de l'église d'Agios Yiorgos. L'appartement abrite le pressoir d'origine.

Platanos (☎ 28410 51230 ; plats 4,80-6,50 €). Un immense platane et une vigne vierge ombragent cette taverne-café à l'ambiance traditionnelle. Appréciée des habitants, elle sert des grillades et des *mayirefta*.

To Plai (☎ 28410 51196 ; plats 4,40-10 €). Sur la route de Katharo, juste après le parking, cette taverne sans prétention mitonne une cuisine crétoise authentique, comme la chèvre ou le mouton bouillis, la chèvre au vin et des légumes sauvages (dont des *stamnagathi*) selon la saison. Installez-vous sur le balcon qui domine la vallée.

Saridakis Kafeneio (☎ 28410 51577). Ce *kafeneio* à l'ancienne ne sert que des cafés grecs (1,50 €) et quelques douceurs maison. Une rareté aujourd'hui !

Depuis/vers Kritsa

Des bus circulent toutes les heures entre Agios Nikolaos et Kritsa (1,30 €, 15 min).

ENVIRONS DE KRITSA

À 1 km avant Kritsa, la petite **église de la Panagia Kera** (☎ 28410 51806 ; 3 € ; 🕒 8h30-15h lun-ven, 8h30-14h sam), dotée de trois nefs, contient les plus belles fresques byzantines de Crète. La nef centrale du XIIIe siècle est la partie la plus ancienne de l'église, mais la plupart des fresques datent du XIVe siècle. Quatre scènes évangéliques ornent le dôme et la nef centrale : la Présentation de Jésus, le Baptême, la Résurrection de Lazare, l'Entrée à Jérusalem. Sur le mur ouest sont représentés la Crucifixion et le Châtiment des Damnés, d'un réalisme saisissant. La voûte de la nef sud illustre la vie de la Vierge, tandis que la fresque de l'aile nord décrit le second avènement du Christ. À proximité, une séduisante description du Paradis avoisine la Vierge et les patriarches – Abraham, Isaac et Jacob. Le Jugement dernier figure à l'extrémité ouest, avec l'archange saint Michel annonçant le retour du Christ.

De Kritsa, une belle grimpée de 16 km mène au spectaculaire **plateau de Katharo**, cultivé par des habitants de Kritsa et uniquement peuplé de moutons et de chèvres en été. En chemin, on passe par le village de **Kroustas**, réputé pour sa cuisine traditionnelle. **O Kroustas** (☎ 28410 51362) est une adresse prisée pour son excellente cuisine crétoise, dont de succulentes *lazania* (ou *stroufikta* ; des pâtes tortillées faites main) à l'*anthotyro*, et de délicieuses biscottes cuites dans le four à bois.

ANTIQUE LATO (LATO) ΛΑΤΩ

À 4 km au nord de Kritsa, l'antique cité de **Lato** (2 € ; 🕒 8h30-15h tlj sauf lun) est l'un des rares sites archéologiques crétois non minoens. Fondée au VIIe siècle av. J.-C. par les Doriens, Lato fut à son apogée l'une des plus puissantes cités de Crète, jusqu'à sa destruction au IIe siècle av. J.-C. Ses ruines s'étendent sur les pentes de deux acropoles, dans un site montagneux isolé qui offre une vue fabuleuse sur le golfe de Mirabello.

Lato doit son nom à la déesse Leto, dont l'union avec Zeus donna naissance à Artémis et Apollon, tous deux vénérés ici.

La quasi-absence de signalisation ne facilite pas la compréhension du site.

À l'entrée, la **porte de la cité** débouche sur une longue rue jalonnée de marches. Dans le mur gauche, deux tours servaient également d'habitations. La rue mène à l'**agora**, érigée vers le IVe siècle av. J.-C., qui contient une citerne et un petit sanctuaire rectangulaire. Dans ce dernier, des fouilles ont mis au jour des figurines du VIe siècle av. J.-C. Le cercle de pierres derrière la citerne était une aire de battage. Du côté ouest de l'agora, une **stoa** dotée de gradins en pierre

LASSITHI

avoisine les vestiges d'une mosaïque en galets. Sur une terrasse au-dessus du coin sud-est de l'agora se dressent les ruines d'un **temple rectangulaire**, probablement construit à la fin du IVe ou au début du IIIe siècle av. J.-C. Entre les deux tours au nord de l'agora, des marches montent au **prytanée**, le centre administratif de la cité-État qui contenait un âtre alimenté jour et nuit. Une cour à colonnade se situe sur le côté est du prytanée. En contrebas, un **théâtre** semi-circulaire pouvait accueillir quelque 350 spectateurs face à l'**exhedra** (scène) ; un gradin fait le tour des murs.

Aucun bus ne dessert Lato. L'embranchement vers le site est indiqué sur la droite un peu avant Kritsa. À pied, c'est une agréable promenade d'une demi-heure à travers les oliviers.

ELOUNDA ΕΛΟΥΝΤΑ

1 561 habitants

La route qui part vert le nord d'Agios Nikolaos et rejoint Elounda après 11 km offre une vue splendide sur les montagnes et la mer. De luxueux complexes hôteliers occupent les jolies criques qui jalonnent la côte. Le premier hôtel haut de gamme a été construit au milieu des années 1960 et Elounda est rapidement devenue une destination prisée de la jet-set grecque puis étrangère. Ces hôtels, parmi les plus huppés du pays, monopolisent la plupart des jolies plages de la région.

Autrefois paisible village de pêcheurs, Elounda est envahie de touristes en été, mais reste plus calme qu'Agios Nikolaos. Des excursionnistes arrivent par bus tous les jours pour rejoindre l'île de Spinalonga. Les énormes enseignes au néon des restaurants et le parking central gâchent un peu le charme du port. Agréable mais banale, la plage de sable de la ville, au nord du port, peut être bondée. Une plage s'étend de l'autre côté après Alykes, les anciennes salines fondées par les Vénitiens et aujourd'hui largement submergées. Cette sorte de lagune formée par l'"île" de Kolokythia est accessible par une étroite péninsule rocheuse.

Orientation et renseignements

La place principale, dominée par un haut clocher et dotée d'un parking, se situe près du port. Les bus s'arrêtent à proximité, à côté de la poste et de deux DAB.

Babel Internet Café (☎ 28410 42336 ; Akti Vritomartidos). Sur le front de mer, au nord du clocher.

Eklektos (☎ 28410 42086). Vend des cartes et des livres en anglais, neufs et d'occasion.

Office du tourisme municipal (☎ 28410 42464 ; 🕒 8h-23h juin-oct). Fournit des informations, change les espèces et aide à trouver un hébergement.

Olous Travel (☎ 28410 41324). Vend des billets d'avion et de bateau et peut réserver des hébergements.

Circuits organisés et activités

À Elounda, des bateaux proposent des traversées vers l'île de Spinalonga, des sorties de baignade ou de pêche et des croisières de 4 heures avec escale à Spinalonga, baignade et découverte de la ville engloutie d'Olous (p. 188).

Les alentours d'Elounda offrent d'excellentes plongées. Agréé PADI, le **centre de plongée Blue Dolphin** (☎ 28410 41802 ; www.dive-bluedolphin.com ; plongée 39 €) est installé dans l'hôtel Grecotel Elounda Village.

Où se loger

À moins de séjourner dans un hôtel de luxe, s'attarder à Elounda présente peu d'intérêt. Nombre d'hôtels sont réservés par les tour-opérateurs.

POUR LE BIEN-ÊTRE DES SENS

Elounda compte quelques-uns des spas et des centres de thalassothérapie les plus luxueux d'Europe. Au programme : piscines d'eau de mer, balnéothérapie, soins du corps par les algues et nombreux traitements iodés relaxants – voire rajeunissants !

Juste avant Plaka, l'**Elounda Spa & Thalassotherapy Centre** (☎ 28410 65660 ; www.bluepalace.gr ; forfait journalier à partir de 140 €), dans le Blue Palace Resort, offre le nec plus ultra. Il incorpore des produits crétois dans des soins originaux, comme le gommage au sucre et à l'huile d'olive, le massage traditionnel à l'huile d'olive et les bains à remous aux herbes de l'île. Il existe même un soin au raki, une forme de "rakothérapie"!

Des forfaits et des réductions sont accordés aux non-résidents.

Dans le Porto Elounda Hotel, le nouveau **Six Senses Spa** (☎ 28410 68000 ; www.portoelounda.com ; forfait personnalisé 220 €) est également luxueux.

PETITS BUDGETS ET CATÉGORIE MOYENNE

Delfinia Studios & Apartments (☎ 28410 41641 ; www.pediaditis.gr ; studio/app 30-40 € ;). Outre des chambres plaisantes, avec balcon donnant sur la mer, cette enseigne offre un choix d'hébergements pour les groupes et les familles. La même famille gère la librairie de l'artère principale et les appartements Milos voisins.

Hotel Aristea (☎ 28410 41300 ; s/d/tr avec petit déj 30/45/55 € ;). Dans le centre-ville, cet hôtel banal, correct et bien tenu, pratique des prix raisonnables. Les chambres, avec double vitrage, TV, réfrigérateur et sèche-cheveux, ont presque toutes vue sur la mer.

Corali Studios (☎ /fax 28410 41712 ; www.coralistudios.com ; studio 60-70 € ;). Dans la partie nord, ces studios équipés et fonctionnels sont entourés de pelouses verdoyantes, agrémentées d'un patio ombragé.

Portobello Apartments (app 2-4 lits 65-75 € ;). À côté des Corali Studios et gérés par la même direction, ces appartements spacieux constituent une bonne option pour 2 personnes ou plus.

Elounda Island Villas (☎ 28410 41274 ; www.eloundaisland.gr ; d à partir de 70 € ; app 4 pers 105 € ; P). Dans un endroit retiré sur l'île de Kolokythia, à 20 min de marche du centre-ville, au bout de l'étroite péninsule. Dans un joli jardin, les appartements en duplex, décorés de meubles traditionnels, comprennent une cuisine bien équipée et une sdb fonctionnelle. Une taverne est installée sur place.

CATÉGORIE SUPÉRIEURE

La plupart d'entre nous se contenteront de rêver d'un séjour dans l'un des complexes hôteliers d'Elounda. L'**Elounda Beach** (☎ 28410 41412 ; www.eloundabeach.gr ; ch à partir de 250 € ;), l'un des plus somptueux au monde, compte des suites royales avec piscine couverte privée, professeur particulier de fitness, majordome et cuisinier (pour la bagatelle de 15 000 € la nuit) – la quintessence du luxe !

Où se restaurer

Nikos (☎ 28410 41439 ; poisson 35-40 €/kg). Si l'ambiance des restaurants du front de mer lui fait défaut, cette adresse sans prétention, dans la rue principale, se distingue par la qualité des poissons et homards, généralement pêchés par le patron. Des tables sont disposées sur la place, sous une voûte de feuillages. Les prix très raisonnables font oublier le service distrait.

Megaro (☎ 28419 42220 ; poisson jusqu'à 45 €/kg ; plats 4-8 €). À l'angle de la place, ce restaurant récemment rénové est apprécié de la clientèle locale. La carte comprend des spécialités crétoises et les poissons pêchés par le propriétaire.

Paradosiako (☎ 28410 42444 ; plats 5,50-8,50 €). En face de l'aire de jeux, cette enseigne est réputée pour ses grillades et ses plats au four.

Ferryman (☎ 28410 41230 ; assortiment de poissons pour 2 pers 44 €). Dans un cadre charmant en bord de mer, la cuisine et le service sont excellents (le poisson est servi découpé), mais les prix un peu élevés. Outre des poissons et des homards, la carte comporte de nombreuses spécialités crétoises.

Où sortir

Si Elounda compte plusieurs bars et discothèques, la vie nocturne n'est pas aussi animée qu'à Agios Nikolaos.

Katafygio (☎ 28410 42003). Installé dans un ancien atelier de transformation de caroubes, le Katafygio dispose de tables au bord de l'eau et organise des nuits grecques et crétoises avec danse du ventre.

L'**Alyggos Bar** (☎ 28410 41569), dans l'artère principale, est apprécié des touristes pour ses retransmissions sportives sur des écrans TV. **Babel** (☎ 28410 42336 ; Akti Vritomartidos) est une autre bonne adresse pour boire un verre. Vous pouvez aussi prendre le pouls des nuits grecques au **Venue** (☎ 28410 41355), à côté d'Olous Travel.

Comment s'y rendre et circuler

Des bateaux se rendent à Spinalonga toutes les demi-heures (aller-retour adulte/enfant 10/5 €).

Chaque jour, 13 bus circulent entre Agios Nikolaos et Elounda (1,30 €, 20 min).

Dans le centre-ville, **Elounda Travel** (☎ 28410 41800 ; www.eloundatravel.gr) loue des voitures, des motos et des scooters.

PÉNINSULE DE KOLOKYTHIA (HERSONISSOS KOLOHYTHA)

ΧΕΡΣΟΝΗΣΟΣ ΚΟΛΟΚΥΘΑ

Juste avant Elounda (en venant d'Agios Nikolaos), un panneau sur la droite indique l'**antique Olous**, qui était jadis le port de Lato. Située sur l'isthme étroit (aujourd'hui une chaussée) qui reliait la pointe sud de la péninsule de Kolokythia à la Crète, cette cité minoenne prospéra entre 3000 et 900 av. J.-C.

Vers 200 av. J.-C., elle conclut un traité avec Rhodes, qui souhaitait contrôler la Crète orientale et mettre fin à la piraterie dans la mer Égée. Les fouilles ont révélé qu'Olous était un important centre de commerce avec les îles orientales et frappait sa propre monnaie. On sait peu de choses sur la cité durant les époques hellénistique, romaine et byzantine. Elle fut détruite par les Sarrasins au IXe siècle.

L'isthme disparut à la suite des tremblements de terre qui dévastèrent la Crète à plusieurs reprises. En 1897, l'armée française creusa un canal à travers l'isthme pour relier la baie de Spinalonga à la mer. La majorité des ruines gisent sous l'eau, ce qui en fait un site de snorkeling apprécié. L'eau peu profonde est un paradis pour les oursins et de nombreux oiseaux viennent nicher aux alentours. Près de la chaussée, une mosaïque faisait partie d'une ancienne basilique chrétienne.

Une belle **plage** de sable longe sur 1 km une piste étroite du côté est de la péninsule. Abritée et baignée d'une eau cristalline, elle n'est fréquentée que par les quelques visiteurs venus en caïques.

PLAKA ΠΛΆΚΑ

38 habitants

À 5 km au nord d'Elounda, ce hameau de pêcheurs approvisionnait autrefois la léproserie de Spinalonga. Aujourd'hui, l'immense Blue Palace Resort, à l'entrée du village, domine le paysage mais Plaka reste un endroit charmant et paisible, avec une **plage** de galets face à Spinalonga. Sur le front de mer, une rangée de bâtiments en pierre abrite quelques tavernes de poisson.

Les pêcheurs locaux effectuent la traversée jusqu'à Spinalonga (7 €) ; renseignez-vous sur le port ou dans l'une des tavernes. Vous pourrez aussi rejoindre l'île en kayak de mer avec **Spinalonga Windsurf** (☎ 69935 24738 ; www.spinalonga-windsurf.com ; 15 €), installé sur la plage de Driros.

Sur le front de mer, la **Taverna Giorgos** (☎ 28410 41355 ; plats crétois 6,50-8 €), tenue par une famille de pêcheurs, est prisée pour ses poissons et ses spécialités crétoises.

Stella Mare Studios (☎ 28410 41814 ; studio 50-60 € ; ⁂). Répartis autour d'une cour verdoyante, ces studios et appartements sans prétention s'agrémentent de touches plaisantes, comme les rideaux en dentelle et les tapisseries murales. Certains disposent d'un balcon avec vue sur la mer et sur les chèvres qui broutent de l'autre côté de la rue.

Le **Pefko** (☎ 28410 42510) est un *kafeneio* attrayant.

ÎLE DE SPINALONGA (NISSOS SPINALOGA) ΝΗΣΟΣ ΣΠΙΝΑΛΟΓΚΑ

L'île de Spinalonga, au nord de la péninsule de Kolokythia, eut une importance stratégique depuis l'Antiquité jusqu'à l'occupation vénitienne. Son imposante **forteresse** (☎ 28410 41773 ; 2 € ; ⏰ 10h-18h) fut érigée en 1579 par les Vénitiens pour protéger la baie d'Elounda et le golfe de Mirabello. Réputée imprenable, elle résista plus longtemps aux sièges turcs que les autres citadelles et finit par capituler en 1715, une quarantaine d'années après le reste de la Crète. Les Turcs firent de l'île une base pour la contrebande. Après le rattachement de la Crète à la Grèce, Spinalonga devint une léproserie. Depuis sa fermeture en 1953, l'île reste inhabitée.

D'Agios Nikolaos, des bateaux d'excursion se rendent régulièrement à Spinalonga (15 € ; voir p. 182). Ils passent par l'île aux Oiseaux et l'île Kri-Kri, l'un des derniers habitats de la chèvre sauvage de Crète, toutes deux inhabitées et classées réserves naturelles. Des bateaux font également la traversée à partir d'Elounda (10 €), mais elle revient moins cher de Plaka.

MILATOS ΜΥΛΑΤΟΣ

Milatos, la station balnéaire la plus occidentale de la côte nord, offre un répit bienvenu après les kilomètres de littoral bétonné à l'est d'Héraklion. La localité en bord de mer se résume à une place principale, dominée par l'église d'Analipsis, et un chapelet de tavernes, de résidences et d'hôtels le long de la plage. Le village de Milatos se situe sur la colline, à 2 km.

L'ancien Milatos, à l'est de la plage, n'offre guère d'intérêt. À 3 km à l'est du village, vous pourrez visiter la **grotte de Milatos**, qui compte une série de cavernes dans lesquelles se réfugièrent plus de 2 000 Crétois en 1823 ; ils se rendirent après 15 jours et furent massacrés par les Turcs. Une chapelle a été construite dans la grotte en leur mémoire (emportez une lampe torche).

Le **Panorama** (☎ 28410 81213 ; meilleur poisson 45 €/kg), à la pointe ouest de la plage, est tenu par une famille de pêcheurs qui utilise essentiellement des légumes bio de la région.

Un ensemble de spacieux studios (40 €) est installé derrière la taverne.

À l'autre extrémité, **To Meltemi** (☎ 28410 81286 ; plats 5,50-8,50 €) est une adresse sympathique, gérée par une famille qui mitonne une excellente cuisine locale. Goûtez les *hortopitakia* (tourtes aux légumes).

Autre bonne adresse, **Volosyros** (☎ 28410 71601 ; plats 6,50-8,50 €) possède un four à bois et une charmante terrasse ombragée à l'arrière. La taverne se situe sur la route de Milatos, dans le village haut perché de Sisi.

PLATEAU DU LASSITHI (OROPEDHIO LASSITHIOU) ΟΡΟΠΕΔΙΟ ΛΑΣΙΘΙΟΥ

À 900 m d'altitude, le plateau du Lassithi est une vaste étendue de champs et de vergers (poiriers, pommiers et amandiers). La vue devait être splendide quand il était parsemé de quelque 20 000 éoliennes tendues de toiles blanches, construites par les Vénitiens au XVIIe siècle. Il en reste aujourd'hui moins de 5 000, la plupart ayant été remplacées par des pompes mécaniques moins séduisantes.

Le sol fertile du plateau a été cultivé depuis l'époque minoenne. Sa difficulté d'accès en a fait un foyer d'insurrection durant les occupations vénitienne et turque. À la suite d'un soulèvement au XIIIe siècle, les Vénitiens chassèrent les habitants et détruisirent leurs vergers. Le plateau resta abandonné pendant 200 ans, préservant la forêt et le biotope ; l'absence de drainage provoquait l'inondation de la plaine au printemps, lors de la fonte des neiges. La disette incita les Vénitiens à cultiver la région et à construire des canaux d'irrigation et des puits, toujours en service.

Une vingtaine de villages sont disséminés autour du plateau. Des bus touristiques sillonnent régulièrement la région, qui dépend fortement de cette ressource tout en restant essentiellement agricole. Les villages traditionnels retrouvent leur sérénité après le départ des touristes. Passer deux ou trois jours sur place permet de découvrir la Crète rurale.

Plusieurs itinéraires mènent au plateau. Les principaux partent d'Héraklion, par la route de Kastelli ou via Malia, ou de la ville marchande de Neapolis, avec d'autres embranchements près d'Agios Nikolaos.

Le plateau est un itinéraire de **cyclotourisme** apprécié et l'on y croise toute l'année des escadrons de cyclistes casqués. À Héraklion et Agios Nikolaos, des tour-opérateurs transportent vélos et cyclistes jusqu'au plateau, mais on peut également louer des bicyclettes sur place.

D'Héraklion, des bus desservent quotidiennement Tzermiado (3,50 €, 2 heures), Agios Georgios (4,70 €, 2 heures) et Psyhro (4,70 €, 2 heures 15). Des bus rallient aussi les villages depuis Agios Nikolaos (p. 185).

TZERMIADO (TZERMIADHO) ΤΖΕΡΜΙΆΔΟ

762 habitants

Tzermiado est une bourgade somnolente, aux petites rues poussiéreuses bordées de maisons couvertes de plantes. Principale localité du plateau, elle voit passer de nombreux visiteurs en route pour la grotte du mont Dicté (Dikteon Andron). Plusieurs boutiques vendent des tapis et des broderies assez quelconques. En revanche, les pommes de terre de la région sont excellentes et une fête les célèbre pendant 3 jours à la fin août.

La seule route qui traverse le village passe par la place, qui abrite la poste et deux DAB.

À la sortie sud de Tzermiado, un panneau indique la piste carrossable qui mène à la **grotte de Kronion** (Trapeza), accessible par un escalier de 150 marches. Vous aurez besoin d'une lampe torche et mieux vaut vous faire accompagner par l'un des guides qui attendent à l'entrée.

Au nord du village, perché sur une haute colline rocheuse, le village de **Karfi** servit de refuge aux Minoens qui fuyaient les Doriens. On peut parcourir en voiture la majeure partie du trajet, puis marcher 40 min pour rejoindre le site. Sinon, comptez 2 heures pour effectuer la grimpée de 6 km et emportez beaucoup d'eau. Suivez les panneaux indiquant l'église de Timios Stavros (où vous devez laisser votre voiture) et empruntez le sentier balisé jusqu'aux ruines.

L'**Argoulias** (☎ 28440 22754 ; www.argoulias.gr ; d avec petit déj 60-80 €) est un charmant complexe en pierre de 11 appartements spacieux, construits à flanc de colline dans la partie abandonnée du village. Les chambres bien équipées, au décor classique, jouissent d'une vue panoramique sur le plateau. Le petit déjeuner est préparé avec des produits frais régionaux.

Le **Kourites** (☎ 28440 22054 ; www.kourites.eu ; plats 7-8 €) mitonne une succulente cuisine crétoise, dont de délicieux légumes comme les artichauts. Les plats cuits dans le four à bois sont particulièrement réussis, tel le cochon de lait aux pommes de terre. Au-dessus de la taverne, des chambres sans prétention s'agrémentent d'un petit balcon (s/d avec petit déj 25/35 €). Vélos gracieusement à disposition.

AGIOS GEORGIOS (AGHIOS IEORYIOS) ΑΓΙΟΣ ΓΕΏΡΓΙΟΣ

541 habitants

Du côté sud du plateau, ce petit village constitue le séjour le plus séduisant et une excellente base pour sillonner les alentours à vélo.

Un excellent **musée d'Art populaire** (☎ 28440 31462 ; 3 € ; ⌚ 10h-16h avr-oct) est installé dans l'ancienne maison de la famille Katsapakis. Les collections, installées dans 5 salles, présentent d'étonnantes photos personnelles de l'écrivain Nikos Kazantzakis.

Vous ne pourrez pas manquer, dans la région, les panneaux indiquant le gigantesque **Lasinthos Eco Park** (☎ 28440 89100 ; www.lasinthos.gr ; 2,50 € ; ⌚ 9h-18h), peu après Agios Georgios. Ce nouveau complexe comprend une taverne démesurée, des expositions d'artisanat et une vaste boutique de souvenirs, étape obligée des bus touristiques.

L'**Hotel Maria** (☎ 28440 31774 ; s/d 20-35 €), au nord du village, loue des chambres spacieuses, joliment décorées de tissages et de meubles traditionnels (les lits étroits ne conviendront pas aux grands gabarits). Maria est également aux fourneaux de la **Taverna Rea** (☎ 28440 31209 ; plats 4,50-6,50 €), dans la grand-rue, et prépare de délicieuses viandes grillées (son mari est boucher) et de bons plats crétois. Des studios sont à disposition au-dessus de la taverne (30 €).

PSYHRO ΨΥΧΡΌ

208 habitants

Psyhro est le village le plus proche de la grotte du mont Dicté. L'artère principale est bordée de quelques tavernes et de nombreuses boutiques de souvenirs qui vendent des nattes et des tapis "authentiques", rarement faits en Crète. Plus joli que Tzermiado, Psyhro constitue une halte plus plaisante. Les bus vous déposent à la sortie du village, d'où une route monte jusqu'à la grotte, à 1 km – les bus continuent parfois juqu'à la grotte si la plupart des passagers s'y rendent.

Si vous devez passer la nuit sur place, le **Zeus Hotel** (☎ 28440 31284 ; s/d 25/30 €), assez quelconque, se situe au carrefour de l'embranchement vers la grotte. Vous trouverez les propriétaires à la taverne Halavro, près de l'entrée de la grotte.

Avec une salle bien tenue et des tables sur le trottoir, **Stavros** (☎ 28440 31453 ; grillades 5-8 €) est une bonne adresse pour une cuisine crétoise traditionnelle. La plupart des produits proviennent de la ferme familiale.

La **Petros Taverna** (☎ 28440 31600 ; grillades 6 €), en face de la grotte, est tenue par l'ancien gardien, Petros Zarvakis. Il sert des grillades et des plats crétois, et organise des randonnées sur le mont Dicté, avec camping à la belle étoile.

GROTTE DU MONT DICTÉ (DIKTEONE ANDHRONE) ΔΊΚΤΑΙΟΝ ΆΝΤΡΟΝ

Principal site du plateau du Lassithi, la **grotte du mont Dicté** (Dikteon Andron ; adulte/enfant 4/2 € ; ⌚ 8h-18h juin-oct, 8h-14h30 nov-mai) se situe à la sortie de Psyhro. Selon la mythologie, c'est ici que Rhéa cacha Zeus nouveau-né pour le protéger de son père Cronos, qui dévorait tous ses enfants.

La grotte, également appelée grotte de Psyhro, couvre 2 200 m² et comprend des stalactites et des stalagmites. Elle fut explorée en 1900 par l'archéologue britannique David Hogarth, qui trouva de nombreux ex-voto attestant de son importance cultuelle. Ces pièces sont exposées au Musée archéologique (p. 148) d'Héraklion.

La grotte devint un lieu de culte dès le Minoen moyen et, dans une moindre mesure, jusqu'au Ier siècle. Un autel réservé aux offrandes et aux sacrifices se trouvait dans la partie supérieure. On y trouva des tablettes en pierre écrites en linéaire A, et des figurines religieuses en bronze et en argile.

Des stalactites et des stalagmites remplissent la vaste grotte supérieure. Un sentier pentu descend vers la grotte inférieure, plus intéressante. Une petite salle au fond à gauche serait le lieu de naissance de Zeus. Sur la droite, une salle plus large contient des petits bassins en pierre remplis d'eau où Zeus se serait désaltéré et une spectaculaire stalagmite appelée le "manteau de Zeus". La grotte est entièrement, mais chichement, éclairée. Regardez où vous mettez les pieds.

Comptez 15 min pour la grimpée escarpée (800 m) jusqu'à l'entrée de la grotte. Vous pourrez emprunter, sur la droite, un chemin accidenté et ombragé, offrant une vue superbe sur le plateau, ou un chemin pavé mais sans ombre à gauche du parking, à côté de la taverne Halavro. Vous pourrez aussi faire le trajet à dos d'âne (aller/aller-retour 10/15 €).

CÔTE NORD-EST

GOURNIA ΓΟΥΡΝΙΑ

Important site minoen tardif, **Gournia** (☎ 28410 24943 ; 2 € ; ⌚ 8h30-15h tlj sauf lun) se situe près de la route côtière, à 19 km au sud-est d'Agios Nikolaos. Les ruines, qui datent de 1550 à 1450 av. J.-C., se composent d'une cité dominée par un petit palais. Bien moins ostentatoire que ceux de Cnossos et de Phaistos, le palais était la résidence d'un seigneur et non d'un roi. La cité est un dédale de rues et d'escaliers, bordés de maisons aux murs s'élevant jusqu'à 2 m. Les ustensiles domestiques, agricoles et marchands trouvés sur le site indiquent que Gournia était une petite communauté prospère.

Au sud du palais, une vaste **cour** rectangulaire est reliée à un réseau de rues pavées. Une grande **dalle de pierre** servait au sacrifice des taureaux. La pièce à l'ouest contient un **kernos** (grand récipient) en pierre, creusé au pourtour de 32 petites cavités et probablement utilisé pour le culte. Au nord du palais, un **sanctuaire à la déesse minoenne des Serpents** contenait de nombreux objets de la période postpalatiale. Au nord et à l'est du site, remarquez les entrepôts, les ateliers et les habitations à deux étages – le cellier et les ateliers se trouvaient au rez-de-chaussée et les appartements, à l'étage.

Près du site, le **Gournia Moon Camping** (☎/fax 28420 93243 ; www.gourniamoon.com ; empl pers/tente 5,70/5,70 € ;) est le camping le plus proche d'Agios Nikolaos. Ombragé et bien équipé, il possède un restaurant, un snack-bar, une supérette et une piscine.

Les bus qui partent d'Agios Nikolaos pour Sitia et Ierapetra peuvent vous déposer à Gournia.

MOHLOS (MOCHLOS) ΜΟΧΛΟΣ

87 habitants

Une route serpente sur 5 km à partir de la nationale Sitia-Agios Nikolaos pour rejoindre ce joli hameau de pêcheurs. Dans l'Antiquité, il était relié à l'île éponyme, aujourd'hui à 200 m au large, et fut une communauté prospère durant la période minoenne ancienne, de 3000 à 2000 av. J.-C. Les fouilles continuent de temps à autre sur l'île et dans le village. Un panneau d'information, à l'entrée du port, recense les sites archéologiques alentour.

Mohlos est un endroit détendu, avec une petite plage de galets et de sable gris, des hébergements sans prétention, de belles promenades et des villages attrayants aux alentours. Faites attention aux courants traîtres dans le petit détroit, entre l'île et le village.

De nombreux voyageurs indépendants français et allemands apprécient Mohlos. Ses tavernes, réputées pour le poisson et les fruits de mer, font le plein le week-end.

Lors de notre passage, une affreuse construction à proximité n'augurait rien de bon pour l'avenir du village, qui comprend une supérette et deux boutiques de souvenirs.

Barbarossa Tours (☎ 28430 94723 ; barbarasso@otenet.gr) peut réserver des chambres et des excursions, loue des voitures et vend des billets d'avion et de bateau. Iannis Petrakis et son épouse Anne Lebrun, une botaniste belge, organisent des randonnées dans la nature et des **circuits guidés** (☎/fax 28430 94725 ; annelebrun@caramail.com ; randonnée 12-20 €, circuit VTT/moto 35/75 €) en Jeep ou à vélo.

Où se loger et se restaurer

Kyma (☎ 28430 94177 ; soik@in.gr ; studio 30 €). Assez bien indiqués du côté ouest du village, près du supermarché, ces impeccables studios équipés offrent un bon rapport qualité/prix.

Hotel Sofia (☎/fax 28430 94554 ; ch 35-45 € ;). Au-dessus de la taverne du même nom, l'hôtel propose des chambres rénovées, avec nouveau mobilier et literie et toutes dotées d'une TV et d'un réfrigérateur. Si certaines sont un peu exiguës, celles en façade possèdent un balcon avec vue sur la mer. De spacieux appartements, à 200 m à l'est du port, conviendront aux familles et aux longs séjours. Goûtez la cuisine maison de la taverne.

Mohlos Mare (☎/fax 28430 94005 ; d 45 € ;). À la sortie du village le long de la route côtière, ces vastes appartements, lumineux et aérés, sont entretenus avec soin et bien aménagés. Les meilleures chambres bénéficient d'un grand balcon avec une vue superbe. Une cuisine en plein air et un barbecue sont à disposition. Une vigne et un jardin planté de roses agrémentent la façade.

To Bogazi (☎ 28430 94200 ; mezze 2,50-6,50 €). Plus d'une trentaine de mezze, dont beaucoup végétariens, ainsi que des fruits de mer et des spécialités crétoises.

Ta Kochilia (☎ 28430 94432 ; plats 4,50-6,50 €). Joliment située, cette excellente taverne est réputée pour son poisson et sa cuisine simple et savoureuse. Les amateurs de fruits de mer essaieront la salade aux oursins ou la seiche braisée dans son encre.

Depuis/vers Mohlos

Aucun transport public ne dessert Mohlos. Les bus qui relient Sitia et Agios Nikolaos vous déposeront à l'embranchement, à 6 km du village (à parcourir à pied ou en stop).

SITIA ΣΗΤΕΙΑ

8 754 habitants

Attrayante ville côtière de taille moyenne, Sitia possède une jolie promenade bordée de tavernes et de cafés le long du port, particulièrement agréable le soir. Préservée de l'agitation touristique qui envahit la majeure partie de la côte nord en été, la ville accueille volontiers les voyageurs, mais ses habitants vivent essentiellement de l'agriculture et du commerce.

Dans les rues animées de la vieille ville, qui serpentent à flanc de colline au-dessus du port, vous découvrirez quelques exemples de l'ancienne architecture vénitienne à côté des maisons récentes. Une plage de sable ourle une large baie à l'est du centre-ville. Malgré la présence de nombreux touristes grecs et français, Sitia conserve une ambiance relativement détendue en pleine saison, qui change agréablement de la frénésie commerciale plus à l'ouest.

Sitia constitue également un bon point de départ pour les îles du Dodécanèse.

Histoire

Des fouilles ont prouvé l'existence d'installations néolithiques aux alentours de Sitia et d'un important centre minoen à Petras, à proximité. Celui-ci fut détruit par un tremblement de terre en 1700 av. J.-C., puis abandonné.

À l'époque gréco-romaine, la ville d'Iteia se dressait sur le site ou près de l'actuelle Sitia ; son emplacement exact n'a pas encore été localisé. Devenue un evêché durant l'époque byzantine, la ville perdit ce statut au IXe siècle, sous les Sarrasins. Les Vénitiens en firent le port le plus important de la Crète orientale. Dévastée par un terrible séisme en 1508, la ville ne parvint pas à s'en remettre et le blocus infligé par les Turcs en 1648 lui porta le coup fatal. Les derniers habitants s'enfuirent et la ville fut détruite. Sitia ne commenca à renaître qu'à la fin du XIXe siècle, quand les Turcs décidèrent d'en faire un centre administratif. Vitsentzos Kornaros, le plus célèbre des poètes crétois, naquit à Sitia en 1614.

Orientation et renseignements

La place principale, la Plateia Iroon Polytehniou, se reconnaît à ses palmiers et à la statue d'un soldat mourant. La ville compte de nombreux DAB et bureaux de change. La gare routière se situe dans les terres, près du Musée archéologique. Les ferries accostent à 500 m au nord de la Plateia Agnostou.

Akasti Travel (☎ 28430 29444 ; www.akasti.gr ; Kornarou et Metaxaki 4). Bonne source d'informations.

Banque nationale de Grèce (Papanastasiou et Katapoti). Changeur automatique disponible 24h/24.

Java Internet Café (☎ 28430 22263 ; Kornarou 113 ; 2 €/h ; 9h-tard)

Office du tourisme (☎ 28430 28300 ; Karamanli ; 9h30-14h30 et 17h-20h30 lun-ven, 9h30-14h30 sam). Sur la promenade.

Police touristique (☎ 28430 24200 ; Therisou 31). Au poste de police principal.

Poste (Dimokritou ; 7h30-15h)

À voir et à faire

L'excellent **Musée archéologique** (☎ 28430 23917 ; Piskokefalou ; 2 € ; 8h30-15h tlj sauf lun) possède une importante collection bien présentée d'objets mis au jour dans la région, du néolithique à l'époque romaine et notamment de la civilisation minoenne. L'une des pièces maîtresse est le *Palekastro Kouros*, une statuette composée de fragments de défenses d'hippopotame et ornée d'or (voir l'encadré p. 197). Au sein des pièces provenant du palais de Zakros figurent un pressoir à raisin, une scie en bronze, des jarres, des objets de culte et des pots portant des traces de l'incendie qui détruisit le palais. Parmi les objets les plus précieux, des tablettes en linéaire A attestent la fonction administrative du palais.

Dominant la ville, le **kazarma** (fort ; entrée libre ; 8h30-15h), de l'italien "casa di arma", était une garnison à l'époque vénitienne. Seuls subsistent les remparts et le site est aujourd'hui un théâtre en plein air.

Le **musée d'Art populaire** (☎ 28430 28300 ; Kapetan Sifinos 28 ; 2 € ; 🕒 10h-13h lun-ven) renferme une belle collection de tissages et d'artisanat locaux.

À 1 km de la ville, l'**Union des coopératives agricoles de Sitia** (☎ 28430 29354 ; visite 2 € ; 🕒 8h-15h) présente les vins, l'huile et le raki de la région. La visite comprend la projection d'une vidéo et une dégustation de vin. Le prix d'entrée est souvent remboursé si vous faites un achat.

Juché sur une basse colline qui surplombe la mer à 2 km au sud-est de Sitia, le site minoen de **Petras** mérite la visite. Les ruines comprennent deux maisons de la période néopalatiale.

Universal Diver (☎ /fax 28430 23489 ; pavlossimos@yahoo.gr ; Kornarou 140), un centre agréé PADI, propose des plongées de tous niveaux.

Fêtes et festivals

Renommée pour ses raisins Sultana de qualité supérieure, Sitia organise une **fête du Raisin Sultana** la dernière semaine d'août.

De mi-juillet à fin août, le **festival Kornaria** s'accompagne de concerts, de danses folkloriques et de représentations théâtrales, dans le *kazarma* notamment. Des affiches annoncent les divers spectacles, parfois gratuits.

Où se loger

Hotel Arhontiko (☎ 28430 28172 ; Kondylaki 16 ; d/studio 30/33 €). Une ambiance surannée règne dans cet hôtel, installé dans un superbe bâtiment néoclassique au-dessus du port. Impeccablement tenu, il possède un charmant jardin ombragé en façade et ses meilleures chambres, avec sdb commune, donnent sur la mer.

Apostolis (☎ 28430 28172 ; Kazantzaki 27 ; d/tr 37/47 €). Ces *domatia* (chambres chez l'habitant), avec ventilateur au plafond et sdb plutôt modernes, partagent un balcon et un réfrigérateur.

El Greco Hotel (☎ 28430 23133 ; elgreco@sit.forthnet.gr ; G. Arkadiou 13 ; s/d avec petit déj 35/50 € ; ❄). Hôtel accueillant au charme désuet, El Greco loue des chambres d'une propreté irréprochable, toutes avec réfrigérateur, téléphone et des extras comme le sèche-cheveux. Certaines peuvent loger 4 personnes.

Hotel Flisvos (☎ 28430 27135 ; www.flisvos-sitia.com ; Karamanli 4 ; s/d/tr à partir de 40/50/60 € ; ❄). Au sud du front de mer, cet hôtel moderne comprend des chambres, avec clim, TV, réfrigérateur, téléphone et balcon. À l'arrière, une aile récemment rénovée contient des chambres plus spacieuses et un ascenseur.

Itanos Hotel (☎ 28430 22900 ; www.itanoshotel.com ; Karamanli 4 ; s/d avec vue mer et petit déj 42/56 € ; ❄ 💻). Cet autre hôtel du front de mer comporte un restaurant sur le toit-terrasse et offre l'accès à Internet au rdc.

Sitia Bay Hotel (☎ 28430 24800 ; Paraliaki Leoforos 8 ; app/ste à partir de 110/160 € ; ❄). S'il ressemble à un hôtel moderne banal, le service personnalisé et chaleureux de cet établissement fait la différence. Pain maison, confitures et biscuits sont apportés chaque jour dans les chambres. Les confortables appartements d'une ou deux pièces, joliment décorés, ont presque tous vue sur la mer. Piscine, Jacuzzi, petite salle de sport et sauna à disposition.

Où se restaurer

Sitia Beach (☎ 28430 22104 ; Karamanli 28 ; plats 5,50-8 €). Cet établissement quelconque sur la plage prépare des pizzas correctes et se distingue par ses excellents plats du jour, affichés sur un tableau. Le porc au citron accompagné de riz est particulièrement délicieux.

O Mihos (☎ 28430 22416 ; Kornarou 117 ; assortiment de grillades pour 2 pers 20 €). Dans une maison en pierre traditionnelle à une rue du front de mer, cette *psistaria* (taverne spécialisée dans la viande grillée ou rôtie à la broche) propose de succulentes viandes grillées au charbon de bois et des plats crétois. Des tables sont également installées sur une terrasse en bord de plage.

Houlis Rakadiko (☎ 28430 28298 ; Venizelou 57). Pour une expérience plus authentique, attablez-vous dans cet établissement vieillot qui ne possède pas d'enseigne ; c'est le second à partir du coin. Rempli d'hommes qui jouent au *tavli* (jacquet) dans la journée, il offre un grand choix d'excellents mezze et un bon raki.

Balcony (☎ 28430 25084 ; Foundalidou 19 ; plats 10,60-18,80 €). Le meilleur restaurant de Sitia se situe au 1er étage d'un bâtiment néoclassique joliment décoré. Le chef, un ancien chanteur au tempérament fougueux, s'inspire de ses voyages pour composer une carte éclectique, mariant diverses influences crétoises, mexicaines et asiatiques. Le service est inégal.

Autres adresses recommandées :

Mitsakakis (☎ 28430 22377 ; Karamanli 5). Si vous aves envie d'une douceur, régalez-vous d'un *galaktoboureko* (pâtisserie à la crème nappée de sirop).

Remezzo Kollios (☎ 28430 28607 ; Venizelou 167 12 ; fruits de mer 5-18 €). Sur le front de mer, une adresse prisée mais onéreuse.

Sergiani (☎ 28430 24092 ; Karamanli 38). Sur le front de mer.

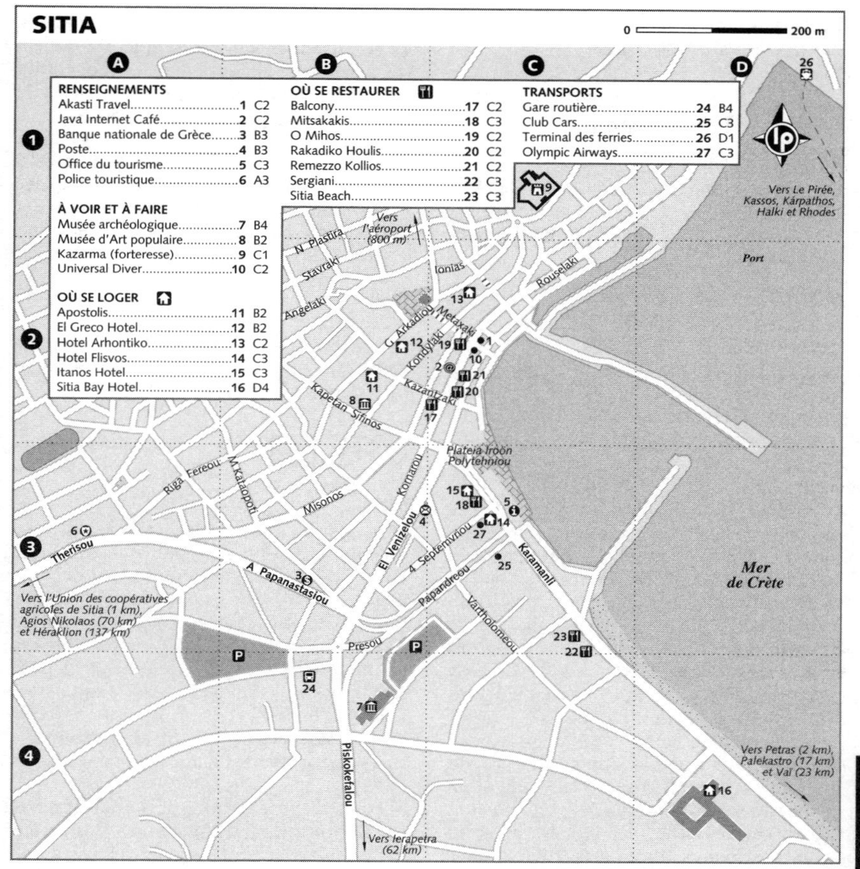

Depuis/vers Sitia

AVION

L'**aéroport** (☎ 28430 24666) a été agrandi d'une piste pouvant accueillir les gros avions, mais les vols internationaux ne l'utilisaient pas encore lors de la rédaction de ce guide.

Olympic Airlines (☎ 28430 22270 ; www.olympicairlines.com ; 4 Septemvriou 3) propose 4 vols hebdomadaires pour Athènes (71 €, 1 heure) et Alexandroupolis (8 €, 2 heures) et 3 pour Preveza (80 €, 2 heures 20). Des vols quotidiens (47 €) font escale à Kassos (20 min), Kárpathos (1 heure) et Rhodes (2 heures).

BATEAU

LANE Lines (☎ 28430 25555 ; www.lane.gr) relie toutes les semaines Sitia et Rhodes (27 €, 14 heures) via Kassos (19,50 €, 6 heures), Kárpathos (19,50 €, 8 heures), Diafani (17,90 €, 9 heures) et Halki (18,20 €, 11 heures). Les horaires changent chaque année ; renseignez-vous auprès d'une agence de voyages ou appelez LANE Lines.

BUS

De la **gare routière** (☎ 28430 22272), des bus desservent Ierapetra (5,40 €, 1 heure 30, 6/jour), Héraklion (13,10 €, 3 heures, 7/jour) via Agios Nikolaos (6,90 €, 1 heure 30), Vaï (3 €, 30 min, 4/jour) et Kato Zakros (4,50 €, 1 heure, 2/jour) via Palekastro et Zakros. Les bus à destination de Vaï et de Kato Zakros ne circulent qu'entre mai et octobre.

Comment circuler

DEPUIS/VERS L'AÉROPORT

L'aéroport (indiqué) se situe à 1,5 km de la ville ; aucun bus ne le dessert. En taxi, comptez environ 5 €.

VOITURE ET MOTO

Les agences de location, comme **Club Cars** (☎ 28430 25104 ; Papandreou 4), se concentrent essentiellement dans Papandreou et Itanou.

MONI TOPLOU ΜΟΝΉ ΤΟΠΛΟΎ

À l'est de Sitia, l'imposant **Moni Toplou** (monastère de Toplou ; ☎ 28430 61226 ; 2,50 € ; 🕑 9h-18h avr-oct) ressemble plus à une forteresse qu'à un monastère en raison des dangers qui le menaçaient lors de sa construction. D'une importance majeure sur le plan historique, il fut aussi l'un des plus progressistes de Crète. La piraterie, le banditisme et d'incessantes rébellions sévissaient au milieu du XVe siècle et les moines s'en défendaient avec tous les moyens disponibles : porte épaisse, canons (toplou signifie "avec un canon" en turc) et meutrières d'où l'on projetait des liquides en ébullition sur les assaillants. Le monastère fut néanmoins mis à sac par les pirates en 1498, pillé par les chevaliers de Malte en 1530 et par les Turcs en 1646, puis confisqué par ces derniers en 1821.

Fermement engagé dans la lutte pour l'indépendance de la Crète, il paya un lourd tribut à cette cause. Sous l'occupation ottomane, il abritait une école secrète et sa réputation de cacher des rebelles lui valut de sévères représailles. Durant la Seconde Guerre mondiale, le père supérieur Silingakis fut exécuté pour avoir accueilli des résistants qui avaient installé un émetteur radio souterrain.

La pièce maîtresse du monastère est l'icône *Seigneur toi le grand artiste*, réalisée par le célèbre peintre crétois Ioannis Kornaros. Chacune des 61 petites scènes de l'icône, superbement exécutées, s'inspire de la prière orthodoxe qui commence par "Seigneur, toi le grand artiste". Elle se situe dans la nef septentrionale, aux côtés de fresques du XIVe siècle et d'une icône de 1770.

Un excellent **musée** retrace l'histoire du monastère et contient une belle collection d'icônes, de gravures et de livres, ainsi que des armes et des reliques militaires de la Résistance.

Le père supérieur, Filotheos Spanoudakis, est particulièrement dynamique. Il promeut les cultures biologiques dans la coopérative agricole locale et sur les vastes propriétés du monastère. Dans le domaine du monastère, il a construit une usine d'embouteillage d'huile d'olive et de vin pour la communauté locale. Le projet controversé d'un vaste complexe touristique sur des terres du monastère, à la pointe nord de l'île, a suscité de véhémentes protestations des écologistes.

La boutique bien fournie vend de l'huile d'olive et du vin biologiques primés du monastère.

Le Moni Toplou se situe à 3 km de marche de la route Sitia-Palekastro. Les bus peuvent vous déposer au croisement.

CÔTE EST

VAÏ ΒΆΙ

La plage de Vaï, sur la côte est à 24 km de Sitia, est renommée pour sa palmeraie unique. Parmi les légendes qui entourent son origine, une théorie affirme qu'elle proviendrait des noyaux de dattes crachés par les légionnaires romains à leur retour d'Egypte. Toutefois, ces palmiers dattiers appartiennent à une espèce spécifique, que l'on ne trouve qu'en Crète.

En juillet-août, arrivez tôt pour apprécier le site avant qu'il ne soit envahi de touristes et la plage, couverte de transats et de parasols (6 €).

Pour échapper à la noria des jet-skis et autres engins bruyants, franchissez un affleurement rocheux derrière la taverne et rejoignez une plage étonnamment isolée. Sinon, derrière la colline à l'autre bout, vous trouverez une succession de criques paisibles, fréquentées par des naturistes.

Le **Restaurant-Cafeteria Vai** (☎ 28430 61129 ; plats 4-6 €) est une bonne adresse pour se restaurer après une journée à la plage.

Des bus circulent entre Sitia et Vaï (2,50 €, 1 heure, 5/jour). Le parking coûte 3 €.

ITANOS ΙΤΑΝΟΣ

À 3 km au nord, l'ancien site minoen d'Itanos jouxte des plages encore plus isolées. Inhabitée depuis 1500 av. J.-C., Itanos était une prospère cité marchande au VIIe siècle av. J.-C. et commerçait avec le Proche-Orient et le Moyen-Orient. Principale rivale de Pressos, près de Ierapetra, Itanos

LASSITHI

accueillit une garnison lagide (Grecs vivant en Égypte) en 260 av. J.-C. afin de renforcer ses positions.

Lorsque Ierapetra détruisit Pressos en 155 av. J.-C., Itanos affronta Ierapetra, avec l'aide cette fois de Magnésie, une cité romaine. Détruite vers la fin de l'époque byzantine, Itanos aurait été de nouveau habitée par les Vénitiens. Les bâtiments sont difficilement reconnaissables, à part les vestiges de deux basiliques paléochrétiennes et une enceinte hellénistique. Bien indiqué, le site avoisine des criques ombragées de pins.

PALEKASTRO ΠΑΛΑΪΚΑΣΤΡΟ

1 084 habitants

Ce village rural moderne constitue une halte ou une base pratique pour découvrir la Crète orientale, plutôt qu'une destination en lui-même. Au milieu d'un paysage aride et rocailleux, il est situé à courte distance de la charmante plage de Kouremenos, de Vaï et du Moni Toplou.

À 1 km du bourg en direction de la plage de Hiona, le site de Roussolakkos recèlerait, selon les archéologues, un palais minoen majeur (voir l'encadré ci-dessous). C'est ici que l'on a découvert le *Palekastro Kouros*, désormais au Musée archéologique de Sitia (p. 193).

Niché dans une petite rue et mal indiqué, le **musée d'Art populaire de Palekastro** (☎ 28430 61123 ; 2 € ; 🕓 10h-13h et 17h-20h lun-sam) présente des collections bien agencées dans une ancienne demeure traditionnelle, qui comprend une étable et une boulangerie.

Palekastro vit essentiellement de la pêche et de l'agriculture ; la saison touristique se limite à juillet-août. Mieux vaut disposer de son propre moyen de transport.

Orientation et renseignements

La rue principale traverse le bourg et bifurque dans le centre-ville. L'**office du tourisme** (☎ 28430 61546 ; www.palaikastro.com 🕓 9h-22h mai-oct) change les espèces et fournit des informations sur l'hébergement et les transports. Un DAB est installé à côté et un bureau de poste avoisine les Itanos Rooms. Vous pourrez consulter vos e-mails au **Hellas Internet Café** (🕓 10h-23h30). Les bus s'arrêtent dans le centre-ville.

Où se loger et se restaurer

Hotel Hellas (☎ 28430 61240 ; hellas_h@otenet.gr ; s/d 30-45 € ; ❄). Des chambres sans prétention, avec clim, sdb rénovée, TV, téléphone, réfrigérateur et double vitrage. Dans la taverne au rdc, Marika prépare d'excellents et copieux repas (plats 4-6,90 €). Le *stifado* (ragoût) et les aubergines *imam baldi* (une spécialité turque) sont particulièrement recommandés.

Hiona Holiday Hotel (☎ 28430 29623 ; s/d 50/60 €). Ce nouvel hôtel moderne, à la façade clinquante, loue des chambres bien équipées et décorées avec goût.

To Finistrini (☎ 28430 61117 ; mezze 2-6 €). À 200 m environ sur la route de Vaï, cet *ouzéri-mezedopoleion* (restaurant de mezze) sert de savoureux mezze qui accompagnent à merveille un ou plusieurs verres de raki.

LE PALAIS ENFOUI

À environ 1 km de Palekastro, l'important site archéologique minoen de **Roussolakos**, près de la plage de Hiona, n'a pas encore livré tous ses secrets. Il abriterait le second plus grand complexe palatial de Crète, après celui de Cnossos.

Les fouilles, menées par l'école britannique d'Archéologie (BSR), ont mis au jour de précieuses trouvailles comme le **Palekastro Kouros**, exposé au Musée archéologique de Sitia (p. 193), ainsi que des poteries, des amphores, des lampes torsadées en stéatite et des *pithoi* (grandes jarres de stockage) datant principalement de l'âge du bronze. Le *Kouros*, en or et en ivoire, serait la première représentation d'un dieu minoen. Les archéologues pensent que le site abrite l'un des deux principaux temples crétois mentionnés par les philosophes grecs.

Les fouilles effectuées au début du XXe siècle, dans les années 1960 et plusieurs fois depuis 1988, n'ont pas encore atteint le cœur du site. Grâce aux nouvelles technologies utilisées pour la prospection pétrolière, les archéologues ont pu déterminer qu'une gigantesque structure gît sous les oliveraies voisines, mais il faudra des années avant de collecter les fonds suffisants pour ces fouilles et un musée devra être construit sur place pour abriter les trouvailles.

Le site, ouvert au public, constitue une agréable promenade. On distingue le tracé des rues ; des panneaux expliquent ce qui se trouvait sous les sections couvertes.

Mythos (☎ 28430 61243 ; plats 4,80-5,90 €). En face du Hellas, cette taverne plaisante et fréquentée propose un grand choix de mezze végétariens, des *mayirefta* traditionnels, des poissons et des grillades.

Depuis/vers Palekastro

De Sitia, 5 bus partent tous les jours pour Vaï et font halte à Palekastro. Deux bus quotidiens circulent entre Sitia et Palekastro (2,20 €, 45 min) et continuent jusqu'à Kato Zakros (4,50 €, 1 heure).

ENVIRONS DE PALEKASTRO

Kouremenos, au nord de Palekastro, est une plage de galets quasi déserte aux eaux peu profondes, idéale pour la baignade et la planche à voile. Sur place, **Freak Surf Station** (☎ 28430 61116 ; location 190 €/semaine, cours à partir de 45 €) loue des planches.

À l'est et tout aussi tranquille, la plage de **Hiona** compte trois tavernes de poisson. **I Hiona** (☎ 28430 61228) est considérée la meilleure pour la fraîcheur des prises, mais **Kakavia**, renommée pour sa soupe de poisson, est également recommandée.

Casa di Mare (☎ 28430 25304 ; www.casadimare.com ; studio 40-60 € ; ❄ 🏊). En face de la plage de Kouremenos, elle possède 6 studios spacieux et confortables, avec sol en pierre et décor rustique, qui peuvent accueillir jusqu'à 4 personnes. Une petite piscine est installée parmi les oliviers.

Apartments Grandes (☎ 28430 61496 ; studio qua 65 € ; ❄). Sur la plage de Kouremenos, entourée d'arbres et d'un jardin fleuri, cette adresse charmante comprend des studios bien équipés et joliment décorés, ainsi qu'une taverne donnant sur la mer.

ZAKROS ET KATO ZAKROS
ΖΑΚΡΟΣ ΚΑΙ ΚΑΤΩ ΖΑΚΡΟΣ

753 et 15 habitants

Le village de Zakros, à 45 km au sud-est de Sitia, est un important centre agricole et le lieu habité le plus proche du site minoen de Zakros, à 7 km sur la côte est. Si rien n'incite à s'attarder dans le village (qui possède un seul hôtel), c'est un endroit animé, avec ses *kafeneia* et ses ouzéria qui ne désemplissent pas, et ignoré des touristes. Zakros est le point de départ de la randonnée dans les gorges de Zakros, ou la **vallée des Morts**. Elles doivent ce nom aux anciennes grottes funéraires creusées dans les parois rocheuses (voir l'encadré p. 199).

Kato Zakros est sans doute l'endroit le plus paisible de la côte sud-est. Il se résume quasiment à une longue plage de galets, ombragée de pins et bordée de tavernes. Grâce aux restrictions imposées par le département archéologique, le hameau ne risque pas de s'étendre. À part l'exploration des gorges et la visite des vestiges du palais, les activités sont essentiellement balnéaires : bains de soleil, snorkeling, pêche, sieste et choix d'une bonne table !

Où se loger

Les *domatia* de Kato Zakros se remplissent vite en saison et mieux vaut réserver. Si vous ne trouvez pas de chambre, vous pourrez camper à l'extrémité sud de la plage.

Stella's Apartments (☎ /fax 28430 23739 ; www.stelapts.com ; studio 40-75 €). Ces charmants studios se situent au cœur d'une pinède, à 800 m sur l'ancienne route de Zakros. Les meubles en bois sont fabriqués par Elias, le propriétaire, qui organise également des randonnées. Des barbecues, une cuisine en plein air et des hamacs sont à disposition. Une adresse idéale pour les longs séjours.

Kato Zakros Palace (☎ /fax 28430 29550 ; www.palaikastro.com/katozakrospalace ; ch/studio/app à partir de 50/60/85 €). Juchés sur la colline, ces bâtiments sans charme jouissent d'une vue superbe et offrent un hébergement spacieux et récent.

À Zakros, 4 établissements plaisants sont gérés par la même **direction** (☎ 28430 26893 ; www.katozakros.cretefamilyhotels.com).

Athena & Coral Rooms (d 30-50 € ; ❄). Derrière la taverne Akrogiali. L'Athena possède des chambres attrayantes avec d'épais murs en pierre. Celles du Coral, petites et impeccables, sont dotées d'un réfrigérateur et d'une belle véranda donnant sur la mer.

Katerina Apartments (app 40-60 €). Quatre excellents studios et maisonnettes en pierre en face du Stella's, dans un cadre exceptionnel et pouvant accueillir jusqu'à 4 personnes.

Poseidon Rooms (d 20-40 €). Excellente adresse pour les petits budgets, sur la plage. Réfrigérateur commun et sdb communes pour certaines chambres.

Où se restaurer

Les tavernes de la plage se livrent une concurrence acharnée.

Akrogiali Taverna (☎ 28430 26893, plats 5-9 €). Nikos Perakis, l'inimitable propriétaire, garantit un repas détendu en bord de mer et un excellent service. Le steak d'espadon (9 €) est la spécialité de la maison et le raki est délicieux.

RANDONNÉES AUX ALENTOURS DE ZAKROS

La randonnée dans la vallée des Morts jusqu'à Kato Zakros est particulièrement belle. Toutefois, d'autres chemins intéressants, bien signalés et peu fréquentés sillonnent la région. Moins luxuriant et saisissant que l'ouest de la Crète, le paysage aride aux alentours de Zakros reste spectaculaire ; le parfum de l'origan et du thym ajoute au plaisir de la marche. Hormis les gorges, tous les itinéraires sont dépourvus d'ombre, mais la faible altitude et l'absence de difficulté les rendent accessibles aux marcheurs moins aguerris ou plus âgés. Emportez toujours de l'eau et des vivres et portez de bonnes chaussures de marche.

La plupart des sentiers autour de Zakros ont été dégagés et balisés avec des panneaux en bois par Elias Pagianidis, un passionné de randonnée (vous le trouverez aux Stella's Apartments – voir page précédente), qui vous renseignera volontiers sur la région. Il tient à jour la carte des sentiers de randonnée d'Anavasi, qui est affichée à l'entrée des gorges de Zakros. Les suggestions d'Elias figurent ci-dessous. Si vous êtes motorisé, vous pourrez conduire jusqu'à l'entrée des gorges de Hohlakies et marcher 1 heure jusqu'à la charmante plage isolée de Karoumes.

Gorges de Zakros

L'itinéraire débute en dessous du village de Zakros et serpente à travers un canyon étroit parfois abrupt, tapissé de végétation et d'herbes sauvages. Un autre chemin, qui commence à environ 3 km de Zakros, prive d'une belle section des gorges. Le sentier débouche près du palais de Zakros, à 200 m de la plage (2 heures).

De Kato Zakros à Traostalos

À 10 m environ de la sortie sud des gorges, un sentier bien indiqué grimpe vers le mont Traostalos (tournez à droite après 25 min, quand le sentier bifurque) et offre une vue superbe à partir de Skopeli (1 heure 30), lorsque le dénivelé s'accentue. Vous pourrez revenir par le même itinéraire ou continuer jusqu'à la grotte de Pelekita et retourner le long de la côte (4 heures aller-retour).

Kato Zakros-Azokeramos-gorges de Zakros

Suivez le sentier qui mène au mont Traostalos, mais prenez à gauche à la bifurcation, en direction d'Azokeramos. En chemin, à l'embranchement signalé près de Skafi, tournez à gauche vers Vahlias. Suivez le lit asséché du Xeropotamos vers le sud ; il croise les gorges de Zakros à Lenika et vous ramène à la plage (3 heures aller-retour).

Sentier côtier vers le nord : Zakros-Pelekita-plage de Karoumes

Cet itinéraire spectaculaire surplombe la mer et passe par une ancienne carrière et une grotte à Pelekita (2 heures 30).

Sentier côtier vers le sud : Zakros-Xerokambos-plage de Katsounaki

Le sentier longe la côte est (1 heure 45).

Restaurant Nikos Platanakis (☎ 28430 26887 ; plats 5-7,50 €). Ce restaurant réputé offre un grand choix de spécialités grecques, comme le civet de lapin, les succulentes *hortopitakia* (pitas aux légumes verts) et les grillades de viande et de poisson. La plupart des légumes viennent du grand potager à l'arrière.

Depuis/vers Zakros et Kato Zakros

De Sitia, des bus rallient Zakros via Palekastro (4,50 €, 1 heure, 2/jour). De juin à août, ils continuent jusqu'à Kato Zakros.

PALAIS DE ZAKROS

Bien que le **palais de Zakros** (☎ 28430 26897 ; Kato Zakros ; 3 € ; 🕒 8h-19h30 juil-oct, 8h30-15h nov-juin) ait été le dernier palais minoen découvert (1962), les fouilles ont été particulièrement fructueuses.

Le ravissant vase en cristal de roche et une tête de taureau en pierre, aujourd'hui au Musée archéologique d'Héraklion (voir p. 148), ont été trouvés à Zakros, de même qu'un trésor d'antiquités minoennes. L'antique Zakros, le plus petit des quatre complexes palatiaux de Crète, était un port majeur à l'époque minoenne, commerçant avec l'Égypte, la Syrie, l'Anatolie et Chypre. Les ruines ne sont pas bien conservées et la montée des eaux au fil des ans a submergé des parties de l'ensemble (où barbotent de nombreuses tortues).

On entre par le côté sud où l'on découvre d'abord les **ateliers** du palais. L'**appartement du roi** et l'**appartement de la reine** se tiennent à droite de l'entrée. À côté de l'appartement du roi, la **salle de la citerne** comportait autrefois une citerne entourée d'une balustrade à colonnes. Sept marches descendaient jusqu'au fond de la citerne, qui était peut-être une piscine, un aquarium ou un bassin pour un bateau sacré. Non loin, la **cour centrale** constitue le centre du palais. Remarquez la base de l'autel dans l'angle nord-ouest ; dans le coin sud-est, 8 marches mènent à un **puits**. Lors des fouilles, le puits renfermait des restes d'olives, peut-être offertes aux déités.

La **salle des cérémonies**, dans laquelle on a découvert deux rhytons, jouxte la cour centrale. Au sud, la **salle des banquets** doit son nom aux nombreuses jarres de vin trouvées ici. Au nord de la cour centrale se tient la **cuisine**. Les bases de colonnes supportaient sans doute la salle à manger au-dessus. À l'est de la cour centrale, on découvre un autre **puits de lumière**. Le **bassin lustral**, à gauche de la salle des banquets, contenait une superbe amphore en marbre. Le bassin servait aux ablutions avant de pénétrer dans le **sanctuaire central** voisin. On peut y voir une corniche et une niche dans le mur sud, destinées aux déités.

En contrebas du bassin lustral, le **trésor** renfermait une centaine de jarres et de rhytons. La **salle des archives**, attenante, abritait des tablettes écrites en linéaire A. Au nord-est, les **toilettes** comprennent une fosse septique.

XEROKAMBOS ΞΕΡΟΚΑΜΠΟΣ

28 habitants

Xerokambos est un paisible hameau agricole sur le flanc sud-est de la Crète. Son éloignement l'a préservé du tourisme de masse et contribue à son charme. Il possède deux plages splendides et quelques tavernes et hébergements éparpillés.

Au nord du promontoire rocheux qui divise Xerokambos, la petite plage d'**Ambelos** bénéficie d'un peu d'ombre, contrairement à celle plus grande de **Mazidas**, au sud. La plupart des hébergements et des tavernes avoisinent Ambelos. Une supérette bien fournie est installée sur le côté nord de la plage de Mazidas.

Où se loger et se restaurer

Ambelos Beach Studios (☎/fax 28430 26759 ; studio 30-40 €). En face de la plage, ces studios douillets sont équipés d'une kitchenette, d'un réfrigérateur et de moustiquaires. Un barbecue et un four à bois en plein air sont à disposition. Le jardin ombragé plaira aux familles.

Akti Apartments (☎ 28430 26780 ; studio 35-45 € ; ❄). Ces studios confortables, avec balcon donnant sur la plage, sont parfaits pour un couple. Lumineux et joliment décorés, ils comprennent une kitchenette. Les appartements familiaux valent de 65 à 80 €.

Villa Petrino (☎ 28430 26702 ; www.xerokampos.eu ; studio 45 € ; ❄). Les studios équipés, vastes et plaisants, conviennent aux familles. Surplombant le jardin, ils possèdent lits, banquettes et sols en marbre, et certains ont vue sur la plage.

Kostas Taverna (☎ 28430 26702 ; plats 3-6 €). À côté de la Villa Petrino, cette taverne sympathique et réputée s'agrémente d'une véranda ombragée donnant sur le large. Nikos, le propriétaire polyglotte, vous aidera à choisir en cuisine les plats du jour. Essayez le lapin *rismarato* (au romarin et au vinaigre), servi avec des frites maison.

Akrogiali Taverna (☎ 28430 26777 ; plats 4,50-8 €). Près des Ambelos Beach Studios, la seule taverne en bord de plage de Xerokambos propose un choix de mezze, de grillades et de spécialités maison comme le lapin (en saison).

Depuis/vers Xerokambos

Aucun bus ne dessert Xerokambos. De Zakros, un embranchement signalé mène au village par une piste sinueuse et carrossable de 8 km. Sinon, une bonne route asphaltée part de Ziros.

CÔTE SUD

IERAPETRA ΙΕΡΑΠΕΤΡΑ

11 877 habitants

Au cœur d'une région agricole, Ierapetra est la ville la plus méridionale d'Europe. L'agriculture constitue sa principale source de revenus, comme en témoignent les serres qui jalonnent la côte. Bien que l'une des cités les plus prospères du pays, elle ne présente guère d'intérêt et attire peu de touristes. Des tavernes et des cafés bordent le front de mer, une petit fort vénitien domine le port et quelques vestiges d'un quartier turc subsistent. La plage de la ville et celles alentour sont plaisantes et la vie nocturne, suffisamment animée et authentique pour découvrir un aspect moins touristique de l'île.

Cité importante pour les Doriens, Ierapetra fut la dernière à tomber aux mains des Romains, qui en firent une escale majeure lors de leur conquête de l'Égypte. La ville s'étiola sous les Vénitiens, qui construisirent la forteresse à la pointe ouest du port.

De Ierapetra, on peut visiter l'île de Chryssi (ou Gaidouronisi), basse et sablonneuse.

Le samedi, un **marché** se tient dans la rue Psilinaki de 7h à 14h.

LASSITHI

Orientation et renseignements

La gare routière se situe dans la partie est de la ville et des DAB sont installés autour de la place principale. Pour de plus amples informations sur la ville, consultez le site www.ierapetra.net.

City Netcafé (☎ 28420 23164 ; Kothri 6 ; 2,50 €/h ; 🕑 9h-tard). Accès à Internet.

Poste (☎ 28420 22271 ; Kornarou 7 ; 🕑 7h30-14h)

À voir

Le **Musée archéologique** (☎ 28420 28721 ; Adrianou (Dimokratias) 2 ; 2 € ; 🕑 8h30-15h tlj sauf lun) présente une belle collection de statues classiques décapitées et une superbe statue de la déesse Perséphone, du IIe siècle. Remarquez le *larnax*, un sarcophage en argile qui date environ de 1300 av. J.-C., orné de 12 panneaux peints

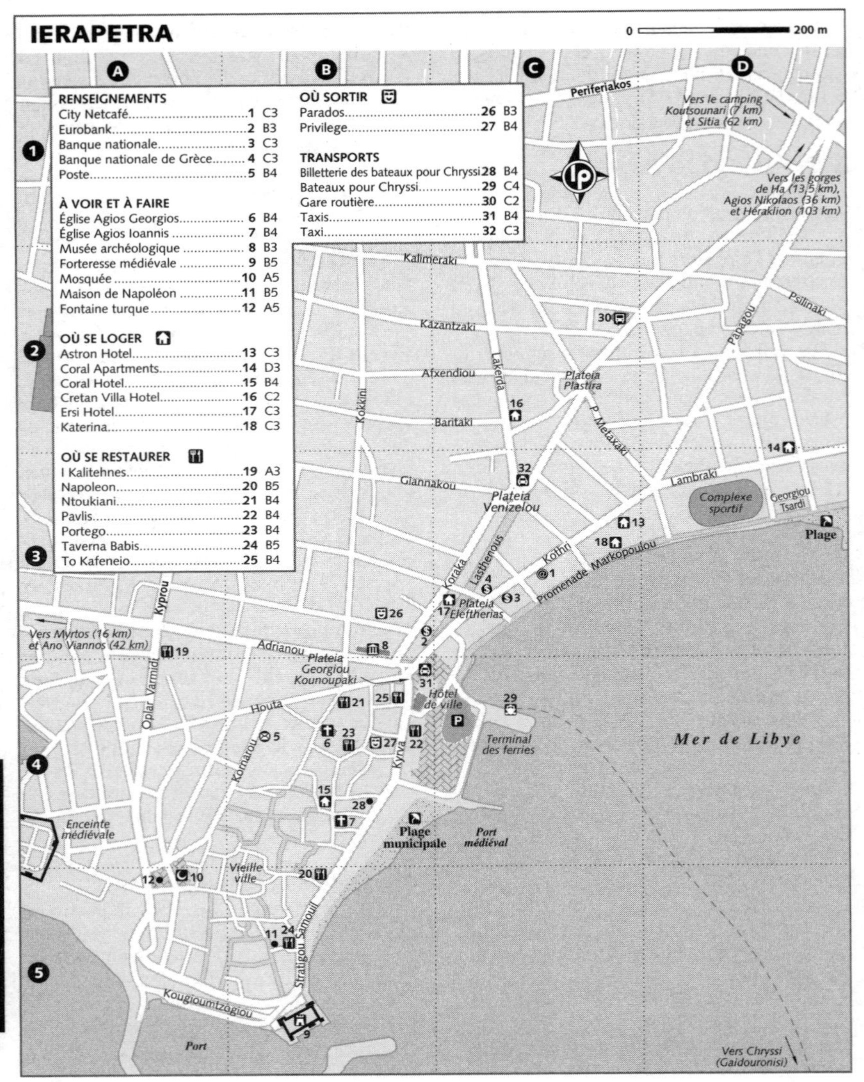

illustrant des scènes de chasse, une pieuvre et un défilé de chars. Le bâtiment de 1899 abritait une école à l'époque ottomane.

Au sud le long du front de mer, la **forteresse médiévale** (entrée libre ; ⌚ 8h30-15h tlj sauf lun) fut érigée au début de l'occupation vénitienne, puis renforcée par Francesco Morosini en 1626. En mauvais état, elle était fermée pour restauration lors de notre passage.

Dans le dédale des rues de la **vieille ville**, vous découvrirez une **fontaine turque**, une **mosquée** rénovée et son minaret et les anciennes églises d'**Agios Ioannis** et d'**Agios Georgios**. Bonaparte aurait passé une nuit incognito dans la **maison**

de Napoléon en 1798, alors qu'il faisait escale avant de gagner l'Égypte. Il aurait laissé un mot révélant son identité à la famille qui l'avait reçu.

La principale **plage de la ville** avoisine le port et une autre **plage** s'étire à l'est, au bas de Patriarhou Metaxaki. Toutes deux sont couvertes de gros sable gris et la première est plus ombragée.

Fêtes et festivals

Le **festival de Kyrvia** a lieu tous les ans, en juillet-août, à Ierapetra et s'accompagne de concerts, de représentations théâtrales et d'expositions artistiques. Des brochures sont disponibles dans les hôtels et à la mairie. D'autres manifestations culturelles sont organisées au printemps.

Où se loger

Koutsounari Camping (☎ 28420 61213 ; http://camping-koutsounari.epimlas.gr/index.html ; tente/adulte 4/6 €). À 7 km à l'est de la ville, à Koutsounari, ce camping possède un restaurant, un snack-bar et une supérette. Les bus Ierapetra-Sitia peuvent vous y déposer.

Ersi Hotel (☎ 28420 23208 ; Plateia Eleftherias 19 ; d 30 € ; ❄). Cet hôtel central rénové loue des chambres bien tenues, avec réfrigérateur, TV et vue sur la mer. Certaines sont un peu exiguës. La même famille gère aussi le Coral et des appartements équipés plus spacieux (45-60 €) de l'autre côté de la ville.

Coral Hotel (☎ 28420 22846 ; Katzonovatsi 12 ; d 30 €). Une autre adresse convenable pour les petits budgets, dans un quartier calme de la vieille ville.

Cretan Villa Hotel (☎ /fax 28420 28522 ; www.cretan-villa.com ; Lakerda 16 ; s/d 35/44 €, avec clim 40/50 € ; ❄). Installé dans une belle demeure du XVIIIe siècle, cet hôtel est le plus séduisant de la ville. Les chambres, décorées de meubles traditionnels, sont dotées d'un réfrigérateur et d'une TV. Une cour paisible ajoute au charme de l'endroit, à 5 min de marche de la gare routière.

Katerina (☎ 28420 28345 ; fax 28420 28591 ; Markopoulou 95 ; ch 45 € ; ❄). La vue sur la mer fait oublier les chambres plutôt mornes aux sdb spartiates.

Astron Hotel (☎ 28420 25114 ; htastron@otenet.gr ; Kothri 56 ; s/d avec petit déj 50/75 € ; ❄). L'hôtel le plus luxueux de la ville se situe à une rue de la plage. Les chambres confortables comprennent TV satellite et téléphone ; certaines donnent sur la mer.

Où se restaurer

Ierapetra est réputée de longue date pour ses *rakadika*, des établissements détendus où l'on vient en soirée boire une carafe de vin ou de raki en dégustant des mezze. Vous pourrez essayer **To Kafeneio**, en face de la mairie, le populaire **Ntoukiani** (Ethnikis Antistaseos 19), ou **Pavlis**, un *rakadiko* moderne proche du port, où la carafe à 3 € est accompagnée de 6 ou 7 assiettes d'excellents mezze.

Portego (☎ 28420 27733 ; Foniadaki 8 ; mezze 3-5 €, plats au four 5-9 €). Installé dans un ancienne demeure des années 1900, ce charmant restaurant sert une exquise cuisine grecque et crétoise, dont des plats cuits dans un four à bois (tout comme le pain). L'agneau au yaourt dans une cocotte en argile est succulent. Une bonne carte des vins, une cour plaisante en été et un bar complètent l'offre.

Napoleon (☎ 28420 22410 ; Stratigou Samouil 26 ; plats 4,50-9 €). Ancien et très réputé, le Napoleon se situe en bord de mer, dans la partie sud de la ville. Les spécialités grecques et crétoises sont de première qualité, tout comme le poisson.

I Kalitehnes (☎ 28420 28547 ; Kyprou 26 ; plats 4-7 €). Petit restaurant aux couleurs vives, niché dans une ruelle parmi les quincailleries et les marchands de pneus, ce petit restaurant pittoresque propose d'excellents plats bio, comme les gombos et les pommes de terre, ou des falafels et des kebabs plus relevés, préparés par le propriétaire égyptien. Le pain est également fait maison.

Sur le front de mer, la Taverna Babis est une bonne adresse pour son grand choix de mezze, et le Gorgona pour les poissons frais.

Où sortir

L'activité nocturne se concentre dans Kyrva, où des clubs comme le Privilege séduisent une clientèle locale en privilégiant la musique grecque. D'autres discothèques sont installées à deux pas, dans Foniadaki. Le Portego est une adresse élégante pour un verre. Les amateurs de jazz se retrouvent au Parados, derrière le musée.

Depuis/vers Ierapetra

De la **gare routière** (☎ 28420 28237 ; Lasthenous), 9 bus desservent chaque jour Héraklion (8,60 €, 2 heures 30) via Agios Nikolaos (3,30 €, 1 heure) et Gournia ; 7 bus se rendent à Sitia (5 €, 1 heure 30) via Koutsounari (pour le camping) et 7 partent pour Myrtos (1,60 €, 30 min).

SURPRISES MUSICALES

Que fait le piano à queue Bosendorfer de Pavarotti dans la station méridionale de Makrigialos ? Il fut employé par Gunnar Stromsholm, un homme d'affaires norvégien, pour prouver sa volonté de créer un festival de musique international en Crète. Depuis le premier concert organisé dans la cour de sa villa, la Casa dei Mezzo, en 2004, le **Festival de musique de la Casa dei Mezzo** (☎ 28430 29183 ; www.casadeimezzo-festival.com ; billets 10 €) se tient tous les ans au mois de juin sous la présidence du grand pianiste et chef d'orchestre Bryan Stanborough, également directeur artistique. En 2007, la plus célèbre soprano japonaise, Ranko Kurano, qui a interprété *Madame Butterfly*, faisait partie de la programmation éclectique. Les concerts ont lieu dans plusieurs sites, notamment dans la tour d'époque des Mezzo et à **Epavli**, un splendide manoir vénitien en ruines situé dans le village abandonné d'Etia.

Les **taxis** (☎ 28420 26600) peuvent vous emmener presque partout moyennant un prix fixe. Les tarifs sont affichés devant la station de la mairie ; comptez 74 € pour Héraklion, 33 € pour Agios Nikolaos, 50 € pour Sitia et 14 € pour Myrtos. Une autre station de taxis se situe sur la Plateia Venizelou.

Les bateaux pour Chryssi partent du quai tous les matins. La plupart des agences de voyages alentour vendent des billets (15 €).

CHRYSSI (GAIDOURONISI)

ΧRYSI (ΓΑΙΔΑΡΟΥΝΗΣΙ)

Au large de Ierapetra, Chryssi (île Dorée), également appelée Gaidouronisi (île aux Ânes), comporte de belles plages de sable, une taverne (menacée de rachat par une chaîne de fast-food) et un bosquet de cèdres du Liban, le seul en Europe. L'île peut être bondée à l'arrivée des bateaux d'excursion, mais on arrive toujours à trouver un endroit tranquille.

En été, des **bateaux d'excursion** (15 €) partent de Ierapetra tous les matins et reviennent dans l'après-midi.

GORGES DE HA (FARAGUI HA)

ΦΑΡΑΓΓΙ ΧΑ

À 13,5 km au nord de Ierapetra, les **gorges de Ha**, sauvages et superbes, sont sans doute les plus périlleuses d'Europe. La traversée s'apparente plus à une ascension difficile qu'à une randonnée et il faut utiliser des cordes ou nager sur une bonne partie du trajet. Ces gorges sont un étroit passage entre de hautes montagnes, avec un cours d'eau tout du long, entrecoupé de 27 cascades. Les premiers grimpeurs qui ont réussi à les franchir (en 1987) ont mis 7 jours pour parcourir ces gorges longues de 1800 m. Le parcours a été récemment sécurisé et des grimpeurs expérimentés peuvent faire l'escalade vertigineuse et parfois dangereuse en 3 à 6 heures (voir p. 73).

EST DE IERAPETRA

Les belles plages à l'est de Ierapetra sont très fréquentées en saison et vous aurez besoin d'une voiture pour explorer la région. À 13 km à l'est, la jolie plage d'**Agia Fotia** n'est plus le refuge isolé prisé des campeurs de jadis.

Des serres en plastique et des complexes touristiques sans charme jalonnent la majeure partie de la côte. Peu d'endroits incitent à s'arrêter, mais on trouve encore quelques coins séduisants. Si l'on peut traverser **Koutsouras** sans remords, le **Rovinsona's** (☎ 28430 51026 ; mezze 4-7 € ; 15h-tard), près de la nationale, constitue une agréable surprise. Surplombant la plage à l'ombre de tamaris géants, il prépare une cuisine succulente et la musique est excellente. Après un rafraîchissant yaourt au pourpier, régalez-vous d'une tourte cuite au feu de bois, comme celle à la chèvre, au fromage et au fenouil (8 €).

À côté, le **Kalliotzina** (☎ 28430 51207) est une taverne réputée, avec des tables donnant sur la plage et des plats classiques. Signalé sur la route côtière, le **Big Blue** (☎ 28430 52100 ; d 40 € ;) propose divers studios et appartements lumineux au bord d'une plage de galets, et un bar sympathique.

La belle plage de sable blanc à l'extrémité est de **Makrigialos**, à 24 km de Ierapetra, est l'une des plus séduisantes de la côte sud-est. Malheureusement, la ville est envahie par de gigantesques constructions qui gâchent le bord de mer et le port.

Sur la route de Sitia, vous pourrez faire un détour par le village médiéval abandonné de **Voïla**, sur une colline à 1 km au-dessus du village de Handras (bien indiqué). Une tour et des arches assez bien conservées révèlent différents styles architecturaux. Une fontaine vénitienne glougloute à proximité.

À 7 km à l'est de Makrigialos, la belle route qui longe la côte rocheuse mène au **Moni Kapsa** (monastère de Kapsa ; ☎ 28430 51638 ; 8h30-12h30 et 15h30-20h), bâti dans des falaises découpées. Le monastère connut une histoire étonnante et dut sa prospérité à Gerontogiannis, un escroc qui prétendit avoir eu une vision de Dieu et s'auto-proclama faiseur de miracles. Il se servit de sa célébrité et de la fortune amassée pour agrandir le monastère, dont les chapelles renferment quelques belles icônes et des sanctuaires en bois travaillé. Le monastère se dresse à l'entrée des **gorges de Perivolakia** (Kapsa), une marche de 3,5 km depuis le village de Perivolakia et sa petite plage.

À mi-chemin entre Makrigialos et Kapsa, faites un détour pour monter jusqu'à la **Spilia Tou Drakou** (grotte du Dragon ; ☎ 28430 51494), indiquée. La grotte porte le nom de la taverne en contrebas, qui prépare une excellente cuisine et s'agrémente d'une terrasse avec une vue fabuleuse sur la mer. Vous vous régalerez de côtelettes d'agneau grillées (8,50 €) ou de *nerati*, la version locale de la tourte au *myzithra* et au fenouil.

MYRTOS ΜΥΡΤΟΣ

425 habitants

À 14 km à l'ouest de Ierapetra, Myrtos est l'un des rares villages de cette portion de côte qui a réussi à préserver son authenticité. C'est une destination prisée de voyageurs plus âgés, qui reviennent chaque année. Doté d'une plage correcte, Myrtos ne possède pas de grands complexes hôteliers, mais plusieurs hôtels et restaurants à prix raisonnables. Aux alentours, quelques sites intéressants méritent la visite.

Le village ne compte ni poste ni banque. **Prima Travel** (☎ 28420 51035 ; www.sunbudget.net ; 3,50 €/h), qui fait fonction d'office du tourisme, offre l'accès à Internet et organise des randonnées dans les environs.

Le petit **musée** (☎ 28420 51065 ; entrée libre ; 9h-13h lun-ven) renferme la collection privée d'un ancien professeur qui participa à des fouilles dans la région après avoir trouvé des objets minoens lors de promenades avec ses élèves. La collection comprend des poteries de Vasiliki provenant des sites minoens proches de **Fournou-Korifi** et de **Pyrgos**, ainsi qu'une maquette saisissante de Fournou-Korifi tel qu'il fut découvert, avec tous les objets et poteries.

Sur le front de mer, la Taverna Akti est appréciée pour ses plats du jour, Manos, à l'extrémité est, pour ses viandes grillées, et Beach, à l'ouest, pour ses poissons et ses mezze.

Big Blue (☎ 28420 51094 ; www.big-blue.gr ; d/studio/app 35/60/75 € ;). À la lisière ouest du village, c'est l'une des meilleures adresses à proximité de la plage. Vous aurez le choix entre de grands studios aérés avec vue sur la mer et des chambres douillettes au rdc, tous dotés d'une cuisine.

Cretan Rooms (☎ 28420 51427 ; d 35 €). Ces chambres de style traditionnel, confortables et bien tenues, avec balcon et réfrigérateur, sont appréciées des voyageurs indépendants.

À LA DURE !

Les cottages en pierre d'**Aspros Potamos** (☎ 28430 51694 ; www.asprospotamos.com ; ch 32-60 €), vieux de 300 ans, étaient autrefois habités en hiver par les fermiers du village de Pefki. Aspros Potamos se situe au-dessus de Makrigialos sur la route de Pefki. Il y a 20 ans, Aleka Halkia acheta le hameau abandonné et le restaura patiemment dans le style d'origine pour en faire des chambres d'hôtes, destinées à ceux qui souhaitent se rapprocher de la nature et d'une vie simple. Un système photovoltaïque écologique permet de chauffer l'eau et d'alimenter la sdb et le réfrigérateur en électricité. Les 11 cottages, avec sol en pierre et meubles traditionnels, sont éclairés par des lampes à huile et des bougies. La plupart comportent une cheminée et l'un d'eux une chambre creusée dans la roche. Aleka habite sur place et gère l'ensemble avec sa fille Myrto, aujourd'hui partie vivre en ville. À quelques kilomètres le long de l'embranchement qui mène à Pefki, au nord, le hameau peut être difficile à trouver. Appelez pour qu'on vienne vous chercher.

Un peu plus haut, vous pourrez visiter le **Stausa Workshop** (atelier Stausa ; ☎ 28430 51410) de Maria Palumbo et Makis Ladas, qui vivent dans un cottage en pierre isolé et créent des pièces uniques à partir de bois flotté et d'autres matériaux naturels recyclés. Une plaisante marche y conduit depuis Makrigialos, où vous pourrez suivre la route signalée du côté ouest du pont.

EXCURSION : L'ARRIÈRE-PAYS

Les montagnes derrière Ierapetra et le plateau brumeux d'Omalos permettent de faire de belles excursions, à condition de disposer d'un 4x4. On peut aussi découvrir des endroits peu fréquentés, avec un véhicule classique ou à pied. De Ierapetra, la route panoramique en direction du nord-est passe par le **barrage de Bramiana**, qui a créé un marais où s'arrêtent des oiseaux migrateurs. De là, vous aurez une vue plongeante sur les serres en plastique avant d'admirer des paysages de montagne changeants, des précipices rocheux désolés aux forêts luxuriantes. Du haut du joli village de **Kalamafka**, l'un des points les plus étroits et les plus hauts de l'île, le regard porte sur la côte nord et sur la mer de Libye, au sud.

Au sud de Kalamafka, le village protégé quasi abandonné d'**Anatoli** a été restauré grâce à des fonds européens. Sa rue principale, bordée d'échoppes d'origine, est remarquablement préservée. Lors de notre passage, deux pensions venaient d'ouvrir en prévision du renouveau du village.

À la sortie de Males, la petite **chapelle d'Agia Paraskevi**, bâtie dans la roche, avoisine une cascade et un café. En dessous de la chapelle, une taverne à l'ancienne est tenue par un couple âgé qui cuisine quelques plats pour des clients occasionnels. Le choix est limité.

Au pied de la superbe **forêt de Selakano**, qui fait partie du sentier de grande randonnée E4, le village de Selakano est l'un des derniers de Crète à avoir été raccordé à l'électricité (en 2006). Auparavant, le pittoresque **kafeneio de Stella** utilisait un four à bois et le gaz. La terrasse ombragée d'une vigne vierge en fait une halte plaisante. Une belle route revient à Myrtos via Mythi.

Des cuisines communes sont à disposition. L'établissement est bien indiqué dans l'artère principale.

Hotel Myrtos (☎ 28420 51227 ; www.myrtoshotel.com ; s/d/tr avec petit déj 30/35/40 € ; ❄). Au milieu de la grand-rue, cet hôtel de catégorie moyenne possède des chambres spacieuses et impeccables avec TV, téléphone, minibar et balcon. Sa taverne (plats 4-7 €), prisée des habitants et des touristes, offre un grand choix de mezze et de *mayirefta*, dont plusieurs végétariens.

Platanos (☎ 28420 51363 ; plats 4,50-8 €). Rendez-vous des étrangers, l'endroit est agréable pour un verre ou un repas à l'ombre d'un platane géant.

Sept bus relient quotidiennement Ierapetra et Myrtos (1,60 €, 30 min).

Carnet pratique

SOMMAIRE

ACHATS

La Crète a une longue tradition d'artisanat. Dans les centres touristiques, les boutiques débordent de céramiques, d'articles en cuir travaillés à la main, de tapis tissés, d'icônes, de lin brodé et de jolis bijoux en or et en argent. En outre, les herbes aromatiques, l'huile d'olive, le vin, les conserves de fruits, les fromages, les olives et autres produits alimentaires crétois constituent d'excellents souvenirs. Assurez-vous que l'importation de ces produits est autorisée dans votre prochaine destination.

INFORMATIONS PRATIQUES

- La Crète utilise le système métrique.
- Les prises sont à deux fiches (220 V, 50 Hz).
- Il existe 9 chaînes de télévision gratuites et de nombreuses chaînes payantes.
- Pour les cassettes vidéo, sachez que la Grèce utilise le système PAL, incompatible avec le système français SECAM. Pour les DVD, elle est en zone 2.

La plupart des articles vendus dans les magasins de souvenirs sont produits en masse. Même s'ils sont de bonne qualité, n'hésitez pas à fréquenter des magasins plus originaux pour dénicher des produits authentiques.

Parmi les grandes villes, La Canée offre le meilleur choix d'artisanat : derrière le port, les rues sont remplies de boutiques où l'on trouve le cuir, les bijoux, les céramiques et les tapis les mieux travaillés de Crète.

Rethymnon ne manque pas non plus de bons artisans ; Héraklion possède des boutiques de créateurs plus haut de gamme et de grandes chaînes, notamment de vêtements.

Plusieurs villages de l'intérieur sont réputés pour leur artisanat. En théorie, vous trouverez de belles pièces en lin et des broderies à Anogia et Kritsa. Cependant, sachez qu'aujourd'hui beaucoup de ces articles sont produits à Hong Kong ou en Indonésie. Vérifiez la provenance avant d'acheter. Les ateliers de tissage de La Canée et les boutiques de dentelles de Gavalohori (p. 119) proposent généralement des articles authentiques.

Antiquités

Il est illégal d'acheter, de vendre, de posséder ou d'exporter la moindre antiquité en Crète (voir p. 211). Il y a toutefois antiquités et "antiquités". Ainsi, de nombreux objets vieux d'un ou de deux siècles sont considérés comme des babioles et non comme faisant partie du patrimoine national. Des meubles artisanaux, des objets campagnards, des ornements ecclésiastiques et des biens ramenés de contrées lointaines peuvent entrer dans cette catégorie. Renseignez-vous auprès du vendeur.

Bijoux

Des créateurs produisent de fabuleux bijoux, vendus dans des magasins haut de gamme. On peut en voir certains à l'œuvre dans leurs ateliers, en particulier à La Canée. Les pièces les plus originales sont souvent en argent et non en or. Pour des formes plus traditionnelles, tournez-vous vers les reproductions de pièces minoennes comme le disque de Phaistos, produites et vendues partout en Crète.

Céramiques

Partout en Crète, vous verrez des céramiques de toutes tailles et de toutes formes, utilitaires ou décoratives.

Les grands centres de la poterie sont Margarítes (p. 134), connue pour ses motifs caractéristiques, et Thrapsano (p. 164), célèbre pour ses urnes géantes (*pithoi*). Des artisans contemporains perpétuent des techniques de cuisson et de vernissage de la Grèce antique (voir *Carmela*, p. 86) pour créer des pièces uniques.

Les céramiques crétoises les plus courantes présentent un vernis bleu brillant, qui ne doit pas s'écailler si vous le grattez avec la lame d'un couteau. Si le dessous est également verni, la pièce a probablement été fabriquée par une machine.

Couteaux

Les Crétois sont fiers, et à juste titre, de leurs couteaux travaillés à la main, dotés de manches en corne de bélier, forgés à chaud et tranchants comme des rasoirs. Attention, vous en trouverez dans de nombreux centres touristiques, mais la plupart ne sont pas fabriqués selon les coutumes ancestrales et certains ne couperaient même pas du beurre.

Cuir

En Crète, le cuir n'est pas des plus souples mais les prix sont raisonnables. Pour des sacs, portefeuilles, chaussures ou bottes de qualité, arpentez les boutiques de "la rue du cuir" à La Canée (p. 86). À Rethymnon, plusieurs magasins, notamment Silverhorse (p. 128), vendent d'excellents articles en cuir.

Tissages

Tapis tissés et tentures sont disponibles partout en Crète. Même si la qualité est correcte, sachez qu'ils sont souvent fabriqués à la machine sur l'île, voire en Asie. Pour des articles authentiques, rendez-vous dans le centre historique de La Canée (voir p. 128) où vous observerez les artisans au travail.

ACTIVITÉS SPORTIVES

En Crète, terre d'aventures, de multiples activités attendent les sportifs. Pour plus de détails, reportez-vous au chapitre *Activités de plein air* (p. 69).

ALIMENTATION

Pour une présentation des cuisines grecque et crétoise, reportez-vous p. 54. Dans ce guide, les restaurants des grandes villes sont classés en "petits budgets" (moins de 15 €), "catégorie moyenne" (15-24 €) et "catégorie supérieure" (plus de 24 €) – tarifs pour deux plats. Plus aucun supplément n'est appliqué pour chaque convive, mais le pain est encore parfois facturé en sus.

AMBASSADES ET CONSULATS

Ambassades de Grèce

Voici quelques représentations diplomatiques grecques à l'étranger :

France (☎ 01 47 23 72 28/23 ; www.amb-grece.fr ; 17 rue Auguste-Vacquerie, 75116 Paris)
Belgique (☎ 02-545 55 00 ; www.greekembassy-press.be ; 6 rue des Petits-Carmes, 1000 Bruxelles)
Suisse (☎ 31-356 14 14 ; www.greekembassy.ch ; Weltpoststrasse 4, CH-3015 Berne)
Canada (☎ 613-238 62 71 ; www.greekembassy.ca ; 76-80 Maclaren St, Ottawa, Ontario K2P 0K6)

Ambassades étrangères en Grèce

La seule ambassade étrangère présente en Crète est celle de Grande-Bretagne, à Héraklion. Toutes les autres se trouvent à Athènes.

France (☎ 210 339 10 00 ; www.ambafrance-gr.org ; Vassilissis Sofias 7, 10671)
Belgique (☎ 210 361 78 86 ; www.diplomatie.be/athensfr ; Odos Sékéri 3, 10671)
Suisse (☎ 210 723 03 64/65/66 ; www.eda.admin.ch/eda/fr/home/reps/eur/vgrc/embath.html ; Iassiou 2, 11521)
Canada (☎ 210 727 33 52/53 ; www.infoexport.gc.ca/gr ; Ioannou Ghennadiou 4, 11521)

ARGENT

La Grèce est membre de la zone euro.

Bureaux de change

Les banques changent toutes les grandes devises en espèces et en chèques de voyage – un passeport est exigé pour les chèques de voyage, mais pas forcément pour les espèces.

Les commissions sont moins importantes pour les espèces que pour les chèques de voyage (certaines banques facturent 2 € par chèque quel que soit le montant). Les postes changent les billets – mais pas les chèques de voyage – et encaissent une commission moins élevée que les banques. Les agences de voyages effectuent souvent les opérations de change au cours en vigueur dans les banques, en appliquant des commissions plus élevées.

Cartes de crédit

Les principales cartes de crédit (MasterCard et Visa) sont couramment acceptées en Crète. Les cartes American Express et Diners Club fonctionnent dans les lieux touristiques mais sont inconnues ailleurs.

Dans les grands hôtels et dans certains établissements de catégorie moyenne, il est possible de payer par carte, ce qui n'est pas le cas dans les hôtels pour petits budgets et les *domatia*. De même, vous pourrez acquitter vos achats par carte dans les magasins et restaurants haut de gamme, mais pas dans les tavernes de village ni dans les petites boutiques.

Chèques de voyage

Les chèques de voyage sont progressivement délaissés au profit des cartes de crédit. Les chèques American Express, Visa et Thomas Cook, acceptés partout, se remplacent facilement. N'oubliez pas de noter à part les numéros des chèques et ceux que vous avez déjà utilisés. Vous en aurez besoin en cas de perte.

Distributeurs automatiques de billets (DAB)

Vous trouverez des DAB dans la quasi-totalité des villes disposant d'une banque – et partout où il y a des touristes. Avec une carte MasterCard ou Visa/Access, vous aurez l'embarras du choix pour retirer des espèces ; les cartes Cirrus, Plus et Maestro sont acceptées dans les machines des grandes villes et des sites touristiques.

Les guichets de change automatiques, nombreux, acceptent les principales devises.

Espèces

Si l'argent liquide reste le mode de paiement le plus pratique, c'est aussi le plus risqué : rares sont les assurances qui remboursent les pertes de liquidités. D'une manière générale, ne conservez pas plus de 250 € sur vous – soit l'argent nécessaire pour quelques jours – et mettez un petit pécule de côté pour faire face aux imprévus.

CONSEILS AUX VOYAGEURS

La plupart des gouvernements possèdent des sites Internet qui recensent les dangers possibles et les régions à éviter. Consultez notamment les sites suivants :

- Ministère français des Affaires étrangères (www.france.diplomatie.fr)
- Ministère des Affaires étrangères de Belgique (www.diplomatie.be/)
- Ministère des Affaires étrangères du Canada (www.voyage.gc.ca)
- Département fédéral des Affaires étrangères suisse (www.eda.admin.ch/eda/fr/home.html)

Pourboires et marchandage

Dans les restaurants, le service est compris, mais il est coutumier de laisser un petit pourboire. Les chauffeurs de taxi apprécient également cette attention.

Plutôt rare dans les commerces crétois, le marchandage peut donner de bons résultats dans les magasins de souvenirs et sur les marchés. Faire mine de partir est souvent efficace.

Pour l'hébergement, il est toujours intéressant de négocier, surtout si vous restez plusieurs jours. En saison haute, vous n'obtiendrez sans doute pas satisfaction, mais le reste du temps, les réductions sont parfois significatives.

ASSURANCE

Reportez-vous à la rubrique *Santé*, p. 218.

BÉNÉVOLAT

La **Société pour la protection des tortues de mer en Grèce** (☎/fax 210 523 1342 ; www.archelon.gr ; Solomou 57, Athènes 10432) accueille des bénévoles dans le cadre de ses activités en Crète. Pour plus de détails, reportez-vous p. 68.

Si vous voulez monter à cheval, assurez-vous du bon traitement des animaux et renseignez-vous sur la crédibilité de toute association bénévole. L'éthique n'est pas la même partout.

CARTES DE RÉDUCTION

Carte senior

Les seniors de l'UE munis d'une carte senior bénéficient de réductions dans les musées et les sites antiques, ainsi que sur les billets de train.

Carte étudiant et carte jeune

La **carte d'étudiant internationale** (www.isic.fr) est la plus reconnue. Vous pouvez la commander en ligne, ou l'obtenir auprès d'une agence agréée (adresses et pièces à fournir disponibles sur le site Internet). Il n'existe pas de bureau ISIC en Crète ; vous devrez donc vous la procurer avant votre départ ou à Athènes, auprès de l'**International Student and Youth Travel Service** (ISYTS ; ☎ 210 323 3767 ; 2e ét, Nikis 11, Athènes). Cette carte donne droit à une entrée demi-tarif dans certains musées et sites antiques. Si vous avez moins de 26 ans mais que vous n'êtes pas étudiant, la Fédération internationale des organisations de voyages pour les jeunes (FIYTO) diffuse la carte IYTC, qui offre des avantages similaires. Renseignements sur www.isic.fr.

Des agences de voyages grecques consentent des réductions aux étudiants sur les circuits organisés. Olympic Airways leur octroie une remise de 25% sur les vols nationaux faisant partie d'une liaison internationale.

CARTES ET PLANS

Les cartes tiennent une place importante dans ce guide. À moins de vouloir partir en randonnée ou de circuler en voiture, vous n'aurez sans doute pas besoin de cartes supplémentaires. Ne vous fiez pas aux cartes distribuées gratuitement par les offices du tourisme, souvent obsolètes ou peu précises. Les cartes ci-dessous sont disponibles dans la plupart des librairies et boutiques touristiques de Crète.

Les excellentes cartes routières et de randonnée publiées par **Anavasi** (☎ 210 321 8104 ; www.anavasi.gr) sont compatibles avec le GPS. Anavasi propose trois cartes routières pour la Crète : *Chania* (La Canée), *Iraklio-Rethimno* et *Lasithi* au 1/100 000 (7,50 €). Cet éditeur publie également des cartes de randonnée fiables : *Lefka Ori-Sfakia*, *Lefka Ori-Pachnes*, *Samaria-Soughia*, *Mount Idha (Psiloritis)* et *Zakros-Vai* – au 1/25 000 (6,50-7,50 €). **Road Editions** (☎ 210 364 0723 ; www.road.gr) propose une carte de la Crète très complète au 1/200 000, à couverture bleue (6 €), avec des plans des grandes villes très pratiques, ainsi que des cartes au 1/100 000 consacrées à la Crète orientale et à la Crète occidentale (8 €).

Le spécialiste du trekking Giorgos Petrakis, basé à Héraklion, est à la tête des **Petrakis Editions** (☎ 2810 282630 ; 5 €), qui possèdent des cartes routières et de randonnée (au 1/100 000) pour chacun des quatre nomes de l'île. Disponibles partout en Crète, elles incluent le tracé du sentier E4 et toutes les routes de montagne.

En France, **IGN** (www.ign.fr) publie une carte touristique de la Crète au 1/150 000 (5,20 €).

CLIMAT

La Crète jouit d'un climat méditerranéen typique, caractérisé par des étés secs et chauds et des hivers doux. Sur la côte sud, on se baigne sans problème de mi-avril à novembre.

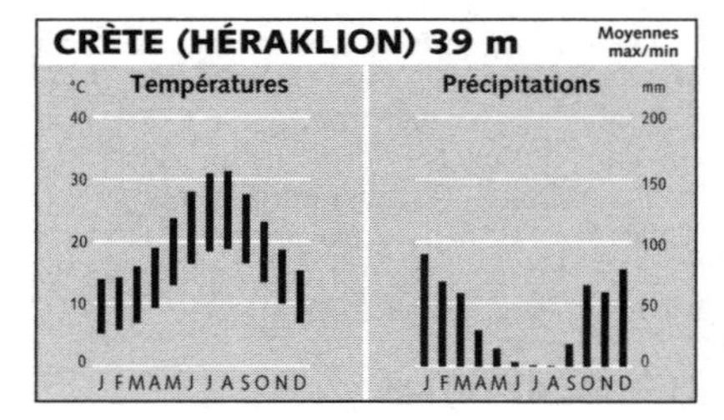

COURS

En juillet, l'**université de Crète** (☎ 28310 77278 ; www.philology.uoc.gr) de Rethymnon met en place des cours de grec moderne de 4 semaines pour les étrangers. Les cours ont lieu le matin et s'adressent à tous les niveaux, de débutant à avancé. Contactez l'université pour plus de détails.

Des ateliers de cuisine crétoise sont organisés un peu partout sur l'île (reportez-vous p. 62).

Pour les cours consacrés aux activités sportives, consultez le chapitre *Activités de plein air*, p. 69.

DÉSAGRÉMENTS ET DANGERS

Les délits, surtout les vols, sont rares en Crète. Veillez toutefois à vos effets personnels dans les transports et sur les marchés, et ne laissez pas vos bagages sans surveillance dans une voiture. La grande majorité des vols visant des touristes sont l'œuvre d'autres touristes, les hôtels et campings étant les lieux les plus exposés aux larcins. Si la porte ou les fenêtres de votre chambre d'hôtel ne ferment pas, déposez vos objets de valeur dans le coffre-fort de l'établissement.

DOUANE

La circulation des marchandises est désormais libre au sein de l'Union européenne. Toutefois, des contrôles sont toujours effectués, notamment pour détecter la présence de stupéfiants.

Aucune limitation ne s'applique à l'importation de devises. En revanche, vous ne pouvez pas quitter le territoire grec avec un montant équivalant à plus de 2 500 $US en espèces ; tout dépassement de cette somme doit se présenter sous la forme d'un chèque de banque ou d'un ordre de paiement. Il est formellement interdit d'exporter sans autorisation des antiquités (soit tout objet datant de plus de 100 ans), et d'emporter la moindre pièce d'un site archéologique, si petite soit-elle.

Les personnes extérieures à l'UE peuvent importer librement : 200 cigarettes ou 50 cigares ; 1 l d'alcool ou 2 l de vin ; 50 g de parfum ; 250 ml d'eau de Cologne et des cadeaux d'une valeur n'excédant pas 175 €.

L'importation d'œuvres d'art et d'antiquités n'est pas réglementée mais doit faire l'objet d'une déclaration à l'entrée du territoire, en vue d'une réexportation future.

Il est interdit d'importer des médicaments à base de codéine sans prescription médicale. D'une façon générale, munissez-vous d'une ordonnance si vous suivez un traitement. Un certificat vétérinaire est obligatoire pour les chiens et les chats.

ENFANTS

La Crète est une destination sûre où il est relativement facile de voyager avec des enfants, surtout si vous séjournez en bord de mer ou dans un complexe hôtelier. Les Grecs adorent les petits et les chouchoutent volontiers. En Grèce, les bambins vont à la taverne avec leurs parents et jouent dehors le soir, dans les rues et sur les places – eux aussi ont l'habitude de se coucher tard.

L'île compte très peu d'aires de jeux. En revanche, la plupart des grandes villes possèdent des centres de jeux climatisés, pratiques pour fuir la chaleur.

N'hésitez pas à emmener les enfants sur les sites antiques : ils se montrent souvent passionnés.

Les hôtels et les restaurants font généralement leur possible pour répondre aux besoins des plus petits, mais en dehors des grands complexes, les chaises hautes sont rares. Dans les tavernes, le service, souvent rapide, permet aux enfants de ne pas s'impatienter.

Vous trouverez du lait frais dans les grandes villes et les centres touristiques, moins couramment dans les petits villages. Les laits en poudre, concentrés et pasteurisés sont disponibles partout.

Les déplacements peuvent poser un problème avec des enfants en bas âge. En Crète, les poussettes ne sont guère pratiques, à moins de se limiter à des zones au relief plat. Inutiles sur les chemins caillouteux, elles sont encombrantes dans les escaliers, ou pour monter et descendre des bus et des ferries. Les porte-bébés sont plus adaptés.

Les moins de 4 ans voyagent gratuitement en bus et en ferry. Les moins de 10 ans paient moitié prix dans les ferries ; cette réduction s'applique jusqu'à 12 ans dans les bus. Sur les vols intérieurs, les enfants de 2 à 12 ans bénéficient du demi-tarif ; les moins de 2 ans n'acquittent que 10% du plein tarif s'ils voyagent sur les genoux.

FÊTES ET FESTIVALS

En Crète comme dans le reste du pays, l'année est ponctuée d'innombrables manifestations, religieuses, culturelles ou autres – toute occasion est bonne pour se réunir autour d'un repas. La liste suivante, non exhaustive, couvre les principaux évènements nationaux et régionaux. Si vous vous trouvez là où il faut et quand il faut, on vous invitera sans doute à vous joindre aux réjouissances.

En été, des festivals culturels sont organisés partout en Crète. Les plus importants sont le **Festival Renaissance** de Rethymnon (p. 125), où sont présentés des expositions, des films, et des spectacles de danse et de théâtre, et le **Festival Kyrvia** d'Ierapetra (p. 201) qui programme des représentations artistiques, musicales et théâtrales.

Le **Festival des arts d'été** (p. 153) d'Héraklion a lieu de juillet à septembre ; il attire des artistes internationaux, ainsi que des chanteurs et danseurs locaux. Le **Festival culturel de Lato**, à Agios Nikolaos (p. 180), met à l'honneur des œuvres traditionnelles et modernes, interprétées par des orchestres et des ballets locaux ou étrangers. Le **Festival Kornaria** (p. 193) de Sitia est l'occasion d'assister à des concerts, des pièces de théâtre, des expositions et une compétition de beach-volley.

Janvier

Fête d'Agios Vasilios (Saint-Basile). Cette fête marque le Nouvel An. Cadeaux, danses et chants sont au rendez-vous après la cérémonie religieuse. On découpe le *vasilopita*, sorte de galette des rois contenant une pièce de monnaie. La personne qui la trouve aura de la chance toute l'année.

Épiphanie (le baptême par les eaux). Le 6 janvier, on commémore partout en Grèce le baptême du Christ par saint Jean. Les eaux des mers, des rivières et des lacs sont bénies et des crucifix sont immergés. Les courageux qui récupèrent la croix sont bénis pour toute l'année.

Février-mars

Lundi des Cendres (Lundi gras). Le 1er jour du carême, les Grecs vont pique-niquer dans les collines et font voler des cerfs-volants.

Mars

Fête nationale. Le 25 mars, des danses et des défilés commémorent la révolte de l'archevêque Germanos, qui brandit le drapeau grec au monastère d'Agias Lavras dans le Péloponnèse, déclenchant ainsi la guerre d'Indépendance. L'Annonciation, qui est aussi une fête religieuse, est également célébrée ce jour-là.

Mars-avril

Pâques. En Grèce, la plus grande fête religieuse est Pâques – la plupart du temps, elle ne coïncide pas avec la Pâques non-orthodoxe, car elle est calculée selon une formule et un calendrier différents. Pour le dimanche des Rameaux (qui précède Pâques), les fidèles rentrent de la messe avec une croix ornée de feuilles de palmier et de myrte. La messe est suivie de processions éclairées à la bougie (le Vendredi saint) ou de feux d'artifices (à minuit, le samedi de Pâques).

Fête d'Agios Georgos (Saint-Georges). Le 23 avril (ou le 1er mardi après Pâques) est célébrée la fête de saint Georges, patron de la Crète et des bergers. Les principales festivités ont lieu à Asi Gonia, où des milliers de chèvres et de moutons sont rassemblés devant l'église pour être tondus, traits et bénis. Le lait frais coule à flots lors des réjouissances.

Hohliovradia (nuit des Escargots). Vamos met à l'honneur ce mets délicat avec des dégustations accompagnées de vin et de *tsikoudia* (eau-de-vie de raisin).

Mai

1er mai. Cette journée est marquée par un exode en masse des villes vers les campagnes : les Grecs pique-niquent, cueillent des fleurs et tissent des couronnes pour décorer leurs maisons.

Bataille de Crète. La dernière semaine de mai, l'île fête la bataille de Crète avec des compétitions sportives, des danses folkloriques et des commémorations à La Canée, Rethymnon et Héraklion, et dans des lieux stratégiques comme la baie de Souda, Stavronas et le Moni Preveli.

Juin

Semaine de la mer. Les années paires, la dernière semaine de juin est marquée par des festivités qui célèbrent l'union des Grecs avec la mer. Dans les principaux ports crétois, on assiste à des spectacles de musique et de danse et à des compétitions de natation et de voile.

Fête de Saint-Jean-Baptiste. Le 24 juin, cette fête est très suivie. Les couronnes tressées le 1er mai sont rassemblées dans un grand feu de joie.

Festival de musique de la Casa dei Mezzo. Musique classique, musique crétoise et musiques du monde à Makrigialos.

Juillet

Fête d'Agia Marina (Sainte-Marine). Célébrée le 17 juillet dans de nombreux endroits de l'île, elle est particulièrement marquée à Agia Marina, près de La Canée.

Fête du Profitis Ilias (Prophète-Élie). Le 20 juillet dans les églises et monastères situés au sommet des collines, en l'honneur du prophète.

Festival du vin. Ce festival se tient dans le parc municipal de Rethymnon, avec des dégustations de vin et de cuisine locale.

Festival Yakinthia. Chaque année, la dernière semaine de juillet, le village de montagne d'Anogia reçoit un festival culturel et musical. Récitals de poésie, conférences, expositions et concerts de musique crétoise en plein air.

Festival Renaissance. Le plus important festival de Rethymnon se déroule de juillet à septembre, avec des spectacles des meilleures compagnies de théâtre grecques ainsi que des compagnies de danse, des musiciens et des comédiens venant de toute l'Europe.

Festival des arts d'été. Des compagnies de danse et des orchestres internationaux partagent la scène avec des talents locaux à Héraklion, de juillet à septembre. Les évènements phares se déroulent dans le grand théâtre en plein air.

Juillet-août

Festival Kornaria. À Sitia, ce festival s'étale de mi-juillet à fin août, avec des concerts, des danses traditionnelles et des pièces de théâtre présentés dans le *kazarma* (fort) et dans d'autres lieux.

Festival culturel Lato. Agios Nikolaos accueille ce festival comprenant des concerts d'artistes locaux et internationaux, de la musique crétoise avec instruments traditionnels, des danses folkloriques, des duels de *mantinades* (couplets de rimes improvisés), des pièces de théâtre, des expositions artistiques et des compétitions de natation.

Festival Kyrvia. Le principal festival d'Ierapetra met en scène des concerts, des pièces de théâtre et des expositions.

Août

Fête du Vin. À Archanes, le 15 août conclut 5 jours de festivités en l'honneur de l'excellent vin local.

Assomption. Les Grecs fêtent le 15 août en famille. Toute la population semble se déplacer pendant les jours qui précèdent et qui suivent – mieux vaut éviter les transports publics.

Mariage crétois traditionnel. Fin août, le village de Kritsa organise un mariage crétois traditionnel avec chants, danses, cuisine traditionnelle… et un couple heureux !

Fête du Raisin Sultana. La dernière semaine d'août, Sitia rend hommage à son excellent raisin Sultana à grand renfort de vin, de musique et de danse.

Fête de la Pomme de terre. La région du Lassithi produit des pommes de terre de qualité, mises à l'honneur lors de cette manifestation de 3 jours organisée fin août à Tzermiado.

Septembre

Genisis tis Panagias (naissance de la Vierge). Dans tout le pays, cérémonies religieuses et festivités marquent la naissance de la Vierge, célébrée le 8 septembre.

Octobre

Fête de la Châtaigne. Le village d'Elos organise ce festival le 3e dimanche du mois, avec des dégustations de châtaignes grillées, de gâteaux à la châtaigne et de *tsikoudia*.

Commémoration du Non (Ohi). Le 28 octobre marque le refus de Metaxas, pendant la Seconde Guerre mondiale, de laisser les troupes de Mussolini traverser la Crète. Au programme : cérémonies religieuses, défilés militaires, danses et repas.

Novembre

Anniversaire de l'explosion du Moni Arkadiou. L'un des jours fériés les plus importants de Crète, célébré au monastère du 7 au 9 novembre.

Décembre

Noël. Moins importante que Pâques, la fête de Noël est néanmoins célébrée par des cérémonies religieuses et des festivités. Sapins de Noël, décorations et cadeaux sont désormais de rigueur.

FORMALITÉS ET VISAS

Pour entrer sur le territoire grec, les Français, les Belges et les Suisses devront produire une carte d'identité ou un passeport valide (le permis de conduire n'est pas une pièce d'identité). Les Canadiens peuvent séjourner 3 mois en Grèce sans visa avec un passeport valide. Les mineurs non accompagnés de leurs parents devront fournir une autorisation parentale de sortie de territoire, délivrée par les mairies et les commissariats.

Nous vous conseillons de photocopier tous vos documents importants (pages d'introduction de votre passeport, cartes de crédit, numéros de chèques de voyage, police d'assurance, billets de train/d'avion/de bus, permis de conduire, etc.). Emportez un jeu de ces copies, que vous conserverez à part des originaux. Vous remplacerez ainsi plus aisément ces documents en cas de perte ou de vol. Vous pouvez également en laisser une copie dans un fichier attaché à un courriel envoyé sur votre propre messagerie.

Prorogation de séjour

Les personnes extérieures à l'UE peuvent prolonger leur séjour au-delà de 3 mois en déposant une demande auprès d'un consulat à l'étranger ou en contactant le **bureau des étrangers** (☎ 210 510 2831 ; Leoforos Alexandras 173, Athènes ; 🕑 8h-13h lun-ven) au moins 20 jours avant l'expiration du délai de 3 mois. Elles devront fournir un passeport et 4 photos d'identité et devront peut-être prouver qu'elles peuvent subvenir à leurs besoins (relevé bancaire, reçu d'opérations de change, etc.).

En Crète, ces démarches doivent être réalisées dans la préfecture principale d'Héraklion. Le permis est délivré pour une durée maximale de 6 mois. Nombre de voyageurs évitent ces formalités en se rendant quelque temps dans un pays voisin (Turquie ou Bulgarie) avant de revenir en Grèce.

HANDICAPÉS

Si votre mobilité est réduite, vous risquez d'être confronté à des difficultés en Crète. La plupart des hôtels, ferries, musées et sites antiques ne sont pas accessibles aux fauteuils roulants, et la plupart du temps le terrain n'est pas praticable. Les nouveaux hôtels doivent désormais respecter des règles d'accès aux personnes handicapées.

Si vous êtes décidé, sachez que des personnes en fauteuil roulant viennent chaque année passer leurs vacances en Crète. L'**Eria Resort** (☎ 28210 62790 ; www.eria-resort.gr) de Maleme, dans l'ouest de l'île, est l'un des rares complexes grecs adaptés aux personnes handicapées. Il offre des infrastructures et des services particuliers. En outre, il propose un suivi médical et des excursions et activités adaptées.

En France, l'**APF** (Association des paralysés de France ; ☎ 01 53 62 84 00 ; www.apf.asso.fr ; 9 bd Auguste-Blanqui,

75013 Paris) peut vous fournir des informations utiles sur les voyages possibles.

Deux sites Internet dédiés aux personnes handicapées comportent une rubrique consacrée au voyage et constituent une bonne source d'information. Il s'agit de **Yanous** (www.yanous.com/pratique/tourisme/tourisme030613.html) et de **Handica** (www.handica.com).

HÉBERGEMENT

En Crète, il existe des hébergements pour tous les goûts et tous les budgets : chambres sommaires et bon marché, studios meublés, maisons de village traditionnelles ou hôtels de luxe. En comparaison avec les autres îles, les prix restent raisonnables, en particulier dans les villages de l'intérieur et dans le Sud, où les tarifs sont bien moins élevés que sur la côte nord. Hormis en juillet-août, il est d'ordinaire possible de trouver un logement une fois sur place ; en été, mieux vaut réserver.

L'industrie hôtelière est soumise à un strict contrôle des prix. Une loi oblige les propriétaires à afficher dans chaque chambre (habituellement sur la porte) une notice indiquant la catégorie de l'établissement et les prix maximaux autorisés selon la saison. Dans ce guide, nous indiquons généralement les tarifs officiels de saison haute (ou le tarif maximal probable, les tarifs officiels n'étant souvent pas atteints). En dehors de juillet-août, il est généralement possible de négocier, surtout pour des séjours prolongés. Le printemps et l'automne sont l'occasion de marchander.

Un surcoût de 20% est facturé pour tout lit supplémentaire ajouté dans une chambre.

Certains propriétaires de *domatia* facturent la climatisation en sus. Cette pratique n'est autorisée que si le prix global ne dépasse pas le maximum officiel (qui devrait inclure la climatisation).

Si vous pensez être victime d'une escroquerie (elles sont rares), contactez la police ou la police touristique.

Beaucoup de gérants demanderont à garder votre passeport pendant votre séjour. En réalité, seul le relevé des informations est obligatoire.

Auberges de jeunesse

Vous trouverez des auberges de jeunesse officielles à Rethymnon, Plakias et Héraklion. Quelques hôtels fonctionnent comme des auberges non officielles. Les établissements de Rethymnon et Plakias, bien tenus et équipés, sont idéals pour rencontrer d'autres voyageurs.

Les tarifs oscillent entre 7 et 15 €. Ces hébergements ne sont pas réservés aux adhérents.

Camping

On ne compte qu'une dizaine de campings en Crète. La plupart sont privés, très peu fonctionnent en dehors de l'été et la qualité est souvent médiocre. Beaucoup se doublent d'une taverne ; certains complexes plus haut de gamme disposent d'une piscine ou de tentes et caravanes de location.

L'**Association de camping panhellénique** (☎ /fax 21036 21560 ; www.panhellenic-camping-union.gr ; Solonos 102, Athènes) propose une liste des campings membres avec le détail des infrastructures. Une brochure gratuite sur le camping en Grèce est publiée chaque année par l'office du tourisme national grec, l'Ellinikos Organismos Tourismou (EOT) – connu en France sous le nom d'Office national hellénique du tourisme (GNTO).

Les tarifs des campings augmentent de mi-juin à fin août. La plupart facturent 4-6 €/adulte. Les moins de 12 ans paient généralement moitié prix (gratuit pour les moins de 4 ans) et les étudiants obtiennent des réductions. Les emplacements pour les tentes coûtent 3-6 €/nuit, selon la taille. Pour les caravanes, comptez 8 € au minimum.

De mai à mi-septembre, on peut dormir à la belle étoile, mais un sac de couchage léger reste nécessaire pour supporter la fraîcheur du petit matin. Emportez un tapis de sol en mousse et une couverture imperméable pour protéger votre sac de couchage.

Le camping sauvage est interdit, même si la loi n'est pas toujours appliquée.

Domatia

Les *domatia* sont l'équivalent grec des chambres d'hôtes, sans le petit déjeuner. Dans le passé, les *domatia* (également appelées pensions) consistaient en une ou deux chambres dans une maison familiale, louées à petits prix. Désormais, la plupart sont construites pour la location. Les chambres sommaires et bon marché sont devenues rares : beaucoup ont été transformées en "studios" meublés avec cuisine, TV et climatisation. Néanmoins, les *domatia* restent une bonne option pour les petits budgets. Beaucoup plus attrayantes, elles sont parfois mieux équipées que des hôtels médiocres et impersonnels de catégorie moyenne.

Les prix des *domatia* sont régis par un système de catégories. Les établissements sont généralement très propres. La décoration peut être spartiate, ou au contraire soignée, avec sols en marbre, meubles en pin coordonnés, rideaux en dentelle et tableaux.

Comptez 20-30 € pour une chambre simple et 30-50 € pour une double, selon les infrastructures, la saison et la durée du séjour.

Certaines *domatia* disposent de chauffe-eau solaires ; l'eau chaude n'est donc pas garantie, mais cela pose rarement problème. La plupart des *domatia* fonctionnent uniquement d'avril à octobre.

Hôtels et complexes hôteliers

La Crète compte quelques-uns des meilleurs complexes hôteliers du pays, dont des hôtels spas de grand luxe. La qualité est toutefois des plus inégales. Si la plupart des établissements de catégorie supérieure offrent les prestations voulues, certains hôtels de catégorie moyenne ne se distinguent guère des *domatia*. On trouve des hôtels de charme dans les grandes villes. À La Canée et Rethymnon, de splendides pensions se nichent dans des maisons vénitiennes ou d'autres édifices historiques.

Les anciennes catégories (A-E, et L pour les catégories deluxe) ont été abandonnées au profit d'étoiles correspondant aux normes internationales – avec des standards plus élevés. Tous les hôtels construits depuis 2002 sont conformes aux nouveaux critères ; pour les enseignes antérieures, la classification a été adaptée (L – 5 étoiles, A – 4 étoiles, B – 3 étoiles, C – 2 étoiles, D et E – 1 étoile). L'hôtellerie grecque est dans une phase de transition ; les établissements sont progressivement inspectés afin de vérifier qu'ils remplissent les conditions dictées par leur catégorie.

La qualité et le service varient énormément et ce n'est pas toujours lié au prix. À Héraklion, prévoyez 60-70 € pour une chambre double dans un deux étoiles, ou 80-120 € en trois étoiles. Un nombre croissant d'hôtels privilégie les voyages organisés. Peu attirantes pour les voyageurs indépendants, ces enseignes sont souvent réservées par les tour-opérateurs. De nombreux établissements offrent des réductions pour les réservations sur Internet.

Maisons traditionnelles, villas et écotourisme

Partout sur l'île, quantité de bâtiments anciens et de petites maisons en pierre rénovés offrent de beaux hébergements, des studios rustiques aux villas avec piscine. Les subventions de l'Union européenne pour la réhabilitation des vieux villages ont encouragé de nombreuses initiatives – des créations d'établissements de catégories moyenne et supérieure pour la plupart. Il existe aussi des hébergements en pleine campagne, notamment dans des fermes.

Vous trouverez des établissements bien établis à Vamos (p. 119) ; des écolodges fonctionnent également à Milia (p. 115) et à côté de Markigialos, dans le Sud (p. 205). Vous apprécierez les cheminées, les cuisines en pierre et les meubles traditionnels. À Vamos, une maison traditionnelle pour 2-3 personnes coûte 75-120 € ; à Milia, comptez 65-70 € pour une maison en pierre de 2 personnes.

Pour une liste de villas et de maisons traditionnelles, consultez www.agrotravel.gr (en anglais).

Ces dernières années, les constructions de villas et restaurations de maisons anciennes se sont multipliées, pour satisfaire une clientèle en quête d'un logement indépendant et idyllique, pour une semaine ou plus. Ces propriétés, souvent de catégorie supérieure, se louent surtout via des agences étrangères.

Refuges de montagne

On compte peu de refuges de montagne en Crète. Quelques-uns, gérés par les clubs d'alpinisme, sont installés dans les Lefka Ori, au mont Psiloritis (mont Ida) et au mont Dicté. Une couchette coûte environ 13 € pour les non-adhérents. Pour plus de détails, consultez les clubs d'alpinisme (p. 73) et le site www.crete.tournet.gr/outdoor/shelters-en.jsp (en anglais).

Studios et appartements

Les studios et appartements avec cuisine sont appréciés des familles et des voyageurs au long cours. Les studios sont généralement prévus pour 2 personnes ; les appartements accueillent 2 à 5 personnes. Ils sont équipés avec réfrigérateur et TV ; beaucoup disposent en outre de la climatisation et du chauffage, d'un salon et de chambres séparées. Vous trouverez parfois une machine à laver et un micro-ondes. En saison haute, comptez 35-60 € pour un studio et 50-80 € pour un appartement de 4 personnes.

HEURE LOCALE

Il y a une heure de décalage avec la France. Ainsi, quand il est 12h à Paris (ou 6h à Montréal), il est 13h en Grèce. L'heure d'été entre en vigueur le dernier dimanche de mars et prend fin le dernier dimanche d'octobre.

HEURES D'OUVERTURE

Les banques sont ouvertes de 8h à 14h30 du lundi au jeudi et de 8h à 14h le vendredi.

Les postes fonctionnent de 7h30 à 14h du lundi au vendredi. Dans les grandes villes, la poste principale ouvre jusqu'à 20h, et parfois le samedi de 8h à 14h.

En été, les magasins sont ouverts de 9h à 14h et de 17h30 à 20h30 les mardis, jeudis et vendredis, et de 8h à 15h les lundis, mercredis et samedis. En hiver, ils ouvrent 30 min plus tard – ces horaires ne sont pas toujours respectés. Dans les zones touristiques, beaucoup de commerçants travaillent 7 jours/7 jusqu'à 23h. Les *periptera* (kiosques de rue) ouvrent tôt le matin jusque tard le soir ; ils vendent toutes sortes de choses : tickets de bus, cigarettes, préservatifs, etc. Les supermarchés ferment généralement à 20h.

Les heures d'ouverture des musées et des sites archéologiques varient, suivant que des équipes travaillent ou non l'après-midi. Renseignez-vous si vous prévoyez une visite après 15h. Beaucoup de sites sont fermés le lundi.

HOMOSEXUALITÉ

S'il n'existe pas de législation répressive à l'encontre des homosexuels en Grèce, il est préférable de rester discret, l'homosexualité étant souvent réprouvée.

À l'inverse de Mýkonos, la Crète n'offre pas de scène gay exceptionnelle et aucun lieu ne s'adresse ouvertement à la communauté homosexuelle. Les gays sont néanmoins bien accueillis dans certaines enseignes d'Héraklion, ainsi que dans des stations balnéaires comme Paleohora et sur les plages naturistes.

Le *Spartacus International Gay Guide* publié par Bruno Gmunder (Berlin) est la référence incontournable du voyageur homosexuel. Vous y trouverez une foule de renseignements sur les établissements gays dans les îles grecques. Consultez également www.gay.gr et www.lesbian.gr.

INTERNET (ACCÈS)

Vous trouverez facilement des cybercafés dans les grandes villes et stations touristiques crétoises. Hormis dans les régions isolées, la plupart utilisent le haut débit. Comptez 2-4 €/heure. Beaucoup de grands hôtels proposent une connexion rapide et certaines villes comme Agios Nikolaos disposent de bornes wi-fi gratuites – lors de notre passage, Sitia et Ierapetra s'apprêtaient à mettre ce service en place. Si vous voyagez avec un ordinateur portable, renseignez-vous auprès de votre fournisseur d'accès pour bénéficier du *roaming* international – et accéder ainsi à un réseau grec. Des cartes Internet prépayées (3-20 €) sont en vente dans les *periptera* (kiosques).

Pour accéder à vos e-mails, n'oubliez pas de noter toutes les coordonnées relatives à votre compte d'utilisateur, ainsi qu'au protocole POP ou IMAP, qui pourra être nécessaire pour relever vos messages si vous n'utilisez pas un système de courrier électronique basé sur Internet, comme Hotmail ou Yahoo.

JOURS FÉRIÉS

Les banques, les magasins et la plupart des musées et sites antiques ferment les jours fériés.

Voici la liste des jours fériés grecs chômés en Crète :

Nouvel An 1er janvier
Épiphanie 6 janvier
Premier dimanche du carême février
Fête nationale 25 mars
Vendredi saint mars/avril
Dimanche de Pâques (orthodoxe) mars-avril
Fête du Printemps/fête du Travail 1er mai
Assomption 15 août
Commémoration du Non (Ohi) 28 octobre
Noël 25 décembre
Saint-Étienne 26 décembre

LIBRAIRIES SPÉCIALISÉES

En France

Desmos (☎ 01 43 20 84 04 ; 14 rue Vandamme, 75014 Paris ; www.desmos-grece.com)
Epsilon (☎ 01 45 44 53 00 ; 33 rue de Vaugirard, 75006 Paris)

En Belgique

Le Périple (☎ 02-230 93 35 ; 115 rue Froissart, B-1040 Bruxelles)

OFFICES DU TOURISME

Offices du tourisme en Crète

Le bureau de l'Office national hellénique du tourisme (GNTO à l'étranger, EOT en Grèce) d'Héraklion distribue des brochures et des cartes. Cependant, il demeure l'office du tourisme le moins performant de l'île. Les offices municipaux des grandes villes disposent de bonnes cartes et brochures et délivrent des informations sur les musées, l'hébergement et les transports.

Offices du tourisme à l'étranger

Il existe des bureaux du GNTO à l'étranger :

France (☎ 01 42 60 65 75 ; www.grece.infotourisme.com ; 3 avenue de l'Opéra, 75001 Paris ; lun-jeu 10h-18h, ven 10h-17h)
Belgique (☎ 02- 647 57 70 ; www.greekembassy-press.be ; 172 avenue Louise, B-1050 Bruxelles ; lun-ven 9h-16h30)
Suisse (☎ 01-221 01 05 ; eot@bluewin.ch ; Loewenstrasse 25, 8001 Zurich ; lun-ven 9h-17h)
Canada Toronto (☎ 416-968 22 20 ; grnto.tor@on.aibn.com ; 1500 Don Mills Rd, suite 102, M3B 3K4) ; Montréal (☎ 514-871 15 35 ; 1170 place du Frère-André, 3e ét, Québec H3B 3C6)

PHOTO ET VIDÉO

Pellicules et matériel photo

Toutes sortes de pellicules sont disponibles pour les principales marques. Dans les grandes villes et les régions touristiques, de nombreux points de vente impriment les photos numériques, gravent des CD ou transfèrent les photos sur clé USB. Comptez 0,15-0,19 € pour une impression de photo numérique et 8,50 € pour une pellicule 36 poses. La Grèce utilise le système vidéo PAL, incompatible avec le système français SECAM ou le système américain NTSC.

Restrictions

Ne prenez jamais de photo d'installations militaires et respectez les panneaux d'interdiction de photographier. Les autorités grecques ne plaisantent pas : en 2001, des Britanniques ont été emprisonnés pour s'être intéressés de trop près à des avions. Les flashs sont interdits à l'intérieur des églises et il serait très inconvenant de photographier l'autel. En général, les Crétois n'ont aucun problème à être filmé ou pris en photo ; toutefois, demandez toujours la permission.

LA GRÈCE À PARIS

Pour vous tenir informé des manifestations culturelles du monde grec à Paris, vous pouvez contacter le **Centre culturel hellénique** (☎ 01 47 23 39 06 ; 23, rue Galilée, 75116 Paris), qui ne reçoit pas le public, mais organise des spectacles, des conférences, des expositions et divers évènements dans différents lieux de la capitale. Il publie régulièrement une lettre d'information.

POLICE TOURISTIQUE

La **police touristique** (☎171) travaille en coopération avec la police grecque et l'EOT ; vous trouverez dans chacun de ses bureaux au moins un membre du personnel parlant anglais, voire français. Les hôtels, restaurants, agences de voyages et magasins pour touristes relèvent de sa compétence, tout comme les guides, les serveurs et les chauffeurs de bus et de taxi. Si vous estimez avoir subi un préjudice, portez plainte auprès de la police touristique, qui est également habilitée à recevoir une première déclaration de vol ou de perte de passeport – quitte à assurer ensuite la liaison avec la police générale. Certains bureaux distribuent des cartes et des brochures, ou délivrent des renseignements sur les transports.

POSTE

Vous reconnaîtrez facilement les bureaux de poste (*tahydromia*) à leur enseigne jaune et bleue. Les boîtes aux lettres pour le courrier normal sont jaunes, les rouges étant réservées au courrier express.

Tarifs postaux

Pour les cartes et les lettres à destination de l'UE, le tarif postal s'élève à 0,65 € jusqu'à 20 g et à 1 € jusqu'à 50 g (par avion). Vers les autres destinations, l'envoi coûte 0,65 € pour 20 g et 1,60 € jusqu'à 100 g. Le courrier met 4-5 jours pour arriver dans le reste de l'Europe et 5-8 jours pour les autres pays. Certains magasins pour touristes vendent des timbres mais appliquent une commission de 10%.

Le courrier en express arrive théoriquement en Europe dans les 3 jours ; l'envoi coûte 2,85 € (utilisez une boîte aux lettres rouge). Pour les objets de valeur, préférez les envois en recommandé (1 € de plus).

Recevoir du courrier

Vous pouvez vous faire envoyer du courrier en poste restante dans tous les bureaux de poste : ce service est gratuit, il vous suffira de présenter votre passeport. Recommandez à vos correspondants d'écrire votre nom de famille en lettres capitales, de le souligner et de porter la mention "poste restante" sur l'enveloppe. Si votre courrier reste introuvable, demandez à ce qu'il soit recherché à l'initiale de votre prénom.

Les lettres qui ne sont pas retirées au bout d'un mois sont renvoyées à l'expéditeur. Vous pouvez faire suivre votre courrier sur le lieu de votre prochaine destination en demandant au guichet de le réexpédier à la poste restante d'un autre bureau de poste.

Les paquets ne sont pas distribués : ils doivent être retirés à la poste.

Envoyer du courrier

Ne fermez pas vos paquets avant qu'ils aient été vérifiés à la poste. À Héraklion, emmenez votre colis à la poste centrale de la Plateia (place) Daskalogianni ; ailleurs, adressez-vous au guichet des colis de n'importe quel bureau de poste. Généralement, les postes ne vendent que des petits cartons. Si vous avez besoin d'un emballage plus grand, rendez-vous tôt le matin dans un supermarché et demandez à ce que l'on vous mette un carton de côté.

PROBLÈMES JURIDIQUES

La législation grecque est la plus sévère d'Europe en matière de drogue. Il n'est fait aucune distinction entre la consommation personnelle et le trafic et vous risquez la prison si vous êtes arrêté en possession de marijuana, même en quantité infime.

SANTÉ

Aucun vaccin n'est obligatoire pour entrer en Grèce.

Assurance

La carte européenne d'assurance maladie, nominative et individuelle, remplace le formulaire E 111 et donne droit à une aide médicale d'urgence (mais pas au rapatriement sanitaire) pour les citoyens de l'Union européenne. Vous devez en faire la demande auprès de votre caisse d'assurance maladie. Comptez un délai de 2 semaines pour la réception.

Il est conseillé de souscrire à une police d'assurance qui vous couvrira en cas d'annulation de votre voyage, de vol, de perte de vos affaires, de maladie ou encore d'accident. Les assurances internationales pour les étudiants sont en général d'un bon rapport qualité/prix. Lisez avec la plus grande attention les clauses en petits caractères : c'est là que se cachent les restrictions.

Vérifiez notamment que les "sports à risques", comme la plongée, la moto ou même la randonnée ne sont pas exclus de votre contrat, ou encore que le rapatriement médical d'urgence, en ambulance ou en avion, est couvert. De même, le fait d'acquérir un véhicule dans un autre pays ne signifie pas nécessairement que vous serez protégé par votre assurance.

Vous pouvez contracter une assurance qui règlera directement les hôpitaux et les médecins, vous évitant ainsi d'avancer des sommes qui ne vous seront remboursées qu'à votre retour. Dans ce cas, conservez avec vous tous les documents nécessaires.

Attention ! Avant de souscrire une assurance, vérifiez que vous ne bénéficiez pas déjà d'une assistance par votre carte de crédit, votre mutuelle ou votre assurance automobile. C'est bien souvent le cas.

Disponibilité des soins médicaux

Si vous avez besoin d'une ambulance en Crète, appelez le ☎166. Héraklion, La Canée et Rethymnon possèdent des hôpitaux modernes et bien équipés. Les pharmacies vendent certains médicaments disponibles uniquement sur ordonnance dans la plupart des pays européens, vous pouvez donc les consulter pour des problèmes mineurs.

Si la formation médicale en Grèce est d'un niveau élevé, le secteur de la santé manque cruellement de financements. Les hôpitaux sont parfois surchargés et l'hygiène n'est pas

AVERTISSEMENT

La codéine, souvent présente dans les médicaments contre la migraine, est interdite en Grèce. Vous serez poursuivi si vous en avez sur vous. Des règles strictes s'appliquent à l'importation des médicaments : demandez à votre médecin un certificat énumérant tous ceux que vous pourriez être amené à emporter dans vos bagages.

toujours irréprochable. La famille doit fournir la nourriture au patient – ce qui n'est pas toujours évident quand on est touriste. Les établissements privés sont souvent meilleurs, mais plus onéreux. Une bonne assurance santé est donc essentielle.

On trouve des préservatifs un peu partout, mais ce n'est pas toujours le cas de la contraception d'urgence.

TÉLÉPHONE

Pour appeler la Crète depuis l'étranger, composez l'indicatif international en vigueur dans votre pays (☎ 00 en France, en Belgique et en Suisse, ☎ 011 au Canada), le ☎ 30 (indicatif de la Grèce), puis le numéro de l'abonné sans l'éventuel 0 initial. Pour appeler vers l'étranger depuis la Crète, composez le ☎ 00, suivi de l'indicatif du pays (☎ 33 pour la France, ☎ 32 pour la Belgique, ☎ 41 pour la Suisse et ☎ 1 pour la Canada), puis du numéro de votre correspondant sans le 0 initial.

Le service des télécommunications est géré par l'entreprise publique OTE (prononcez "o-té" ; Organismos Tilepikinonion Elladas), en partie privatisée. Le système est moderne et efficace. Les téléphones publics fonctionnent avec des cartes, vendues 3 € pour 100 unités dans les *periptera* (kiosques), les petites boutiques et les magasins pour touristes. Les cartes contenant davantage d'unités sont en vente dans les agences OTE.

N'importe quel téléphone permet de passer des appels internationaux. Pressez la touche "i" pour obtenir des instructions en anglais. Ne retirez pas la carte avant qu'on vous l'indique, au risque de perdre les unités restantes. Les appels locaux coûtent 1 unité/min.

Il existe également toutes sortes de cartes internationales prépayées (*hronokarta*).

Dans tous les villages et îles isolés, vous trouverez toujours au moins un téléphone payant pour passer des appels locaux ou internationaux, souvent dans un magasin, un *kafeneio* (café) ou une taverne.

En ce qui concerne les appels en PCV, contactez un opérateur (national ☎ 129 ; international ☎ 139) pour être mis en relation avec votre correspondant.

Téléphones portables

La Grèce utilise la norme GSM, comme le reste de l'Europe. À moins de posséder un téléphone bi-bande ou tri-bande, les Canadiens ne pourront pas se servir de leur portable. N'oubliez pas d'informer votre opérateur avant votre départ – attention, la facture peut être salée.

En Grèce, trois opérateurs de téléphonie mobile (Vodafone, Cosmote et Wind) vendent des cartes SIM prépayées avec un numéro grec. Lorsque vous quitterez la Grèce, l'option internationale sera automatiquement activée et vous pourrez recevoir ou envoyer des SMS.

Cosmote semble offrir la meilleure couverture dans les régions reculées. Vous pourrez recourir à cet opérateur si le service proposé par le vôtre n'est pas satisfaisant.

NUMÉROS DE TÉLÉPHONE UTILES

Renseignements	☎ 11888
Renseignements depuis un téléphone portable	☎ 11831
Indicatif de la Grèce	☎ 30
Indicatif international	☎ 00
Renseignements internationaux/appels en PCV	☎ 139

Numéros d'urgence, gratuits 24h/24

Ambulance	☎ 166
Pompiers	☎ 199
Pompiers forestiers	☎ 191
Police	☎ 100
Assistance routière (ELPA)	☎ 10400
Police touristique	☎ 171

TOILETTES

En Grèce, les égouts n'évacuent pas le papier, les toilettes étant probablement trop étroites. Veillez à jeter papier toilette et autres déchets dans la corbeille prévue à cet effet.

En dehors des grandes villes, vous trouverez parfois des toilettes à la turque dans les vieilles maisons, les *kafeneia* (cafés) et les toilettes publiques. Ces dernières sont rares, sauf dans les aéroports et les gares routières et ferroviaires. En cas d'urgence, mieux vaut vous diriger vers un café – vous devrez consommer pour utiliser les toilettes.

VOYAGER EN SOLO

La Crète est une destination sûre et accueillante où vous n'aurez aucun problème en voyageant seul. Il est courant de voir des voyageurs indépendants sillonner l'île, et vous en rencontrerez beaucoup dans les auberges de jeunesse. La plupart des hôtels et des *domatia* accordent 20% de réduction à une personne seule qui loue une chambre double.

De façon générale, usez de bon sens. Évitez les rues et les parcs sombres, surtout la nuit et en particulier dans les grandes villes. Conservez toujours vos biens de valeur en lieu sûr.

Femmes seules

De nombreuses femmes voyagent seules en Crète, où le taux de criminalité demeure assez bas. Pour autant, la prudence reste de mise : on a relevé des cas de vols à l'arraché et des viols, même si les agressions violentes sont extrêmement rares.

Le plus gros désagrément pour les femmes seules vient des hommes surnommés *kamaki* par leurs compatriotes. Ce terme signifie "trident de pêche" : leur passe-temps favori est la "pêche" aux femmes. Dans le passé, on les trouvait dans les lieux touristiques ; aujourd'hui, ils sont de moins en moins nombreux. La majorité des Grecs sont respectueux et serviables.

TRAVAILLER EN GRÈCE

Permis de travail

Les citoyens de l'Union européenne n'ont pas besoin de permis de travail. Les ressortissants des autres pays doivent demander un permis de travail.

Emplois dans la restauration et l'hôtellerie

Dans les bars et les hôtels, les meilleures places sont bien payées, mais elles sont souvent pourvues par des jeunes Grecs du continent ou par des travailleurs saisonniers originaires d'Europe de l'Est et passant par des agences. Vous pouvez tenter votre chance dans les grands complexes ou dans les régions isolées du Sud.

Représentant d'un voyagiste

La Crète offre de bonnes opportunités pour travailler comme représentant d'une agence de voyages. Les salaires sont bas, mais des pourboires viennent s'ajouter et certains prestataires offrent à leurs représentants un pourcentage sur les ventes réalisées.

Récoltes

Les récoltes saisonnières sont la plupart du temps effectuées par des immigrés venus d'Albanie et d'autres pays des Balkans ; on ne fait pratiquement plus appel aux voyageurs.

Autres emplois

Si vous lisez l'anglais, vous pouvez aussi consulter les offres dans les journaux anglophones ou y passer vous-même une petite annonce.

Transports

SOMMAIRE

DEPUIS/VERS LA CRÈTE

La plupart des visiteurs arrivent en Crète par le continent, souvent par Athènes.

ENTRER EN CRÈTE

Pour entrer sur le territoire grec, les Français, les Belges et les Suisses ont besoin d'une carte d'identité ou d'un passeport valide. Les Canadiens doivent produire un passeport en cours de validité. Les mineurs non accompagnés de leurs parents doivent fournir une autorisation parentale de sortie de territoire, délivrée par les mairies et les commissariats de police. Hôtels et pensions exigent une pièce d'identité pour l'enregistrement.

VOIE AÉRIENNE

Bien entendu, l'avion est le moyen le plus rapide – et souvent le plus économique – de se rendre en Crète. Il n'existe pas de vol direct ; la plupart des visiteurs passent par Athènes.

Aéroports

L'**aéroport international d'Athènes** (code ATH ; ☎ 210 353 0000 ; www.aia.gr) se trouve à 27 km à l'est d'Athènes.

L'**aéroport international Nikos Kazantzakis** d'Héraklion (code HER ; ☎ 2810 228 401) est le principal aéroport crétois. Il est parfois saturé pendant la période de pointe estivale. La construction d'un nouvel aéroport à Kastelli, à 40 km d'Héraklion, est en projet.

L'**aéroport de La Canée** (code CHQ ; ☎ 28210 83800), à 14 km du centre-ville, est pratique pour se rendre dans l'ouest de la Crète.

Une longue piste a été ouverte à l'**aéroport de Sitia** (code JSH ; ☎ 28430 24666), mais elle n'accueillait pas encore de vols internationaux lors de la rédaction de ce guide.

Pour un aperçu des vols entre la Grèce continentale et la Crète, voir p. 223.

COMPAGNIES AÉRIENNES

Olympic Airlines, la compagnie nationale, assure la plupart des vols internationaux. Elle accorde une réduction de 25% aux étudiants et des tarifs spéciaux aux 18-24 ans sur les vols intérieurs, à condition qu'ils fassent partie d'une liaison internationale.

Aegean Airlines relie Athènes, La Canée et Héraklion – appareils modernes et service excellent. Cette compagnie privée circule aussi entre la Crète et Thessalonique et opère, via Athènes ou Thessalonique, des vols vers Paris.

Sky Express (☎ 2810 223 500 ; www.skyexpress.gr), une nouvelle compagnie crétoise basée à Héraklion, relie La Canée à Rhodes et Héraklion à Rhodes, Santorin, Lesbos, Kos, Samos et Icarie, avec des appareils de 18 places (bagages limités à 12,5 kg).

Il est conseillé de réserver dès que possible, car les vols se remplissent vite en saison haute. Pour de plus amples détails, reportez-vous aux différentes destinations.

Sauf mention contraire, les tarifs indiqués dans ce guide s'appliquent à la saison haute

AVERTISSEMENT

Les informations contenues dans ce chapitre sont particulièrement susceptibles de changements. Vérifiez directement auprès de la compagnie aérienne ou de l'agence de voyages les modalités d'utilisation de votre billet d'avion. N'hésitez pas à comparer les prestations. Les détails fournis ici doivent être considérés à titre indicatif et ne remplacent en rien une recherche personnelle attentive.

AGENCES EN LIGNE

Vous pouvez réserver votre vol via une agence en ligne ou vous renseigner auprès d'un comparateur de vols :

www.anyway.com
www.ebookers.fr
www.karavel.com
www.lastminute.fr
www.kayak.fr
www.opodo.fr
www.voyages-sncf.com
http://voyages.kelkoo.fr
www.govoyage.com

(de mi-juin à fin septembre). Le reste de l'année, les liaisons avec les îles grecques sont beaucoup moins fréquentes.

Les compagnies internationales suivantes desservent la Grèce :

Aegean Airlines (A3 ; ☎ 801 11 20000 ; www.aegeanair.com)
Air Canada (AC ; ☎ 210 617 5321 ; www.aircanada.ca)
Air France (AF ; ☎ 210 960 1100 ; www.airfrance.com)
British Airways (BA ; ☎ 210 890 6666 ; www.britishairways.com)
Cyprus Airways (CY ; ☎ 210 372 2722 ; www.cyprusair.com.cy)
Delta Air Lines (DL ; ☎ 210 331 1660 ; www.delta.com)
EasyJet (U2 ; ☎ 210 353 0300 ; www.easyjet.com)
Emirates (EK ; ☎ 210 933 3400 ; www.emirates.com)
KLM (KL ; ☎ 210 911 0000 ; www.klm.com)
Lufthansa (LH ; ☎ 210 617 5200 ; www.lufthansa.com)
Olympic Airlines (OA ; ☎ 210 966 6666 ; 801 11 44444 ; www.olympicairlines.com)
Singapore Airlines (SQ ; ☎ 210 372 8000 ; www.singaporeair.com)
Thai Airways (TG ; ☎ 210 969 2010 ; www.thaiair.com)
Transavia (HV ; ☎ 281 030 0878 ; www.transavia.nl)
United Airlines (UA ; ☎ 210 924 2645 ; www.ual.com)
Virgin Express (TV ; ☎ 210 949 0777 ; www.virgin-express.com)

Depuis la France

Olympic Airlines assure 2 vols directs quotidiens entre Paris et Athènes ; lors de nos recherches, les allers-retours débutaient à 140/230 € en basse/haute saison. Air France propose en moyenne 5 vols directs quotidiens entre Paris et Athènes, à partir de 270 €. La

CIRCULATION AÉRIENNE ET CHANGEMENTS CLIMATIQUES

Les changements climatiques représentent une menace sérieuse pour les écosystèmes dont dépend l'être humain et la circulation aérienne contribue pour une large part à l'aggravation de ce problème. Lonely Planet ne remet absolument pas en question l'intérêt du voyage, mais nous restons convaincus que nous avons tous, chacun à notre niveau, un rôle à jouer pour enrayer le réchauffement de la planète.

Le "poids" de l'avion

Pratiquement toute forme de circulation motorisée génère une production de CO_2, principale cause du changement climatique induit par l'homme. La circulation aérienne détient de loin la plus grosse responsabilité en la matière, non seulement en raison des distances que les avions parcourent, mais aussi parce qu'ils relâchent dans les couches supérieures de l'atmosphère quantité de gaz à effet de serre. Ainsi, deux personnes effectuant un vol aller-retour entre l'Europe et les États-Unis contribuent-elles autant au changement climatique qu'un ménage moyen qui consomme du gaz et de l'électricité pendant un an !

Programmes de compensation

Des sites Internet comme www.actioncarbone.org et www.co2solidaire.org utilisent des "compteurs de carbone" permettant aux voyageurs de compenser le niveau des gaz à effet de serre dont ils sont responsables par une contribution financière à des projets de développement durable menés dans le secteur touristique et visant à réduire le réchauffement de la planète. Des programmes sont en place notamment en Inde, au Honduras, au Kazakhstan et en Ouganda.

Lonely Planet "compense" d'ailleurs la totalité des voyages de son personnel et de ses auteurs. Pour plus d'information, consultez : www.lonelyplanet.fr

compagnie à bas prix easyJet opère un vol direct quotidien (2 en juillet-août) entre Paris et Athènes, à partir de 95/175 €. Comptez 3 heures 15 de vol. Il n'existe pas de vol direct au départ de la province.

Voici quelques adresses d'agences et de transporteurs :

Air France (☎ 36 54 ; www.airfrance.fr ; 49 av de l'Opéra, 75002 Paris)
Olympic Airlines (☎ 01 44 94 58 58 ; www.olympicairlines.com ; 3 rue Auber, 75009 Paris)
Nouvelles Frontières (☎ 0 825 000 747 ; www.nouvelles-frontieres.fr ; nombreuses agences en France)
Voyages Wasteels (☎ 01 55 82 32 33 ; www.wasteels.fr ; nombreuses agences en France)
Thomas Cook (☎ 0 826 826 777 ; www.thomascook.fr ; nombreuses agences en France)
Voyageurs du Monde (☎ 0892 23 56 56 ; www.vdm.com ; 55 rue Sainte-Anne, 75002 Paris ; plusieurs agences en province)

VOLS POUR LA CRÈTE AU DÉPART DE LA GRÈCE CONTINENTALE

Le tableau ci-dessous offre un aperçu du coût et de la fréquence des vols entre la Grèce continentale et la Crète en haute saison.

Provenance	Destination	Fréquence	Tarif (€)*
Athènes	La Canée	5/jour	85-125
Athènes	Héraklion	12/jour	85-125
Athènes	Sitia	4/semaine	71
Thessalonique	La Canée	4/jour	106-135
Thessalonique	Héraklion	3/jour	106-135
Rhodes	Héraklion	2/jour	89-98
Alexandroupolis	Sitia	3/semaine	92

*Tarif aller, taxes comprises

Depuis la Belgique

Brussels Airlines (www.brusselsairlines.fr) assure un ou 2 vols directs quotidiens entre Bruxelles et Athènes, selon la saison (à partir de 145 €). Olympic Airlines opère tous les jours un vol direct entre Bruxelles et Athènes (à partir de 240 €).

Voici quelques adresses utiles :

Airstop (☎ 070 23 31 88 ; www.airstop.be ; 28 rue du Fossé-aux-Loups, 1000 Bruxelles ; plusieurs agences en Belgique)
Connections (☎ 02-647 06 05 ; www.connections.be ; 78 av Adolphe-Buyllan, 1050 Bruxelles ; nombreuses agences dans le pays)
Éole (☎ 02-227 57 80 ; 39-41 chaussée de Haecht, 1210 Saint-Josse-Ten-Noode)

Depuis la Suisse

Swiss Air opère chaque jour 3 vols directs pour Athènes au départ de Zurich (à partir de 297/459 FS en basse/haute saison l'aller-retour) et 1 vol direct depuis Genève (à partir de 390/520 FS). Olympic Airlines propose chaque semaine 4 vols directs depuis Genève (à partir de 316 FS en basse saison).

Vous pourrez contacter notamment :

STA Travel Lausanne (☎ 058-450 48 50 ; 20 bd de Grancy, Lausanne 1006) ; Genève (☎ 058-450 48 30 ; 3 rue Vigner, 1205 Genève) ; nombreuses agences dans le pays.
Swiss Zurich (☎ 0848 700 700 ; www.swiss.com ; nombreuses agences en Suisse)

Depuis le Canada

Olympic Airlines opère chaque semaine 3 vols directs entre Montréal et Athènes, à partir de 940 $C aller-retour (9 heures) ; les prix flambent de juin à septembre. Air Canada, KLM, Lufthansa et British Airways relient le Canada à la Grèce via Francfort, Amsterdam et Londres.

Voici deux adresses utiles :

Air Canada (☎ 1-888 247 2262 ; www.aircanada.ca)
Travel Cuts – Voyages Campus (☎ 1-866 832 7564 ou 514-864 5995 ; www.travelcuts.com)

Depuis Chypre

Depuis Larnaca, Cyprus Airways propose 4 vols directs hebdomadaires pour Héraklion et 5-6 vols quotidiens pour Athènes. Olympic Airlines assure chaque jour un vol vers Héraklion et plusieurs vols vers Athènes.

VOIE TERRESTRE

La plupart des voyageurs en provenance de France, de Belgique ou de Suisse rejoignent un port italien comme Venise, Ancône, Bari ou Brindisi, afin d'emprunter un ferry à destination d'Igoumenitsa (Épire) ou de Patras (Péloponnèse) – d'où ils gagnent le Pirée par la route, pour prendre un bateau jusqu'en Crète.

Pour réserver un billet de ferry depuis la France, vous pourrez contacter notamment **Navifrance** (☎ 01 42 66 65 40 ; www.navifrance.net ; 20 rue de la Michodière, 75002 Paris). Depuis Ancône, comptez 15 heures 30 pour Igoumenitsa et 21 heures pour Patras (à partir de 680/1 018 € aller-retour en basse/haute saison pour 2 personnes et une voiture) ; depuis Bari, prévoyez 9 heures 30 et 15 heures ; et depuis

D'ÎLE EN ÎLE, JUSQU'À LA CRÈTE

Du Pirée, il n'existe que deux solutions pour s'arrêter dans d'autres îles en chemin pour la Crète. Le F/B *Myrtidiotissa* d'ANEN Lines accomplit un long périple via Gythion et les îles de Cythère et d'Anticythère ; LANE Lines s'arrête à Milos et à Santorin, dans l'ouest des Cyclades, dans le cadre de sa liaison avec l'est de la Crète (3 fois/semaine), avant de poursuivre vers Rhodes via Kárpathos et d'autres îles. De Thessalonique, vous aurez la possibilité de vous arrêter à Skiathos, Skopelos, Tinos, Páros, Náxos, Íos ou Santorin, à bord du F/B *Milena* de GA Ferries, qui va d'un bout à l'autre de la mer Égée. Vous pourrez aussi aller dans n'importe quelle de ces îles intermédiaires depuis le Pirée ou un autre port, et prendre une correspondance pour Héraklion à votre guise. Depuis Rhodes, vous pourrez vous arrêter dans 4 ports : Halki, Diafani, Kárpathos et Kassos, grâce aux liaisons assurées par LANE Lines avec le Dodécanèse (2 fois/semaine).

Venise, 24 heures et 30 heures. Au départ de Paris, on se trouve à 1 115 km de Venise, à 1 280 km d'Ancône, à 1 730 km de Bari, à 1 840 km de Brindisi et à 2 000 km du Pirée. Voir aussi *Voie maritime* (ci-contre).

Bus

Aucune liaison de bus n'est assurée entre la Grèce et la France, la Belgique ou la Suisse. Les bus **Eurolines** (☎ 08 92 89 90 91 ; www.eurolines.fr ; gares routières dans toute la France) circulent notamment entre Paris et Ancône (168 € aller-retour ; environ 19 heures), d'où il est possible de poursuivre en ferry. Il existe des bus entre la Grèce, et l'Albanie et la Bulgarie.

Train

À moins d'avoir moins de 26 ans ou plus de 60 ans, ou de posséder un pass **InterRail** (www.interrail.net) ou **Eurail** (www.eurail.com ; réservé aux personnes ne résidant pas en Europe ou arrivées depuis moins de 6 mois), il est cher de se rendre en Grèce par le train. Vous pourrez néanmoins aller en train jusqu'à Brindisi, en Italie, où votre pass vous permettra de rejoindre gratuitement Patras en ferry. De Patras, vous pourrez poursuivre jusqu'à Kiato, avant de prendre un train de banlieue (compris dans le pass) pour le port du Pirée, d'où des ferries partent pour la Crète.

Voiture et moto

La plupart des visiteurs passent par un port italien. Il est également possible de rejoindre la Grèce via la Slovénie, la Croatie, la Bulgarie et l'ancienne République yougoslave de Macédoine. Depuis Paris, comptez alors 2 900 km jusqu'à Athènes.

Les week-ends d'été, en arrivant à Patras par un ferry du matin, vous pourrez être en Crète pour le déjeuner en optant pour un ferry rapide, et atteindre Héraklion en fin de journée. Sinon, il est tout aussi simple de prendre un ferry de nuit pour la Crète le jour de votre arrivée en Grèce.

VOIE MARITIME

L'été, la Crète est desservie par de nombreux ferries, qui la relient au continent et notamment au Pirée, à Thessalonique, à Rhodes, à Kalamata et à Gythion, ainsi qu'à quelques îles des Cyclades et à Cythère. De novembre à avril, les services sont considérablement réduits. Les ferries, souvent gros, varient de "confortable" à "luxueux". Pour les liaisons et les horaires, connectez-vous sur www.ferries.gr ou sur www.gtp.gr.

Liaisons

Le Pirée, le vaste port d'Athènes, est le nœud des transports maritimes en Grèce. Les ferries pour la Crète partent de l'extrémité ouest du port – à 10 min à pied de la station de métro, un peu moins depuis la gare des trains de banlieue du Pirée. Depuis le centre du Pirée, prévoyez 15-20 min de marche jusqu'aux quais des bateaux pour la Crète. Des bateaux partent pour Héraklion, Rethymnon, La Canée, Agios Nikolaos et Kastelli Kissamos. La destination est indiquée sur la poupe.

Horaires

Les horaires des ferries varient selon la saison. Les bateaux sont fréquemment retardés ou annulés pour des motifs divers : mauvais temps, grève ou problèmes mécaniques. Aucune grille d'horaires n'est parfaitement fiable. Toutefois, l'EOT (l'Ellinikos Organismos Tourismou, principal office du tourisme grec) d'Athènes publie chaque semaine la liste complète des bateaux au départ du Pirée. La liste des principaux ferries paraît également dans l'édition anglophone du *Kathimerini* (inclus dans l'*International Herald Tribune*). Vous pourrez enfin consulter www.gtp.gr ou www.openseas.gr.

Chaque jour, toute l'année, au moins un ferry relie le Pirée aux principaux ports crétois. Ce nombre passe à 3 ou 4 en été.

La durée du trajet varie considérablement, selon le bateau et l'itinéraire. Le catamaran rapide de La Canée fait le trajet en 4 heures 30 ; depuis Héraklion, comptez 8 heures.

Tarifs et classes

Les tarifs, officiels, dépendent davantage de la distance que du confort du bateau. Sur une liaison donnée, des bateaux peuvent présenter des différences notables au niveau de la taille, du confort et des aménagements, tout en appliquant des prix identiques. Certaines agences réduisent leur commission pour pouvoir afficher un "tarif réduit" – rarement plus de 1 € de réduction.

Les gros ferries ont théoriquement 2 classes (1re et 2e), qui tendent à se confondre. Le choix s'opère plutôt entre des cabines plus ou moins confortables, ou entre des sièges comme dans les avions et des places sur le pont.

Si les places sur le pont restent bon marché, les billets de 1re classe sont presque aussi chers que les billets d'avion sur certaines liaisons. Les moins de 4 ans voyagent gratuitement ; de 4 à 10 ans, les enfants paient moitié prix. Sauf requête spécifique, les réservations sont systématiquement effectuées pour des places sur le pont. Vous pourrez généralement changer de classe une fois à bord, si la place qui vous a été attribuée n'est pas suffisamment confortable à votre goût. Pour un aperçu des tarifs, reportez-vous à l'encadré p. 226.

Il existe des cabines extérieures à 2 couchettes (1re) et des cabines intérieures à 4 couchettes (2e). Les sièges vont de très confortables (dans les nouveaux catamarans à grande vitesse) à acceptables (dans les vieux bateaux). La classe "pont" offre des conditions plus rudes. Dans les ferries modernes, les parties réservées à cette classe sont souvent dépourvues d'aménagements et exposées. Toutefois, vous trouverez toujours des espaces protégés où

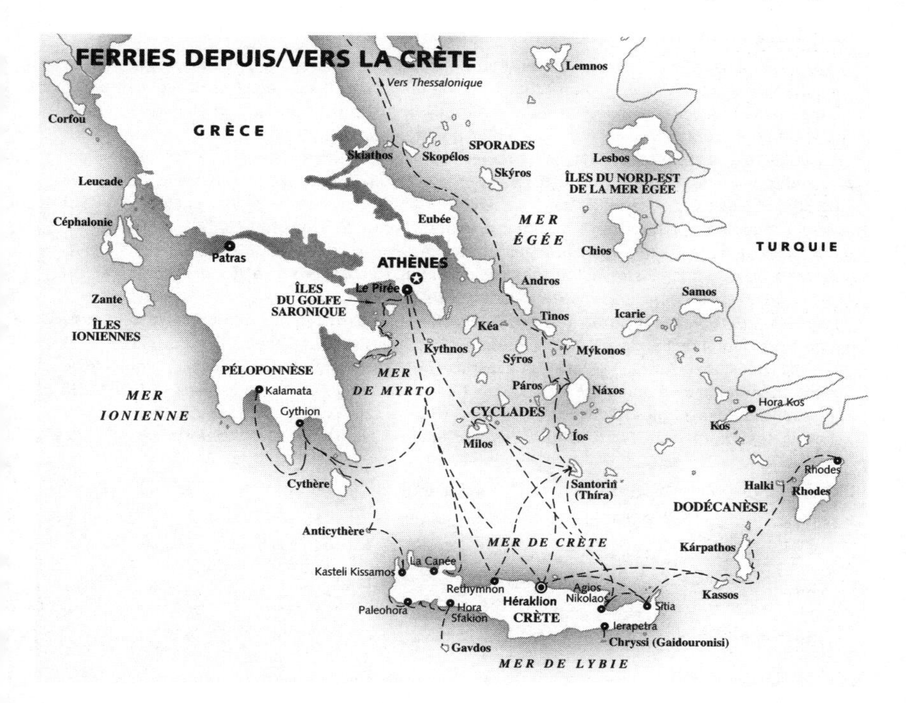

vous installer et, à condition de vous réveiller tôt, vous pourrez sans doute vous blottir dans votre sac de couchage quelque part à l'intérieur du bateau. De nombreux passagers s'installent dans les salons enfumés. À bord, les self-services offrent un rapport qualité/prix correct.

Billets

Les ferries sont facilement retardés ou annulés par mauvais temps. À moins de vouloir une cabine pendant la période de pointe du mois d'août, mieux vaut donc attendre la confirmation du départ pour prendre un billet. Pour transporter une voiture, vous devrez sans doute vous y prendre à l'avance. Si la liaison est annulée, une place vous sera réattribuée pour un départ ultérieur.

Dans la plupart des ports, des agences bordent le front de mer. Rares sont celles qui vendent des billets pour tous les bateaux et beaucoup ne vous apporteront que des informations parcellaires. Pour connaître le prochain départ, consultez les grilles d'horaires affichées devant chaque agence, ou demandez à la police portuaire. Des billetteries ouvrent à côté des bateaux 1 heure avant le départ.

Navigation de plaisance

La navigation de plaisance est un moyen privilégié de découvrir les îles grecques. Toutefois, cette activité est peu développée en Crète, trop éloignée des autres îles. Des agences proposent des croisières autour de la Crète, notamment le long de la côte sud et au départ d'Agios Nikolaos (voir p. 75).

La saison de navigation s'étend d'avril à octobre. En juillet et en septembre, le *meltemi*, un vent du nord-est qui souffle sur la mer Égée, oblige régulièrement à rester à terre.

VOYAGES ORGANISÉS

De nombreux tour-opérateurs proposent des circuits, des week-ends et divers séjours en Crète. Les formules vol et hébergement peuvent se révéler intéressantes, et certains voyageurs n'hésitent pas à réserver un forfait

EN CRÈTE EN FERRY

Il n'y a pas si longtemps, circuler en ferry en Grèce était une rude épreuve. La dérégulation du marché intérieur, une amélioration progressive de la flotte et l'onde de choc provoquée par le nauvrage du F/B *Express Samina* en septembre 2000 ont débouché sur une amélioration notable de la situation, sur les bateaux grecs aussi bien qu'internationaux.

La qualité et les services offerts par les ferries depuis/vers la Crète restent variables. Les bateaux à grande vitesse de Minoan Lines qui relient le Pirée à Héraklion et les catamarans Hellenic Seaways à destination de La Canée sont de loin les plus confortables. En saison haute, NEL Lines assure aussi un service rapide en catamaran à destination de Rethymnon (5 heures).

Minoan Lines relie en 8 heures Héraklion au Pirée avec d'énormes ferries modernes – le F/B *Festos Palace* et le F/B *Knossos Palace*, presque identique. Son concurrent, ANEK, garantit un certain confort, même s'il utilise toujours des bateaux plus anciens et plus petits. Le F/B *Preveli* d'ANEK propose une liaison de nuit entre Rethymnon et le Pirée. Les gros bateaux d'ANEK desservent aussi le port occidental de Souda, d'où des liaisons sont assurées avec La Canée.

Dans l'ouest de la Crète, ANEN Lines ne dispose que d'un seul bateau, un petit ferry qui relie le Pirée et Gythion, au Péloponnèse avec Kasteli Kissamos, via Cythère et Anticythère. À l'est, LANE Lines relie le Pirée à Agios Nikolaos et à Sitia, avec une escale à Milos et à Santorin. Bien qu'assez anciens, ses 2 bateaux, le F/B *Vitsentzos Kornaros* et le F/B *Ierapetra*, restent confortables.

Provenance	Destination	Fréquence	Durée	Tarif (aller, €)
Le Pirée	Agios Nikolaos	2/semaine	14 heures	34
Le Pirée	La Canée (Souda)	2/jour	6-9 heures	30-51,50
Le Pirée	Héraklion	2/jour	8 heures	37
Le Pirée	Rethymnon	2/jour	9 heures	24
Gythion	Kasteli Kissamos	1/semaine	7 heures	29-57
Thessalonique	Héraklion	4/semaine	31 heures	46,50

et à ne passer qu'une nuit (voire aucune) dans l'hôtel prévu, préférant loger de manière indépendante. Des offres remarquablement bon marché sont proposées à la dernière minute. Toutefois, celles-ci sont bien souvent limitées aux grands complexes de la côte nord.

Les organismes ci-dessous proposent des prestations plus ou moins classiques ou originales pour des séjours en Crète. Leurs offres intéresseront particulièrement les voyageurs disposant d'un temps limité.

Allibert (☎ France 0825 090 190, Belgique 02-526 92 90, Suisse 022-849 85 51 ; www.allibert-trekking.com ; 37 bd Beaumarchais, Paris 75003). Ce spécialiste du trekking propose un circuit de 8 jours dans les Lekfa Ori, dans le sud-ouest de la Crète, l'une des régions les plus spectaculaires de l'île ; à partir de 1 075 €.

Atalante Paris (☎ 01 55 42 81 00 ; www.atalante.fr ; 5 rue du Sommerard, Paris 75005) ; Lyon (☎ 04 72 53 24 80 ; 36-37 quai Arloing, 69256 Lyon Cedex 09) ; Bruxelles (Continents Insolites ; ☎ 02-218 24 84 ; rue César-Franck, 44A B-1050 Bruxelles). Randonnées dans les Lefka Ori, visite des gorges de Samaria et excursion sur l'île de Santorin, dans un séjour de 8 jours ; à partir de 1 430 €.

Athena Voyages (☎ 04 50 10 93 10 ; www.athenavoyages.com ; BP 100, 74650 Chavanod). Cette association spécialisée dans le développement de l'enseignement du latin et du grec en milieu scolaire propose également des voyages culturels pour adultes, orchestrés par des guides conférenciers. Comptez 450-600 € pour un voyage de 6 jours au départ de Paris.

Bleu Safran Voyages (☎ 01 30 59 52 94 ; www.bleu-safran.com ; 71 rue de Paris, 78550 Houdan). Bleu Safran s'efforce de remettre les 5 sens au cœur des voyages et privilégie la découverte de savoir-faire traditionnels. Ce prestataire propose un séjour de 7 jours pour s'initier à la cuisine crétoise (bio), dans un authentique petit village.

Comptoir des voyages (☎ 0 892 239 339 ; www.comptoir.fr ; 344 rue Saint-Jacques, Paris 75005). Plusieurs formules pour découvrir la Crète entre amis ou en famille, à partir de 685 € pour 8 jours ; possibilité de réaliser des voyages personnalisés ou sur mesure.

Clio (☎ 0 826 10 10 82 ; www.clio.fr; 27 rue du Hameau, Paris 75015). Séjour culturel en Crète et à Santorin de 8 jours (Héraklion, La Canée, Arkadi, les palais minoens, etc.), guidé par des spécialistes ; à partir de 2 200 €.

Club Aventure (☎ 0 826 882 080 ; www.clubaventure.fr ; 18 rue Séguier, 75006 Paris). Treks et baignades ; la Crète des bergers ; ou criques, gorges et Lefka Ori : 3 formules pour explorer la Crète, en 8 ou 15 jours (de 5 à 9 jours de marche), à partir de 1 200 €.

Esprit d'aventure et Terres d'aventure Paris (☎ 0825 847 800 ; www.terdav.com ; 6 rue Saint-Victor, 75005 Paris) ; Bruxelles (Vitamin Travel ; ☎ 02-512 74 64 ; 48 rue Van-Artevelde, 1000 Bruxelles) ; Genève (Néos Voyages ; ☎ 022-320 66 35 ; 50 rue des Bains, 1205 Genève). Descente des gorges de Samaria, ascension du mont Gingilos, randonnées en bord de mer au sud-ouest de l'île ou au bord du plateau du Lassithi, etc. Plusieurs programmes pour découvrir la Crète (et éventuellement l'île de Santorin), en 8 ou 15 jours, à partir de 1 040 €.

Héliades Paris (☎ 01 42 60 83 40 ; www.heliades.fr ; 9 rue de l'Échelle, 75001 Paris) ; Aix-en-Provence (☎ 0 892 23 15 23 ; 1 parc du Golf, BP 422000, 13591 Aix-en-Provence Cedex 3). Le catalogue de ce spécialiste des voyages en Grèce comprend 4 séjours en Crète de 8 jours, tournés vers la mythologie, l'histoire et les traditions de l'île. Au programme : visite des palais minoens, des églises byzantines et d'autres vestiges architecturaux, musées, randonnées dans des gorges, etc. ; à partir de 739 €.

La Burle (☎ 04 75 38 82 44 ; www.laburle.com ; Espace Gerbier, 07510 Sainte-Eulalie). Ce spécialiste de la randonnée propose de découvrir la Crète à pied, en 8 jours (à partir de 455 €) ou en 15 jours (à partir de 675 €).

Tamera (☎ 04 78 37 88 88 ; www.tamera.fr ; 26 rue du Bœuf, 69005 Lyon). Une balade crétoise dans le sud de l'île, plus difficile d'accès, et dans l'intérieur rural ; 8 ou 15 jours, à partir de 980 €.

Zig Zag (☎ 01 42 85 13 93 ; www.zig-zag.tm.fr ; 54 rue de Dunkerque, 75009 Paris). Deux randonnées entre mer et montagne, associant sentiers côtiers et de l'intérieur (notamment dans les Lefka Ori et sur l'île de Gavdos) ; en 8 ou 15 jours, à partir de 930 €.

Dans ce guide, vous trouverez des rubriques *Circuits organisés* proposant des activités et excursions à faire sur place. Vous pourrez contactez notamment **Diktynna Travel** (☎ 28210 41458 ; www.diktynna-travel.gr ; Arhontaki 6, La Canée).

COMMENT CIRCULER

BATEAU

Bateau-taxi

Dans la plupart des ports de la côte sud, des bateaux-taxis (de petits hors-bord) desservent les endroits difficiles d'accès par la terre ferme. Certains chauffeurs demandent un prix fixe par passager ; d'autres appliquent un tarif forfaitaire pour l'embarcation. Dans tous les cas, cela revient assez cher.

Ferry

De petits bateaux relient les villes de la côte sud, dont certaines ne sont accessibles que par la mer.

L'été, des bateaux vont chaque jour de Paleohora à Hora Sfakion, via Agia Roumeli, Sougia et Loutro. Les horaires changent selon les années. En général, 2-3 bateaux circulent quotidiennement entre Hora Sfakion et Agia Roumeli et un bateau assure la liaison entre Hora Sfakion et Paleohora. Des bateaux pour l'île de Gavdos partent de Hora Sfakion et de Paleohora (lors de notre passage, ces derniers circulaient via Hora Sfakion, accomplissant ainsi le trajet en 5 heures).

Des bateaux touristiques font des excursions dans les îles, notamment à l'île de Chryssi (Gaidouronisi) depuis Ierapetra, à Spinalonga au départ d'Agios Nikolaos et à la presqu'île de Gramvoussa depuis Kasteli Kissamos.

BUS

Il est assez facile de circuler dans l'île, qui possède un réseau de bus publics étendu. Des bus circulent régulièrement entre les principales villes de la côte nord, situées sur la route nationale entre Kasteli Kissamos et Sitia. D'autres bus circulent moins fréquemment entre la côte nord et la côte sud, via les villages de l'intérieur. Les tarifs, officiels, sont raisonnables.

Les bus sont gérés par des coopératives connues sous le nom de **KTEL** (www.ktel.org) – chaque nome possède sa propre KTEL. Le site Internet répertorie les horaires de tous les bus de l'île. Vous pourrez également consulter www.crete-buses.gr (Héraklion-Lassithi) et www.bus-service-crete-ktel.com (Rethymnon-La Canée). Les horaires sont également réunis dans une brochure très pratique, disponible dans les principaux arrêts de bus KTEL.

Les villes d'importance possèdent généralement une gare centrale couverte, équipée d'une salle d'attente, de toilettes et d'un snack-bar. Dans les petites villes et les villages, la gare routière se résume parfois à un simple arrêt devant un *kafeneio* (café) ou une taverne, qui se double d'une billetterie. Les horaires sont généralement publiés en grec et en anglais.

Sur la côte nord, la plupart des bus sont en bon état et climatisés. Vous ne trouverez à bord ni toilettes, ni rafraîchissements. Il est interdit de fumer dans les bus.

La majorité des bus empruntent la route nationale nord. Toutefois, chaque jour, au moins un ou deux bus circulent sur les vieilles routes pittoresques. Renseignez-vous au moment d'acheter votre billet. Dans les grandes villes, mieux vaut acheter son billet à la gare pour être sûr d'avoir une place. Si vous montez en route, vous pourrez prendre le billet à bord. Les gares routières des grandes villes, ouvertes jusque tard, constituent de bonnes sources d'information. Pour connaître les horaires et la fréquence des bus, consultez les chapitres régionaux de ce guide.

EN STOP

Se déplacer en stop n'est jamais sûr, quel que soit le pays. Nous ne le recommandons pas. Si vous décidez d'avoir recours à ce mode de transport, mieux vaut entreprendre l'aventure à deux, et informer une tierce personne de l'itinéraire envisagé. Même si la Grèce a la réputation d'être relativement sûre pour les auto-stoppeuses, voyager seule reste dangereux et il est préférable de trouver un compagnon de route. En Crète, on ne tend pas le pouce mais la main toute entière, paume vers le sol.

Faire du stop pour sortir des grandes villes s'avère difficile. Les choses sont beaucoup plus faciles dans les régions retirées. Sur les routes de campagne, on pourra très bien s'arrêter pour vous proposer de vous emmener, même si vous n'avez rien demandé.

TRANSPORTS URBAINS

Bus

Les bus de ville qui circulent depuis Héraklion, Rethymnon et La Canée desservent surtout les quartiers périphériques et ne sont guère pratiques pour se déplacer dans l'île – ils desservent en outre des itinéraires sur lesquels il est possible de marcher. Les billets sont en vente dans les *periptera* (kiosques) et à bord des bus.

Taxi

Sauf dans les villages reculés, vous trouverez facilement des taxis, qui s'avèrent assez bon marché. Dans les grandes villes, dans certaines stations de taxis, les tarifs sont affichés pour des destinations éloignées – vous n'aurez donc pas à craindre les entourloupes. Sinon, le prix est indiqué par le compteur. La prise en charge est fixée à 1 € ; vous paierez 0,34 €/km supplémentaire (0,64 €/km en dehors des agglomérations et entre minuit et 5h). À cela s'ajoute un supplément de 2,15 € au départ des aéroports et un autre de 0,86 € depuis une gare routière ou un port. Vous devrez aussi payer 0,32 € de plus pour chaque bagage de plus de 10 kg. Un radio-taxi applique enfin un supplément de 1,60 €. À la campagne, les taxis n'ont pas de compteur ; convenez d'un prix avant le départ.

La plupart des chauffeurs sont honnêtes, et sympathiques. Si un problème survenait, relevez le numéro du taxi et adressez-vous à la police touristique.

VÉLO

Le vélo est de plus en plus populaire en Crète, où le relief exige souvent muscles et endurance. Vous trouverez des montures de location dans les zones touristiques, pour 8-20 €/jour. Sur les ferries, les vélos sont transportés gratuitement. Pour de plus amples informations sur les circuits à VTT et la location de matériel, reportez-vous au chapitre *Activités de plein air* (p. 69) ou bien consultez le site www.cycling.gr.

VOITURE ET MOTO

À condition d'être prêt à affronter les routes et la conduite crétoises, avoir un véhicule est idéal pour découvrir la Crète. Les loueurs de voiture et de moto ne manquent pas et la voierie s'est considérablement améliorée ces dernières années. Dans les régions les plus reculées (et notamment dans le Sud), certaines routes, non goudronnées, ne restent accessibles qu'aux 4x4.

Sorti des grandes routes, préparez-vous à consulter les cartes – la signalisation est souvent mauvaise sur les routes de campagne. Les panneaux routiers, lorsqu'ils existent, sont habituellement en grec et en anglais (le panneau en anglais, transcription phonétique du panneau en grec, est placé quelques mètres après ce dernier), sauf dans les régions isolées. Les transcriptions en lettres latines diffèrent bien souvent de celles employées dans ce guide et sur les cartes. Investissez dans une bonne carte – qui ne couvrira toutefois pas toujours les routes secondaires.

N'espérez pas trouver des panneaux précisant la distance vous séparant de votre destination. Une règle s'impose : continuer jusqu'à ce qu'un nouveau panneau indique le contraire – les bifurcations ne sont souvent indiquées qu'au dernier moment.

La E75 qui suit la côte nord entre Sitia et La Canée semble toujours en travaux ; certains tronçons sont meilleurs que d'autres.

En Crète, le danger provient davantage des habitudes de conduite que de l'état de la voierie. Les véhicules lents sont sensés se rabattre sur l'étroite voie conçue pour le service afin de laisser passer les véhicules plus rapides. De nombreux Crétois, d'ordinaire détendus, deviennent pressés une fois au volant. Attendez-vous à être klaxonné et doublé si vous n'allez pas assez vite. Beaucoup de conducteurs coupent les virages ou alors ignorent les lignes blanches – et le code de la route d'une manière générale. De plus, la police est quasi inexistante sur les routes (reportez-vous à la rubrique *Code de la route*, ci-dessous).

À l'intérieur des terres et dans le Sud, les étroites routes de montagne sinueuses peuvent être dangereuses.

Il est déconseillé de rouler de nuit – la conduite en état d'ébriété n'est pas rare.

La moto est adaptée aux courts trajets. En revanche, n'oubliez pas que la Crète est une île vaste et que vous devrez parfois parcourir de longues distances.

Automobile clubs

L'association automobile grecque **ELPA** (☎ 210 606 8800 ; www.elpa.gr ; Leoforos Mesogion 395, Agia Paraskevi, Athènes) accueille les membres d'autres associations automobiles nationales en possession d'une carte d'adhérent valide. Si vous tombez en panne, composez le ☎ 10400.

Code de la route

La Grèce compte l'un des taux de mortalité les plus élevés d'Europe et vos réflexes seront soumis à rude épreuve. La plupart des accidents surviennent lors de dépassements. Les touristes qui conduisent lentement des voitures de location peuvent se révéler dangereux, en ce qu'ils provoquent l'impatience d'autres automobilistes, puis des dépassements risqués.

La conduite dans les villes, petites et grandes, peut tourner au cauchemar – sens uniques, voitures garées en double file et application irrégulière de la réglementation en matière de stationnement. Les voitures ne sont pas envoyées à la fourrière, mais les amendes peuvent être lourdes. Les places de parking réservées aux handicapés sont rares.

Les Grecs roulent à droite. Les grandes routes nationales sont à 4 voies, même s'il en existe encore à 2 voies, dotées de larges bandes latérales. Ces bandes latérales servent à se rabattre, notamment en cas de dépassement – ne l'oubliez pas si quelqu'un veut vous doubler.

Les ceintures de sécurité sont obligatoires, à l'arrière comme à l'avant. En théorie, vous devez être muni d'une trousse de premier secours, d'un extincteur et d'un triangle de

DISTANCES ROUTIÈRES (KM)

	Agia Galini	Agios Nikolaos	Anogia	Elafonissi	La Canée	Hora Sfakion	Ierapetra	Héraklion	Kasteli Kissamos	Kolymbari	Malia	Matala	Omalos	Paleohora	Plakias	Rethymnon	Sitia	Spili	Tzermiado	Zakros
Agia Galini	---																			
Agios Nikolaos	144	---																		
Anogia	118	104	---																	
Elafonissi	224	314	218	---																
La Canée	119	209	113	105	---															
Hora Sfakion	45	215	119	70	70	---														
Ierapetra	137	36	140	352	247	182	---													
Héraklion	75	69	35	247	142	148	105	---												
Kasteli Kissamos	173	263	167	51	54	124	301	196	---											
Kolymbari	144	234	138	65	25	95	261	167	14	---										
Malia	112	32	72	284	179	185	68	37	233	204	---									
Matala	29	138	104	253	148	123	131	69	265	173	106	---								
Omalos	163	253	157	149	44	114	291	186	98	69	223	255	---							
Paleohora	206	296	200	64	87	157	335	229	51	65	266	298	131	---						
Plakias	50	198	94	200	95	44	187	123	149	120	161	79	139	183	---					
Rethymnon	62	152	56	162	57	63	190	85	111	62	122	91	101	144	39	---				
Sitia	199	73	177	387	282	290	62	142	336	307	105	211	326	369	265	227	---			
Spili	26	182	86	192	87	68	163	215	141	112	252	55	131	174	24	30	257	---		
Tzermiado	130	49	90	302	197	202	85	55	251	222	44	124	241	284	178	139	122	270	---	
Zakros	235	106	211	421	316	322	98	176	370	341	138	229	360	405	285	259	36	289	155	---

signalisation. Il est interdit de transporter un réservoir d'essence. En dehors des zones bâties, la route principale est prioritaire dans les intersections. En ville, vous devez céder la priorité à droite. De lourdes amendes sont appliquées pour les excès de vitesse et les autres infractions au code de la route, notamment en matière de stationnement. Pour les voitures, la limitation de vitesse est fixée à 120 km/h sur les nationales, à 90km/h sur les autres grandes routes et à 50km/h en ville. Pour les motos, la vitesse est limitée à 70km/h (jusqu'à 100 cm^3) ou 90km/h (au-delà de 100 cm^3).

Le taux d'alcoolémie à ne pas dépasser est fixé à 0,5 g/l. Conduire avec plus de 0,8 g/l d'alcool dans le sang constitue un délit.

Les amendes ne s'acquittent pas sur le champ – on vous indiquera où vous devez payer. De par les accords passés au sein de l'UE, un PV de stationnement non réglé en Crète pourra vous être réexpédié à votre domicile quelques semaines plus tard. Si vous êtes impliqué dans un accident qui n'a fait aucune victime, la police n'est pas tenue de rédiger un rapport, mais il est conseillé de se rendre au poste de police le plus proche pour expliquer la situation. Un constat de police pourra en outre être exigé par votre assurance. Si l'accident a fait des victimes, un conducteur qui ne s'est pas arrêté et n'a pas informé la police encourt une peine de prison.

Essence et pièces détachées

Quelques stations ferment le dimanche et les jours fériés, notamment dans le nome d'Héraklion. Les pompes en libre-service sont rares, ainsi que les pompes automatiques à cartes de crédit – les cartes sont rarement acceptées dans les stations situées dans des endroits reculés. Pensez à faire le plein avant d'être complètement à sec. Pour du sans plomb – disponible partout –, comptez 1 €/litre. Le diesel est moins cher.

Il n'est pas toujours simple de trouver des pièces détachées, surtout dans les régions isolées. Des vendeurs assurent la livraison partout sur l'île – c'est notamment le cas de deux entreprises spécialisées basées à Moires, dans le centre du nome d'Héraklion. Si vous êtes coincé, contactez **O Germanos** (☎ 28920 29122 ; www.o-germanos.com) ou **Eltrak** (☎ 2810 311 903 ; www.eltrak.gr).

Location

MOTO

On peut louer des motos et des vélomoteurs partout, mais la Crète n'est pas l'endroit rêvé pour vous initier aux deux-roues : chaque année, de nombreux touristes ont des accidents. Soyez vigilant, car une route goudronnée peut soudain se métamorphoser en une piste truffée de nids-de-poule.

Les motards chevronnés apprécieront une enduro légère comprise entre 400 et 600 cm^3 pour s'élancer sur les routes crétoises. L'entretien n'est pas toujours optimum. Examinez le véhicule avec soin avant de vous engager – n'oubliez pas les freins, car vous en aurez bien besoin ! Si vous louez un vélomoteur, indiquez votre destination au loueur, afin d'être sûr que votre monture sera assez puissante pour gravir les routes pentues.

Les tarifs de location débutent à 20 €/jour pour un vélomoteur ou une 50 cm^3 et à 50 € pour une enduro. Les prix baissent considérablement hors saison. Le prix comprend habituellement une assurance au tiers, qui ne couvre pas les frais médicaux. Vérifiez que ceux-ci peuvent être pris en charge par votre assurance voyage – bien souvent, ce n'est pas le cas. Le casque est obligatoire dès 50 cm^3.

VOITURE

Louer une voiture revient moins cher en Crète que sur d'autres îles, car la compétition est rude. Les grandes sociétés internationales sont implantées dans les villes principales et dans les aéroports. Il revient souvent bien moins cher de contacter une enseigne locale et de négocier. Si vous choisissez une société implantée en plusieurs points de l'île, vous pourrez louer à un endroit et rendre le véhicule à un autre.

En haute saison, les tarifs journaliers débutent à 35 € pour les petits modèles, pour un kilométrage illimité, assurance comprise ; ils chutent à 20-25 € en basse saison. Vérifiez ce que comprend l'assurance : il est sage de souscrire un contrat couvrant les accidents dont vous pourriez être responsable, ainsi que les dommages occasionnés par un tiers.

La plupart des enseignes n'acceptent que les paiements par carte de crédit. Certaines exigent que le conducteur ait au moins 23 ans ; d'autres acceptent les automobilistes dès 21 ans, s'ils ont au moins 1 an de permis.

La majorité des voitures de location sont manuelles. Si vous souhaitez une voiture automatique, organisez-vous à l'avance, car ce genre de véhicule est rare, et souvent plus onéreux.

Voici quelques agences de location internationales présentes en Crète :

Avis (☎ 210 6879600 ; www.avis.gr)
Budget (☎ 210 3498 800 ; www.budget.gr)
Hertz (☎ 210 626 4000 ; ww.hertz.gr)

Reportez-vous également aux rubriques *Comment circuler* des chapitres régionaux.

Permis de conduire

La Grèce reconnaît tous les permis de conduire nationaux, à condition qu'ils aient été délivrés depuis au moins un an. Vous pourrez vous procurer un permis de conduire international avant votre départ, mais celui-ci n'est pas obligatoire. Si vous louez une moto, les permis de conduire européens permettent de conduire une moto de moins de 50 cm^3. Si vous êtes extérieur à l'UE ou si vous souhaitez louer une moto plus grosse, vous devrez posséder un permis adéquat. De plus en plus de loueurs l'exigent. En outre, vous ne serez pas assuré si vous n'en possédez pas.

Transport de véhicule

Les véhicules immatriculés dans l'UE peuvent circuler pendant 6 mois en Grèce sans autorisation particulière ; seule est requise une assurance de responsabilité civile valable à l'étranger. La seule trace de votre date d'entrée – si la police vous pose la question – est votre billet de ferry si vous arrivez d'Italie, ou l'éventuel tampon d'entrée de votre transport si vous arrivez d'une autre destination. Les véhicules immatriculés en dehors de l'UE seront consignés sur votre passeport.

De nombreux ferries desservent la Crète. Ils sont assez onéreux – comptez 86 € depuis le Pirée. Le transport des petites motos est souvent gratuit ; pour les plus grosses cylindrées, comptez 16-32 €.

Langue

SOMMAIRE

La langue grecque est probablement la plus ancienne des langues européennes : elle se transmet oralement depuis quatre mille ans, et s'écrit depuis environ trois millénaires.

Rayonnante durant l'âge d'or d'Athènes et de la démocratie (milieu du Ve siècle av. J.-C.), elle servit ensuite de *lingua franca* dans l'ensemble du Moyen-Orient. Durant la période hellénistique (330 av. J.-C.-100), elle fut diffusée par Alexandre le Grand et ses successeurs jusqu'à l'Indus. Elle allait successivement devenir la langue d'une nouvelle religion, le christianisme, puis la langue officielle de l'Empire romain d'Orient, avant de devenir celle de l'Empire byzantin (380-1453). Le grec a retrouvé tout son prestige à la Renaissance. Il fait partie aujourd'hui, pour une large part, du vocabulaire de toutes les langues indo-européennes ; le grec est devenu la langue de référence des sciences contemporaines.

La langue grecque moderne était à l'origine un dialecte utilisé dans le sud du pays, qui s'est généralisé à l'ensemble des hellénophones de Grèce ou d'ailleurs. Elle mêle le vocabulaire grec ancien à des mots empruntés à des dialectes régionaux (notamment le crétois, le chypriote et le macédonien). Elle est parlée dans l'ensemble de la Grèce par une population d'environ 10 millions d'habitants, ainsi que par quelque 5 millions de Grecs vivant à l'étranger.

PRONONCIATION

Tous les mots grecs de deux syllabes ou plus possèdent un accent aigu, qui indique où placer l'intonation. Ainsi, άγαλμα (statue) se prononce ***a**ghalma* et αγάπη (amour) se prononce *agh**a**pi*. Les lettres apparaissant en *gras* indiquent la place de l'accent tonique. Notez également que **dh** se prononce comme le "th" anglais de "then" et **gh** est une version plus douce et légèrement gutturale du son "g".

HÉBERGEMENT

Je cherche...
psa·hno yi·a — Ψάχνω για...

une chambre
e·na dho·*ma*·ti·o — ένα δωμάτιο

un hôtel
e·na kse·no·dho·*chi*·o — ένα ξενοδοχείο

une auberge de jeunesse
e·nan kse·*no*·na ne·*o*·ti·tas — έναν ξενώνα νεότητας

Où puis-je trouver un hôtel bon marché ?
pou *i*·ne *e*·na fti·*no* xe·no·do·*hi*·o
Πού είναι ένα φτηνό ξενοδοχείο

Où se trouve cette adresse ?
pya *i*·ne i dhi·*ef*·thin·si
Ποια είναι η διεύθυνση

Pourriez-vous écrire cette adresse, s'il vous plaît ?
pa·ra·ka·*lo*, bo·*ri*·te na *ghra*·pse·te ti· dhi·*ef*·thin·si
Παρακαλώ, μπορείτε να γράψετε τη διεύθυνση;

Avez-vous des chambres libres ?
i·*par*·chun e·*lef*·the·ra dho·*ma*·ti·a
Υπάρχουν ελεύθερα δωμάτια;

Je souhaiterais réserver...
tha *i*·the·la na *kli*·so — Θα ήθελα να κλείσω...

un lit
e·na kre·*va*·ti — ένα κρεββάτι

une chambre simple
e·na mo·*no*·kli·o·no dho·*ma*·ti·o — ένα μονόκλινο δωμάτιο

une chambre double
e·na *dhi*·kli·no dho·*ma*·ti·o — ένα δίκλινο δωμάτιο

une chambre avec lits jumeaux
e·na dho·*ma*·ti·o me dhy·*o* kre·*va*·ti·a — ένα δωμάτιο με δυό κρεββάτια

ALPHABET GREC ET PRONONCIATION

Grec	Prononciation		Exemple		
Α α	**a**	ouvert de "bar"	αγάπη	a·*gha*·pi	amour
Β β	**v**	de "vin"	βήμα	*vi*·ma	marche
Γ γ	**gh**	mélange de *g* dur et de *h*	γάτα	*gha*·ta	chat
	y	de "yaourt"	για	ya	pour
Δ δ	**dh**	comme *th* du mot anglais "then"	δέμα	*dhe*·ma	colis
Ε ε	**e**	ouvert de "frère"	ένας	*e*·nas	un
Ζ ζ	**z**	de "zoo"	ζώο	*zo*·o	animal
Η η	**i**	de "lit"	ήταν	*i*·tan	était
Θ θ	**th**	anglais dur de "thunder"	θέμα	*the*·ma	thème
Ι ι	**i**	de "lit"	ίδιος	*i*·dhyos	même
Κ κ	**k**	de "karaté"	καλά	ka·*la*	bien
Λ λ	**l**	de "la"	λάθος	*la*·thos	erreur
Μ μ	**m**	de "ma"	μαμά	ma·*ma*	mère
Ν ν	**n**	de "net"	νερό	ne·*ro*	eau
Ξ ξ	**x**	de "axe"	ξύδι	*ksi*·dhi	vinaigre
Ο ο	**o**	ouvert de "port"	όλα	*o*·la	tout
Π π	**p**	de "pierre"	πάω	*pa*·o	je vais
Ρ ρ	**r**	de "route"	ρέμα	*re*·ma	courant
		r roulé	ρόδα	*ro*·dha	pneu
Σ σ, ς	**s**	dur de "assez"	σημάδι	si·*ma*·dhi	marque
Τ τ	**t**	de "tu"	τόπι	*to*·pi	balle
Υ υ	**i**	de "lit"	ύστερα	*is*·tera	après
Φ φ	**f**	de "fil"	φύλλο	*fi*·lo	feuille
Χ χ	**h**	allemand dur de "achtung"	χάνω	*ha*·no	je perds
		ou *h* aspiré	χέρι	*he*·ri	main
Ψ ψ	**ps**	de "psaume"	ψωμί	pso·*mi*	pain
Ω ω	**o**	ouvert de "port"	ώρα	*o*·ra	temps

Groupes de lettres

Les groupes de lettres ci-dessous se prononcent de la manière suivante :

Grec	Prononciation		Exemple		
ει	**i**	de "lit"	είδα	*i*·dha	j'ai vu
οι	**i**	de "lit"	οικόπεδο	i·*ko*·pe·dho	pays
αι	**e**	ouvert de "père"	αίμα	*e*·ma	sang
ου	**u**	de "mou"	πού	pou	où
μπ	**b**	à l'initiale	μπάλα	*ba*·la	balle
	mb	à l'intérieur	κάμπος	*kam*·bos	forêt
ντ	**d**	à l'initiale	ντουλάπα	dou·*la*·pa	armoire
	nd	à l'intérieur	πέντε	*pen*·de	cinq
γκ	**g**	de guide à l'initiale	γκάζι	*ga*·zi	gaz
γγ	**ng**	de "anglais"	αγγελία	an·ge·*lia*	annonce
γξ	**ks**	de "axe"	σφιγξ	sfinks	sphinx
τζ	**dz**	de "dazibao"	τζάκι	*dza*·ki	cheminée

Les voyelles des groupes indiqués ci-dessus se prononcent séparément si la première voyelle est pourvue d'un accent aigu ou la seconde d'un tréma, comme l'illustrent les exemple suivants :

γαϊδουράκι	ga·i·dhou·*ra*·ki	petit âne
Κάιρο	*ka*·*i*·ro	Le Caire

Certains sons consonantiques grecs n'ont pas d'équivalent en français. On a coutume de prononcer *v* les groupements αυ, ευ et ηυ. Le point d'interrogation grec est désigné par notre point-virgule ";".

une chambre avec salle de bains
e·na dho·*ma*·ti·o me *ba*·ni·o — ένα δωμάτιο με μπάνιο

Je souhaiterais partager un dortoir.
tha *i*·the·la na mi·*ra*·so *e*·na ki·*no* dho·*ma*·ti·o me *al*·la *a*·to·ma
Θα ήθελα να μοιράσω ένα κοινό δωμάτιο με άλλα άτομα.

Combien cela coûte-t-il…?	*po*·so *ka*·ni	Πόσο κάνει…;
pour une nuit	ti ·vra·*dhya*	τη βραδυά
pour une personne	to *a*·to·mo	το άτομο

Puis-je la voir ?
bo·*ro* na to dho — Μπορώ να το δω;
Où se trouve la salle de bains ?
pou *i*·ne to·*ba*·ni·o — Πού είναι το μπάνιο;
Je pars/Nous partons aujourd'hui.
fev·gho/*fev*·ghou·me *si*·me·ra — Φεύγω/φεύγουμε σήμερα.

CONVERSATION ET EXPRESSIONS DE BASE

Bonjour.	*ya*·sas (poli)	Γειά σας.
	ya·su (fam)	Γειά σου.
Bonjour (matin).	ka·*li me*·ra	Καλή μέρα.
Bonjour (après-midi)/ Bonsoir.	ka·*li spe*·ra	Καλή σπέρα.
Bonne nuit.	ka·*li nikh*·ta	Καλή νύχτα.
Au revoir.	an·*di*·o	Αντίο.
Oui.	ne	Ναι.
Non.	*o*·hi	Οχι.
S'il vous plaît.	pa·ra·ka·*lo*	Παρακαλώ.
Merci.	ef·ha·ri·*sto*	Ευχαριστώ.

Je vous en prie/Il n'y a pas de quoi.
pa·ra·ka·*lo* — Παρακαλώ.
Excusez-moi (pardon, veuillez m'excuser).
sigh·*no*·mi — Συγγνώμη.
Comment vous appelez-vous ?
pos sas *le*·ne — Πώς σας λένε;
Je m'appelle…
me *le*·ne — Με λένε…
D'où venez-vous ?
a·*po* pou *i*·ste — Από πού είστε;
Je viens de…
i·me a·*po* — Είμαι από…
J'aime (Je n'aime pas)…
(dhen) ma·*re*·si — (Δεν) μ' αρέσει…
Un instant.
mi·*so* lep·*to* — Μισό λεπτό.

ORIENTATION

Où se trouve… ?
pou *i*·ne — Πού είναι…;
Tout droit.
o·lo ef·*thi*·a — Ολο ευθεία.
Tournez à gauche.
strips·te a·ri·ste·*ra* — Στρίψτε αριστερά.
Tournez à droite.
strips·te dhe·ksi·*a* — Στρίψτε δεξιά.
Au prochain carrefour.
stin e*po*·me·ni gho·*ni*·a — στην επόμενη γωνία.
Aux feux.
sta *fo*·ta — στα φώτα.

PANNEAUX

ΕΙΣΟΔΟΣ	Entrée
ΕΞΟΔΟΣ	Sortie
ΠΛΗΡΟΦΟΡΙΕΣ	Accueil
ΑΝΟΙΧΤΟ	Ouvert
ΚΛΕΙΣΤΟ	Fermé
ΑΠΑΓΟΡΕΥΕΤΑΙ	Interdit
ΑΣΤΥΝΟΜΙΑ	Police
ΑΣΤΥΝΟΜΙΚΟΣ ΣΤΑΘΜΟΣ	Commissariat
ΓΥΝΑΙΚΩΝ	Toilettes (dames)
ΑΝΔΡΩΝ	Toilettes (messieurs)

derrière	*pi*·so	πίσω
devant	bro·*sta*	μπροστά
loin	ma·kri·*a*	μακριά
près (de)	kon·*da*	κοντά
en face	a·*pe*·nan·di	απέναντι

acropole	a·*kro*·po·li	ακρόπολη
plage	pa·ra·*li*·a	παραλία
pont	*ye*fira	γέφυρα
château	*ka*·stro	κάστρο
île	ni·*si*	νησί
place principale	ken·dri·*ki*· pla·*ti*·a	κεντρική πλατεία
marché	a·gho·*ra*	αγορά
musée	mu·*si*·o	μουσείο
vieille ville	pa·li·*a po*·li	παλιά πόλη
ruines	ar·*he*·a	αρχαία
mer	*tha*·las·sa	θάλασσα
place	pla·*ti*·a	πλατεία
temple	na·*os*	ναός

SANTÉ

Je suis malade.	*i*·me *a*·ro·stos	Είμαι άρρωστος.
J'ai mal ici.	po·*nai*· e·*dho*	πονάει εδώ
J'ai/je souffre…	*e*·ho	Εχω…
de l'asthme		
asth·ma		άσθμα

URGENCES

Au secours !
vo·*i*·thya — Βοήθεια!

Il y a eu un accident.
ey·i·ne a·*ti*·hi·ma — Εγινε ατύχημα.

Partez !
fi·ye! — Φύγε!

Appelez... !	fo·*nak*·ste	Φωνάξτε...!
un docteur	*e*·na yi·a·*tro*	ένα γιατρό
la police	tin a·sti·no·*mi*·a	την αστυνομία

du diabète
za·ha·ro·dhi·a·*vi*·ti — ζαχαροδιαβήτη

de la diarrhée
dhi·*a*·ri·a — διάρροια

d'épilepsie
e·pi·lip·*si*·a — επιληψία

Je suis allergique...
i·me a·ler·yi·*kos*/ a·ler·yi·*ki* (m/f) — Είμαι αλλεργικός/ αλλεργική...

aux antibiotiques
sta an·di·vi·o·ti·*ka* — στα αντιβιωτικά

à l'aspirine
stin a·spi·*ri*·ni — στην ασπιρίνη

à la pénicilline
stin pe·ni·ki·*li*·ni — στην πενικιλλίνη

aux abeilles
stis *me*·li·ses — στις μέλισσες

aux noix
sta fi·*sti*·ki·a — στα φυστίκια

préservatifs	pro·fi·la·kti·*ka* (ka·*po*·tez)	προφυλακτικά (καπότες)
contraceptif	pro·fi·lak·ti·*ko*	προφυλακτικό
médicament	*farm*·a·ko	φάρμακο
crème écran total	*kre*·ma i·*li*·u	κρέμα ηλίου
tampons	tam·*bon*	ταμπόν

DIFFICULTÉS DE COMPRÉHENSION

Parlez-vous français ?
mi·*la*·te ga li·*ka* — Μιλάτε Γαλικά;

Quelqu'un parle-t-il français ?
mi·*lai* ka·*nis* ga li·*ka* — Μιλάει κανείς Γαλικά;

Comment dit-on... en grec ?
ps *le*·ghe·te... sta el·li·ni·*ka* — Πώς λέγεται... στα ελληνικά;

Je comprends.
ka·ta·la·*ve*·no — Καταλαβαίνω.

Je ne comprends pas.
dhen ka·ta·la·*ve*·no — Δεν καταλαβαίνω.

Pouvez-vous l'écrire, s'il vous plaît ?
ghrap·ste to, pa·ra·ka·*lo* — Γράψτε το, παρακαλώ.

Pouvez-vous me montrer sur la carte ?
bo·*ri*·te na mo·u to *dhi*·xe·te sto *har*·ti — Μπορείτε να μου το δείξετε στο χάρτη;

NOMBRES

0	mi·*dhen*	μηδέν
1	*e*·nas	ένας (m)
	mi·a	μία (f)
	e·na	ένα (n)
2	*dhi*·o	δύο
3	tris	τρεις (m&f)
	tri·a	τρία (n)
4	*te*·se·ris	τέσσερεις (m&f)
	te·se·ra	τέσσερα (n)
5	*pen*·de	πέντε
6	*e*·xi	έξη
7	ep·*ta*	επτά
8	oh·*to*	οχτώ
9	e·*ne*·a	εννέα
10	*dhe*·ka	δέκα
20	*ik*·o·si	είκοσι
30	tri·*an*·da	τριάντα
40	sa·*ran*·da	σαράντα
50	pe·*nin*·da	πενήντα
60	ex*in*·da	εξήντα
70	ev·dho·*min*·da	εβδομήντα
80	oh·*dhon*·da	ογδόντα
90	ene*nin*da	ενενήντα
100	e·ka·*to*	εκατό
1 000	*hi*·li·i	χίλιοι (m)
	hi·li·ez	χίλιες (f)
	hi·li·a	χίλια (n)
2 000	dhi·*o* chi·*li*·a·dhez	δυό χιλιάδες

ADMINISTRATION

nom
o·no·ma·te·*po*·ni·mo — ονοματεπώνυμο

nationalité
i·pi·ko·*o*·ti·ta — υπηκοότητα

date de naissance
i·me·ro·mi·*ni*·a yen·*ni*·se·os — ημερομηνία γεννήσεως

lieu de naissance
to·pos yen·*ni*·se·os — τόπος γεννήσεως

sexe
fil·lon — φύλλον

passeport
dhia·va·*ti*·ri·o — διαβατήριο

visa
vi·za — βίζα

QUESTIONS

Qui/Que ?
pi·*os*/pi·*a*/pi·*o*? (sg m/f/n) — Ποιος/Ποια/Ποιο;
pi·*i*/pi·*es*/pi·*a*? (pl m/f/n) — Ποιοι/Ποιες/Ποια;

LANGUE

TRANSLITTÉRATION ET VARIATIONS ORTHOGRAPHIQUES

La transcription de la langue grecque en alphabet latin est une question épineuse qui ne manque ni d'écueils ni d'incohérences. Les Grecs eux-mêmes ne font pas preuve d'une grande rigueur, bien que les choses s'améliorent progressivement. Ainsi, le mot "Pirée" (Attique), par exemple, apparaît-il écrit en caractères latins sous les formes les plus diverses : *Pireas*, *Piraievs* et *Pireefs*, et même, sur certaines plaques de rue, *Pireos* !

À cela s'ajoute la diglossie, véritable piège linguistique créé par la coexistence de deux formes de langue grecque : la *katharevousa*, ou forme pure, et le *dimotiki* (le démotique), sa forme populaire. Si la *katharevousa*, version officielle du grec, est une création artificielle, le démotique a toujours été la langue parlée par la majorité de la population. Cette dichotomie fait que, bien souvent, il existe deux termes grecs pour un seul et même sens. Ainsi, dans le langage courant, le "boulanger" est appelé *fournos*, alors que son enseigne indique presque toujours *artopoieion*. De même, le "pain", que l'on désigne à la maison par le terme *psomi*, devient à l'église *artos*.

La dichotomie entre formes grecque et francisée des noms de lieux ne fait que compliquer davantage la situation. Khánia s'oppose alors à La Canée, Iraklio à Héraklion, Rethymno à Rethymnon, et la liste est encore longue ! Dans certains cas, la dénomination officielle des lieux diffère de leur nom courant (diglossie toponymique), ce qui explique la coexistence d'appellations doubles telles que Santorin/Thíra. Dans ce guide, nous avons adopté, pour les noms de villes, la transcription en grec moderne, à l'exception des agglomérations pour lesquelles la version francisée est plus connue. Lorsque nous faisons référence à des sites ou à des personnages historiques, nous essayons de rester fidèles aux noms classiques, plus familiers.

Cette diglossie pose des problèmes particuliers pour la translittération des voyelles, d'autant plus qu'en grec, on compte six transcriptions différentes pour la voyelle **i**, deux pour le **o**, et deux pour le **e**. Dans la plupart des cas, nous utilisons dans ce guide la voyelle **y** pour transcrire le son "i" de la lettre grecque *upsilon* (υ, Υ), et le **i** pour les lettres *êta* (η, Η) et *iota* (ι, Ι). Lorsque le son "i" découle d'une combinaison de plusieurs voyelles, telles que οι, ει et υι, nous le retranscrivons par la lettre **i**. Pour la transcription du son "è" des lettres grecques αι et ε, nous avons fait le choix du **e** latin.

Dans le cas des consonnes, nous retranscrivons dans ce guide la lettre grecque *gamma* (γ, Γ) par un **g** plutôt que par un **y**. C'est pourquoi vous lirez *agios* ("saint" en grec) et non pas *ayios*, ou *agia* ("sainte") plutôt qu'*ayia*. Le *phi* (φ, Φ) grec peut être transcrit par **f** ou **ph** selon les cas. En général, les noms classiques sont retranscrits avec un **ph** et les noms modernes avec un **f**. Ainsi, nous avons préféré Phaistos à Festos. La lettre grecque *khi* (ξ, Ξ) a été le plus souvent transcrite par un **h** afin de s'approcher au plus près de la prononciation du grec, qui est celle d'un **h** aspiré. La lettre **k** a été conservée pour transcrire le *kappa* (κ, Κ) grec, sauf dans le cas de certains noms historiques pour lesquels on utilise par convention la lettre **c** comme, par exemple, pour l'Acropole.

Dans les noms de rue, nous avons omis le grec *odos*, mais les termes *leoforos* (avenue) et *plateia* (place) ont été conservés.

Qui est là ?
pi·*os* *i*·ne e·*ki* Ποιος είναι εκεί;

Quelle rue est-ce ?
pi·*a* o·*dhos* *i*·ne af·*ti* Ποια οδός είναι αυτή;

Quoi ?
ti Τι;

Qu'est-ce que c'est ?
ti *i*·ne af·*to* Τι είναι αυτό;

Où ?
pu Πού;

Quand ?
po·te Πότε ;

Pourquoi ?
yi·a·*ti* Γιατί ;

Comment ?
pos Πώς;

Combien ?
po·so Πόσο;

Combien cela coûte-t-il ?
po·so *ka*·ni Πόσο κάνει;

ACHATS ET SERVICES

Je souhaiterais acheter…
the·lo n'a·gho·*ra*·so Θέλω ν' αγοράσω…

Combien cela coûte-t-il ?
po·so *ka*·ni Πόσο κάνει;

Cela ne me convient pas.
dhen mu a·*re*·si Δεν μου αρέσει.

Puis-je le voir ?
bo·*ro* na to dho — Μπορώ να το δω;
Je regarde seulement.
ap·*los* ki·*ta*·zo — Απλώς κοιτάζω.
C'est bon marché.
i·ne fti·*no* — Είναι φτηνό.
C'est trop cher.
i·ne po·*li* a·kri·*vo* — Είναι πολύ ακριβό.
Je le prends.
tha to *pa*·ro — Θα το πάρω.

Acceptez-vous… ?	*dhe*·che·ste	Δέχεστε…;
les cartes de crédit	pi·sto·ti·*ki* *kar*·ta	πιστωτική κάρτα
les chèques de voyage	tak·si·dhi·o·ti·*kes* e·pi·ta·*ghes*	ταξιδιωτικές επιταγές

plus	pe·ri·*so*·te·ro	περισσότερο
moins	li·*gho*·te·ro	λιγότερο
plus petit	mi·*kro*·te·ro	μικρότερο
plus grand	me·gha·*li*·te·ro	μεγαλύτερο

Je cherche…	*psach*·no ya	Ψάχνω για…
une banque	mya *tra*·pe·za	μια τράπεζα
l'église	tin ek·kli·*si*·a	την εκκλησία
le centre-ville	to *ken*·dro tis *po*·lis	το κέντρο της πόλης
l'ambassade	tin pres·*vi*·a	την πρεσβεία
le marché	ti· lai·*ki*· a·gho·*ra*	τη λαϊκη αγορά
le musée	to mu·*si*·o	το μουσείο
la poste	to ta·chi·dhro·*mi*·o	το ταχυδρομείο
les toilettes publiques	*mya* dhi·*mo*·sia tu·a·*let*·ta	μια δημόσια τουαλέττα
un centre téléphonique	to ti·le·fo·n·i·*ko* *ken*·dro	το τηλεφωνικό κέντρο
l'office du tourisme	to tu·ri·st·*iko* ghra·*fi*·o	το τουριστικό γραφείο

HEURE ET DATE

Quelle heure est-il ?	ti o·*ra* *i*·ne	Τι ώρα είναι;
Il est (2h).	*i*·ne (*dhi*·o i· *o*·ra)	είναι (δύο η ώρα).
dans la matinée	to pro·*i*	το πρωί
dans l'après-midi	to a·*po*·yev·ma	το απόγευμα
dans la soirée	to *vra*·dhi	το βράδυ
Quand ?	*po*·te	Πότε;
aujourd'hui	*si*·me·ra	σήμερα
demain	*av*·ri·o	αύριο
hier	hthes	χθες
lundi	dhef·*te*·ra	Δευτέρα
mardi	*tri*·ti	Τρίτη
mercredi	te·*tar*·ti	Τετάρτη
jeudi	*pemp*·ti	Πέμπτη
vendredi	pa·ras·ke·*vi*	Παρασκευή
samedi	*sa*·va·to	Σάββατο
dimanche	kyri·a·*ki*	Κυριακή

janvier	ia·nou·*ar*·i·os	Ιανουάριος
février	fev·rou·*ar*·i·os	Φεβρουάριος
mars	*mar*·ti·os	Μάρτιος
avril	a·*pri*·li·os	Απρίλιος
mai	*mai*·os	Μάιος
juin	i·*ou*·ni·os	Ιούνιος
juillet	i·*ou*·li·os	Ιούλιος
août	*av*·ghous·tos	Αύγουστος
septembre	sep·*tem*·vri·os	Σεπτέμβριος
octobre	ok·*to*·vri·os	Οκτώβριος
novembre	no·*em*·vri·os	Νοέμβριος
décembre	dhe·*kem*·vri·os	Δεκέμβριος

TRANSPORTS

Transports publics

À quelle heure part-il/ arrive-t-il ?	ti *o*·ra *fev*·yi/ *fta*·ni to	Τι ώρα φεύγει/ φτάνει το…;
bateau	*pli*·o	πλοίο
bus	a·sti·*ko*	αστικό
car	le·o·fo·*ri*·o	λεωφορείο
avion	ae·ro·*pla*·no	αεροπλάνο
train	*tre*·no	τραίνο

Je voudrais (un)…	tha *i*·the·la (*e*·na)	Θα ήθελα (ένα)…
aller simple	a·*plo* isi·*ti*·ri·o	απλό εισιτήριο
aller-retour	i·si·*ti*·ri·o me e·pi·stro·*fi*	εισιτήριο με επιστροφή
1re classe	*pro*·ti· *the*·si	πρώτη θέση
2e classe	*def*·te·ri *the*·si	δεύτερη θέση

Je souhaite aller…
the·lo na *pao* sto/sti — Θέλω να πάω στο/στη…
Le train a été annulé/retardé.
to *tre*·no a·ki·*ro*thi·ke/ka·thi·*ste*·ri·se
Το τραίνο ακυρώθηκε/καθυστέρησε.

le premier
to *pro*·to — το πρώτο
le dernier
to te·lef·*te*·o — το τελευταίο
numéro de quai
a·rith*mos* a·po·*va*·thras — αριθμός αποβάθρας
billetterie (guichet)
ek·dho·*ti*·ri·o i·si·ti·*ri*·on — εκδοτήριο εισιτηρίων
horaires
dhro·mo·*lo*·gio — δρομολόγιο
gare ferroviaire
si·dhi·ro·dhro·mi·*kos* stath·*mos* — σιδηροδρομικός σταθμός

Transports privés

Je voudrais louer…

un (une)	tha *i*·the·la na ni·ki·*a*·so	Θα ήθελα να νοικιάσω…
voiture	*e*·na af·ti·*ki*·ni·to	ένα αυτοκίντο
4x4	*e*·na *tes*·se·ra e·*pi tes*·se·ra	ένα τέσσερα επί τέσσερα
(une Jeep)	(*e*·na tzip)	(ένα τζιπ)
moto	*mya* mo·to·si·*klet*·ta	μια μοτοσυ-κλέττα
vélo	*e*·na po·*dhi*·la·to	ένα ποδήλατο

Est-ce la route de…?
af·*tos i*·ne o *dhro*·mos ya Αυτός είναι ο δρόμος για…
Où est la prochaine station-service ?
pu *i*·ne to e·*po*·me·no ven·zi·*na*·dhi·ko
Πού είναι το επόμενο βενζινάδικο;
Le plein, s'il vous plaît.
ye·*mi*·ste to pa·ra·ka·*lo* Γεμίστε το, παρακαλώ.
Pour une valeur de (30) euros.
tha *i*·the·la (30) ev·*ro* Θα ήθελα (30) ευρώ.

diesel	pet·*re*·le·o	πετρέλαιο
super	*su*·per	σούπερ
essence sans plomb	a·*mo*·liv·dhi	αμόλυβδη

Puis-je stationner ici ?
bo·*ro* na par·*ka*·ro e·*dho* Μπορώ να παρκάρω εδώ;
Où dois-je payer ?
pu pli·*ro*·no Πού πληρώνω;

Ma voiture/moto est tombée en panne.
to af·to·*ki*·ni·to/mo·to·si·*klet*·ta *cha*·la·se
Το αυτοκίνητο/η μοτοσυκλέττα χάλασε.
Ma voiture/moto ne démarre pas.
to af·to·*ki*·ni·to/mo·to·si·*klet*·ta dhen *per*·ni· bros
Το αυτοκίνητο/η μοτοσυκλέττα δεν παίρνει μπρος.
J'ai un pneu à plat.
e·pa·tha *la*·sti·cho Επαθα λάστιχο.
Je suis en panne d'essence.
e·mi·na a·*po* ven·*zi*·ni Εμεινα από βενζίνη.

Également disponible aux éditions Lonely Planet : le guide de conversation Grec (7,90 €)

PANNEAUX ROUTIERS

ΠΑΡΑΚΑΜΨΗ	Déviation
ΑΠΑΓΟΡΕΥΕΤΕΑΙ Η ΕΙΣΟΔΟΣ	Entrée interdite
ΑΠΑΓΟΡΕΥΕΤΑΙ Η ΠΡΟΣΠΕΡΑΣΗ	Ne pas dépasser
ΑΠΑΓΟΡΕΥΕΤΑΙ ΗΣΤΑΘΜΕΥΣΗ	Stationnement interdit
ΕΙΣΟΔΟΣ	Entrée
ΜΗΝ ΠΑΡΚΑΡΕΤΕ ΕΔΩ	Arrêt interdit
ΔΙΟΔΙΑ	Péage
ΚΙΝΔΥΝΟΣ	Danger
ΑΡΓΑ	Ralentir
ΕΞΟΔΟΣ	Sortie

J'ai eu un accident.
e·pa·tha a·*ti*·chi·ma Επαθα ατύχημα.

AVEC UN ENFANT

Y a-t-il un/une…	i·*par*·chi	Υπάρχει…
J'ai besoin d'un/une/de…	chri·*a*·zo·m	Χρειάζομαι…
baby-sitter	*ba*·bi *sit*·ter	μπέιμπι σίττερ
chaise haute	pe·dhi·*ki* ka·*rek*·la	παιδική καρέκλα
couches	*pan*·nez Pam·pers	πάννες Pampers
endroit où changer mon enfant	*me*·ros nal·*lak*·so to mo·*ro*	μέρος ν'αλλάξω το μωρό
menu enfant	me·*nu* ya pe·*dhya*	μενού για παιδία
petit pot	yo·*yo*	γιογιό
siège voiture pour enfant	*ka*·this·ma ya mo·*ro*	κάθισμα για μωρό
poussette	ka·rot·*sa*·ki	καροτσάκι

Puis-je allaiter mon enfant ici ?
bo·*ro* na thi·*la*·so e·*dho*
Μπορώ να θηλάσω εδώ;

Les enfants sont-ils autorisés ?
e·pi·*tre*·pon·de ta pe·*dhya*
Επιρέπονται τα παιδιά;

Glossaire

achéenne (civilisation) – voir *mycénienne (civilisation)*
acropole – partie la plus élevée d'une cité antique
âge des ténèbres (1200-800 av. J.-C.) – période durant laquelle la Grèce fut sous la domination des *Doriens*
agia (f), agios (m), agii (pl) – sainte, saint(s)
agora – quartier marchand d'une cité antique ; centre d'activités commerciales dans la Grèce moderne
amphore – grand vase à deux anses dans lequel on conservait le vin ou l'huile
architrave – partie de l'*entablement* qui repose sur les colonnes d'un temple
archontika – demeures des XVIIe et XVIIIe siècles qui appartenaient aux archontes, les magistrats qui gouvernaient la cité

baglama – petit *bouzouki* au son métallique
basilique – église chrétienne primitive
bouleutérion – salle du conseil
bouzouki – instrument à cordes pareil à un luth, emblématique du *rébétiko*
bouzoukia – boîte de nuit où des joueurs de *bouzouki* accompagnent les chansons populaires ; voir aussi *skyladika*
byzantin (Empire) – cet empire, caractérisé par la fusion de la culture hellénistique et du christianisme, doit son nom à Byzance (actuelle Istanbul), la cité du Bosphore qui devint la capitale de l'Empire romain en 324. Après le partage de l'Empire romain en 395, Rome déclina tandis que la capitale orientale, rebaptisée Constantinople en l'honneur de l'empereur Constantin Ier, prospéra. L'Empire byzantin disparut après la prise de Constantinople par les Turcs en 1453

caïque – robuste petit bateau de pêche
cannelée – se dit d'une colonne dont le fût porte des rainures horizontales
cella – salle du temple où se trouvait la statue du dieu
chapiteau – sommet d'une colonne
chorège – riche citoyen qui organisait à ses frais des représentations de chant et de théâtre
classique (Grèce) – période durant laquelle les cités-États atteignirent l'apogée de leur richesse et de leur puissance, après la défaite des Perses au Ve siècle av. J.-C. Elle prit fin avec le déclin de ces cités-États à la suite des guerres du Péloponnèse et des aspirations expansionnistes de Philippe II de Macédoine (r. 359-336 av. J.-C.) et de son fils Alexandre le Grand (r. 336-323 av. J.-C.)
corinthien – ordre architectural grec caractérisé par des chapiteaux en forme de cloche, ornés de feuilles d'acanthe
corniche –partie supérieure de l'*entablement*, en-dessous de la *frise*
Cyclopes – géants mythiques dotés d'un œil unique

delfini – dauphin ; appellation courante des hydroglisseurs
dimarkheion – hôtel de ville
dimotiki – démotique, langue courante officielle de la Grèce
domation (s), domatia (pl) – chambre ; hébergement bon marché proposé dans la plupart des secteurs touristiques
Doriens – guerriers helléniques qui envahirent la Grèce vers 1200 av. J.-C. et détruisirent les cités-États et la civilisation mycénienne. Avec eux, la Grèce entra dans l'*âge des ténèbres,* marqué par l'abandon des avancées artistiques et culturelles des Mycéniens et des Minoens. Par la suite, les Doriens donnèrent naissance à une aristocratie de propriétaires terriens, qui encouragea la résurgence de cités-États indépendantes dirigées par les plus riches d'entre eux
dorique – ordre architectural grec caractérisé par une colonne cannelée dépourvue de base et surmontée par un chapiteau relativement simple comparé aux chapiteaux *ioniques* et *corinthiens*

ELPA – Elliniki Leshi Periigiseon & Aftokinitou ; Automobile Club de Grèce
ELTA – Ellinika Tahydromia ; poste grecque
entablement – partie d'un temple située entre le haut des colonnes et le toit
EOS – Ellinikos Orivatikos Syllogos ; Association des clubs alpins grecs
EOT – Ellinikos Organismos Tourismou ; Office national du tourisme grec
Epitaphios – structure représentant le Christ sur son cercueil et décorée pour la procession de Pâques
estiatorion – restaurant

Filiki Eteria – société amicale formée par des Grecs en exil durant la domination ottomane pour organiser un soulèvement contre les Turcs
FPA – foros prostithemenis axias ; taxe sur la valeur ajoutée (TVA)
frise – partie de l'*entablement* située au-dessus de l'*architrave*
fronton – partie triangulaire, souvent ornée de sculptures et située au-dessus des colonnes, en façade et à l'arrière des temples grecs classiques

galaktopoleion (s), galaktopoleia (pl) – boutique de produits laitiers
géométrique (période ; 1200-800 av. J.-C.) – période caractérisée par des poteries ornées de motifs géométriques ; parfois appelée *âge des ténèbres*

Hellas, Ellas ou Ellada – nom grec de la Grèce
hellénistique (période) – période de prospérité et de rayonnement de la civilisation grecque, inaugurée par les conquêtes d'Alexandre le Grand et durant jusqu'à la destruction de Corinthe par les Romains en 146 av. J.-C.
hora – ville principale, généralement dans une île

iconostase – cloison décorée d'icônes qui sépare la nef du sanctuaire dans les églises orthodoxes
ikonostasia – chapelles miniatures
ionique – ordre architectural grec caractérisé par des colonnes cannelées et des chapiteaux ornés de volutes

kafeneion (s), kafeneia (pl) – café traditionnellement réservé aux hommes, où l'on joue aux cartes et au jacquet
kalderimi – chemin pavé
kastro – citadelle, forteresse ou bastion
katholikon – église principale d'un ensemble monastique
kefi – état indéfinissable de bonne humeur
kilimia – kilims, tapis tissés à plat autrefois offerts en dot
koinè – grec parlé à l'époque prébyzantine ; langue de la liturgie religieuse
korê – statue féminine de la période archaïque ; voir aussi *kouros.*
kouros – statue masculine de la période archaïque, caractérisée par une posture raide et un sourire énigmatique
kri-kri – chèvre crétoise endémique
KTEL – Kino Tamio Eispraxeon Leoforion ; coopérative nationale de bus qui assure les liaisons longue distance

labrys – hache à double tranchant, symbole de la civilisation minoenne
lammergeier – gypaète barbu
leoforos – avenue
libation – dans la Grèce antique, vin ou nourriture offert aux dieux
linéaire A – écriture minoenne, non déchiffrée
linéaire B – écriture minoenne déchiffrée
lyre – petit instrument semblable à un violon que l'on pose sur le genou ; courant dans la musique crétoise et pontique

malaka – littéralement "branleur" ; salut familier ou insulte, selon le contexte. Mieux vaut éviter de l'employer, de peur de se montrer maladroit !
manga – "malin" ou "pote" ; à l'origine un membre de la pègre, aujourd'hui toute personne connaissant la rue et ses codes
mantinada (s), mantinades (pl) – chanson crétoise traditionnelle en vers, souvent improvisée
mayirefta – ragoûts ou plats au four servis dans les tavernes et les restaurants
megaron – pièce centrale d'un palais mycénien
meltemi – vent du nord-est qui souffle en été sur une bonne partie de la Grèce
métope – panneau sculpté d'une *frise* dorique
mezedopoleion – restaurant de *mezze*
mezze – hors-d'œuvre
minoenne (civilisation ; 3000-1200 av. J.-C.) – civilisation de l'âge du bronze qui se développa en Crète et doit son nom au roi Minos. Elle se caractérise par des poteries et un travail du métal de toute beauté et se divise en trois périodes : protopalatiale (2100-1650 av. J.-C.), néopalatiale (1650-1450 av. J.-C.) et postpalatiale (1580-1100 av. J.-C.)
mitata – hutte ronde de berger en pierre
moni – monastère ou couvent
mycénienne (civilisation ; 1900-1100 av. J.-C.) – première grande civilisation de Grèce continentale, caractérisée par de puissantes cités-États gouvernées par des rois ; également appelée *civilisation achéenne*

narthex – vestibule d'une église
Nea Dimokratia – Nouvelle Démocratie ; parti politique conservateur
nécropole – littéralement "cité des morts" ; ancien cimetière
nomarhia – bâtiment d'une préfecture
nome – préfecture ; division des différentes régions et groupes d'îles de la Grèce
nymphée – dans la Grèce antique, un bâtiment contenant une fontaine et souvent consacré aux nymphes

odeion – théâtre ancien couvert
odos – rue
OTE – Organismos Tilepikinonion Elladas ; compagnie nationale des télécommunications
oud – instrument de musique à cordes de forme bombée et doté d'un cordier fortement incliné
ouzéri – lieu où l'on sert de l'ouzo et des en-cas

Panagia – mère de Dieu ; nom souvent donné aux églises
pantocrator – peinture ou mosaïque représentant le Christ au centre de la coupole d'une église byzantine
pandopoleion – bazar, droguerie
paralia – front de mer
peripteron (s), periptera (pl) – kiosque de rue
péristyle – colonnade entourant un bâtiment, généralement un temple ou une cour
pinakothiki – pinacothèque

pithos (s), pithoi (pl) – grande jarre minoenne servant au stockage
plateia – place
propylon (s), propylaia (pl) – propylée, entrée principale d'une cité antique ou d'un sanctuaire ; un *propylon* possédait une entrée, des *propylaia* plusieurs
prytaneion – centre administratif d'une cité-État

raki – alcool fort distillé à partir de raisins
rébétika – style de chansons mélancoliques, généralement associées aux voyous des années 1920
rhyton – récipient servant aux *libations*
rizitika – style de chansons patriotiques traditionnelles de la Crète occidentale

santouri – instrument à cordes originaire d'Asie Mineure
skyladika – littéralement "chansons de chiens" (et les salles qui accueillent les chanteurs) ; chansons populaires, souvent chantées dans les *bouzoukia*
spileo – grotte
stoa – long bâtiment à colonnades, généralement dans une *agora* ; utilisé comme lieu de rencontre ou comme abri dans la Grèce antique

tahydromion (s), tahydromia (pl) – bureau de poste
taverna – restaurant traditionnel
temblon – panneau votif
tholos – tombeau mycénien en forme de ruche
toumberleki – petit tambour dont on joue sur les genoux avec les doigts
triglyphe – partie d'une *frise* dorique située entre les *métopes*
trirème – ancienne galère grecque comportant trois rangées de rames de chaque côté
tsikoudia – autre nom du raki

volta – promenade, balade vespérale, sortie ou excursion
volute – décoration en spirale ornant un chapiteau *ionique*

En coulisses

À PROPOS DE CET OUVRAGE

Ce guide a été commandé par le bureau de Londres de Lonely Planet. Il s'agit de la 4e édition du guide anglais *Crete*, traduit pour la première fois en français et signé Victoria Kyriakopoulos.

Traduction Florence Delahoche, Hélène Demazure, Jeanne Robert et Karine Thuillier

CRÉDITS

Responsable éditorial Didier Férat
Coordination éditoriale Marie Thureau
Coordination graphique Jean-Noël Doan
Maquette Laurence Tixier
Cartographie Cartes originales de Mark Griffiths adaptées en français par Caroline Sahanouk
Couverture Couverture originale de Travis Drever adaptée en français par Jean-Noël Doan et Pauline Requier
Remerciements à Chantal Duquénoy, Marjorie Bensaada et Dolorès Mora pour leur précieuse contribution au texte. Merci également à Gayle Welburn pour son expertise et son travail de référencement, à Dominique Spaety pour sa patience à toute épreuve, ainsi qu'à toute l'équipe du bureau de Paris. Enfin, merci à Clare Mercer et Becky Rangecroft du bureau de Londres et à Ruth Cosgrove du bureau australien.

UN MOT DE L'AUTEUR

VICTORIA KYRIAKOPOULOS

Ce livre est dédié à la mémoire de Leon Zingiris.

Je remercie du fond du cœur toutes les personnes qui m'ont accueillie et guidée à travers la Crète. J'ai énormément apprécié leurs conseils, leurs astuces, leur aide et leur généreuse hospitalité. Je remercie tout spécialement Sonia Panagiotidou, Lefteris Karatarakis, Dimitris Skoutelis et Maya, et Dimitris Kornaros à Héraklion ; Yiannis Genetzakis à Archanes ; la famille Patramani à Episkopi ; Manolis Klironomakis à Paleohora ; Vasilis Karamanlis à Makriyialos ; Giannis Labouskos et Iakovos Sourgoutsidis à La Canée (où Tony Fennymore est profondément regretté) ; Giorgos Niotakis et Sifis Papadakis à Agios Nikolaos ; Pavlos et Renata Myssor à Sitia ; Nikos Perakis et Elias Pagianidis à Zakros et Manolis Tambakos à Ierapetra. Pour leur professionnalisme, merci à Alexander MacGillivray et Nikki Rose en Crète et à Yiorgos Xylouris à Athènes.

Pour leur soutien, merci à Eleni Bertes, Antonis Bekiaris et à toute l'équipe de Vox à Athènes. À Melbourne, merci à John et Suzie Rerakis, Bill Kyriakopoulos et Chris, Sam et Nikolas Anastassiades.

REMERCIEMENTS

Merci à ©Mountain High Maps 1993 Digital Wisdom, Inc. pour nous avoir autorisés à utiliser l'image de la mappemonde sur la page de titre.

Photographies : p. 5 Juergen Richter/LOOK Die Bildagentur der Fotografen GmbH/Alamy ; p. 8 (n°6) IML Image Group Ltd/Alamy ; p. 10 (n°1) Jochem Wijnands/Picture Contact/Alamy ; p. 11 (n°7) Victoria Kyriakopoulos et p. 12 IML Image Group Ltd/Alamy. Toutes les autres images sont la

LES GUIDES LONELY PLANET

Tout commence par un long voyage : en 1972, Tony et Maureen Wheeler rallient l'Australie après avoir traversé l'Europe et l'Asie. À l'époque, on ne disposait d'aucune information pratique pour mener à bien ce type d'aventure. Pour répondre à une demande croissante, ils rédigent leur premier guide Lonely Planet, écrit sur un coin de table.

Depuis, Lonely Planet est devenu le plus grand éditeur indépendant de guides de voyage dans le monde et dispose de bureaux à Melbourne (Australie), Oakland (États-Unis) et Londres (Royaume-Uni).

La collection couvre désormais le monde entier et ne cesse de s'étoffer. L'information est aujourd'hui présentée sur différents supports, mais notre objectif reste constant : donner des clés au voyageur pour qu'il comprenne mieux le pays qu'il découvre.

L'équipe de Lonely Planet est convaincue que les voyageurs peuvent avoir un impact positif sur les pays qu'ils visitent, pour peu qu'ils fassent preuve d'une attitude responsable. Depuis 1986, nous reversons un pourcentage de nos bénéfices à des actions humanitaires, à des campagnes en faveur des droits de l'homme et, plus récemment, à la défense de l'environnement.

VOS RÉACTIONS ?

Vos commentaires nous sont très précieux et nous permettent d'améliorer constamment nos guides. Notre équipe lit toutes vos lettres avec la plus grande attention. Nous ne pouvons pas répondre individuellement à tous ceux qui nous écrivent, mais vos commentaires sont transmis aux auteurs concernés. Tous les lecteurs qui prennent la peine de nous communiquer des informations sont remerciés dans l'édition suivante, et ceux qui nous fournissent les renseignements les plus utiles se voient offrir un guide.

Pour nous faire part de vos réactions, prendre connaissance de notre catalogue et vous abonner à Comète, notre lettre d'information, consultez notre site Internet : **www.lonelyplanet.fr**

Nous reprenons parfois des extraits de notre courrier pour les publier dans nos produits, guides ou sites Internet. Si vous ne souhaitez pas que vos commentaires soient repris ou que votre nom apparaisse, merci de nous le préciser. Pour connaître notre politique en matière de confidentialité, connectez-vous à : www.lonelyplanet.fr/confidentialite/index.cfm

propriété de l'agence Lonely Planet Images et sont l'œuvre de p. 6 (n°1 et 2) Neil Setchfield ; p. 3 (n°3) John Elk III ; p. 7 (n°) Neil Setchfield ; p. 8 (n°7) Linda Musick ; p. 9 (n°4) et p. 11 (n°6), Jon Davison ; p. 9 (n°1) Chris Christo et p. 10 (°4) Diana Mayfield.

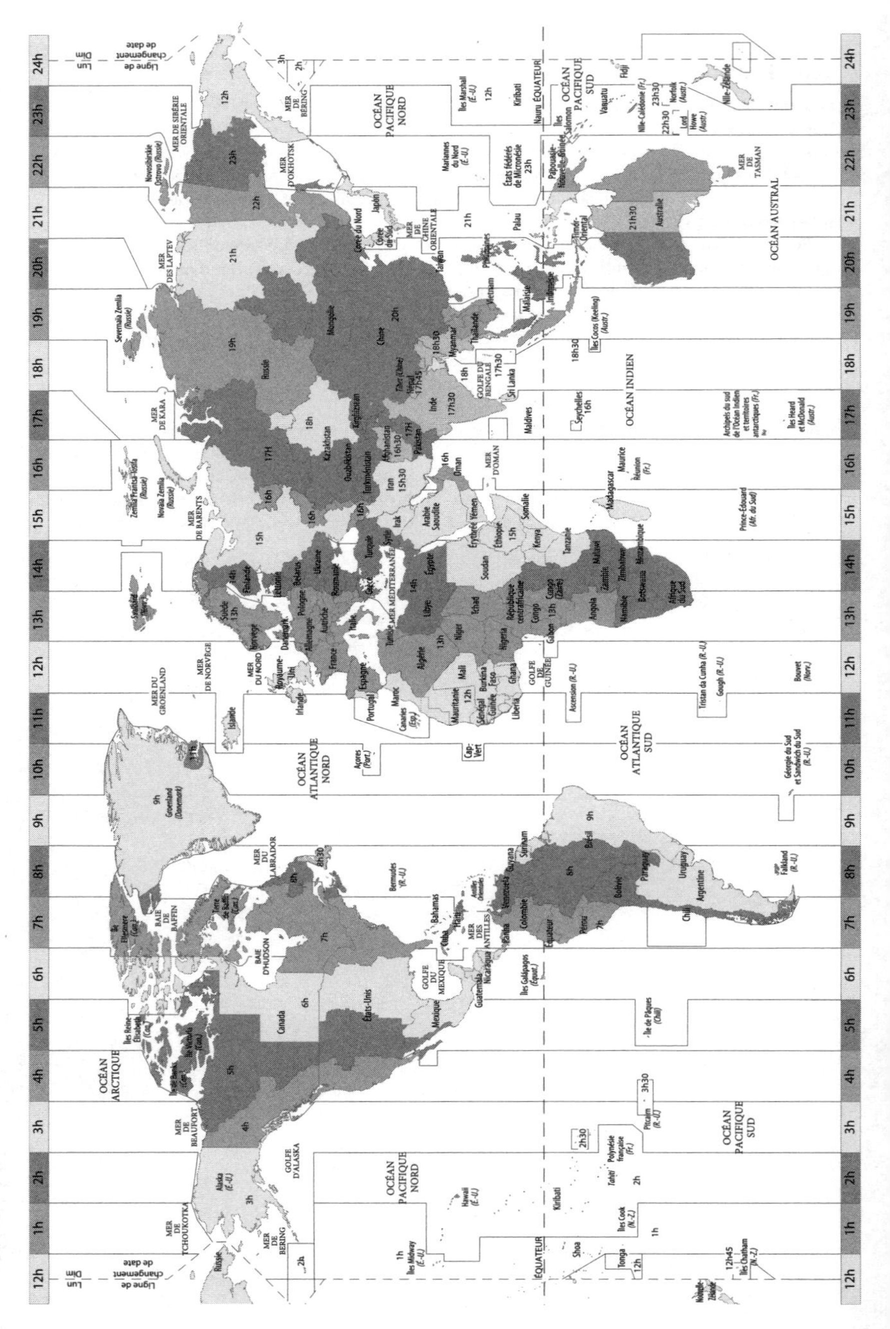

12h
1h
2h
3h
4h
5h
6h
7h
8h
9h
10h
11h
12h
13h
14h
15h
16h
17h
18h
19h
20h
21h
22h
23h
24h
Ligne de changement de date
Lun
Dim
OCÉAN ARCTIQUE
MER DE BEAUFORT
MER DE TCHOUKOTKA
MER DE BERING
GOLFE D'ALASKA
OCÉAN PACIFIQUE NORD
OCÉAN PACIFIQUE SUD
OCÉAN ATLANTIQUE NORD
OCÉAN ATLANTIQUE SUD
OCÉAN INDIEN
OCÉAN AUSTRAL
BAIE D'HUDSON
BAIE DE BAFFIN
MER DU LABRADOR
MER DU GROENLAND
MER DE NORVÈGE
MER DU NORD
MER DE BARENTS
MER DE KARA
MER DES LAPTEV
MER DE SIBÉRIE ORIENTALE
MER D'OKHOTSK
MER DE CHINE ORIENTALE
MER DE TASMAN
MER D'OMAN
GOLFE DU BENGALE
GOLFE DE GUINÉE
GOLFE DU MEXIQUE
MER DES ANTILLES
MER MÉDITERRANÉE
ÉQUATEUR
Alaska (É.-U.)
Canada
États-Unis
Mexique
Groenland (Danemark)
Islande
Brésil
Argentine
Chili
Pérou
Bolivie
Colombie
Venezuela
Russie
Chine
Inde
Mongolie
Kazakhstan
Iran
Arabie Saoudite
Australie
Madagascar
Japon
Hawaii (É.-U.)
Polynésie française (Fr.)
Nlle-Zélande

Index

Les références des cartes sont indiquées en **gras**.

INDEX

ENCADRÉS

Culture et société

Excursions

Gastronomie

Histoire et mythologie

Nature et environnement

Pratique

Sport et activités de plein air

LÉGENDE DES CARTES

ROUTES

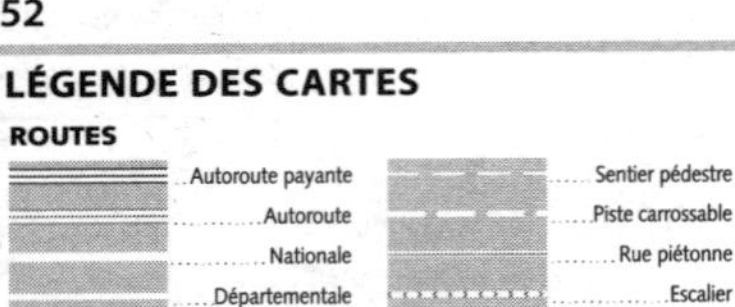

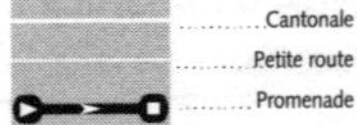

Autoroute payante
Autoroute
Nationale
Départementale
Cantonale
Petite route
Promenade
Sentier pédestre
Piste carrossable
Rue piétonne
Escalier
Tunnel
Sens unique
Promenade (détour)

TRANSPORTS

Trajet ferry
Métro
Monorail
Rail
Rail (souterrain)
Téléphérique/funiculaire

HYDROGRAPHIES

Rivière
Riv. intermittente
Canal
Glacier
Lac asséché
Lac salé
Laisse de vase
Récif
Marais
Eau

LIMITES ET FRONTIÈRES

Internationale
Provinciale
Régionale
Ancienne enceinte
Falaise/escarpement
Parc marin

POPULATION

CAPITALE
Ville importante
Petite ville
Capitale régionale
Ville moyenne
Village

TOPOGRAPHIE

Zone touristique
Plage/désert
édifice
Cimetière chrétien
Cimetière
Forêt
Terre
Rue piétonne
Marché
Parc
Terrain de sports
Zone urbaine

SYMBOLES

À VOIR/À FAIRE
Plage
Pagode
Château
Cathédrale
Culte confucéen
Site de plongée
Temple hindouiste
Mosquée
Temple jaïna
Synagogue
Monument
Musée
Pique-nique
Centre d'intérêt
Ruine
Culte shinto
Temple sikh
Ski
Culte taoïste
Vignoble
Zoo, ornithologie

RENSEIGNEMENTS
Banque/distributeur
Ambassade/consulat
Hôpital
Renseignements
Cybercafé
Parking
Station-service
Police
Poste
Téléphone
Toilette

SE LOGER
Hôtel
Camping

SE RESTAURER
Restauration

BOIRE UN VERRE
Bar
Café

SORTIR
Spectacle

ACHATS
Magasins

TRANSPORTS
Aéroport/aérodrome
Poste frontière
Arrêt de bus
Piste cyclable
Transports
Taxi
Chemin de randonnée

TOPOGRAPHIE
Danger
Phare
Point de vue
Montagne, volcan
Parc national
Oasis
Col
Sens du courant
Gîte d'étape
Point culminant
Rapide

Note : tous les symboles ne sont pas utilisés dans cet ouvrage

Crète
1re édition
Traduit de l'ouvrage *Crete (4th edition), February 2008*

Traduction française : place des éditeurs

12 avenue d'Italie, 75627 Paris cedex 13
01 44 16 05 00
lonelyplanet@placedesediteurs.com
www.lonelyplanet.fr

Dépôt légal
Mars 2008
ISBN 978-2-84070-702-8

Photographie de couverture : Autel au bord d'une route, Lefka Ori, Diana Mayfield/Lonely Planet Images. La plupart des photos publiées dans ce guide sont disponibles auprès de notre agence photographique Lonely Planet Images : www.lonelyplanetimages.com

Imprimé par Hérissey, Évreux, France